MISSEL DES DIMANCHES

2014

Les auteurs :

Éric BEAUMER, prémontré, diplômé de l'Institut supérieur de liturgie (Paris), curé de paroisse et professeur de liturgie en séminaires.

Henri DELHOUGNE, bénédictin, docteur d'État en théologie, coordinateur de la Traduction Liturgique de la Bible.

Sophie GALL-ALEXEEFF, mariée et mère de famille, membre du SNPLS et rédactrice en chef de la revue *Célébrer*, enseignante en liturgie à l'Institut Catholique de Paris.

Élisabeth GUENELEY, professeur honoraire de philosophie.

Jean-Louis HERBINIÈRE, prêtre du diocèse de Bayeux, curé de paroisse.

Natalie HÉRON, mariée, mère de famille, professeur de lettres à Neuilly.

Christelle JAVARY, enseignante laïque en théologie à l'Institut Catholique de Paris.

Serge KERRIEN, diacre permanent du diocèse de Saint-Brieuc et Tréguier, marié et père de famille, délégué épiscopal.

Patrick PIGUET, marié, père de famille, professeur de lettres en hypokhâgne à Sainte-Marie de Neuilly et à l'Institut Catholique de Paris.

Isabelle RENAUD-CHAMSKA, mariée et mère de deux enfants. Agrégée de lettres, docteur d'État ès-lettres, elle enseigne dans un collège du Val d'Oise. Elle est aussi diplômée de liturgie de l'Institut Catholique de Paris.

Illustration de la couverture
Le Bon Samaritain, Paula MODERSOHN-BECKER, 1907, Musée de Brême (Allemagne).

L'image sur la couverture illustre le thème de ce missel 2014 : le service du frère. On y reconnaît le Bon Samaritain soignant avec amour l'homme blessé au bord du chemin.
La peinture est vivement colorée, à la manière fauve. La composition rayonnante dessine une belle perspective inversée. Bien droit, l'arbre est chargé de fruits, comme l'arbre du Paradis et l'arbre de la Croix. Au centre, à la jonction des angles formés par le chemin et par la ligne sombre du mont, se trouvent la base de l'arbre et la tête de l'homme blessé, avec les deux aides providentielles : le Samaritain, figure du Christ sauveur, et l'âne qui va porter le blessé à l'hôtellerie qu'on aperçoit derrière. De l'autre côté, le prêtre et le lévite s'éloignent. L'artiste connaissait la lecture typologique de la parabole : son blessé est une figure du Christ crucifié et déposé.
En regardant cette toile d'une jeune artiste allemande morte en couches à 31 ans, quelques mois après avoir peint ce tableau, on ne peut s'empêcher d'admirer la force et la justesse de ce chant à l'amour du frère souffrant.

I. R.-C.

MISSEL DES DIMANCHES

2014

Année liturgique
du 1er décembre 2013
au 29 novembre 2014

Lectures de l'année A

Édition collective des Éditeurs de liturgie

Nihil obstat
Caen, le 18 mars 2013,
Jean-Louis Angué.

Imprimatur
7 juin 2013,
+ Mgr Bernard-Nicolas Aubertin,
archevêque de Tours,
Président de la Commission épiscopale de Liturgie et de Pastorale sacramentelle.

Autorisation de tous les éditeurs concernés.

Conception iconographique et maquette : Annette Maurice, Visuel 14 (Paris).

Responsable de la fabrication : Jérôme Rousse-Lacordaire (Éditions du Cerf).
Pour correspondre avec les Auteurs ou les Éditeurs de ce Missel, écrire à :
Missel des dimanches
Éditions du Cerf
24, rue des Tanneries
75013 Paris
Imprimé en France

Dépôt légal : 4e trimestre 2013
ISBN : 978-2-227-48649-2

LOUANGE DE DIEU ET SERVICE DE L'HOMME

LE DÉSIR DU DIEU auquel nous, chrétiens, nous croyons, c'est que nous rendions gloire au Père dans le Christ par l'Esprit. Les prières eucharistiques nous le rappellent à chaque messe. Par exemple « Que l'Esprit Saint fasse de nous une éternelle offrande à ta gloire » (n° 3).

Nous rendons gloire à Dieu en Le reconnaissant pour ce qu'Il est vraiment : notre Père. En devenant ceux et celles qu'Il désire de toute éternité, à l'image du Christ et grâce à Lui. En servant les autres « jusqu'au bout » (Jn 13,1), à la suite du Christ et comme Lui, pour que tous les humains constituent une unique famille humaine.

Louange et service sans dualisme

Nous ne pouvons donc pas opposer louange et service, pas plus que contemplation et action. Ce dualisme est pernicieux.

La liturgie, spécialement l'Eucharistie, est la source de la diaconie. Ainsi la messe comprend-elle des éléments essentiels pour un authentique service de l'homme : la prière universelle, prière pour les frères et sœurs en humanité ; la quête, geste de partage ; les deux demandes fondamentales du Notre Père : le pain et le pardon pour tous ; le geste de paix, etc.

L'Eucharistie, si elle est célébrée avec profondeur, appelle au service de l'Homme. La rencontre du Christ est authentifiée par la rencontre des humains. Et le service des frères « fait plaisir à Dieu », est action de grâces, louange de Dieu. L'Ancien Testament l'affirmait déjà : « Faire l'aumône, c'est offrir un sacrifice de louange » (Ben Sirac 35,4).

Devenir des êtres eucharistiques par le Christ

L'Eucharistie rend le Christ présent dans son don total. Grâce à Lui, nous pouvons de plus en plus servir les autres au sens évangélique, c'est-à-dire donner et recevoir.

Parce que le Christ fait Alliance avec chacun de nous, nous pouvons, à notre tour, faire alliance avec les autres, partager en vérité avec eux, échanger ce que nous avons de meilleur et ce qu'ils ont de meilleur.

Nous pouvons devenir des êtres eucharistiques dans notre vie ordinaire. Plus nous sommes unis au Christ, plus sa charité animera nos décisions et nos actions.

L'Eucharistie, sans ce service de l'homme, peut n'être qu'un rite extérieur. Mais la diaconie des autres, si elle n'est pas sans cesse animée par l'inépuisable charité du Seigneur ressuscité, risque de n'être plus qu'un humanisme desséché. « L'amour des autres, s'il n'est pas sans cesse animé par l'amour de Dieu, risque fort de n'être que l'extension de l'amour de soi » (P. H. de Lubac).

Il ne sert à rien de louer Dieu si nous n'essayons pas de servir les autres à l'exemple du Christ qui est à genoux devant nous, durant le lavement des pieds, pour nous faire atteindre sa Plénitude de Fils de Dieu. C'est ainsi qu'Il rend gloire à son Père. C'est en l'imitant que nous pouvons rendre gloire à notre Père.

Vers une humanité réconciliée

Chaque eucharistie annonce ce que la diaconie réalise peu à peu. D'abord en proclamant haut et fort que Dieu est le Père de l'humanité entière. Et que, si nous devenons fils dans le Fils Unique, c'est grâce à ce Père commun.

L'Eucharistie nous fait participer à la vie que le Fils reçoit en permanence du Père. Elle nous fait ainsi progresser vers la plénitude de notre humanité. Cette filiation ne peut pas ne pas s'épanouir en fraternité avec tous les autres fils et filles.

Si chacun de nous progresse vers sa Plénitude, l'humanité aussi avance vers sa réconciliation définitive. La fraternité finira par l'emporter sur la haine et la violence.

Toute messe, en ce sens, a une dimension sociale. Elle n'est jamais célébrée de manière privée mais toujours « pour la gloire de Dieu et le salut du monde ». Elle contribue au vivre-ensemble de quartiers et de villes où les populations sont très mêlées et n'auraient pas de raisons de se rencontrer si leurs membres n'étaient pas animés par la foi au même Christ. De telles assemblées, par la communion qu'elles réalisent entre humains, ne serait-ce que le temps de la célébration, assurent une louange de Dieu, puisqu'elles répondent à sa volonté de toujours.

Autant dire que si la diaconie consiste à vivre nos relations avec les autres à la manière du Christ et à sa suite, la liturgie nous entraîne à les évangéliser, à les animer de la charité du Christ. Bref à les laisser « christifier » par l'Esprit du Christ Ressuscité. Jusqu'au moment où « nous Lui seront semblables parce que nous Le verrons tel qu'Il est » (1 Jn 3,4).

+ Bernard Housset,
évêque de La Rochelle et Saintes.

LOUANGE DE DIEU ET SERVICE DE L'HOMME

FAIRE VIVRE l'année liturgique est le but principal du *Missel des dimanches.* Pour colorer de façon plus particulière les années qui reviennent selon le cycle trisannuel A B C, ce *Missel* présente aussi un « thème d'année ». En 2014, c'est : *Louange de Dieu et service de l'homme* On trouvera donc quelques pleines pages sur ce thème. En voici la liste, à laquelle on a ajouté diverses références, en particulier aux introductions des temps liturgiques.

INDICATIONS PRATIQUES

La liturgie de la messe, c'est-à-dire les textes qui reviennent à chaque messe, figure dans les soixante premières pages :
Les textes propres à chaque dimanche ou fête sont placés à leur date.

Chaque formulaire de messe comprend :
– une ***introduction générale*** à chaque dimanche, préparant à l'accueil des lectures bibliques ;
– des ***propositions*** pour les animateurs liturgiques et pour les responsables des chants ; elles sont placées dans un encadré comportant trois titres : Chanter, Prier, Célébrer ; deux recueils sont indiqués par leurs initiales : ***CNA*** = *Chants notés de l'assemblée,* recueil officiel, éd. Bayard ; ***MNA*** = *Missel noté de l'assemblée,* éd. Brepols ;
– les ***textes officiels*** des prières et des lectures bibliques, en plus gros caractères ;
– souvent, une ***citation***, ayant normalement un rapport avec les lectures bibliques du jour ;
– le ***calendrier liturgique*** de la semaine, les ***fêtes à souhaiter***, et diverses ***informations*** ;
– en finale, un court texte non officiel ***pour prolonger la prière*** [1].

Calendrier liturgique : Il s'agit du calendrier *liturgique* au sens strict, proposé à l'ensemble de l'Église. Il ne mentionne que les saints figurant dans ce calendrier liturgique officiel, universel ou national. *On ne s'étonnera pas de ne pas y trouver un certain nombre de saints connus par ailleurs, ou canonisés récemment par le pape.* Simplement, ceux-là ne figurent pas au calendrier liturgique. Cela n'empêche pas de les invoquer ou même de faire une célébration liturgique en leur honneur, avec les textes des « communs des saints » du *Missel romain.*

Bonne fête ! Sous ce titre, on trouve pour chaque jour de la semaine plusieurs prénoms chrétiens, qui correspondent à des saints, ou ont été rattachés à des saints par *Le Livre des prénoms selon le nouveau calendrier* (A. Vinel, Albin Michel, 1972). On trouve la liste complète des saints du jour dans le *Martyrologe romain,* livre officiel dont la traduction française est en préparation.

Pour mémoire : Ces informations sont très diverses et n'ont pas nécessairement une portée liturgique : mention de telle journée mondiale ou nationale ; anniversaire (millénaire, centenaire, cinquantenaire, etc.) d'un événement important pour l'histoire de l'Église ou du monde ; mention d'une fête juive ou musulmane (dans le cadre du dialogue interreligieux). C'est une sorte de petit almanach.

[1] *Oraisons nouvelles pour les dimanches, année A,* pro manuscripto.

Liturgie de la messe

QUE VENONS-NOUS FAIRE À LA MESSE ?

Ce qu'il faut savoir pour y trouver son chemin :

Après une OUVERTURE DE LA CÉLÉBRATION, deux grandes parties :

1. Nous écoutons la Parole de Dieu

– La Parole de Dieu, exprimée dans l'*Ancienne Alliance*
– et dans les *Écrits des Apôtres,*
– culmine dans la *Bonne Nouvelle* de Jésus.
– C'est *aujourd'hui* que Dieu nous parle.
– Nous lui répondons par l'affirmation de notre *foi*
– et par notre *prière* pour tous les hommes.

2. Nous partageons le repas du Seigneur

Peu avant de mourir par amour et de revivre en Dieu, Jésus a pris avec les siens son dernier repas sur la terre. Pour participer à cette mort et à cette résurrection qui nous sauvent, nous faisons aujourd'hui les gestes que fit Jésus. Car il nous a dit de le faire en mémoire de lui, jusqu'à ce qu'il vienne.

– JÉSUS PRIT DU PAIN.

– JÉSUS RENDIT GRÂCE.

– JÉSUS ROMPIT LE PAIN ET LE DONNA AUX SIENS.

DÉROULEMENT DE LA MESSE

■ = se reporter aux pages du jour que l'on célèbre.
➤ = se reporter aux pages qui suivent (Liturgie de la messe)
↗ = voir

OUVERTURE DE LA CÉLÉBRATION
(↗ p. suivante)

1. Liturgie de la Parole

■ PREMIÈRE LECTURE (Ancien Testament, sauf au Temps pascal où on lit les Actes des Apôtres)

■ le psaume, en réponse à la 1re lecture

■ DEUXIÈME LECTURE (Lettres des Apôtres ou Apocalypse)

■ ACCLAMATION

■ ÉVANGILE
HOMÉLIE

➤ PROFESSION DE FOI (↗ p. 17)

■ PRIÈRE UNIVERSELLE

2. Liturgie eucharistique

➤ ■ PRÉPARATION DE L'AUTEL ET PRÉSENTATION DES DONS (↗ p. 22)

➤ GRANDE PRIÈRE D'ACTION DE GRÂCE (↗ p. 30)

➤ ■ FRACTION DU PAIN ET COMMUNION (↗ p. 64)

➤ CONCLUSION ET ENVOI (↗ p. 66)

OUVERTURE DE LA CÉLÉBRATION

Le chant d'entrée achevé, tous, debout, se signent tandis que le prêtre dit :

Au nom du Père, et du Fils et du Saint-Esprit.
Amen.

Salutation du prêtre

- La grâce de Jésus notre Seigneur, l'amour de Dieu le Père et la communion de l'Esprit Saint soient toujours avec vous.
  Et avec votre esprit.
- Le Seigneur soit avec vous.
  Et avec votre esprit.
- Que Dieu notre Père et Jésus Christ notre Seigneur vous donnent la grâce et la paix.
  Béni soit Dieu, maintenant et toujours !

Le prêtre (ou un autre membre de l'assemblée) peut exprimer par une brève monition un aspect propre à la célébration du jour : la communauté rassemblée, les lectures, la tonalité du dimanche ou de la fête.

Préparation pénitentielle

Il y a plusieurs manières d'exprimer cette démarche collective, où le peuple rencontre le Dieu saint qui le sauve :

- **Je confesse à Dieu tout-puissant,**
  je reconnais devant mes frères,
  que j'ai péché en pensée, en parole,
  par action et par omission ;
  oui, j'ai vraiment péché.

  C'est pourquoi je supplie la Vierge Marie,
  les anges et tous les saints,
  et vous aussi, mes frères,
  de prier pour moi le Seigneur notre Dieu.
- Seigneur, accorde-nous ton pardon.
  Nous avons péché contre toi.

Montre-nous ta miséricorde.
Et nous serons sauvés.

• Seigneur Jésus, envoyé par le Père
pour guérir et sauver les hommes,
prends pitié de nous. **Prends pitié de nous.**

Ô Christ, venu dans le monde
appeler tous les pécheurs,
prends pitié de nous. **Prends pitié de nous.**

Seigneur, élevé dans la gloire du Père,
où tu intercèdes pour nous,
prends pitié de nous. **Prends pitié de nous.**

Le prêtre conclut ainsi la préparation pénitentielle :

Que Dieu tout-puissant nous fasse miséricorde, qu'il nous pardonne nos péchés et nous conduise à la vie éternelle. **Amen.**

• *ou bien le rite de l'eau bénite :*

Demandons au Seigneur de bénir cette eau ; nous allons en être aspergés en souvenir de notre baptême : que Dieu nous garde fidèles à l'Esprit que nous avons reçu.

Le prêtre dit une des prières suivantes :

Dieu éternel et tout-puissant, tu as donné aux hommes l'eau qui les fait vivre et les purifie ; tu veux aussi qu'elle puisse laver nos âmes et nous apporter le don de la vie éternelle ; daigne bénir + cette eau, pour que nous en recevions des forces en ce jour qui t'est consacré. Par cette eau, renouvelle en nous la source vive de ta grâce, défends-nous contre tout mal de l'âme et du corps ; nous pourrons alors nous approcher de toi avec un cœur pur, et profiter pleinement du salut que tu nous donnes.
Par Jésus, le Christ, notre Seigneur. **Amen.**

ou bien, au temps pascal :

Seigneur, Dieu tout-puissant, écoute les prières de ton peuple : alors que nous venons célébrer la merveille de notre création et la merveille plus grande encore de notre rédemption, daigne bénir + cette eau.

(ou à Pâques : ***nous te rendons grâce pour cette eau.****)*

Tu l'as créée pour féconder la terre et donner à nos corps fraîcheur et pureté. Tu en as fait aussi l'instrument de ta miséricorde : par elle tu as libéré ton peuple de la servitude et tu as étanché sa soif dans le désert ; par elle les prophètes ont annoncé la nouvelle Alliance que tu voulais sceller avec les hommes ; par elle enfin, eau sanctifiée quand Jésus fut baptisé au Jourdain, tu as renouvelé notre nature pécheresse dans le bain de la nouvelle naissance. Que cette eau, maintenant, nous rappelle notre baptême et nous fasse participer à la joie de nos frères les baptisés de Pâques. Par Jésus, le Christ, notre Seigneur. **Amen.**

Pendant l'aspersion, on chante un psaume ou un chant approprié.

Que Dieu tout-puissant nous purifie de nos péchés, et, par la célébration de cette eucharistie, nous rende dignes de participer un jour au festin de son Royaume. **Amen.**

Kyrie

Le Kyrie, litanie traditionnelle adressée au Christ, vient à la suite de la préparation pénitentielle, sauf si celle-ci a déjà employé cette formule.

Seigneur, prends pitié. — Kyrie eleison.
Seigneur, prends pitié. — Kyrie eleison.
Ô Christ, prends pitié. — Christe eleison.
Ô Christ, prends pitié. — Christe eleison.
Seigneur, prends pitié. — Kyrie eleison.
Seigneur, prends pitié. — Kyrie eleison.

Gloria

Le Gloria est omis pendant l'Avent et le Carême.

• Gloire à Dieu au plus haut des cieux,
et paix sur la terre aux hommes qu'il aime.
Nous te louons, nous te bénissons, nous t'adorons,
nous te glorifions, nous te rendons grâce,
pour ton immense gloire,
Seigneur Dieu, Roi du ciel,
Dieu le Père tout-puissant.

Seigneur, Fils unique, Jésus Christ,
Seigneur Dieu, Agneau de Dieu,
le Fils du Père ;
Toi qui enlèves le péché du monde,
prends pitié de nous ;
Toi qui enlèves le péché du monde,
reçois notre prière ;
Toi qui es assis à la droite du Père,
prends pitié de nous.

Car toi seul es saint,
Toi seul es Seigneur,
Toi seul es le Très-Haut : Jésus Christ,
avec le Saint-Esprit
Dans la gloire de Dieu le Père. Amen.

• Gloria in excelsis Deo,
Et in terra pax hominibus bonae voluntatis.
Laudamus te, benedicimus te, adoramus te,
Glorificamus te, gratias agimus tibi
propter magnam gloriam tuam.
Domine Deus, rex cœlestis, Deus Pater omnipotens.
Domine Fili unigenite, Jesu Christe.
Domine Deus, Agnus Dei, Filius Patris.
Qui tollis peccata mundi, miserere nobis.
Qui tollis peccata mundi, suscipe deprecationem nostram.
Qui sedes ad dexteram Patris, miserere nobis.
Quoniam tu solus sanctus, tu solus Dominus,
Tu solus Altissimus, Jesu Christe.
Cum Sancto Spiritu in gloria Dei Patris. **Amen.**

Prière d'ouverture

Voir à la messe du jour. Elle se termine le plus souvent par :

... Par Jésus Christ, ton Fils, notre Seigneur et notre Dieu, qui règne avec toi et le Saint-Esprit, maintenant et pour les siècles des siècles. **Amen.**

LITURGIE DE LA PAROLE

Après avoir mis notre cœur en état d'accueil, nous écoutons et méditons la parole de Dieu.

■ **PREMIÈRE LECTURE** (↗ messe du jour)
On proclame *un passage de l'Ancien Testament* : pendant le Temps ordinaire, ce passage est en relation avec l'évangile du jour. Pendant le Temps pascal, on lit les Actes des Apôtres, qui racontent ce qui s'est passé après Pâques. Il est bon de faire un temps de silence après la lecture.

■ **PSAUME** (↗ messe du jour)
En réponse à cette lecture, un psaume ou un cantique biblique est proclamé ou chanté. Cette prière en forme de poésie biblique permet de méditer ce qui est dit dans la lecture.

■ **DEUXIÈME LECTURE** (↗ messe du jour)
On proclame *un passage d'une lettre des Apôtres* (souvent Paul, mais aussi Pierre, Jacques et Jean). Au Temps pascal de l'année A, on lit la première lettre de saint Pierre. Pendant le Temps ordinaire, la lettre apostolique est lue, de manière semi-continue, d'un dimanche à l'autre.

■ **ÉVANGILE** (↗ messe du jour)
• *Acclamation de l'évangile* : Alléluia, qui signifie « Louez Dieu » (durant le Carême, on prend une autre acclamation).
• *Proclamation d'un passage de l'évangile.* En cette année A, on lit saint Matthieu. Dans ce passage évangélique se trouvent la clé et le sommet de la liturgie de la Parole.

HOMÉLIE
Le mot grec signifie « conversation ». C'est un commentaire en style familier, portant surtout sur l'évangile.

■ **PROFESSION DE FOI** (↗ p. 17-19)
En réponse à la parole de Dieu, l'assemblée proclame sa foi par le « Je crois en Dieu » (le Credo).

■ **PRIÈRE UNIVERSELLE** (↗ messe du jour)
Comme le demande saint Paul (1 Tm 2, 1-8), l'assemblée fait monter vers Dieu des supplications pour tous les hommes.

Profession de foi

• *Symbole de Nicée-Constantinople :*

Je crois en un seul Dieu, le Père tout-puissant,
créateur du ciel et de la terre,
de l'univers visible et invisible.

Je crois en un seul Seigneur, Jésus Christ,
le Fils unique de Dieu,
né du Père avant tous les siècles :

Il est Dieu, né de Dieu, lumière, née de la lumière,
vrai Dieu, né du vrai Dieu,

Engendré, non pas créé, de même nature que le Père ;
et par lui tout a été fait.

Pour nous les hommes, et pour notre salut,
il descendit du ciel ;

Par l'Esprit Saint, il a pris chair de la Vierge Marie,
et s'est fait homme.

Crucifié pour nous sous Ponce Pilate,
il souffrit sa passion et fut mis au tombeau.

Il ressuscita le troisième jour,
conformément aux Écritures,
et il monta au ciel ; il est assis à la droite du Père.

Il reviendra dans la gloire,
pour juger les vivants et les morts ;
et son règne n'aura pas de fin.

Je crois en l'Esprit Saint,
qui est Seigneur et qui donne la vie ;
il procède du Père et du Fils ;

Avec le Père et le Fils,
il reçoit même adoration et même gloire ;
il a parlé par les prophètes.

Je crois en l'Église,
une, sainte, catholique et apostolique.

Je reconnais un seul baptême
pour le pardon des péchés.

J'attends la résurrection des morts,
et la vie du monde à venir. Amen.

• Credo in unum Deum, Patrem omnipotentem,
factorem cœli et terrae, visibilium omnium et invisibilium.

Et in unum Dominum Iesum Christum,
Filium Dei unigenitum,

Et ex Patre natum ante omnia sæcula :
Deum de Deo, lumen de lumine,
Deum verum de Deo vero.

Genitum, non factum, consubstantialem Patri ;
per quem omnia facta sunt.

Qui propter nos homines, et propter nostram salutem,
descendit de cœlis ;

Et incarnatus est de Spiritu Sancto ex Maria Virgine,
et homo factus est,

Crucifixus etiam pro nobis sub Pontio Pilato,
passus et sepultus est.

Et resurrexit tertia die, secundum Scripturas,
Et ascendit in cœlum ; sedet ad dexteram Patris.
Et iterum venturus est cum gloria judicare vivos et mortuos ;
cuius regni non erit finis.

Et in Spiritum Sanctum, Dominum et vivificantem ;
qui ex Patre Filioque procedit ;

Qui cum Patre et Filio simul adoratur et conglorificatur :
qui locutus est per prophetas.

Et unam, sanctam, catholicam et apostolicam Ecclesiam.
Confiteor unum baptisma in remissionem peccatorum.
Et exspecto resurrectionem mortuorum,
Et vitam venturi sæculi. Amen.

• *Symbole des Apôtres :*

**Je crois en Dieu, le Père tout-puissant,
créateur du ciel et de la terre.
Et en Jésus Christ, son Fils unique,
notre Seigneur,
qui a été conçu du Saint-Esprit,
est né de la Vierge Marie,
a souffert sous Ponce Pilate,
a été crucifié, est mort et a été enseveli,
est descendu aux enfers,
le troisième jour est ressuscité des morts,
est monté aux cieux,
est assis à la droite de Dieu
le Père tout-puissant,
d'où il viendra juger les vivants et les morts.**

**Je crois en l'Esprit Saint,
à la sainte Église catholique,
à la communion des saints,
à la rémission des péchés,
à la résurrection de la chair,
à la vie éternelle.
Amen.**

• *Dans certains cas, un autre formulaire est prévu, par exemple pour la confirmation, ou la profession de foi du baptême au cours de la nuit de Pâques, p. 309.*

Prière universelle

Nous exprimons devant Dieu, par de courtes intentions et un refrain, la prière des hommes de ce temps à travers l'univers.

Il est bon que les formulations tiennent compte des besoins de l'Église et de ses responsables, des peuples et de leurs dirigeants, de ceux qui souffrent ou sont dans l'épreuve, et de la communauté réunie en ce lieu.

Quelques intentions sont suggérées dans les formulaires de ce missel. Plusieurs recueils existent, pour nous aider à formuler les nôtres.

LITURGIE EUCHARISTIQUE

L'eucharistie est l'action de grâce rendue à Dieu pour Jésus Christ : par son sacrifice, rendu présent en chaque messe, il s'est offert par amour pour nous, afin de rétablir la communion entre Dieu et les hommes. Le sacrifice de sa mort, acceptée et vécue dans l'amour du Père et des hommes, est devenu passage vers la vraie vie.
Jésus Christ nous appelle désormais à partager cette vie nouvelle. Le baptême nous y donne accès ; l'eucharistie nous procure l'aliment qui la nourrit. Cet aliment est Jésus lui-même qui nous présente son corps mort et ressuscité.
Ce corps transformé par le Saint-Esprit est rendu présent lorsque l'Église refait les gestes que fit Jésus la veille de sa mort :
1. Il prit du pain.
2. Il dit la prière d'action de grâce.
3. Il rompit le pain et le donna aux siens.
De là proviennent les grandes parties de la liturgie eucharistique.

1. PRÉPARATION DE L'AUTEL ET PRÉSENTATION DES DONS

Comme Jésus prit du pain et une coupe de vin lors de son dernier repas,

➤ on apporte du pain et du vin sur l'autel, et on les présente à Dieu (↗ p. 22) ;

■ **PRIÈRE SUR LES OFFRANDES** (↗ messe du jour)

2. GRANDE PRIÈRE D'ACTION DE GRÂCE

Comme Jésus, le prêtre dit au nom de tous une grande prière d'action de grâce à Dieu le Père.

➤ **DIALOGUE D'INTRODUCTION** (↗ p. 23)

➤ ■ **PRÉFACE :** le prêtre chante la louange de Dieu en évoquant le mystère célébré.

➤ **SANCTUS** (↗ p. 30)
L'assemblée acclame le Dieu très saint.

➤ ■ **PRIÈRE EUCHARISTIQUE** (↗ p. 30)

Déjà commencée par la Préface et le Sanctus, cette grande prière se déploie selon une certaine variété, mais comporte normalement les éléments suivants :

- Une invocation à Dieu pour qu'il envoie l'Esprit Saint *(épiclèse)* sur le pain et sur le vin.
- Le récit du dernier repas de Jésus où il a institué l'eucharistie *(récit de l'institution)*. Le pain et le vin deviennent le corps et le sang, c'est-à-dire la personne, du Christ mort et ressuscité qui nous sauve *(consécration)*.
- Une acclamation de l'assemblée qui chante ce salut.
- Une prière du prêtre qui en fait mémoire *(anamnèse)*.
- Une invocation à l'Esprit Saint pour qu'il unisse l'assemblée *(seconde épiclèse)*.
- Des intercessions pour l'Église et pour le monde, pour les vivants et les défunts, en union avec les responsables de l'Église, dans la communion des saints.
- Une conclusion en forme d'action de grâce à la Sainte Trinité *(doxologie)*.

3. FRACTION DU PAIN ET COMMUNION

Comme Jésus, le prêtre partage le pain. Avant de recevoir celui-ci, l'assemblée dit la prière des enfants de Dieu et accueille la paix que Dieu lui offre.

➤ **NOTRE PÈRE** (↗ p. 64)

➤ **PRIÈRE ET RITE DE LA PAIX** (↗ p. 65)

➤ **FRACTION DU PAIN**, pendant qu'on chante « Agneau de Dieu »

➤ **COMMUNION**

■ **CHANT DE COMMUNION** (↗ messe du jour)

■ **PRIÈRE** (↗ messe du jour)

CONCLUSION ET ENVOI

Le dernier repas de Jésus ne s'est pas clos sur lui-même : il a été suivi par le don total de Jésus sur la croix, qui a entraîné sa résurrection, le don de l'Esprit, et, finalement, l'envoi en mission.

➤ **RITE DE CONCLUSION** (↗ p. 66)

PRÉSENTATION DES DONS

Préparation de l'autel

Les ministres préparent l'autel. Le pain et le vin peuvent être portés en procession par des membres de l'assemblée.

Quête

Elle permet aux fidèles de s'associer à la présentation des dons, en mettant en commun leurs offrandes, destinées à la vie de la communauté, aux activités d'Église et au partage avec les plus démunis.

Présentation des dons

Pour présenter les dons, le prêtre dit à voix basse (il peut le dire à haute voix s'il n'y a pas de chant ou de musique d'orgue) :

Tu es béni, Dieu de l'univers, toi qui nous donnes ce pain, fruit de la terre et du travail des hommes ; nous te le présentons : il deviendra le pain de la vie.

(Béni soit Dieu, maintenant et toujours !)

En mettant l'eau dans le calice, le prêtre dit à voix basse :
Comme cette eau se mêle au vin pour le sacrement de l'Alliance, puissions-nous être unis à la divinité de Celui qui a pris notre humanité.

Tu es béni, Dieu de l'univers, toi qui nous donnes ce vin, fruit de la vigne et du travail des hommes ; nous te le présentons : il deviendra le vin du Royaume éternel.

(Béni soit Dieu, maintenant et toujours !)

En s'inclinant au milieu de l'autel, le prêtre dit à voix basse :
Humbles et pauvres, nous te supplions, Seigneur, accueille-nous : que notre sacrifice, en ce jour, trouve grâce devant toi.

En se lavant les mains :
Lave-moi de mes fautes, Seigneur, purifie-moi de mon péché.

Invitation à la prière

Prions ensemble,
au moment d'offrir le sacrifice de toute l'Église.
Pour la gloire de Dieu et le salut du monde.

Prière sur les offrandes *(Voir à la messe du jour)*

PRIÈRE EUCHARISTIQUE

Le Seigneur soit avec vous.
Et avec votre esprit.
Élevons notre cœur.
Nous le tournons vers le Seigneur.
Rendons grâce au Seigneur notre Dieu.
Cela est juste et bon.

Préface

Certaines préfaces se trouvent dans les formulaires des messes.

Noël 1

Vraiment, il est juste et bon de te rendre gloire, de t'offrir notre action de grâce, toujours et en tout lieu, à toi, Père très saint, Dieu éternel et tout-puissant.
Car la révélation de ta gloire s'est éclairée pour nous d'une lumière nouvelle dans le mystère du Verbe incarné ; maintenant, nous connaissons en lui Dieu qui s'est rendu visible à nos yeux, et nous sommes entraînés par lui à aimer ce qui demeure invisible.

• C'est pourquoi, avec les anges et les archanges, avec les puissances d'en haut et tous les esprits bienheureux, nous chantons l'hymne de ta gloire et sans fin nous proclamons : **Saint !...** (↗ p. 30)

• C'est pourquoi, avec les anges et tous les saints, nous proclamons ta gloire, en chantant (disant) d'une seule voix : **Saint !...** (↗ p. 30)

Noël 2

Vraiment, il est juste et bon de te rendre gloire, de t'offrir notre action de grâce, toujours et en tout lieu, à toi, Père très saint, Dieu éternel et tout-puissant.
Dans le mystère de la Nativité, celui qui par nature est invisible se rend visible à nos yeux ; engendré avant le temps, il entre dans le cours du temps.

Faisant renaître en lui la création déchue, il RESTAURE TOUTE CHOSE et remet l'homme égaré sur le chemin de ton Royaume.

C'est pourquoi, avec les anges qui proclamaient ta gloire dans le ciel, nous voulons te bénir en chantant (disant) : **Saint !...** (↗ p. 30)

Noël 3

Vraiment, il est juste et bon de te rendre gloire, de t'offrir notre action de grâce, toujours et en tout lieu, à toi, Père très saint, Dieu éternel et tout-puissant, par le Christ, notre Seigneur.

Par lui s'accomplit en ce jour l'échange merveilleux où nous sommes régénérés : lorsque ton Fils prend la condition de l'homme, la nature humaine en reçoit une incomparable noblesse ; il devient tellement l'un de nous que NOUS DEVENONS ÉTERNELS.

C'est pourquoi, avec les anges qui proclamaient ta gloire dans les cieux, pleins de joie, nous chantons (disons) : **Saint !...** (↗ p. 30)

Carême 1

Vraiment, il est juste et bon de te rendre gloire, de t'offrir notre action de grâce, toujours et en tout lieu, à toi, Père très saint, Dieu éternel et tout-puissant, par le Christ, notre Seigneur.

Car chaque année, tu accordes aux chrétiens de se préparer aux fêtes pascales dans la joie d'un CŒUR PURIFIÉ ; de sorte qu'en se donnant davantage à la prière, en témoignant plus d'amour pour le prochain, fidèles aux sacrements qui les ont fait renaître, ils soient comblés de la grâce que tu réserves à tes fils.

• C'est pourquoi, avec les anges et les archanges, avec les puissances d'en haut et tous les esprits bienheureux, nous chantons l'hymne de ta gloire et sans fin nous proclamons : **Saint !...** (↗ p. 30)

• C'est pourquoi, avec les anges et tous les saints, nous proclamons ta gloire, en chantant (disant) d'un seule voix : **Saint !...** (↗ p. 30)

Carême 2

Vraiment, il est juste et bon de te rendre gloire, de t'offrir notre action de grâce, toujours et en tout lieu, à toi, Père très saint, Dieu éternel et tout-puissant.
Tu offres à tes enfants ce TEMPS DE GRÂCE pour qu'ils retrouvent la pureté du cœur. Tu veux qu'ils se libèrent de leurs égoïsmes, afin qu'en travaillant à ce monde qui passe, ils s'attachent surtout aux choses qui ne passent pas.
C'est pourquoi, avec les anges et tous les saints, nous chantons et proclamons : **Saint !...** (↗ p. 30)

Carême 3

Vraiment, il est juste et bon de te rendre gloire, de t'offrir notre action de grâce, toujours et en tout lieu, à toi, Père très saint, Dieu éternel et tout-puissant.
Tu accueilles nos pénitences comme une offrande à ta gloire ; car nos privations, tout en abaissant notre orgueil, nous invitent à IMITER TA MISÉRICORDE et à partager avec ceux qui ont faim.
C'est pourquoi (↗ *Carême 1, p. 24).*

Temps pascal 1 *(semaine pascale)*

Vraiment, il est juste et il est bon de te glorifier, Seigneur, en tout temps, mais plus encore en cette nuit (aujourd'hui) (en ces jours) où le Christ, notre Pâque, a été immolé : car il est l'Agneau véritable qui a enlevé le péché du monde ; en mourant, il a détruit notre mort ; en ressuscitant, il nous a RENDU LA VIE.
C'est pourquoi le peuple des baptisés, rayonnant de la joie pascale, exulte par toute la terre, tandis que les anges, dans le ciel, chantent sans fin l'hymne de ta gloire : **Saint !...**

Temps pascal 2

Vraiment, il est juste et il est bon de te glorifier, Seigneur, en tout temps, mais plus encore en ces jours où le Christ, notre Pâque, a été immolé. Grâce à lui, se lèvent des enfants de lumière pour une vie éternelle, et les portes du Royaume des cieux s'ouvrent pour accueillir les croyants. Oui, nous te rendons gloire, car sa mort nous AFFRANCHIT DE LA MORT, et dans le mystère de la résurrection chacun de nous est déjà ressuscité.
C'est pourquoi le peuple des baptisés... (↗ Temps pascal 1, p. 25)

Temps pascal 3

Vraiment, il est juste et il est bon de te glorifier, Seigneur, en tout temps, mais plus encore en ces jours où le Christ, notre Pâque, a été immolé, lui qui ne cesse pas de s'offrir pour nous, et qui reste éternellement notre défenseur auprès de toi ; immolé, il a vaincu la mort ; mis à mort, il est TOUJOURS VIVANT.
C'est pourquoi le peuple des baptisés... (↗ Temps pascal 1, p. 25)

Temps pascal 4

Vraiment, il est juste et il est bon de te glorifier, Seigneur, en tout temps, mais plus encore en ces jours où le Christ, notre Pâque, a été immolé. En détruisant un monde déchu, il fait une CRÉATION NOUVELLE ; et c'est de lui que nous tenons désormais la vie qu'il possède en plénitude.
C'est pourquoi le peuple des baptisés... (↗ Temps pascal 1, p. 25)

Temps pascal 5

Vraiment, il est juste et il est bon de te glorifier, Seigneur, en tout temps, mais plus encore en ces jours où le Christ, notre Pâque, a été immolé. Quand il livre son corps sur la croix, tous les sacrifices de l'Ancienne Alliance parviennent à leur achèvement ; et quand il s'offre pour notre salut, il est à lui seul L'AUTEL, LE PRÊTRE ET LA VICTIME.
C'est pourquoi le peuple des baptisés... (↗ Temps pascal 1, p. 25)

Dimanches du temps ordinaire 1

Vraiment, il est juste et bon de te rendre gloire, de t'offrir notre action de grâce, toujours et en tout lieu, à toi, Père très saint, Dieu éternel et tout-puissant, par le Christ, notre Seigneur.

Dans le mystère de sa Pâque, il a fait une œuvre merveilleuse : car nous étions esclaves de la mort et du péché, et nous sommes appelés à partager sa gloire ; nous portons désormais ces noms glorieux : nation sainte, peuple racheté, race choisie, sacerdoce royal ; nous pouvons ANNONCER AU MONDE LES MERVEILLES que tu as accomplies, toi qui nous fais passer des ténèbres à ton admirable lumière.

• C'est pourquoi, avec les anges et les archanges, avec les puissances d'en haut et tous les esprits bienheureux, nous chantons l'hymne de ta gloire et sans fin nous proclamons : **Saint !...** (↗ p. 30)

• C'est pourquoi, avec les anges et tous les saints, nous proclamons ta gloire, en chantant (disant) d'une seule voix : **Saint !...** (↗ p. 30)

Dimanches du temps ordinaire 2

Vraiment, il est juste et bon de te rendre gloire, de t'offrir notre action de grâce, toujours et en tout lieu, à toi, Père très saint, Dieu éternel et tout-puissant, par le Christ, notre Seigneur.

Dans sa pitié pour notre misère, il a voulu naître d'une femme, la Vierge Marie. Par sa passion et sa croix, il nous a délivrés de la mort éternelle ; par sa résurrection d'entre les morts, il nous a DONNÉ LA VIE qui n'aura pas de fin.

• C'est pourquoi *(↗ préface précédente).*

Dimanches du temps ordinaire 3

Vraiment, il est juste et bon de te rendre gloire, de t'offrir notre action de grâce, toujours et en tout lieu, à toi, Père très saint, Dieu éternel et tout-puissant.

Oui, nous le reconnaissons : afin de secourir tous les hommes, tu mets en œuvre ta puissance ; et tu te sers de notre condition mortelle pour nous AFFRANCHIR DE LA MORT : ainsi notre existence périssable devient un passage vers le salut, par le Christ, notre Seigneur.

C'est par lui que les anges, assemblés devant toi, adorent ta gloire ; à leur hymne de louange, laisse-nous joindre nos voix pour chanter et proclamer : **Saint !...** (↗ p. 30)

Dimanches du temps ordinaire 4

Vraiment, il est juste et bon de te rendre gloire, de t'offrir notre action de grâce, toujours et en tout lieu, à toi, Père très saint, Dieu éternel et tout-puissant, par le Christ notre Seigneur.

En naissant parmi les hommes, il les APPELLE À RENAÎTRE ; en souffrant sa passion, il a supprimé nos fautes ; par sa résurrection d'entre les morts, il donne accès à la vie éternelle, et par son ascension auprès de toi, notre Père, il nous ouvre le ciel.

C'est pourquoi, avec tous les anges et tous les saints, nous chantons l'hymne de ta gloire et sans fin nous proclamons : **Saint !...** (↗ p. 30)

Dimanches du temps ordinaire 5

Vraiment, il est juste et bon de te rendre gloire, de t'offrir notre action de grâce, toujours et en tout lieu, à toi, Père très saint, Dieu éternel et tout-puissant, à toi, Créateur de tous les éléments du monde, Maître des temps et de l'histoire.

C'est toi qui as formé l'homme à ton image et lui as soumis l'univers et ses merveilles ; tu lui as confié ta création pour qu'en ADMIRANT TON ŒUVRE il ne cesse de te rendre grâce par le Christ, notre Seigneur.

C'est toi que la terre et le ciel, avec les anges et les archanges, ne cessent d'acclamer en chantant : **Saint !...** (↗ p. 30)

Dimanches du temps ordinaire 6

Vraiment, il est juste et bon de te rendre gloire, Père très saint, Dieu éternel et tout-puissant de qui nous tenons la vie, la croissance et l'être.

Dans cette existence de chaque jour que nous recevons de ta grâce, la vie éternelle est déjà commencée : nous avons reçu les premiers dons de l'Esprit par qui tu as ressuscité Jésus d'entre les morts, et NOUS VIVONS DANS L'ESPÉRANCE que s'accomplisse en nous le mystère de Pâques.

C'est pourquoi avec tous les anges du ciel, nous voulons te bénir et t'acclamer en chantant (disant) d'une seule voix : **Saint !...** (↗ p. 30)

Dimanches du temps ordinaire 7

Vraiment, il est juste et bon de te rendre gloire, de t'offrir notre action de grâce, toujours et en tout lieu, à toi, Père très saint, Dieu éternel et tout-puissant.

Ton amour pour le monde est si grand que tu nous as envoyé un Sauveur ; tu l'as voulu semblable aux hommes en toute chose à l'exception du péché, afin d'aimer en nous ce que tu aimais en lui : nous avions rompu TON ALLIANCE, NOUS LA RETROUVONS dans l'obéissance de ton Fils.

Voilà pourquoi, Seigneur, avec les anges et tous les saints, nous proclamons ta gloire en chantant (disant) : **Saint !...** (↗ p. 30)

Dimanches du temps ordinaire 8

Vraiment, il est juste et bon de te rendre gloire, de t'offrir notre action de grâce, toujours et en tout lieu, à toi, Père très saint, Dieu éternel et tout-puissant.

Par le sang que ton Fils a versé, par le souffle de ton Esprit créateur, tu as ramené vers toi tes enfants que le péché avait éloignés ; et ce peuple, unifié par la Trinité sainte, c'est l'ÉGLISE, gloire de ta Sagesse, Corps du Christ et Temple de l'Esprit.

Et nous qui sommes rassemblés pour te rendre grâce, avec les anges du ciel nous te chantons : **Saint !...** (↗ p. 30)

Sanctus

• **Saint ! Saint ! Saint, le Seigneur, Dieu de l'univers !**
Le ciel et la terre sont remplis de ta gloire.
Hosanna au plus haut des cieux.
Béni soit celui qui vient au nom du Seigneur.
Hosanna au plus haut des cieux.

• Sanctus, Sanctus, Sanctus,
Dominus Deus Sabaoth !
Pleni sunt cœli et terra gloria tua.
Hosanna in excelsis !
Benedictus qui venit in nomine Domini.
Hosanna in excelsis !

Suite de la prière eucharistique

Père infiniment bon...
Prière eucharistique 1, ↗ p. 31
Toi qui es vraiment saint...
Prière eucharistique 2, ↗ p. 36
Tu es vraiment saint, Dieu de l'univers...
Prière eucharistique 3, ↗ p. 40
Père très saint, nous proclamons...
Prière eucharistique 4, ↗ p. 45
Toi qui fais depuis les origines ce qui est bon...
Pour la réconciliation 1, ↗ p. 48
Dieu de l'univers, nous te rendons grâce...
Pour la réconciliation 2, ↗ p. 50
Dieu notre Père, tu nous as réunis...
Pour assemblées avec enfants 1, ↗ p. 52
Oui, béni soit Jésus, ton envoyé...
Pour assemblées avec enfants 2, ↗ p. 54
Oui, Dieu, tu es saint, tu es bon pour nous...
Pour assemblées avec enfants 3, ↗ p. 57
Vraiment, tu es saint et digne de louange...
Pour des circonstances particulières, ↗ p. 61

PRIÈRE EUCHARISTIQUE 1

Dialogue d'introduction et préface, p. 23. Sanctus, p. 30.

Père infiniment bon, toi vers qui montent nos louanges, nous te supplions par Jésus Christ, ton Fils, notre Seigneur, d'accepter et de bénir ces offrandes saintes.
Nous te les présentons avant tout pour ta sainte Église catholique : accorde-lui la paix et protège-la, daigne la rassembler dans l'unité et la gouverner par toute la terre ; nous les présentons en même temps pour ton serviteur le Pape N., pour notre évêque N. et tous ceux qui veillent fidèlement sur la foi catholique reçue des Apôtres.

Souviens-toi, Seigneur, de tes serviteurs (N. et N.), et de tous ceux qui sont ici réunis, dont tu connais la foi et l'attachement. Nous t'offrons pour eux, ou ils t'offrent pour eux-mêmes et tous les leurs ce sacrifice de louange, pour leur propre rédemption, pour le salut qu'ils espèrent ; et ils te rendent cet hommage, à toi Dieu éternel, vivant et vrai.

Dans la communion de toute l'Église, en ce premier jour de la semaine, nous célébrons le jour où le Christ est ressuscité d'entre les morts ; et nous voulons nommer en premier lieu la bienheureuse Marie toujours Vierge, Mère de notre Dieu et Seigneur, Jésus Christ ; saint Joseph, son époux, les saints Apôtres et Martyrs Pierre et Paul, André, (Jacques et Jean, Thomas, Jacques et Philippe, Barthélemy et Matthieu, Simon et Jude, Lin, Clet, Clément, Sixte, Corneille et Cyprien, Laurent, Chrysogone, Jean et Paul, Côme et Damien,)

et tous les saints.

Accorde-nous, par leur prière et leurs mérites, d'être, toujours et partout, forts de ton secours et de ta protection. (Par le Christ, notre Seigneur. Amen.)

N.B. *Le texte entre parenthèses est facultatif.*

Aux grandes fêtes :

Dans la communion de toute l'Église, nous célébrons le jour (très saint) (la nuit très sainte)

Noël	... où Marie, dans la gloire de sa virginité, enfanta le Sauveur du monde ; et nous voulons nommer...
Épiphanie	... où ton Fils unique qui partage éternellement ta propre gloire s'est manifesté à nos yeux dans un vrai corps pris de notre chair ; et nous voulons nommer...
Jeudi saint	... où notre Seigneur Jésus Christ fut livré pour nous ; et nous voulons nommer...
Pâques	... où ressuscita selon la chair notre Seigneur Jésus Christ ; et nous voulons nommer...
Ascension	... où notre Seigneur, ton Fils unique, ayant pris notre nature avec sa faiblesse, la fit entrer dans ta gloire, à ta droite ; et nous voulons nommer...
Pentecôte	... de la Pentecôte, où l'Esprit Saint s'est manifesté aux Apôtres par d'innombrables langues de feu ; et nous voulons nommer...
Assomption	... où la Vierge Marie a été élevée dans la gloire du ciel, et nous voulons nommer en premier lieu cette Vierge bienheureuse...
Toussaint	... consacré à la mémoire de tous les saints : ils ont imité le Christ pendant leur vie et, à leur mort, ils ont reçu de lui la couronne de gloire : et nous voulons nommer...

Voici l'offrande que nous présentons devant toi, nous, tes serviteurs, et ta famille entière : dans ta bienveillance, accepte-la. Assure toi-même la paix de notre vie, arrache-nous à la damnation et reçois-nous parmi tes élus. (Par le Christ, notre Seigneur. Amen.)

Aux grandes fêtes :

Voici l'offrande que nous présentons devant toi, nous, tes serviteurs,

Jeudi saint	... et ta famille entière, le jour même où notre Seigneur Jésus Christ a livré à ses disciples, pour qu'ils les célèbrent, les mystères de son corps et de son sang. Nous t'en prions, Seigneur, accepte cette offrande. Assure toi-même...
De Pâques au dimanche suivant	... et ta famille entière, spécialement pour ceux que tu as fait renaître de l'eau et de l'Esprit Saint en pardonnant tous leurs péchés. Nous t'en prions, Seigneur, accepte cette offrande. Assure toi-même...

Sanctifie pleinement cette offrande par la puissance de ta bénédiction, rends-la parfaite et digne de toi : qu'elle devienne pour nous le corps et le sang de ton Fils bien-aimé, Jésus Christ, notre Seigneur.

La veille de sa passion,

Jeudi saint	La veille du jour où il devait souffrir pour notre salut et celui de tous les hommes, c'est-à-dire aujourd'hui...

il prit le pain dans ses mains très saintes et, les yeux levés au ciel, vers toi, Dieu, son Père tout-puissant, en te rendant grâce il le bénit, le rompit, et le donna à ses disciples, en disant :

« Prenez, et mangez-en tous :
ceci est mon corps livré pour vous. »

De même, à la fin du repas, il prit dans ses mains cette coupe incomparable ; et te rendant grâce à nouveau, il la bénit, et la donna à ses disciples, en disant :

« Prenez, et buvez-en tous,
car ceci est la coupe de mon sang,
le sang de l'Alliance nouvelle et éternelle,
qui sera versé pour vous
et pour la multitude,
en rémission des péchés.
Vous ferez cela, en mémoire de moi. »

• Il est grand, le mystère de la foi :
Nous proclamons ta mort, Seigneur Jésus,
nous célébrons ta résurrection,
nous attendons ta venue dans la gloire.

• Quand nous mangeons ce pain et buvons à cette coupe, nous célébrons le mystère de la foi :
Nous rappelons ta mort,
Seigneur ressuscité,
et nous attendons que tu viennes.

• Proclamons le mystère de la foi :
Gloire à toi qui étais mort,
gloire à toi qui es vivant,
notre Sauveur et notre Dieu :
Viens, Seigneur Jésus !

C'est pourquoi nous aussi, tes serviteurs, et ton peuple saint avec nous, faisant mémoire de la passion bienheureuse de ton Fils, Jésus Christ, notre Seigneur, de sa résurrection du séjour des morts et de sa glorieuse ascension dans le ciel, nous te présentons, Dieu de gloire et de majesté, cette offrande prélevée sur les biens que tu nous donnes, le sacrifice pur et saint, le sacrifice parfait, pain de la vie éternelle et coupe du salut.

Et comme il t'a plu d'accueillir les présents d'Abel le Juste, le sacrifice de notre père Abraham, et celui que t'offrit Melkisédek, ton grand prêtre, en signe du sacrifice parfait, regarde cette offrande avec amour et, dans ta bienveillance, accepte-la.

Nous t'en supplions, Dieu tout-puissant : qu'elle soit portée par ton ange en présence de ta gloire, sur ton autel céleste, afin qu'en recevant ici, par notre communion à l'autel, le corps et le sang de ton Fils, nous soyons comblés de ta grâce et de tes bénédictions. (Par le Christ, notre Seigneur. Amen.)

Souviens-toi de tes serviteurs (N. et N.), qui nous ont précédés, marqués du signe de la foi, et qui dorment dans la paix...

Pour eux et pour tous ceux qui reposent dans le Christ, nous implorons ta bonté : qu'ils entrent dans la joie, la paix et la lumière. (Par le Christ, notre Seigneur. Amen.)

Et nous, pécheurs, qui mettons notre espérance en ta miséricorde inépuisable, admets-nous dans la communauté des bienheureux Apôtres et Martyrs, de Jean Baptiste, Étienne, Matthias et Barnabé (Ignace, Alexandre, Marcellin et Pierre, Félicité et Perpétue, Agathe, Lucie, Agnès, Cécile, Anastasie) et de tous les saints. Accueille-nous dans leur compagnie, sans nous juger sur le mérite mais en accordant ton pardon, par Jésus Christ, notre Seigneur.

C'est par lui que tu ne cesses de créer tous ces biens, que tu les bénis, leur donnes la vie, les sanctifies et nous en fais le don.

Par lui, avec lui et en lui,
à toi, Dieu le Père tout-puissant,
dans l'unité du Saint-Esprit,
tout honneur et toute gloire,
pour les siècles des siècles.
Amen.

Suite de la célébration : Notre Père, p. 64.

PRIÈRE EUCHARISTIQUE 2

Dialogue d'introduction, p. 23.

Vraiment, Père très saint, il est juste et bon de te rendre grâce, toujours et en tout lieu, par ton Fils bien-aimé, Jésus Christ : car il est ta Parole vivante, par qui tu as créé toutes choses.
C'est lui que tu nous as envoyé comme Rédempteur et Sauveur, Dieu fait homme, conçu de l'Esprit Saint, né de la Vierge Marie ; pour accomplir jusqu'au bout ta volonté et rassembler du milieu des hommes un peuple saint qui t'appartienne, il étendit les mains à l'heure de sa passion, afin que soit brisée la mort, et que la résurrection soit manifestée. C'est pourquoi, avec les anges et tous les saints, nous proclamons ta gloire, en chantant (disant) d'une seule voix :

Saint ! Saint ! Saint, le Seigneur, Dieu de l'univers !
Le ciel et la terre sont remplis de ta gloire.
Hosanna au plus haut des cieux.
Béni soit celui qui vient au nom du Seigneur.
Hosanna au plus haut des cieux.

Toi qui es vraiment saint, toi qui es la source de toute sainteté, nous voici rassemblés devant toi, et, dans la communion de toute l'Église, en ce premier jour de la semaine nous célébrons le jour où le Christ est ressuscité d'entre les morts. Par lui que tu as élevé à ta droite, Dieu notre Père, nous te prions :

Toi qui es vraiment saint, toi qui es la source de toute sainteté,

En semaine :
Seigneur, nous te prions : Sanctifie...

Aux jours de fête :
nous voici rassemblés devant toi, et, dans la communion de toute l'Église...

Noël ... nous célébrons (la nuit très sainte) le jour très saint où Marie, dans la gloire de sa virginité, enfanta le Sauveur du monde. Par lui, notre Rédempteur et notre Seigneur, Dieu notre Père, nous te prions : **S**anctifie...

Épiphanie ... nous célébrons le jour très saint où ton Fils unique qui partage éternellement ta propre gloire s'est manifesté à nos yeux dans un vrai corps pris de notre chair. Par lui, notre Rédempteur et notre Sauveur, Dieu notre Père, nous te prions : **S**anctifie...

Jeudi saint ... nous célébrons le jour très saint où notre Seigneur Jésus Christ fut livré pour nous. Par lui, notre Rédempteur et Sauveur, que tu as glorifié, Dieu notre Père, nous te prions : **S**anctifie...

Pâques ... nous célébrons (la nuit très sainte) le jour très saint où ressuscita selon la chair notre Seigneur Jésus Christ. Par lui, que tu as élevé à ta droite, Dieu notre Père, nous te prions : **S**anctifie...

Ascension ... nous célébrons le jour très saint où notre Seigneur, ton Fils unique, ayant pris notre nature avec sa faiblesse, la fit entrer dans la gloire, près de toi. Par lui, qui siège désormais à ta droite, Dieu notre Père, nous te prions : **S**anctifie...

Pentecôte ... nous célébrons le jour très saint de la Pentecôte, où l'Esprit Saint s'est manifesté aux Apôtres par d'innombrables langues de feu, et nous te prions, Seigneur : **S**anctifie...

Assomption ... nous célébrons le jour où la Vierge, Mère de Dieu, a été élevée au ciel, dans la gloire de son Fils, Jésus Christ, notre Seigneur. Par lui, qui est à l'origine de notre foi et qui la mène à sa perfection, Dieu notre Père, nous te prions : **S**anctifie...

Toussaint ... nous célébrons le jour consacré à la mémoire de tous les saints : ils ont suivi le Christ pendant leur vie et, à leur mort, ils ont reçu de lui la couronne de gloire : par lui, qui est à l'origine de notre foi et qui la mène à sa perfection, Dieu notre Père, nous te prions : **S**anctifie...

Sanctifie ces offrandes en répandant sur elles ton Esprit ; qu'elles deviennent pour nous le corps et le sang de Jésus, le Christ, notre Seigneur.

Au moment d'être livré et d'entrer librement dans sa passion (*le Jeudi saint* : c'est-à-dire aujourd'hui), il prit le pain, il rendit grâce, il le rompit et le donna à ses disciples, en disant :

« Prenez, et mangez-en tous :
ceci est mon corps livré pour vous. »

De même, à la fin du repas, il prit la coupe ; de nouveau il rendit grâce et la donna à ses disciples, en disant :

« Prenez, et buvez-en tous,
car ceci est la coupe de mon sang,
le sang de l'Alliance nouvelle et éternelle,
qui sera versé pour vous
et pour la multitude,
en rémission des péchés.
Vous ferez cela, en mémoire de moi. »

• Il est grand, le mystère de la foi :
**Nous proclamons ta mort, Seigneur Jésus,
nous célébrons ta résurrection,
nous attendons ta venue dans la gloire.**

• Quand nous mangeons ce pain et buvons à cette coupe, nous célébrons le mystère de la foi :
**Nous rappelons ta mort,
Seigneur ressuscité,
et nous attendons que tu viennes.**

• **Proclamons le mystère de la foi :
Gloire à toi qui étais mort,
gloire à toi qui es vivant,
notre Sauveur et notre Dieu :
Viens, Seigneur Jésus !**

Faisant ici mémoire de la mort et de la résurrection de ton Fils, nous t'offrons, Seigneur, le pain de la vie et la coupe du salut, et nous te rendons grâce, car tu nous as choisis pour servir en ta présence.

Humblement, nous te demandons qu'en ayant part au corps et au sang du Christ, nous soyons rassemblés par l'Esprit Saint en un seul corps.

Souviens-toi, Seigneur, de ton Église répandue à travers le monde : fais-la grandir dans ta charité avec le Pape N., notre évêque N., et tous ceux qui ont la charge de ton peuple.

Souviens-toi aussi de nos frères qui se sont endormis dans l'espérance de la résurrection, *(On peut nommer ici les défunts de la communauté)* et de tous les hommes qui ont quitté cette vie : reçois-les dans ta lumière, auprès de toi.

Sur nous tous enfin, nous implorons ta bonté : permets qu'avec la Vierge Marie, la bienheureuse Mère de Dieu, avec les Apôtres et les saints de tous les temps qui ont vécu dans ton amitié, nous ayons part à la vie éternelle, et que nous chantions ta louange, par Jésus Christ, ton Fils bien-aimé.

Par lui, avec lui et en lui,
à toi, Dieu le Père tout-puissant,
dans l'unité du Saint-Esprit,
tout honneur et toute gloire,
pour les siècles des siècles.
Amen.

Suite de la célébration : Notre Père, p. 64.

PRIÈRE EUCHARISTIQUE 3

Dialogue d'introduction et préface, p. 23. Sanctus, p. 30.

Tu es vraiment saint, Dieu de l'univers, et toute la création proclame ta louange, car c'est toi qui donnes la vie, c'est toi qui sanctifies toutes choses, par ton Fils, Jésus Christ, notre Seigneur, avec la puissance de l'Esprit Saint ; et tu ne cesses de rassembler ton peuple, afin qu'il te présente partout dans le monde une offrande pure.

C'est pourquoi nous voici rassemblés devant toi et, dans la communion de toute l'Église, en ce premier jour de la semaine nous célébrons le jour où le Christ est ressuscité d'entre les morts. Par lui, que tu as élevé à ta droite, Dieu tout-puissant, nous te supplions* de consacrer toi-même les offrandes que nous apportons. Sanctifie-les par ton Esprit pour qu'elles deviennent le corps et le sang de ton Fils, Jésus Christ, notre Seigneur, qui nous a dit de célébrer ce mystère.

Aux grandes fêtes :

C'est pourquoi nous voici rassemblés devant toi et, dans la communion de toute l'Église...

Noël ... nous célébrons (la nuit très sainte) le jour très saint où Marie, dans la gloire de sa virginité, enfanta le Sauveur du monde. Par lui, notre Rédempteur et notre Seigneur, Dieu tout-puissant, nous te supplions*...

Épiphanie ... nous célébrons le jour très saint où ton Fils unique qui partage éternellement ta propre gloire s'est manifesté à nos yeux dans un vrai corps pris de notre chair. Par lui, notre Rédempteur et notre Sauveur, Dieu tout-puissant, nous te supplions*...

Jeudi saint ... nous célébrons le jour très saint où notre Seigneur Jésus Christ fut livré pour nous. Par lui, notre Rédempteur et Sauveur, que tu as glorifié, Dieu notre Père, nous te supplions*...

Pâques ... nous célébrons (la nuit très sainte) le jour très saint où ressuscita selon la chair notre Seigneur Jésus Christ. Par lui, que tu as élevé à ta droite, Dieu tout-puissant, nous te supplions*...

Ascension ... nous célébrons le jour très saint où notre Seigneur, ton Fils unique, ayant pris notre nature avec sa faiblesse, la fit entrer dans la gloire, près de toi. Par lui, qui siège désormais à ta droite, Dieu notre Père, nous te supplions*...

Pentecôte ... nous célébrons le jour très saint de la Pentecôte, où l'Esprit Saint s'est manifesté aux Apôtres par d'innombrables langues de feu. Dieu tout-puissant, nous te supplions*...

Assomption ... nous célébrons le jour où la Vierge, Mère de Dieu, a été élevée au ciel, dans la gloire de son fils, Jésus Christ, notre Seigneur. Par lui, qui est à l'origine de notre foi et qui la mène à sa perfection, Dieu notre Père, nous te supplions*...

Toussaint ... nous célébrons le jour consacré à la mémoire de tous les saints : ils ont suivi le Christ pendant leur vie et, à leur mort, ils ont reçu de lui la couronne de gloire. Par lui, qui est à l'origine de notre foi et qui la mène à sa perfection, Dieu notre Père, nous te supplions*...

La nuit même où il fut livré, (*le Jeudi saint* : c'est-à-dire aujourd'hui) il prit le pain, en te rendant grâce il le bénit, il le rompit et le donna à ses disciples, en disant :

« Prenez, et mangez-en tous :
ceci est mon corps livré pour vous. »

De même, à la fin du repas, il prit la coupe, en te rendant grâce il la bénit, et la donna à ses disciples, en disant :

« Prenez, et buvez-en tous,
car ceci est la coupe de mon sang,
le sang de l'Alliance nouvelle et éternelle,
qui sera versé pour vous
et pour la multitude
en rémission des péchés.
Vous ferez cela, en mémoire de moi. »

• Il est grand, le mystère de la foi :
Nous proclamons ta mort, Seigneur Jésus,
nous célébrons ta résurrection,
nous attendons ta venue dans la gloire.

• Quand nous mangeons ce pain
et buvons à cette coupe,
nous célébrons le mystère de la foi :
Nous rappelons ta mort,
Seigneur ressuscité,
et nous attendons que tu viennes.

• Proclamons le mystère de la foi :
Gloire à toi qui étais mort,
gloire à toi qui es vivant,
notre Sauveur et notre Dieu :
Viens, Seigneur Jésus.

En faisant mémoire de ton Fils, de sa passion qui nous sauve, de sa glorieuse résurrection et de son ascension dans le ciel, alors que nous attendons son dernier avènement, nous présentons cette offrande vivante et sainte pour te rendre grâce.

Regarde, Seigneur, le sacrifice de ton Église, et daigne y reconnaître celui de ton Fils qui nous a rétablis dans ton Alliance ; quand nous serons nourris de son corps et de son sang et remplis de l'Esprit Saint, accorde-nous d'être un seul corps et un seul esprit dans le Christ.

Que l'Esprit Saint fasse de nous une éternelle offrande à ta gloire, pour que nous obtenions un jour les biens du monde à venir, auprès de la Vierge Marie, la bienheureuse Mère de Dieu, avec les Apôtres, les martyrs (saint N.) et tous les saints, qui ne cessent d'intercéder pour nous.

Et maintenant, nous te supplions, Seigneur : par le sacrifice qui nous réconcilie avec toi, étends au monde entier le salut et la paix.

Affermis la foi et la charité de ton Église au long de son chemin sur la terre : veille sur ton serviteur le Pape N. et notre évêque N., l'ensemble des évêques, les prêtres, les diacres, et tout le peuple des rachetés.

Pâques	Souviens-toi de ceux que tu as fait renaître, en cette fête de Pâques, de l'eau et de l'Esprit Saint, pour une vie nouvelle dans le Christ.
Baptême	Souviens-toi, Seigneur, de N. et N. qui sont entrés aujourd'hui dans ta famille par le baptême.

Écoute les prières de ta famille assemblée devant toi, et ramène à toi, Père très aimant, tous tes enfants dispersés.

Aux messes des défunts	Souviens-toi de N., celui (celle) que tu as appelé(e) auprès de toi (aujourd'hui). Puisqu'il(elle) a été baptisé(e) dans la mort de ton Fils, accorde-lui de participer à sa résurrection, le jour où le Christ, ressuscitant les morts, rendra nos pauvres corps pareils à son corps glorieux. Souviens-toi aussi de nos frères défunts, souviens-toi des hommes qui ont quitté ce monde...

Pour nos frères défunts, pour les hommes qui ont quitté ce monde et dont tu connais la droiture, nous te prions :

On peut nommer ici les défunts de la communauté.

Reçois-les dans ton Royaume, où nous espérons être comblés de ta gloire, tous ensemble et pour l'éternité,

---

Aux messes des défunts	quand tu essuieras toute larme de nos yeux; en te voyant, toi notre Dieu, tel que tu es, nous te serons semblables éternellement, et sans fin, nous chanterons ta louange.

---

par le Christ, notre Seigneur, par qui tu donnes au monde toute grâce et tout bien.

Par lui, avec lui et en lui,
à toi, Dieu le Père tout-puissant,
dans l'unité du Saint-Esprit,
tout honneur et toute gloire,
pour les siècles des siècles.
Amen.

Suite de la célébration : Notre Père, p. 64.

PRIÈRE EUCHARISTIQUE 4

Dialogue d'introduction, p. 23.

Vraiment, il est bon de te rendre grâce, il est juste et bon de te glorifier, Père très saint, car tu es le seul Dieu, le Dieu vivant et vrai : tu étais avant tous les siècles, tu demeures éternellement, lumière au-delà de toute lumière.

Toi, le Dieu de bonté, la source de la vie, tu as fait le monde pour que toute créature soit comblée de tes bénédictions, et que beaucoup se réjouissent de ta lumière.

Ainsi, les anges innombrables qui te servent jour et nuit se tiennent devant toi et, contemplant la splendeur de ta face, n'interrompent jamais leur louange. Unis à leur hymne d'allégresse, avec la création tout entière qui t'acclame par nos voix, Dieu, nous te chantons :

Saint ! Saint ! Saint !... *(p. 30)*

Père très saint, nous proclamons que tu es grand et que tu as créé toutes choses avec sagesse et par amour : tu as fait l'homme à ton image, et tu lui as confié l'univers, afin qu'en te servant, toi son Créateur, il règne sur la création.

Comme il avait perdu ton amitié en se détournant de toi, tu ne l'as pas abandonné au pouvoir de la mort. Dans ta miséricorde, tu es venu en aide à tous les hommes pour qu'ils te cherchent et puissent te trouver. Tu as multiplié les alliances avec eux, et tu les as formés, par les prophètes, dans l'espérance du salut.

Tu as tellement aimé le monde, Père très saint, que tu nous as envoyé ton propre Fils, lorsque les temps furent accomplis, pour qu'il soit notre Sauveur. Conçu de l'Esprit Saint, né de la Vierge Marie, il a vécu notre condition d'homme en toute chose, excepté le péché, annonçant aux pauvres la bonne nouvelle du salut ; aux captifs, la délivrance ; aux affligés, la joie.

Pour accomplir le dessein de ton amour, il s'est livré lui-même à la mort, et, par sa résurrection, il a détruit la mort et renouvelé la vie. Afin que notre vie ne soit plus à nous-mêmes, mais à lui qui est mort et ressuscité pour nous, il a envoyé d'auprès de toi, comme premier don fait aux croyants, l'Esprit qui poursuit son œuvre dans le monde et achève toute sanctification.

Que ce même Esprit Saint, nous t'en prions, Seigneur, sanctifie ces offrandes : qu'elles deviennent ainsi le corps et le sang de ton Fils dans la célébration de ce grand mystère, que lui-même nous a laissé en signe de l'Alliance éternelle.

Quand l'heure fut venue où tu allais le glorifier, comme il avait aimé les siens qui étaient dans le monde, il les aima jusqu'au bout : pendant le repas qu'il partageait avec eux, il prit le pain, il le bénit, le rompit et le donna à ses disciples, en disant :

> « Prenez, et mangez-en tous :
> ceci est mon corps livré pour vous. »

De même, il prit la coupe remplie de vin, il rendit grâce, et la donna à ses disciples, en disant :

> « Prenez, et buvez-en tous,
> car ceci est la coupe de mon sang,
> le sang de l'Alliance nouvelle et éternelle,
> qui sera versé pour vous et pour la multitude
> en rémission des péchés.
> Vous ferez cela, en mémoire de moi. »

Acclamations, p. 42.

Voilà pourquoi, Seigneur, nous célébrons aujourd'hui le mémorial de notre rédemption : en rappelant la mort de Jésus Christ et sa descente au séjour des morts, en proclamant sa résurrection et son ascension à ta droite dans le ciel, en attendant aussi qu'il vienne dans la gloire, nous t'offrons son corps et son sang, le sacrifice qui est digne de toi et qui sauve le monde.

Regarde, Seigneur, cette offrande que tu as donnée toi-même à ton Église ; accorde à tous ceux qui vont partager ce pain et boire à cette coupe d'être rassemblés par l'Esprit Saint en un seul corps, pour qu'ils soient eux-mêmes dans le Christ une vivante offrande à la louange de ta gloire.

Et maintenant, Seigneur, rappelle-toi tous ceux pour qui nous offrons le sacrifice : le Pape N., notre évêque N. et tous les évêques, les prêtres et ceux qui les assistent, les fidèles qui présentent cette offrande, les membres de notre assemblée,

---

Baptême N. et N. (ceux) que tu as fait renaître (aujourd'hui) de l'eau et de l'Esprit Saint,

---

le peuple qui t'appartient et tous les hommes qui te cherchent avec droiture.
Souviens-toi aussi de nos frères qui sont morts dans la paix du Christ, et de tous les morts dont toi seul connais la foi.

On peut rappeler ici les défunts de la communauté.

À nous qui sommes tes enfants, accorde, Père très bon, l'héritage de la vie éternelle auprès de la Vierge Marie, la bienheureuse Mère de Dieu, auprès des Apôtres et de tous les saints, dans ton Royaume, où nous pourrons, avec la création tout entière enfin libérée du péché et de la mort, te glorifier par le Christ, notre Seigneur, par qui tu donnes au monde toute grâce et tout bien.

Par lui, avec lui et en lui,
à toi, Dieu le Père tout-puissant,
dans l'unité du Saint-Esprit,
tout honneur et toute gloire,
pour les siècles des siècles.
Amen.

Suite de la célébration : Notre Père, p. 64.

PREMIÈRE PRIÈRE EUCHARISTIQUE POUR LA RÉCONCILIATION

Vraiment, il est juste et bon de te rendre grâce, Dieu très saint, car tu ne cesses de nous appeler à une vie plus belle : Toi, Dieu de tendresse et de pitié, sans te lasser tu offres ton pardon et tu invites l'homme pécheur à s'en remettre à ta seule bonté.

Bien loin de te résigner à nos ruptures d'Alliance, tu as noué entre l'humanité et toi, par ton Fils, Jésus, notre Seigneur, un lien nouveau, si fort que rien ne pourra le défaire. Et maintenant que ton peuple connaît un temps de grâce et de réconciliation, tu lui donnes dans le Christ de reprendre souffle en se tournant vers toi, et d'être au service de tout homme en se livrant davantage à l'Esprit Saint.

Pleins d'admiration et de reconnaissance, nous voulons joindre nos voix aux voix innombrables du ciel, pour clamer la puissance de ton amour et la joie de ton salut dans le Christ : **Saint !...** *(p. 30)*

Toi qui fais depuis les origines ce qui est bon pour l'homme afin de le rendre saint, comme toi-même es saint, regarde ton peuple ici rassemblé, et mets à l'œuvre la puissance de ton Esprit : que ces offrandes deviennent pour nous le corps et le sang de ton Fils bien-aimé, Jésus, le Christ, en qui nous sommes tes fils.

Nous, qui étions perdus, incapables de nous rapprocher de toi, tu nous as aimés du plus grand amour : ton Fils, le seul Juste, s'est livré entre nos mains, et fut cloué sur une croix. Mais avant que ses bras étendus dessinent entre ciel et terre le signe indélébile de ton Alliance, il voulut célébrer la Pâque au milieu de ses disciples.

Comme il était à table, il prit le pain, il prononça la bénédiction pour te rendre grâce, puis il le rompit et le donna aux siens en leur disant :

« Prenez, et mangez-en tous :
ceci est mon corps livré pour vous. »

À la fin de ce dernier repas, sachant qu'il allait tout réconcilier en lui par le sang de sa croix, il prit la coupe remplie de vin, il te rendit grâce encore, et la fit passer à ses amis, en leur disant :

« Prenez, et buvez-en tous,
car ceci est la coupe de mon sang,
le sang de l'Alliance nouvelle et éternelle,
qui sera versé pour vous et pour la multitude
en rémission des péchés.
Vous ferez cela, en mémoire de moi. »

Acclamations, p. 34.

En faisant mémoire du Christ, notre Pâque et notre paix définitive, en célébrant sa mort et sa résurrection, en appelant le jour béni de sa venue et de notre joie, nous te présentons, Dieu fidèle et sûr, l'offrande qui remet l'humanité dans ta grâce.

Regarde avec amour, Père très bon, ceux que tu attires vers toi, leur donnant de communier à l'unique sacrifice du Christ : qu'ils deviennent ensemble, par la force de l'Esprit, le corps de ton Fils ressuscité en qui sont abolies toutes les divisions.

Tiens-nous les uns et les autres en communion d'esprit et de cœur avec le Pape N. et notre évêque N. Aide-nous tous à préparer la venue de ton règne jusqu'à l'heure où nous serons devant toi, saints parmi les saints du ciel, aux côtés de la Vierge Marie et des Apôtres, avec nos frères qui sont morts, et que nous confions à ta miséricorde. Alors, au cœur de la création nouvelle enfin libérée de la corruption, nous pourrons chanter vraiment l'action de grâce du Christ à jamais vivant.

Par lui, avec lui et en lui, à toi, Dieu le Père tout-puissant, dans l'unité du Saint-Esprit, tout honneur et toute gloire, pour les siècles des siècles. **Amen.**

Suite de la célébration : Notre Père, p. 64.

DEUXIÈME PRIÈRE EUCHARISTIQUE POUR LA RÉCONCILIATION

Dieu, notre Père, nous te rendons grâce et nous te bénissons par Jésus, Christ et Seigneur, pour ton œuvre d'amour en ce monde. Au sein de notre humanité encore désunie et déchirée, nous savons et nous proclamons que tu ne cesses d'agir et que tu es à l'origine de tout effort vers la paix. Ton Esprit travaille au cœur des hommes : et les ennemis enfin se parlent, les adversaires se tendent la main, des peuples qui s'opposaient acceptent de faire ensemble une partie du chemin.
Oui, c'est à toi, Seigneur, que nous le devons, si le désir de s'entendre l'emporte sur la guerre, si la soif de vengeance fait place au pardon, et si l'amour triomphe de la haine. C'est pourquoi nous devons toujours te rendre grâce et te bénir, en unissant nos voix à celles qui te chantent, unanimes, dans les cieux :
Saint !... *(p. 30)*

Dieu de l'univers, nous te rendons grâce, pour Jésus, ton Fils, venu dans notre monde en ton nom. Il est la parole qui sauve les hommes. Il est la main que tu tends aux pécheurs. Il est le chemin par où nous arrive la véritable paix. Alors que nous étions loin de toi, Dieu, notre Père, c'est par lui que tu nous as fait revenir. C'est lui, ton propre Fils, qui a été livré au pouvoir des hommes afin que nous soyons, par sa mort, en paix avec toi et entre nous. Aussi pouvons-nous maintenant célébrer en reconnaissance le mystère de cette réconciliation qu'il nous a lui-même obtenue.
Nous t'en prions, Père, sanctifie ces offrandes par la puissance de ton Esprit, alors que nous accomplissons ce que Jésus nous a dit de faire.

Au cours du repas qu'il partageait avec ses disciples, avant de s'offrir à toi pour notre libération, il prit le pain en te rendant grâce ; il le rompit de ses propres mains, et le donna aux disciples, en leur disant :

« Prenez, et mangez-en tous :
ceci est mon corps livré pour vous. »

De la même façon, ce soir-là, tenant entre ses mains la coupe de bénédiction, il te rendit grâce pour ta miséricorde ; puis il donna la coupe à ses disciples, en leur disant :

« Prenez, et buvez-en tous,
car ceci est la coupe de mon sang,
le sang de l'Alliance nouvelle et éternelle,
qui sera versé pour vous et pour la multitude
en rémission des péchés.
Vous ferez cela, en mémoire de moi. »

Acclamations, p. 34.

Père très bon, ton Fils a laissé à ton Église ce mémorial de son amour ; en rappelant ici sa mort et sa résurrection, nous te présentons cette offrande qui vient de toi, le sacrifice qui nous rétablit dans ta grâce ; accepte-nous aussi, avec ton Fils bien-aimé.

Donne-nous dans ce repas ton Esprit Saint : qu'il fasse disparaître les causes de nos divisions ; qu'il nous établisse dans une charité plus grande, en communion avec le Pape N., notre évêque N., le collège épiscopal, et ton peuple tout entier. Fais de ton Église en ce monde le signe visible de l'unité, et la servante de la paix.

Et comme tu nous rassembles ici, dans la communion de la bienheureuse Mère de Dieu, la Vierge Marie, et de tous les saints du ciel, autour de la table de ton Christ, daigne rassembler un jour les hommes de tout pays et de toute langue, de toute race et de toute culture, au banquet de ton Royaume ; alors nous pourrons célébrer l'unité enfin accomplie et la paix définitivement acquise, par Jésus, le Christ, notre Seigneur.

Par lui, avec lui et en lui, à toi, Dieu le Père tout-puissant, dans l'unité du Saint-Esprit, tout honneur et toute gloire, pour les siècles des siècles. **Amen.**

Suite de la célébration : Notre Père, p. 64.

PREMIÈRE PRIÈRE EUCHARISTIQUE POUR LES ASSEMBLÉES AVEC ENFANTS

Dieu notre Père, tu nous as réunis, et nous sommes devant toi pour te fêter, pour t'acclamer et te dire l'émerveillement de nos cœurs. Sois loué pour ce qui est beau dans le monde et pour la joie que tu mets en nous. Sois loué pour la lumière du jour et pour ta parole qui nous éclaire. Sois loué pour la terre et les hommes qui l'habitent, sois loué pour la vie qui nous vient de toi. Oui, tu es très bon, tu nous aimes et tu fais pour nous des merveilles. Alors, tous ensemble, nous chantons :

Le ciel et la terre sont remplis de ta gloire.
Hosanna au plus haut des cieux. CL 5-3

Toi, tu penses toujours aux hommes. Tu ne veux pas être loin d'eux, tu as envoyé parmi nous Jésus, ton Fils bien-aimé. Il est venu nous sauver : il a guéri les malades, il a pardonné aux pécheurs. À tous, il a montré ton amour ; il a accueilli et béni les enfants. Pleins de reconnaissance, nous acclamons :

Béni soit celui qui vient au nom du Seigneur.
Hosanna au plus haut des cieux.

Nous ne sommes pas seuls pour te fêter, Seigneur. Partout sur la terre, ton peuple te rend gloire. Nous te prions avec l'Église entière, avec le Pape N. et notre évêque N. Dans le ciel, la Vierge Marie, les Apôtres et tous les saints te bénissent. Avec eux, avec les anges, nous t'adorons en chantant :

Saint ! Saint ! Saint,
le Seigneur, Dieu de l'univers !
Hosanna au plus haut des cieux.

Père très saint, nous voudrions te montrer notre reconnaissance. Nous avons apporté ce pain et ce vin : qu'ils deviennent pour nous le corps et le sang de Jésus ressuscité. Alors nous pourrons t'offrir ce qui vient de toi.

Un soir, en effet, juste avant sa mort, Jésus mangeait avec ses apôtres. Il a pris du pain sur la table. Dans sa prière, il t'a béni. Puis il a partagé le pain, en disant à ses amis : « Prenez, et mangez-en tous : ceci est mon corps livré pour vous. »
À la fin du repas, il a pris une coupe de vin. Il dit encore une action de grâce. Puis il donna la coupe à ses amis en leur disant : « Prenez, et buvez-en tous, car ceci est la coupe de mon sang, le sang de l'Alliance nouvelle et éternelle, qui sera versé pour vous et pour la multitude en rémission des péchés. » Il leur dit aussi : « Vous ferez cela, en mémoire de moi. »

Ce que Jésus nous a dit de faire, nous le faisons dans cette eucharistie : en proclamant sa mort et sa résurrection, nous te présentons le pain de la vie et la coupe du salut. Il nous conduit vers toi, notre Père : nous t'en prions, accueille-nous avec lui :

Christ est mort pour nous !
Christ est ressuscité !
Nous t'attendons, Seigneur Jésus !

Père, toi qui nous aimes tant, laisse-nous venir à cette table, unis dans la joie de l'Esprit Saint, pour recevoir le corps et le sang de ton Fils. Toi qui n'oublies jamais personne, nous te prions pour ceux que nous aimons, N. et N., et pour ceux qui sont partis vers toi. Souviens-toi de ceux qui souffrent et qui ont de la peine, de la grande famille des chrétiens et de tous les hommes dans le monde entier. Nous te prions aussi pour nous, et nous prions les uns pour les autres. Devant ce que tu fais par ton Fils, Dieu notre Père, nous sommes émerveillés, et nous chantons encore :

Par lui, avec lui et en lui, à toi, Dieu le Père tout-puissant, dans l'unité du Saint-Esprit, tout honneur et toute gloire, pour les siècles des siècles. **Amen.**

Suite de la célébration : Notre Père, p. 64.

DEUXIÈME PRIÈRE EUCHARISTIQUE POUR LES ASSEMBLÉES AVEC ENFANTS

On peut choisir d'autres acclamations que celles qui sont proposées.

Oui, Père très bon, c'est une fête pour nous ; notre cœur est plein de reconnaissance : avec Jésus, nous te chantons notre joie.

Gloire à toi : tu nous aimes ! CL 6

Tu nous aimes tellement que tu inventes pour nous ce monde immense et beau.

[Gloire à toi : tu nous aimes !]

[Tu nous aimes tellement que] tu nous donnes ton Fils, Jésus, pour nous conduire à toi.

[Gloire à toi : tu nous aimes !]

[Tu nous aimes tellement que] tu nous rassembles en lui, comme les enfants d'une même famille.

Gloire à toi : tu nous aimes !

Pour tant d'amour, nous voulons te rendre grâce et chanter notre merci avec les anges et les saints qui t'adorent dans les cieux :

- **Saint ! Saint ! Saint, le Seigneur...** *(p. 30)*
- **Louange et gloire à notre Dieu !**
  Saint est le Seigneur, le Dieu de l'univers.
  Louange et gloire à notre Dieu !
  Le ciel et la terre nous disent ta splendeur.
  Louange et gloire à notre Dieu !
  Qu'il soit béni, celui qui vient d'auprès de toi.
  Louange et gloire à notre Dieu ! CL 6

Oui, béni soit Jésus, ton envoyé, l'ami des petits et des pauvres. Il est venu nous montrer comment nous pouvons t'aimer et nous aimer les uns les autres. Il est venu arracher du cœur des hommes le mal qui empêche l'amitié, la haine qui empêche d'être heureux.

Il a promis que l'Esprit Saint serait avec nous chaque jour, pour que nous vivions de ta vie.

- **Béni soit celui qui vient au nom du Seigneur.**
  Hosanna au plus haut des cieux.
- **Qu'il soit béni, celui qui vient d'auprès de toi.**
  Louange et gloire à notre Dieu !

Dieu, notre Père, nous te prions d'envoyer ton Esprit, pour que ce pain et ce vin deviennent le corps et le sang de Jésus, notre Seigneur.

La veille de sa mort, il nous a prouvé ton amour : il était à table avec ses disciples ; il prit un morceau de pain, il dit une prière pour te bénir et te rendre grâce ; il partagea le pain et le donna aux disciples, en leur disant :

> « Prenez, et mangez-en tous :
> ceci est mon corps livré pour vous. »
>
> **Jésus Christ, livré pour nous !**

Il prit ensuite une coupe remplie de vin ; il dit encore une prière pour te rendre grâce ; il fit passer la coupe à chacun en leur disant :

> « Prenez, et buvez-en tous, car ceci est la coupe de mon sang, le sang de l'Alliance nouvelle et éternelle, qui sera versé pour vous et pour la multitude en rémission des péchés. »
>
> **Jésus Christ, livré pour nous !**

Et puis il leur dit : « Vous ferez cela, en mémoire de moi. »

Nous rappelons ici, Père très bon, la mort et la résurrection de Jésus, le Sauveur du monde. Il s'est donné lui-même entre nos mains pour être maintenant notre offrande et nous attirer vers toi.

- **Louange et gloire à notre Dieu !**
- **À toi nos cœurs, à toi nos chants,**
  nos actions de grâce !

Exauce-nous, Seigneur notre Dieu : donne ton Esprit d'amour à ceux qui partagent ce repas ; qu'ils soient de plus en plus unis dans ton Église, avec le Pape N., l'évêque N., les autres évêques, et tous ceux qui travaillent pour ton peuple.

Un seul corps pour ta gloire !

N'oublie pas ceux que nous aimons (...), et ceux que nous n'aimons pas assez. Souviens-toi de ceux qui sont morts (...) ; accueille-les avec amour dans ta maison.

Un seul corps pour ta gloire !

Rassemble-nous un jour près de toi, avec la Vierge Marie, la Mère du Christ et notre mère, pour la grande fête du ciel dans ton Royaume. Alors, tous les amis de Jésus, le Christ, notre Seigneur, pourront te chanter sans fin.

Un seul corps pour ta gloire !

• Par lui, avec lui et en lui,
à toi, Dieu le Père tout-puissant,
dans l'unité du Saint-Esprit,
tout honneur et toute gloire,
pour les siècles des siècles.
Amen.

• **Avec lui nous te chantons,**
Avec lui nous te bénissons,
Gloire à toi, ô notre Père,
Maintenant et pour toujours !
Amen, Amen, Amen, Amen ! CL 6-1

Suite de la célébration : Notre Père, p. 64.

TROISIÈME PRIÈRE EUCHARISTIQUE POUR LES ASSEMBLÉES AVEC ENFANTS

Père, nous te disons merci, nous te rendons grâce. C'est toi qui nous as créés ; et tu nous appelles à vivre pour toi, à nous aimer les uns les autres. Nous pouvons nous rencontrer, parler ensemble. Grâce à toi, nous pouvons partager nos difficultés et nos joies.

Pour le temps pascal

Père, nous te disons merci, nous te rendons grâce avec Jésus ton Fils : car tu aimes la vie, tu nous as appelés à la vie, tu veux notre bonheur pour toujours. Jésus est le premier que tu as ressuscité des morts. Tu lui as donné la vie nouvelle. Cette vie est en nous aussi depuis notre baptême ; et nous savons que nous ressusciterons comme lui près de toi. Alors, il n'y aura plus de mort : nous n'aurons plus à souffrir.

À cause de tout cela, Dieu, notre Père, nous sommes heureux de te rendre grâce tous ensemble. Avec ceux qui croient en toi, avec les saints et les anges, nous te louons en chantant : **Saint ! Saint ! Saint !...** *(p. 30)*

Oui, Dieu, tu es saint, tu es bon pour nous, tu es bon pour tous les hommes. Nous te disons merci, et nous voulons surtout te rendre grâce à cause de Jésus, ton Fils.

Il est venu chez les hommes qui se détournent de toi et n'arrivent pas à s'entendre. Par l'Esprit Saint, il ouvre nos yeux et nos oreilles, il change notre cœur : alors nous arrivons à nous aimer, et nous reconnaissons que tu es notre Père et que nous sommes tes enfants.

Pour le temps pascal

Il est venu nous apporter la bonne nouvelle : nous sommes faits pour vivre, pour être dans la gloire du ciel avec toi. Il nous a montré le chemin qui mène à cette vie : c'est l'amour des autres. Il a pris ce chemin avant nous.

C'est lui, Jésus, le Christ, qui nous rassemble maintenant autour de cette table où nous apportons notre offrande.

Sanctifie, Père très bon, ce pain et ce vin : ils deviendront pour nous le corps et le sang de Jésus, ton Fils, qui nous dit de faire à notre tour ce qu'il a fait lui-même la veille de sa passion.

Au cours du dernier repas qu'il partageait avec ses disciples, Jésus prit le pain. Il te rendit grâce. Il partagea le pain et le donna à ses amis, en leur disant :

« Prenez, et mangez-en tous :
ceci est mon corps, livré pour vous. »

Il prit aussi la coupe de vin. Il te rendit grâce. Il donna la coupe à ses amis en leur disant :

« Prenez, et buvez-en tous,
car ceci est la coupe de mon sang,
le sang de l'Alliance nouvelle et éternelle,
qui sera versé pour vous et pour la multitude
en rémission des péchés. »

Il leur dit aussi :

« Vous ferez cela, en mémoire de moi. »

Voilà pourquoi nous sommes ici, rassemblés devant toi, Père. Et tout remplis de joie, nous rappelons ce que Jésus a fait pour nous sauver : dans cette offrande qu'il a confiée à l'Église, nous célébrons sa mort et sa résurrection ; Père du ciel, accueille-nous avec ton Fils bien-aimé.

Pour nous, Jésus a voulu donner sa vie. Toi, tu l'as ressuscité. Nous t'acclamons : MNA 26.35

Dieu, tu es bon ! Loué sois-tu ! Gloire à toi !

Il vit maintenant près de toi. Il est avec nous toujours et partout.

Dieu, tu es bon ! Loué sois-tu ! Gloire à toi !

Un jour, il viendra dans la gloire du Royaume. Il n'y aura plus de gens tristes, malades ou malheureux.

Dieu, tu es bon ! Loué sois-tu ! Gloire à toi !

Père, nous allons recevoir à cette table, dans la joie de l'Esprit Saint, le corps et le sang du Christ : que cette communion nous rende capables de vivre comme Jésus, entièrement donnés à toi et aux autres. Viens en aide, Seigneur, à notre Pape N., à notre évêque N., et à tous les évêques.
Accorde-nous, et à tous les disciples de Jésus Christ, d'être de ceux qui font la paix et le bonheur autour d'eux.

Pour le temps pascal Mets au cœur des chrétiens la vraie joie de Pâques ; et qu'ils pensent à communiquer cette joie à ceux qui ne savent pas encore que Jésus est ressuscité.

Et puis, donne-nous un jour d'être près de toi, avec la Vierge Marie, la Mère de Dieu, et avec les saints du ciel, tous ensemble, dans le Christ.

Par lui, avec lui et en lui,
à toi, Dieu le Père tout-puissant,
dans l'unité du Saint-Esprit,
tout honneur et toute gloire,
pour les siècles des siècles.
Amen.

Suite de la célébration : Notre Père, p. 64.

PRIÈRE EUCHARISTIQUE POUR DES CIRCONSTANCES PARTICULIÈRES

Dialogue d'introduction, p. 23.
On choisit l'une des quatre préfaces suivantes :

I. L'Église en marche vers l'unité

• Vraiment, il est juste et bon de te chanter louange et gloire, à toi, Seigneur, Père d'infinie bonté.

Oui, il nous est bon de te rendre grâce et de te bénir, car, à la parole de ton Fils annonçant l'Évangile du salut, tu as rassemblé ton Église de tous pays, de toutes langues et de toutes cultures, et tu ne cesses de la vivifier par ton Esprit pour faire grandir jour après jour l'unité du genre humain. En témoignant de ton amour, elle ouvre à chacun les portes de l'espérance, elle devient pour le monde un signe de la fidélité que tu as promise à tous les âges dans le Christ.

C'est pourquoi, nous te glorifions sur la terre comme tu es glorifié dans les cieux et nous proclamons d'une seule voix avec toute l'Église : **Saint !...** *(p. 30)*

II. Dieu guide son Église sur la voie du salut

• Vraiment, il est juste et bon de te rendre gloire, de t'offrir notre action de grâce toujours et en tout lieu, à toi, Père très saint, Créateur de l'univers et source de toute vie.

Car tu n'abandonnes jamais ce que tu crées dans ta sagesse, mais tu te montres bienveillant, toujours à l'œuvre parmi nous. Dans les temps anciens, en déployant la force de ton bras, tu as guidé ton peuple Israël à travers le désert. Aujourd'hui encore, tu accompagnes ton Église dans sa marche au milieu du monde, tu la soutiens de ton Esprit et tu la conduis sur les routes de ce temps vers la joie éternelle de ton Royaume, par notre Seigneur, Jésus, le Christ.

C'est pourquoi, avec les anges et tous les saints, nous chantons l'hymne de ta gloire et sans fin nous proclamons : **Saint !...** *(p. 30)*

III. Jésus, chemin vers le Père

• Vraiment, il est juste et bon de te rendre gloire, de t'offrir notre

action de grâce toujours et en tout lieu, à toi, Père très saint, maître du ciel et de la terre, par notre Seigneur, Jésus, le Christ.
Nous te rendons grâce, Dieu saint et fort : par ton Verbe, tu as créé le monde et par lui tu gouvernes toute chose avec justice.
C'est lui, Verbe fait chair, que tu nous as donné pour médiateur, lui qui nous a dit tes propres paroles et nous appelle à le suivre. Il est le chemin qui mène vers toi, il est la vérité qui rend libre, il est la vie qui comble de joie. Et c'est par lui, ton Fils bien-aimé, que tu rassembles en une seule famille des hommes si divers, créés pour la gloire de ton Nom, rachetés par le sang de la croix et marqués du sceau de ton Esprit.
C'est pourquoi, dès maintenant et pour l'éternité, nous célébrons ta gloire avec tous les anges du ciel et dans la joie nous (chantons et) proclamons : **Saint !...** *(p. 30)*

IV. Jésus, modèle de charité

• Vraiment, il est juste et bon de te rendre gloire, de t'offrir notre action de grâce toujours et en tout lieu, à toi, Dieu fidèle, Père des miséricordes.
Car tu nous as donné ton Fils, Jésus, le Christ, notre Seigneur et notre frère. Il a manifesté son amour pour les petits et les pauvres, les malades et les pécheurs ; il s'est fait le prochain des opprimés et des affligés. Sa parole et ses actes ont annoncé au monde que tu es vraiment un Père et que tu prends soin de tous tes enfants.
C'est pourquoi, avec les anges et tous les saints, nous te louons, nous te bénissons, nous chantons l'hymne de ta gloire et sans fin nous proclamons : **Saint !...** *(p. 30)*

Vraiment, tu es saint et digne de louange, Dieu qui aimes tes enfants, toi qui es toujours avec eux sur les chemins de cette vie. Vraiment, ton Fils, Jésus, est béni, lui qui se tient au milieu de nous, quand nous sommes réunis en son nom : comme autrefois pour ses disciples, il nous ouvre les Écritures et nous partage le pain.
Maintenant donc, Père de toute grâce, nous t'en prions, envoie ton Esprit Saint afin qu'il sanctifie nos offrandes : que ce pain et ce vin deviennent pour nous le corps (+) et le sang du Christ, notre Seigneur.

La veille de sa passion, la nuit de la dernière Cène, il prit le pain, il rendit grâce, il le rompit et le donna à ses disciples, en disant :

> « Prenez, et mangez-en tous :
> ceci est mon corps livré pour vous. »

De même, à la fin du repas, il prit la coupe ; de nouveau il rendit grâce, et la donna à ses disciples, en disant :

> « Prenez, et buvez-en tous,
> car ceci est la coupe de mon sang,
> le sang de l'Alliance nouvelle et éternelle,
> qui sera versé pour vous et pour la multitude
> en rémission des péchés.
> Vous ferez cela en mémoire de moi. »

Acclamations, p. 34.

Voilà pourquoi, Père très saint, faisant ici mémoire de ton Fils, le Christ, notre Sauveur, que tu as conduit, par la passion et la mort sur la croix, à la gloire de la résurrection pour qu'il siège à ta droite, nous annonçons ton œuvre de grâce jusqu'au jour où il viendra, et nous t'offrons le pain de la vie et la coupe de bénédiction.

Regarde avec bonté, Seigneur, l'offrande de ton Église qui te présente par nos mains ce qu'elle a reçu de toi, le sacrifice de louange, la Pâque du Christ. Que la force de ton Esprit fasse de nous, dès maintenant et pour toujours, les membres de ton Fils ressuscité, par notre communion à son corps et à son sang.

On choisit l'intercession correspondant à la préface :

I. Renouvelle, Seigneur, par la lumière de l'Évangile, ton Église (qui est à N.). Resserre les liens de charité qui unissent les fidèles et les pasteurs ; garde-les en communion avec le pape N., avec notre évêque N. et l'ensemble des évêques, pour que le peuple qui t'appartient brille comme un signe prophétique de l'unité et de la paix, au milieu d'une humanité qui se divise et se déchire.

II. Toi qui nous invites à cette table, Seigneur, nous te prions de nous fortifier dans l'unité : alors, en suivant tes chemins, avançant dans la foi et l'espérance, avec le pape N., et notre évêque N., avec l'ensemble des évêques, les prêtres, les diacres et ton peuple répandu par tout l'univers, nous pourrons apporter au monde la confiance et la joie.

III. Père tout-puissant, fais-nous vivre de ton Esprit dans notre participation à ce mystère : renouvelle-nous à l'image de ton Fils, et resserre les liens de notre unité avec le papeN. et notre évêque N., avec l'ensemble des évêques, les prêtres, les diacres et ton peuple répandu par tout l'univers. Donne à tous les membres de l'Église de savoir lire les signes des temps à la lumière de la foi, et de se dépenser sans relâche au service de l'Évangile. Rends-nous attentifs aux besoins de tous, afin que partageant leurs tristesses et leurs angoisses, leurs espérances et leurs joies, nous leur annoncions fidèlement la Bonne Nouvelle du salut et progressions avec eux sur le chemin de ton Royaume.

IV. Seigneur, fais grandir ton Église dans la foi et la charité, en union avec le pape N., et notre évêque N., avec l'ensemble des évêques, les prêtres, les diacres et tout le peuple qui t'appartient.
Ouvre nos yeux à toute détresse, inspire-nous la parole et le geste qui conviennent pour soutenir notre prochain dans la peine ou dans l'épreuve ; donne-nous de le servir avec un cœur sincère selon l'exemple et la parole du Christ lui-même. Fais de ton Église un lieu de vérité et de liberté, de justice et de paix, pour que l'humanité tout entière renaisse à l'espérance.

Souviens-toi de nos frères et de nos sœurs qui se sont endormis dans la paix du Christ, et de tous les morts dont toi seul connais la foi : donne-leur de contempler la clarté de ton visage et conduis-les, par la résurrection, à la plénitude de la vie. Et lorsque prendra fin notre pèlerinage sur la terre, accueille-nous dans la demeure où nous vivrons près de toi pour toujours.
En union avec la Vierge Marie, la bienheureuse Mère de Dieu, avec les Apôtres, les martyrs et tous les saints du ciel, nous pourrons alors te louer sans fin et magnifier ton nom par Jésus, le Christ, ton Fils bien-aimé.

Par lui, avec lui et en lui, à toi, Dieu le Père tout-puissant,
dans l'unité du Saint-Esprit, tout honneur et toute gloire,
pour les siècles des siècles.
Amen.

COMMUNION

Prière du Seigneur

• Comme nous l'avons appris du Sauveur, et selon son commandement, nous osons dire :

• Unis dans le même Esprit, nous pouvons dire avec confiance la prière que nous avons reçue du Sauveur :

• *ou une autre introduction.*

Notre Père qui es aux cieux,
que ton nom soit sanctifié,
que ton règne vienne,
que ta volonté soit faite
sur la terre comme au ciel.

Donne-nous aujourd'hui
notre pain de ce jour.
Pardonne-nous nos offenses,
comme nous pardonnons aussi
à ceux qui nous ont offensés.

Et ne nous soumets pas à la tentation,
mais délivre-nous du Mal.

Pater noster, qui es in cœlis : sanctificetur nomen tuum ; adveniat regnum tuum ; fiat voluntas tua, sicut in cœlo, et in terra. Panem nostrum cotidianum da nobis hodie ; et dimitte nobis debita nostra, sicut et nos dimittimus debitoribus nostris ; et ne nos inducas in tentationem ; sed libera nos a malo.

Délivre-nous de tout mal, Seigneur, et donne la paix à notre temps ; par ta miséricorde, libère-nous du péché, rassure-nous devant les épreuves, en cette vie où nous espérons le bonheur que tu promets et l'avènement de Jésus Christ, notre Sauveur.

• **Car c'est à toi qu'appartiennent**
le règne, la puissance et la gloire,
pour les siècles des siècles !

• **À toi, le règne,**
à toi, la puissance et la gloire,
pour les siècles des siècles !

Rite de la paix

Seigneur Jésus Christ, tu as dit à tes Apôtres : « Je vous laisse la paix, je vous donne ma paix » ; ne regarde pas nos péchés mais la foi de ton Église ; pour que ta volonté s'accomplisse, donne-lui toujours cette paix, et conduis-la vers l'unité parfaite, toi qui règnes pour les siècles des siècles. **Amen.**

Que la paix du Seigneur soit toujours avec vous.
Et avec votre esprit.

Dans la charité du Christ, donnez-vous la paix.

Partage du pain consacré

Pendant que le prêtre partage le pain consacré pour la communion, l'assemblée chante :

Agneau de Dieu, qui enlèves le péché du monde,
prends pitié de nous.

On peut chanter ce refrain plusieurs fois. On termine par :

Agneau de Dieu, qui enlèves le péché du monde,
donne-nous la paix.

Agnus Dei qui tollis peccata mundi,
miserere nobis (dona nobis pacem).

En mettant un fragment de l'hostie dans le calice, le prêtre dit à voix basse :

Que le corps et le sang de Jésus Christ, réunis dans cette coupe, nourrissent en nous la vie éternelle.

Les fidèles qui vont donner la communion et ceux qui vont porter la communion aux malades s'approchent de l'autel pour communier.

Communion

Avant de communier, le prêtre dit à voix basse :

• Seigneur Jésus Christ, Fils du Dieu vivant, selon la volonté du Père et avec la puissance du Saint-Esprit, tu as donné, par ta mort, la vie au monde ; que ton corps et ton sang me délivrent de mes péchés et de tout mal ; fais que je demeure fidèle à tes commandements et que jamais je ne sois séparé de toi.

• Seigneur Jésus Christ, que cette communion à ton corps et à ton sang n'entraîne pour moi ni jugement ni condamnation, mais qu'elle soutienne mon esprit et mon corps et me donne la guérison.

Que le corps du Christ me garde pour la vie éternelle.
Que le sang du Christ me garde pour la vie éternelle.

Heureux les invités au repas du Seigneur !
Voici l'Agneau de Dieu
qui enlève le péché du monde.

Seigneur, je ne suis pas digne de te recevoir ;
mais dis seulement une parole
et je serai guéri.

Le corps du Christ. **Amen.**
Le sang du Christ. **Amen.**

Prière après la communion *(Voir à la messe du jour)*

CONCLUSION ET ENVOI

Les avis pour la semaine sont donnés ici.

Le Seigneur soit avec vous.
Et avec votre esprit.

La bénédiction peut être précédée d'une prière sur le peuple ou être développée sous une forme solennelle.

Que Dieu tout-puissant vous bénisse,
le Père, le Fils et le Saint-Esprit.
Amen.

Allez, dans la paix du Christ.
Nous rendons grâce à Dieu.

L'AVENT :
LE SEIGNEUR VIENT !

Le Seigneur vient ! Cette espérance, qui est aussi donnée comme une assurance, nous conduit et dispose nos cœurs au seuil de cette nouvelle année liturgique. L'Avent s'ouvre devant nous, comme le temps de la venue du Seigneur, et c'est maintenant.

Cette attente, d'abord paisible, devient à mesure plus fervente. Dans la dernière semaine qui précède la venue du Sauveur, la liturgie de l'Église l'accompagne avec les grandes Antiennes « Ô », ainsi appelées car elles commencent toutes par une invocation au Messie attendu auquel elles donnent un titre biblique. Si cette attente est vécue avec plus d'intensité durant l'Avent, elle est déjà celle que nous vivons, dans le temps ordinaire, comme nous le rappelle, chaque dimanche, la prière eucharistique après la consécration : « Viens, Seigneur Jésus. »

Hier comme aujourd'hui, un signe est donné, c'est la naissance d'un nouveau-né. L'Avent est un temps de grâce, marqué par l'irruption de la nouveauté, la possibilité de laisser naître du neuf dans nos vies, comme en témoignent les lectures prophétiques qui annoncent un règne nouveau.

L'Avent n'est pas seulement l'attente, même heureuse, de la fête de Noël, ni même la préparation de nos cœurs à cette fête. L'incroyable promesse de l'avènement, hier à Bethléem, prend à nouveau chair aujourd'hui, ici et maintenant, et anticipe le retour attendu à la fin des temps. C'est pourquoi l'Avent a pris une orientation tournée vers la fin de l'histoire. Préparation à la fête de Noël, elle annonce aussi le Retour glorieux du Seigneur. Nous l'entendons dans la *préface du 1er dimanche :*

« Car il est déjà venu [...] il viendra de nouveau, revêtu de sa gloire. »

Pour porter du fruit, comme nous y exhorte Jean le Baptiste (Mt 3,8), et faire preuve d'imagination pour œuvrer à un monde de justice et de paix, laissons-nous visiter par le Visiteur toujours inattendu, le Christ Sauveur.

1er dimanche de l'Avent

1er décembre 2013

TENEZ-VOUS PRÊTS

Il n'est pas facile d'entendre cet *évangile* ouvrir le temps de l'Avent : comment accepter que l'un soit pris, et l'autre laissé ? Au milieu d'une catastrophe, semblable à celle du déluge, image de la fin des temps, ce choix paraît au mieux arbitraire, au pire injuste. C'est qu'il est question ici, du jour du Jugement, de l'avènement du Seigneur. Jésus emploie des images apocalyptiques, se donne un titre messianique, « Fils de l'homme », met en garde contre les faux messies et les faux prophètes et invite ses disciples à l'intelligence des signes.

« Tenez-vous donc prêts, vous aussi : c'est à l'heure où vous n'y penserez pas, que le Fils de l'homme viendra. » Qu'est-ce à dire, puisque nous ne connaissons ni le jour ni la manière dont il viendra ? Se tenir prêt, ce n'est pas être *fin prêt*, comme s'il ne restait plus rien à faire, mais c'est se montrer présent, disponible, ouvert. C'est pourquoi il importe d'être attentif, car si cette venue est bien annoncée et précédée de signes, elle reste inattendue, et si nous sommes trop sollicités par nos propres occupations, nous n'y ferons pas attention. Marie, elle, écoute, interroge et se fait la servante du Seigneur pour donner naissance à Dieu lui-même.

Ce jour est tout proche, il n'a même jamais été aussi proche, dit Paul dans la *deuxième lecture*.

Comme dans la *première lecture*, tous les textes de ce dimanche s'adressent à nous sur le mode de l'injonction pressante. C'est le moment favorable ! Que de verbes à l'impératif pour nous inviter à nous y préparer comme à nous en réjouir ! Les lectures d'aujourd'hui insistent sur l'imminence et sur l'assurance de cette venue, qui promet la paix et le salut pour les nations.

Suggestions pour la célébration

• CHANTER • Les chants proposés pour le 1er dimanche pourront être retenus pour les quatre dimanches de l'Avent.

Un chant peut manifester l'unité de ces quatre dimanches : on pourra choisir ***Préparez le chemin du Seigneur*** CNA 371, ***Aube nouvelle*** CNA 363, ***Dieu nous invite à l'aventure*** E 163, ***Le Seigneur vient*** CNA 361.

Pour l'ordinaire de la messe : les ***Litanies pénitentielles*** CNA 185 a ou CNA 362, ***Kyrie XVII*** CNA 165, ***Kyrie de la messe de la Trinité*** C 51-16.

Pour l'acclamation de l'Évangile : ***Alléluia, Bonne nouvelle*** CNA 215-3, ***Alléluia pour l'Avent*** CNA 215-21, ***Alléluia pour les dimanches de l'Avent*** EU 48-13 avec la cantillation des versets.

Pour la prière universelle : ***Réveille ta puissance*** CNA 231-13.

Pour l'anamnèse, on retiendra la formule qui fait dire à l'assemblée : ***Viens, Seigneur Jésus.***

Pour le **Sanctus** : CNA 248 ou CNA 244.

Pour l'**Agneau de Dieu** : CNA 304 ou CNA 307.

On pourra faire le choix d'un psaume commun pour les quatre dimanches : **psaume 84** ou **psaume 24.**

Après l'homélie : ***Voici le temps d'un long désir*** CNA 817 ou E 35-01-03, ***Choral de l'Avent*** E 37- 75, ***Encore un peu de temps*** CNA 367.

Pendant la communion : ***Pain véritable*** CNA 340, ***De la table du Seigneur*** CNA 324.

Après la communion : ***Viens pour notre attente*** CNA 377, ***Vienne la paix*** CNA 771, ***Ô viens, Jésus*** CNA 370, ***Vienne la rosée*** ELH 103.

À la fin de la célébration : ***Venez, divin Messie*** CNA 375 ou ***Viens, Seigneur, ne tarde plus*** E 57-31. 2.

• PRIER • **POUR LA PRÉPARATION PÉNITENTIELLE**

Seigneur Jésus, tu es le Messie espéré,
prends pitié de nous.

Ô Christ, lumière dans nos vies et pour les nations,
prends pitié de nous.

Seigneur, tu viens pour nous sauver,
prends pitié de nous.

Pour la prière universelle

Nous pouvons prier :
- pour que dans nos communautés grandissent le désir du Seigneur et le souci de l'accueil ;
- pour ceux dont la vie est obscurcie par le découragement, les difficultés, la peine ;
- pour les hommes et les femmes de notre temps : qu'ils restent attentifs à lire les signes de ce temps.

• **CÉLÉBRER** • Bien connue, la couronne de l'Avent, placée non sur l'autel, mais en contrebas, rend visible notre attente du Christ lumière.

Prière d'ouverture

Donne à tes fidèles, Dieu tout-puissant, d'aller avec courage sur les chemins de la justice à la rencontre du Seigneur, pour qu'ils soient appelés, lors du jugement, à entrer en possession du Royaume des cieux. Par Jésus Christ, ton Fils, notre Seigneur et notre Dieu, qui règne avec toi et le Saint-Esprit, maintenant et pour les siècles des siècles. **Amen.**

1re lecture — *Venez, marchons à la lumière du Seigneur*

Lecture du livre d'Isaïe — Is 2, 1-5

Le prophète Isaïe a reçu cette révélation au sujet de Juda et de Jérusalem.

Il arrivera dans l'avenir que la montagne du temple du Seigneur sera placée à la tête des montagnes et dominera les collines. Toutes les nations afflueront vers elle, des peuples nombreux se mettront en marche, et ils diront : « Venez, montons à la montagne du Seigneur, au temple du Dieu de Jacob. Il nous enseignera ses chemins et nous suivrons ses sentiers. Car c'est de Sion que vient la Loi, de Jérusalem la parole du Seigneur. »

Il sera le juge des nations, l'arbitre de la multitude des peuples. De leurs épées ils forgeront des socs de charrue, et de leurs lances, des faucilles. On ne lèvera plus l'épée nation contre nation, on ne s'entraînera plus pour la guerre.

Venez, famille de Jacob, marchons à la lumière du Seigneur.

PSAUME 121

• **Allons dans la joie à la rencontre du Seigneur.**

• **Allons vers la montagne,**
vers la montagne du Seigneur.

Quelle joie quand on m'a dit :
« Nous irons à la maison du Seigneur ! »
Maintenant notre marche prend fin
devant tes portes, Jérusalem !

Jérusalem, te voici dans tes murs :
ville où tout ensemble ne fait qu'un.
C'est là que montent les tribus,
les tribus du Seigneur.

C'est là qu'Israël doit rendre grâce
au nom du Seigneur.
C'est là le siège du droit,
le siège de la maison de David.

Appelez le bonheur sur Jérusalem :
« Paix à ceux qui t'aiment !
Que la paix règne dans tes murs,
le bonheur dans tes palais ! »

À cause de mes frères et de mes proches,
je dirai : « Paix sur toi ! »
À cause de la maison du Seigneur notre Dieu,
je désire ton bien.

2e LECTURE *Revêtons-nous pour le combat de la lumière*

Lecture de la lettre de saint Paul Apôtre aux Romains Rm 13, 11-14

Frères, vous le savez : c'est le moment, l'heure est venue de sortir de votre sommeil. Car le salut est plus près de nous maintenant qu'à l'époque où nous sommes devenus croyants. La nuit est bientôt finie, le jour est tout proche. Rejetons les activités des ténèbres, revêtons-nous pour le combat de la lumière. Conduisons-nous honnêtement, comme on le fait en plein jour, sans ripailles ni beuveries, sans orgies ni débauches, sans dispute ni jalousie, mais revêtez le Seigneur Jésus Christ.

Alléluia. Alléluia. Montre-nous, Seigneur, ta miséricorde : fais-nous voir le jour de ton salut. **Alléluia**.

ÉVANGILE *Tenez-vous prêts – veillez*

Évangile de Jésus Christ selon saint Matthieu Mt 24, 37-44

Jésus parlait à ses disciples de sa venue : « L'avènement du Fils de l'homme ressemblera à ce qui s'est passé à l'époque de Noé. À cette époque, avant le déluge, on mangeait, on buvait, on se mariait, jusqu'au jour où Noé entra dans l'arche. Les gens ne se sont doutés de rien, jusqu'au déluge qui les a tous engloutis : tel sera aussi l'avènement du Fils de l'homme. Deux hommes seront aux champs : l'un est pris, l'autre laissé. Deux femmes seront au moulin : l'une est prise, l'autre laissée. Veillez donc, car vous ne connaissez pas le jour où votre Seigneur viendra. Vous le savez bien : si le maître de maison avait su à quelle heure de la nuit le voleur viendrait, il aurait veillé et n'aurait pas laissé percer le mur de sa maison. Tenez-vous donc prêts, vous aussi : c'est à l'heure où vous n'y penserez pas, que le Fils de l'homme viendra. »

PRIÈRE SUR LES OFFRANDES

Seigneur, nous ne pourrons jamais t'offrir que les biens venus de toi : accepte ceux que nous t'apportons ; et puisque c'est toi qui nous donnes maintenant de célébrer l'eucharistie, fais qu'elle soit pour nous le gage du salut éternel. Par Jésus, le Christ, notre Seigneur. **Amen**.

Préface

Vraiment, il est juste et bon de te rendre gloire, de t'offrir notre action de grâce, toujours et en tout lieu, à toi, Père très saint, Dieu éternel et tout-puissant, par le Christ, notre Seigneur.

Car il est déjà venu, en prenant la condition des hommes, pour accomplir l'éternel dessein de ton amour et nous ouvrir le chemin du salut ; il viendra de nouveau, revêtu de sa gloire, afin que nous possédions dans la pleine lumière les biens que tu nous as promis, et que nous attendons en veillant dans la foi.

C'est pourquoi, avec les anges et tous les saints, nous proclamons ta gloire en chantant (disant) d'une seule voix : **Saint !...**

Prière après la communion

Fais fructifier en nous, Seigneur, l'eucharistie qui nous a rassemblés : c'est par elle que tu formes, dès maintenant, à travers la vie de ce monde, l'amour dont nous t'aimerons éternellement. Par Jésus, le Christ, notre Seigneur. **Amen.**

Les deux avènements du Christ

« Nous annonçons l'avènement du Christ, non pas uniquement un seul avènement, mais encore un second beaucoup plus éclatant que le premier. Celui-ci en effet s'était fait sous le signe de la souffrance, l'autre porte le diadème de la divine royauté. Pour la plus grande partie en effet, tout ce qui se passe chez notre Seigneur Jésus Christ est double : double est la naissance, une de Dieu avant les siècles, une de la Vierge quand les siècles furent accomplis ; doubles sont les descentes, l'une invisible, [...] la seconde, éclatante, celle qui est encore à venir. Dans le premier avènement, il a été emmailloté dans la crèche ; dans le second, la lumière l'entoure comme un manteau. Dans le premier, il a subi la croix, ayant méprisé la honte ; dans le second, il vient escorté d'une armée d'anges, glorifié. Donc, nous ne sommes pas seulement assurés du premier avènement, mais aussi nous attendons le second. »

Cyrille de Jérusalem, *Catéchèse baptismale* XV,
« Les Pères dans la foi », Migne, 1993.

Calendrier liturgique

Di 1er	**1er dimanche de l'Avent A.** *Liturgie des Heures : Psautier semaine I.*
Ma 3	S. François Xavier, prêtre, jésuite missionnaire, † 1552 dans l'île de San-Choan (Chine).
Me 4	*S. Jean de Damas, prêtre, docteur de l'Église, † vers 749 près de Jérusalem.*
Je 5	En Afrique du Nord, Ste Crispine, martyre, † 304 à Théveste.
Ve 6	*S. Nicolas, évêque de Myre, (Asie Mineure), † vers 350.*
Sa 7	S. Ambroise, évêque de Milan, docteur de l'Église, † vers 397.

Bonne fête ! 1er : Florence, Éloi, Loïc. 2 : Viviane. 3 : Xavier. 4 : Barbara, Barbe. 5 : Gérard, Géraldine. 6 : Nicolas, Colas, Nils. 7 : Ambroise.

Pour prolonger la prière : En ce monde assoupi dans l'injustice, Seigneur notre Dieu, ne laisse pas le sommeil nous gagner. Dirige nos regards vers celui qui vient faire fleurir la paix. Ainsi nous veillerons dans la fidélité et nous préparerons les chemins de ton Royaume.

2e dimanche de l'Avent 8 décembre 2013

PRÉPAREZ LE CHEMIN DU SEIGNEUR

Ce qui frappe à l'écoute des textes de ce jour, c'est l'irruption de la vie *(première lecture)* et avec la promesse d'une naissance, celle, possible, espérée, d'un renouveau dans nos vies, d'une renaissance comme celle dont Jésus a parlé à Nicodème (Jn 3,3).

Jean le Baptiste reproche aux pharisiens et aux sadducéens de ne plus se laisser engendrer par l'Esprit sous prétexte qu'ils appartiennent au peuple élu : « Nous avons Abraham pour père ». Dans la tradition des prophètes qui reprochaient au peuple son cœur de pierre, la voix de Jean reprend le cri d'Isaïe qui annonçait la fin de l'exil à Babylone, pour appeler à la conversion (Is 40,3).

La pelle à vanner, au moment de la moisson, est une image du jugement dernier. Séparant la paille qui sera brûlée, du grain qui sera engrangé, elle évoque un tri, comme dans la parabole de l'ivraie et du bon grain. Serait-ce pour précipiter certains dans le feu, « qui ne s'éteint pas » de la géhenne ? Le salut n'est pas un privilège, mais il est offert à tous, insiste Paul *(deuxième lecture)* qui y associe les nations païennes. Dans cet appel à la conversion, il faut entendre l'invitation à laisser Dieu renouveler notre cœur.

Il est aussi beaucoup question d'*esprit* dans ces textes : celui qui est donné *(première lecture)* et dont les traits énumèrent ce que seront les dons de l'Esprit Saint, celui dans lequel Jésus viendra baptiser *(évangile)*, celui enfin qui doit animer les premières communautés *(deuxième lecture)*. Le mot traduit l'hébreu *ruah* et signifie d'abord « le vent, le souffle de l'air ». L'esprit, comme le feu qui brûle sans consumer, atteste de la puissance de vie que peut l'action de Dieu si nous le laissons faire et annonce l'Esprit donné à la Pentecôte.

Suggestions pour la célébration

• CHANTER • Aux chants proposés pour tout le temps de l'Avent (p. 69), on peut préférer des chants qui font écho aux textes du jour : *Voici le temps du salut* E 546, *La voix qui crie dans le désert* SYL G 320, *Vienne la paix* CNA 771, *Dans le désert un cri s'élève* E 26-32, *Dieu est à l'œuvre en cet âge* CNA 541 (strophes 1 et 5).

• PRIER • POUR LA PRÉPARATION PÉNITENTIELLE

Seigneur Jésus, fais-nous choisir la justice et la paix,
prends pitié de nous.

Ô Christ, tu fais la volonté du Père,
prends pitié de nous.

Seigneur, tu envoies sur nous l'Esprit qui renouvelle nos cœurs,
prends pitié de nous.

POUR LA PRIÈRE UNIVERSELLE

Nous pouvons prier :
- pour que des artisans de justice et de paix œuvrent dans ce monde ;
- pour ceux qui, à la suite du Christ, font des choix radicaux ;
- pour que davantage d'hommes entendent ton appel à changer de vie.

PRIÈRE D'OUVERTURE

Seigneur tout-puissant et miséricordieux, ne laisse pas le souci de nos tâches présentes entraver notre marche à la rencontre de ton Fils ; mais éveille en nous cette intelligence du cœur qui nous prépare à l'accueillir et nous fait entrer dans sa propre vie. Lui qui règne avec toi et le Saint-Esprit, maintenant et pour les siècles des siècles. **Amen.**

1re LECTURE — *Il ne se fera plus rien de mauvais*

Lecture du livre d'Isaïe — Is 11, 1-10

Parole du Seigneur Dieu. Un rameau sortira de la souche de Jessé, père de David, un rejeton jaillira de ses racines. Sur lui reposera l'esprit du Seigneur : esprit de sagesse et de discernement, esprit de conseil et de force, esprit de connaissance et de crainte du Seigneur qui lui inspirera la crainte du Seigneur. Il ne jugera pas d'après les apparences, il ne tranchera pas d'après ce qu'il entend dire. Il jugera les petits avec justice, il tranchera avec droiture en faveur des pauvres du pays. Comme un bâton, sa parole frappera le pays, le souffle de ses lèvres fera mourir le méchant. Justice est la ceinture de ses hanches ; fidélité, le baudrier de ses reins.

Le loup habitera avec l'agneau, le léopard se couchera près du chevreau, le veau et le lionceau seront nourris ensemble, un petit garçon les conduira. La vache et l'ourse auront même pâturage, leurs petits auront même gîte. Le lion, comme le bœuf, mangera du fourrage. Le nourrisson s'amusera sur le nid du cobra, sur le trou de la vipère l'enfant étendra la main. Il ne se fera plus rien de mauvais ni de corrompu sur ma montagne sainte ; car la connaissance du Seigneur remplira le pays comme les eaux recouvrent le fond de la mer.

Ce jour-là, la racine de Jessé, père de David, sera dressée comme un étendard pour les peuples, les nations la chercheront, et la gloire sera sa demeure.

Psaume 71

• **Voici venir un jour sans fin**
de justice et de paix.

• **Quand son temps sera venu,**
la justice fleurira et la paix sera sans fin.

Dieu, donne au roi tes pouvoirs,
à ce fils de roi ta justice :
qu'il gouverne ton peuple avec justice,
qu'il fasse droit aux malheureux !

En ces jours-là, fleurira la justice,
grande paix jusqu'à la fin des lunes !

Qu'il domine de la mer à la mer,
et du Fleuve jusqu'au bout de la terre !

Il délivrera le pauvre qui appelle
et le malheureux sans recours.
Il aura souci du faible et du pauvre,
du pauvre dont il sauve la vie.

Que son nom dure toujours ;
sous le soleil, que subsiste son nom !
En lui que soient bénies
toutes les familles de la terre ;
que tous les pays le disent bienheureux !

2e LECTURE *Rendons gloire*

Lecture de la lettre de saint Paul Apôtre aux Romains Rm 15, 4-9

Frères, tout ce que les livres saints ont dit avant nous est écrit pour nous instruire, afin que nous possédions l'espérance grâce à la persévérance et au courage que donne l'Écriture. Que le Dieu de la persévérance et du courage vous donne d'être d'accord entre vous selon l'esprit du Christ Jésus. Ainsi, d'un même cœur, d'une même voix, vous rendrez gloire à Dieu, le Père de notre Seigneur Jésus Christ.

Accueillez-vous donc les uns les autres comme le Christ vous a accueillis pour la gloire de Dieu, vous qui étiez païens. Si le Christ s'est fait le serviteur des Juifs, c'est en raison de la fidélité de Dieu, pour garantir les promesses faites à nos pères ; mais, je vous le déclare, c'est en raison de la miséricorde de Dieu que les nations païennes peuvent lui rendre gloire, comme le dit l'Écriture : « Je te louerai parmi les nations, je chanterai ton nom. »

Alléluia. Alléluia. Préparez le chemin du Seigneur, aplanissez la route : tout homme verra le salut de Dieu. **Alléluia.**

ÉVANGILE — *Préparez le chemin*

Évangile de Jésus Christ selon saint Matthieu — Mt 3, 1-12

En ces jours-là, paraît Jean le Baptiste, qui proclame dans le désert de Judée : « Convertissez-vous, car le Royaume des cieux est tout proche ! » Jean est celui que désignait la parole transmise par le prophète Isaïe : « À travers le désert, une voix crie : Préparez le chemin du Seigneur, aplanissez sa route. »

Jean portait un vêtement de poils de chameau, et une ceinture de cuir autour des reins ; il se nourrissait de sauterelles et de miel sauvage. Alors Jérusalem, toute la Judée et toute la région du Jourdain venaient à lui, et ils se faisaient baptiser par lui dans le Jourdain en reconnaissant leurs péchés.

Voyant des pharisiens et des sadducéens venir en grand nombre à ce baptême, il leur dit : « Engeance de vipères ! Qui vous a appris à fuir la colère qui vient ? Produisez donc un fruit qui exprime votre conversion, et n'allez pas dire en vous-mêmes : "Nous avons Abraham pour père" ; car, je vous le dis : avec les pierres que voici, Dieu peut faire surgir des enfants à Abraham. Déjà la cognée se trouve à la racine des arbres : tout arbre qui ne produit pas de bons fruits va être coupé et jeté au feu.

Moi, je vous baptise dans l'eau, pour vous amener à la conversion. Mais celui qui vient derrière moi est plus fort que moi, et je ne suis pas digne de lui retirer ses sandales. Lui vous baptisera dans l'Esprit Saint et dans le feu ; il tient la pelle à vanner dans sa main, il va nettoyer son aire à battre le blé, et il amassera le grain dans son grenier. Quant à la paille, il la brûlera dans un feu qui ne s'éteint pas. »

PRIÈRE SUR LES OFFRANDES

Laisse-toi fléchir, Seigneur, par nos prières et nos pauvres offrandes ; nous ne pouvons pas invoquer nos mérites, viens par ta grâce à notre secours. Par Jésus.

Préface de l'Avent, p. 73.

Prière après la communion

Pleins de reconnaissance pour cette eucharistie, nous te prions encore, Seigneur : apprends-nous, dans la communion à ce mystère, le vrai sens des choses de ce monde et l'amour des biens éternels. Par Jésus.

Quel style de vie choisissons-nous ?

« L'autre nom de la paix est le développement. Il y a une responsabilité collective pour éviter la guerre, il y a de même une responsabilité collective pour promouvoir le développement. [...]. Cela peut comporter d'importants changements dans les styles de vie établis, afin de limiter le gaspillage des ressources naturelles et des ressources humaines, pour permettre à tous les peuples et à tous les hommes sur la terre d'en disposer dans une mesure convenable. »

Jean-Paul II, *Centesimus Annus*, n° 52, 1991.

Calendrier liturgique

Di 8	**2e dimanche de l'Avent A.** *Liturgie des Heures : Psautier semaine II.*
Lu 9	**IMMACULÉE CONCEPTION DE LA VIERGE MARIE, p. 81.** *[S. Juan Diego Cuauhtlatoatzin, † 1548, près de Mexico.]*
Me 11	*S. Damase Ier, pape, † 384 à Rome.*
Je 12	*Notre-Dame de Guadaloupé (Mexique).*
Ve 13	Ste Lucie, vierge et martyre, à Syracuse, premiers siècles.
Sa 14	S. Jean de la Croix, prêtre carme, docteur de l'Église, † 1591 à Ubeda (Espagne).

Bonne fête ! 8 : Conception, Sabine, Édith. 9 : Valérie. 10 : Romaric, Eulalie. 11 : Damase, Daniel, Dany. 12 : Corentin. 13 : Lucie, Aurore, Josselyne ou Jocelyne. 14 : Odile.

Pour prolonger la prière : Ton amour et ta grâce, Seigneur notre Dieu, tu les donnes à ceux qui te prient. Ta promesse fait surgir un monde nouveau et tu instaures un temps de paix. Convertis-nous par ton Esprit ; avec lui nous préparerons l'avènement de Jésus, notre Sauveur.

Immaculée Conception de la Vierge Marie

9 décembre 2013

CHANTER On pourra choisir parmi les chants proposés pour le 15 août, p. 449.

PRIÈRE D'OUVERTURE Seigneur, tu as préparé à ton Fils une demeure digne de lui par la conception immaculée de la Vierge ; puisque tu l'as préservée de tout péché par une grâce venant déjà de la mort de ton Fils, accorde-nous, à l'intercession de cette Mère très pure, de parvenir jusqu'à toi, purifiés, nous aussi, de tout mal. Par Jésus Christ.

LECTURES

Première lecture : Gn 3,9-15.20 *Ève, la mère de tous les vivants.*

Psaume 97 : *Acclamez le Seigneur, terre entière !*

Deuxième lecture : Ep 1,3-6.11-12 *Choisis de toute éternité*

Évangile : Lc 1,26-38 *Voici la servante du Seigneur*

PRIÈRE APRÈS LA COMMUNION Que cette communion, Seigneur notre Dieu, guérisse en nous les blessures de la faute originelle dont tu as préservé la Vierge Marie, grâce au privilège de sa conception immaculée. Par Jésus.

Marie est, comme l'Église, mère du Christ

« Tête et corps : un seul Tout, le Christ unique. D'un seul Dieu au ciel, et sur terre d'une mère unique. Beaucoup de fils et pourtant un seul. Et tout de même que Tête et membres sont un seul fils et plus d'un, ainsi Marie et l'Église sont une seule mère et plus d'une, une seule vierge et plus d'une. L'une et l'autre mère, l'une et l'autre vierge. L'une conçoit du même Esprit sans attrait charnel. L'une et l'autre donne sans péché au Dieu Père une postérité : Marie, sans aucun péché, fournit au corps sa Tête ; l'Église, dans la rémission de tous ses péchés, donne à cette Tête son corps. L'une et l'autre sont mères du Christ : mais aucune des deux ne l'enfante tout entier sans l'autre. »

Isaac de l'Étoile, *Sermon 61, sur l'Assomption*.

3e dimanche de l'Avent

15 décembre 2013

TÉMOINS DE L'ESPÉRANCE

La liturgie de la parole s'ouvre aujourd'hui sur une cascade d'images déroutantes : Isaïe *(première lecture)* prophétise la métamorphose du désert en jardin et il annonce, porté par une confiance inébranlable, la guérison des infirmes ! Le psaume lui fait écho en affirmant : le Seigneur fait justice aux opprimés, aux affamés il donne le pain.

Or, il s'en faut de beaucoup qu'au XXIe siècle justice soit faite aux opprimés et que les affamés soient nourris. En quoi cette confiance démesurée nous parle-t-elle de notre monde et de Noël ? L'évangile nous le fait entrevoir. En effet, le Christ accomplit ce qu'annonçait le prophète Isaïe et demande qu'on l'annonce à Jean le Baptiste emprisonné pour qu'il se les applique : les aveugles voient, les boiteux marchent. Paroles d'espérance qui ne promettent pas la libération à celui qui sera injustement mis à mort par Hérode. Le Christ n'accomplit pas de miracle pour Jean Baptiste mais lui révèle qu'il est le Messie qui traverse la mort et, du même mouvement, la dépasse. En lui, déjà, « les morts ressuscitent ». En lui, justice et tendresse auront bientôt le dernier mot.

Noël n'est pas une trêve qui ouvre la porte, vite refermée, aux bons sentiments, mais une brèche dans le temps cyclique de nos jours, l'événement qui enjoint à l'homme d'ouvrir les yeux, de faire régner la justice puisque Dieu se fait tout proche de nos accablements, de nos petitesses, pour nous faire participer de sa grandeur et de sa joie. Ce n'est pas trop beau pour être vrai mais trop vrai pour ne pas être beau ! Ainsi se justifie le langage poétique des prophètes... que nous devons devenir à notre tour en témoignant, chacun selon notre situation, de l'espérance qui parle en nous en écho à la parole de Dieu. Les prophètes ne sont pas à écouter bouche bée, mais à imiter : « Dites aux gens qui s'affolent : "Prenez courage" » *(première lecture)*. Frères, prenez pour modèles d'endurance et de patience les prophètes « qui ont parlé au nom du Seigneur » *(deuxième lecture)*. L'écoute et la transmission d'une parole qui annonce « celui qui doit venir » *(évangile)* nous préparent à Noël en vérité.

Suggestions pour la célébration

• CHANTER • Pour mettre l'accent sur les lectures de ce dimanche, on pourra privilégier : ***Es-tu celui qui doit venir ?*** **EP 47-41-8,** ***Vienne la paix*** CNA 771 (couplets 1 et 6), ***Danse de joie, cité de paix*** CNA 365 ; ***Joie sur terre*** E 32, ***Dis-nous les signes de l'Esprit*** E 216, ***Seigneur des temps nouveaux*** E 35-85.

• PRIER • **POUR LA PRÉPARATION PÉNITENTIELLE**

Seigneur Jésus, toi qui prends patience,
Kyrie eleison.
Ô Christ, toi qui rends courage,
Christe eleison.
Seigneur, par qui advient le règne de l'amour,
Kyrie eleison.

POUR LA PRIÈRE UNIVERSELLE

Prions le Seigneur :
- pour les personnes qui souffrent de solitude et ont l'impression que leur avenir est obscurci ;
- pour les artisans de paix et toutes les personnes qui œuvrent à la venue d'un monde plus juste et plus fraternel ;
- pour notre communauté : qu'en se préparant à la venue du Sauveur, elle se trouve raffermie dans sa foi et dans sa volonté de l'annoncer.

• CÉLÉBRER • La journée Pax Christi nous fait prêter attention à l'action du Mouvement catholique international pour la paix, qui aide les nations à trouver des solutions aux conflits armés. Le geste de paix aura donc ce dimanche une signification particulière qu'il peut être bon de rappeler.

Prière d'ouverture

Tu le vois, Seigneur, ton peuple se prépare à célébrer la naissance de ton Fils ; dirige notre joie vers la joie d'un si grand mystère : pour que nous fêtions notre salut avec un coeur vraiment nouveau. Par Jésus Christ.

1re lecture — *Les merveilles du salut à venir*

Lecture du livre d'Isaïe — Is 35, 1-6a.10

Le désert et la terre de la soif, qu'ils se réjouissent ! Le pays aride, qu'il exulte et fleurisse, qu'il se couvre de fleurs des champs, qu'il exulte et crie de joie ! La gloire du Liban lui est donnée, la splendeur du Carmel et de Sarône. On verra la gloire du Seigneur, la splendeur de notre Dieu. Fortifiez les mains défaillantes, affermissez les genoux qui fléchissent, dites aux gens qui s'affolent : « Prenez courage, ne craignez pas. Voici votre Dieu : c'est la vengeance qui vient, la revanche de Dieu. Il vient lui-même et va vous sauver. » Alors s'ouvriront les yeux des aveugles et les oreilles des sourds. Alors le boiteux bondira comme un cerf et la bouche du muet criera de joie.

Ils reviendront, les captifs rachetés par le Seigneur, ils arriveront à Jérusalem dans une clameur de joie, un bonheur sans fin illuminera leur visage ; allégresse et joie les rejoindront, douleur et plainte s'enfuiront.

Psaume 145

- **Viens, Seigneur, et sauve-nous !**

- **Voici la Gloire du Seigneur**
et la splendeur de notre Dieu.

Le Seigneur fait justice aux opprimés,
aux affamés, il donne le pain,
le Seigneur délie les enchaînés.

Le Seigneur ouvre les yeux des aveugles,
le Seigneur redresse les accablés,
le Seigneur aime les justes.

Le Seigneur protège l'étranger,
il soutient la veuve et l'orphelin.
D'âge en âge, le Seigneur régnera.

2e LECTURE — *La venue du Seigneur est proche*

Lecture de la lettre de saint Jacques — Jc 5, 7-10

Frères, en attendant la venue du Seigneur, ayez de la patience. Voyez le cultivateur : il attend les produits précieux de la terre avec patience, jusqu'à ce qu'il ait fait la première et la dernière récoltes. Ayez de la patience, vous aussi, et soyez fermes, car la venue du Seigneur est proche. Frères, ne gémissez pas les uns contre les autres, ainsi vous ne serez pas jugés. Voyez : le Juge est à notre porte. Frères, prenez pour modèles d'endurance et de patience les prophètes qui ont parlé au nom du Seigneur.

Alléluia. Alléluia. Prophète du Très-Haut, Jean est venu préparer la route devant le Seigneur et rendre témoignage à la Lumière. **Alléluia.**

ÉVANGILE — *Jean Baptiste réconforté par Jésus*

Évangile de Jésus Christ selon saint Matthieu — Mt 11, 2-11

Jean le Baptiste, dans sa prison, avait appris ce que faisait le Christ. Il lui envoya demander par ses disciples : « Es-tu celui qui doit venir, ou devons-nous en attendre un autre ? » Jésus leur répondit : « Allez rapporter à Jean ce que vous entendez et voyez : les aveugles voient, les boiteux marchent, les lépreux sont purifiés, les sourds entendent, les morts ressuscitent, et la Bonne Nouvelle est annoncée aux pauvres. Heureux celui qui ne tombera pas à cause de moi ! » Tandis que les envoyés de Jean se retiraient, Jésus se mit à dire aux foules à propos de Jean : « Qu'êtes-vous allés voir au désert ? un roseau agité par le vent ?... Alors, qu'êtes-vous donc allés voir ? un homme aux vêtements luxueux ? Mais ceux qui portent de tels vêtements vivent dans les palais des rois. Qu'êtes-vous donc allés voir ? un prophète ? Oui, je vous le dis, et bien plus qu'un prophète. C'est de lui qu'il est écrit : "Voici que j'envoie mon messager en avant de toi, pour qu'il prépare le chemin devant toi." Amen, je vous le dis : parmi les hommes, il n'en a pas existé de plus grand que Jean Baptiste ; et cependant le plus petit dans le Royaume des cieux est plus grand que lui. »

Prière sur les offrandes

Permets, Seigneur, que le sacrifice de nos eucharisties te soit toujours offert dans ton Église, pour accomplir le sacrement que tu nous as donné et pour réaliser la merveille de notre salut. Par Jésus.

Préface de l'Avent, p. 73.

Prière après la communion

Seigneur notre Dieu, nous attendons de ta miséricorde que cette nourriture prise à ton autel nous empêche de céder à nos penchants mauvais et nous prépare aux fêtes qui approchent. Par Jésus.

Le temps réel

« Le temps réel n'est pas la coïncidence immédiate entre l'émetteur et le destinataire d'une information. C'est même tout le contraire. Le temps réel est celui de la Promesse. Nous en pressentons quelque chose dans nos fragiles promesses d'homme : elles lient ensemble ce que la dispersion des instants tend toujours à dénouer ; le temps prend alors consistance et élan. Il cache un secret de joie. [...] Le temps réel, c'est aussi celui dont Jean-Baptiste est témoin. Le premier Testament s'achève avec l'annonce de la venue de celui qui "ramènera le cœur des pères vers leurs fils et le cœur des fils vers leurs pères" et c'est bien ainsi que saint Luc présente la mission du Baptiste. Elle touche le temps au plus intime, là aussi où il nous fait souvent le plus mal : à la jointure entre générations, si fragile, si exposée aux cassures de l'incompréhension, de la démission, de la peur... L'Avent nous est donné pour renouer ce lien, et permettre à la bénédiction de passer d'une génération à l'autre, selon la Promesse. »

Marguerite Léna, *Une plus secrète Lumière*, Lethielleux, 2010, p. 18-19.

Calendrier liturgique

Di 15	**3e dimanche de l'Avent A.** *Liturgie des Heures : Psautier semaine III.*
Sa 21	*S. Pierre Casinius, prêtre jésuite, docteur de l'Église, † 1597 à Fribourg (Suisse).*

Bonne fête ! 15 : Christine, Ninon. 16 : Adélaïde, Alice. 17 : Gaël, Tessa. 18 : Gratien. 19 : Urbain. 20 : Abraham, Isaac, Jacob. 21 : Théophile, Zéphirin.

Pour mémoire : aujourd'hui, troisième dimanche de l'Avent, journée Pax Christi.

Pour prolonger la prière : Seigneur, Dieu de l'univers, la terre déjà chante sa joie, ta Parole est promesse de renouveau. Nous t'en prions : que l'annonce de notre délivrance nous parvienne, qu'elle nous tienne dans la patience et l'espérance ; et nos voix acclameront la venue de ton Envoyé.

LE GESTE DE PAIX

Le geste de paix à la messe se situe entre le « Notre Père » et la fraction du pain. Selon la *Présentation générale du Missel romain*, il fait partie du rite de la paix où d'abord « l'Église implore la paix et l'unité pour elle-même et toute la famille humaine », puis « les fidèles expriment leur communion dans l'Église ainsi que leur amour mutuel avant de communier au sacrement » (PGMR n° 82). Ils répondent ainsi à l'invitation du diacre (à défaut, du prêtre) qui « dit, par exemple, dans la charité du Christ, donnez-vous la paix », selon les rubriques du Missel.

Placé dans ce contexte, ce geste dépasse la seule convivialité ou la chaleur que nous voulons trouver dans nos eucharisties. Il s'agit d'exprimer notre communion dans l'Église et notre amour mutuel. Ainsi liée à la communion eucharistique, la paix est le don que nous fait le Christ par son sacrifice sur la croix : « par le sang de sa croix il a établi la paix » (Col 1, 20), dit saint Paul pour qui la paix est le fruit de notre réconciliation avec Dieu. L'eucharistie nous est offerte, et avant de communier au corps du Christ, nous prenons conscience que la paix nous a été acquise parce que nous célébrons dans ce sacrement le sacrifice du Christ. Ainsi la paix nous vient du Christ, nous la recevons et nous la transmettons à nos frères.

La *Présentation générale du Missel romain* prévoit que la façon de mettre en œuvre le geste de paix sera décidée par les Conférences épiscopales, mais qu'il doit rester « sobre et être uniquement limité à ceux qui nous entourent ». Il importe d'habiter ce geste qui ne doit pas devenir formel. Les mots que nous disons ne sont pas précisés par le Missel : à nous de trouver la juste expression.

Puisque ce geste a connu différentes places au cours de la messe à travers l'histoire, une réflexion s'est ouverte sur sa place la plus adéquate. Situé avant la présentation des offrandes, il manifestait plutôt une disposition morale et il correspondait à la phrase de l'évangile qui demande de se réconcilier avec son frère avant de présenter son offrande à l'autel (Mt 5, 23). Aujourd'hui il prend sa place dans les rites de communion pour joindre l'amour fraternel à la communion eucharistique.

E. B.

4e dimanche de l'Avent 22 décembre 2013

L'AUDACE DE DIEU NOUS MET EN ROUTE

Les textes de ce dernier dimanche de l'Avent soulignent à la fois les résistances à la Bonne Nouvelle et ce qui permet de les surmonter. Alors que Jérusalem *(première lecture)* est assiégée par les Assyriens, le roi Acaz, dans un langage pieux qui ne trompe ni le Seigneur ni son envoyé, refuse de faire confiance en un signe qui rendrait espérance à son peuple. Pour sa part, Joseph, découvrant Marie enceinte, a besoin d'être éclairé par l'Ange pour y voir une bonne nouvelle et pour comprendre que ce fils, comme l'indique son nom, apporte le salut. Et saint Matthieu *(évangile)* souligne combien ce nouveau nom est en cohérence avec celui que le prophète Isaïe avait annoncé : Dieu sauve en étant avec nous. Noël est la fête du Tout-proche.

Dans notre vie, qu'est-ce qui nous met en route pour chercher la face du Seigneur *(psaume)* ? La venue du Sauveur, nous le savons, sera la cause d'un nouveau départ en Égypte. L'exégèse voit dans l'Emmanuel d'Isaïe non seulement le roi Ézékias qui succédera à Acaz, mais une figure d'Israël qui reprend une condition nomade à laquelle feraient référence la crème et le miel dont devra se nourrir l'enfant *(première lecture)*. Dieu ne s'est fait proche que pour nous mettre en chemin et transformer son peuple, désormais sans frontière *(deuxième lecture)*. Il accepte le risque de se faire homme parmi les hommes, de devenir fragile pour nous humaniser à la seule mesure de l'amour. Cette audace ne mérite-elle pas une réponse ? En ce temps de Noël, soyons une bonne nouvelle pour nos frères ! Si la naissance de Jésus a eu lieu un jour du temps, notre naissance à Dieu se déploie tout au long d'une vie.

Suggestions pour la célébration

• CHANTER • On retiendra plus particulièrement pour ce dimanche : *Venez, divin Messie* CNA 375 ; *Vienne la rosée* CNA 376, *Ô viens, Jésus* CNA 370, *Voici la demeure de Dieu* SYL S 232 ; *Seigneur venez* CNA 373.

En fin de célébration, on peut chanter un chant à Marie : *Toi qui ravis le cœur de Dieu* CNA 372 ; *Humble servante* CNA 369 ; *Vierge sainte, Dieu t'a choisie* CNA 632 ; *Pleine de grâce, réjouis-toi* V 134.

• PRIER • **POUR LA PRÉPARATION PÉNITENTIELLE**

Seigneur Jésus, tu t'es fait homme pour nous sauver,
prends pitié de nous.

Ô Christ, pour toujours, tu es avec nous,
prends pitié de nous.

Seigneur, tu es le premier-né d'entre les morts,
prends pitié de nous.

POUR LA PRIÈRE UNIVERSELLE

Prions le Seigneur :
- pour tous ceux (enseignants, journalistes, gouvernants) qui ont la charge de faire comprendre les signes des temps : qu'ils sachent mettre leur savoir au service de l'espérance ;
- pour les couples qui vivent des difficultés de dialogue : qu'ils trouvent un soutien fraternel pour les aider à les traverser, qu'ils placent leur espérance en Dieu ;
- pour nos communautés qui se préparent à célébrer Noël : qu'elles soient un signe de salut pour tous les hommes.

PRIÈRE D'OUVERTURE

Que ta grâce, Seigneur notre Père, se répande en nos cœurs : par le message de l'ange, tu nous as fait connaître l'incarnation de ton Fils bien-aimé, conduis-nous par sa passion et par sa croix jusqu'à la gloire de la résurrection. Par Jésus Christ.

1re LECTURE *Dieu promet un sauveur*

Lecture du livre d'Isaïe Is 7, 10-16

Le Seigneur envoya le prophète Isaïe dire au roi Acaz : « Demande pour toi un signe venant du Seigneur ton Dieu, demande-le au fond des vallées ou bien en haut sur les sommets. » Acaz répondit : « Non, je n'en demanderai pas, je ne mettrai pas le Seigneur à l'épreuve. » Isaïe dit alors : « Écoutez, maison de David ! Il ne vous suffit donc pas de fatiguer les hommes : il faut encore que vous fatiguiez mon Dieu ! Eh bien ! Le Seigneur lui-même vous donnera un signe : Voici que la jeune femme est enceinte, elle enfantera un fils, et on l'appellera Emmanuel (c'est-à-dire : Dieu-avec-nous). De crème et de miel il se nourrira, et il saura rejeter le mal et choisir le bien. Avant même que cet enfant sache rejeter le mal et choisir le bien, elle sera abandonnée, la terre dont les deux rois te font trembler. »

PSAUME 23

• **Qu'il vienne, le Seigneur :**
c'est lui, le roi de gloire !

• **Vienne le Seigneur, le roi de la gloire,**
Vienne le Seigneur Emmanuel !

Au Seigneur, le monde et sa richesse,
la terre et tous ses habitants !
C'est lui qui l'a fondée sur les mers
et la garde inébranlable sur les flots.

Qui peut gravir la montagne du Seigneur
et se tenir dans le lieu saint ?
L'homme au cœur pur, aux mains innocentes,
qui ne livre pas son âme aux idoles.

Il obtient, du Seigneur, la bénédiction,
et de Dieu son Sauveur, la justice.
Voici le peuple de ceux qui le cherchent,
qui recherchent la face de Dieu !

2e LECTURE *Appelés pour annoncer le salut*

Commencement de la lettre de saint Paul Apôtre aux Romains Rm 1, 1-7

Moi Paul, serviteur de Jésus Christ, appelé par Dieu pour être Apôtre, mis à part pour annoncer la Bonne Nouvelle que Dieu avait déjà promise par ses prophètes dans les saintes Écritures, je m'adresse à vous, bien-aimés de Dieu qui êtes à Rome.

Cette Bonne Nouvelle concerne son Fils : selon la chair, il est né de la race de David ; selon l'Esprit qui sanctifie, il a été établi dans sa puissance de Fils de Dieu par sa résurrection d'entre les morts, lui, Jésus Christ, notre Seigneur.

Pour que son nom soit honoré, nous avons reçu par lui grâce et mission d'Apôtre afin d'amener à l'obéissance de la foi toutes les nations païennes dont vous faites partie, vous aussi que Jésus Christ a appelés.

Vous les fidèles qui êtes, par appel de Dieu, le peuple saint, que la grâce et la paix soient avec vous tous, de la part de Dieu notre Père et de Jésus Christ le Seigneur.

Alléluia. Alléluia. Voici que la Vierge concevra : elle enfantera un fils, on l'appellera Emmanuel : Dieu-avec-nous. **Alléluia.**

ÉVANGILE *L'annonce faite à Joseph*

Évangile de Jésus Christ selon saint Matthieu Mt 1, 18-24

Voici quelle fut l'origine de Jésus Christ.

Marie, la mère de Jésus, avait été accordée en mariage à Joseph ; or, avant qu'ils aient habité ensemble, elle fut enceinte par l'action de l'Esprit Saint. Joseph, son époux, qui était un homme juste, ne voulait pas la dénoncer publiquement ; il décida de la répudier en secret. Il avait formé ce projet, lorsque l'Ange du Seigneur lui apparut en songe et lui dit : « Joseph, fils de David, ne crains pas de prendre chez toi Marie, ton épouse : l'enfant qui est engendré en elle vient de l'Esprit Saint ; elle mettra au monde un fils, auquel tu donneras le nom de Jésus (c'est-à-dire : "le Seigneur sauve"), car c'est lui qui sauvera son peuple de ses péchés. »

Tout cela arriva pour que s'accomplît la parole du Seigneur prononcée par le prophète : Voici que la Vierge concevra et elle mettra au monde un fils, auquel on donnera le nom d'Emmanuel, qui se traduit : « Dieu-avec-nous ».

Quand Joseph se réveilla, il fit ce que l'Ange du Seigneur lui avait prescrit : il prit chez lui son épouse.

Prière sur les offrandes

Que ton Esprit, Seigneur notre Dieu, dont la puissance a fécondé le sein de la Vierge Marie, consacre les offrandes posées sur cet autel. Par Jésus.

Préface

Vraiment il est juste et bon de te rendre gloire, de t'offrir notre action de grâce, toujours et en tout lieu, à toi, Père très saint, Dieu éternel et tout-puissant, par le Christ, notre Seigneur.

Il est celui que tous les prophètes avaient chanté, celui que la Vierge attendait avec amour, celui dont Jean Baptiste a proclamé la venue et révélé la présence au milieu des hommes. C'est lui qui nous donne la joie d'entrer déjà dans le mystère de Noël, pour qu'il nous trouve, quand il viendra, vigilants dans la prière et remplis d'allégresse.

C'est pourquoi, avec les anges et tous les saints, nous proclamons ta gloire en chantant (disant) d'une seule voix : **Saint !...**

Prière après la communion

Nous avons reçu dans ton sacrement, Seigneur, le gage de la rédemption éternelle ; accorde-nous une ferveur qui grandisse à l'approche de Noël, pour bien fêter la naissance de ton Fils. Lui qui règne.

L'autre secret

« Là où l'ange apparu à Abraham retint la main de celui-ci à l'instant fatal, l'ange qui visita Joseph en songe retint la bouche de ce dernier, le dissuadant de prononcer les paroles de répudiation. [...] C'est à un autre effacement que celui qu'il avait envisagé que Joseph s'est trouvé convié, et surtout à un autre secret, non pas honteux comme il l'avait cru, mais tout de lumière, qu'il a été introduit. Soudain il a basculé du « petit » (une surprise affligeante) au sublime en passant d'un savoir tronqué, gangrené d'ignorance (sa fiancée est enceinte d'un inconnu), à une révélation éblouissante (l'enfant est le fruit du souffle de Dieu, ce sera un fils et ce fils divin sera le sauveur de son peuple). »

Sylvie Germain, *Célébration de la paternité*, Albin Michel, 2001, p. 12.

Calendrier liturgique

Di 22	**Quatrième dimanche de l'Avent A.** *Liturgie des Heures : Psautier semaine IV.*
Lu 23	*S. Jean de Kenty, prêtre, † 1473 à Cracovie.*
Me 25	**NATIVITÉ DU SEIGNEUR**, solennité.
Je 26	S. ÉTIENNE, premier martyr. Lectures propres : Ac 6, 8-10 ; 7, 54-60 ; Mt 10, 17-22.
Ve 27	S. JEAN, Apôtre et évangéliste. Lectures propres : 1 Jn 1, 1-4 ; Jn 20, 2-8 ou Jn 21, 20-24.
Sa 28	LES SAINTS INNOCENTS, martyrs. Lectures propres : 1 Jn 1, 5–2,2 ; Mt 2, 13-18.

Bonne fête ! 22 : Xavière. 23 : Armand. 24 : Adèle, Eugénie. 25 : Noël, Emmanuel, Nelly. 26 : Étienne, Stéphane, Stéphanie, Fanny. 27 : Jean, Yvan, Fabiola. 28 : Innocent, Gaspard.

Pour prolonger la prière : Ton alliance, Seigneur notre Dieu, prend corps dans la Vierge Marie : en elle, ton Esprit réalise la promesse. Donne aujourd'hui à ton Église de dire au milieu des hommes le nom de l'enfant qui vient, et que tout s'accomplisse pour nous comme tu le veux.

L'OCTAVE DE NOËL

L'octave, c'est-à-dire les huit jours pendant lesquels on célèbre une grande fête, était autrefois une pratique destinée à souligner l'importance de nombreuses fêtes chrétiennes. Au XXe siècle, à cause de leur multiplication ou de leur enchevêtrement, l'on décida en 1955 de réserver l'octave aux deux principales fêtes de l'année : Noël et Pâques.

La lumière de Noël ne peut briller en un seul moment : non seulement la fête de Noël se décline sur plusieurs tonalités selon les moments où on la célèbre (messe de la veille, de la nuit, de l'aurore et du jour), mais elle se prolonge dans la semaine qui suit.

Fêter saint Étienne, premier martyr, dans le rayonnement de Noël, c'est exprimer un lien fort entre la naissance du Sauveur et la nécessité d'annoncer le salut à tous les hommes. La gloire de Dieu que voit saint Étienne dans le ciel qui s'entrouvre au moment de son martyre n'est-elle pas l'écho de la troupe innombrable qui loue Dieu dans le ciel nocturne de Bethléem au-dessus des bergers ?

Le martyre des Saints Innocents nous rappelle que la naissance du Christ est signe de contradiction pour le monde. Face à l'ampleur du mal, tous les efforts que déploient les hommes pour lutter contre les guerres et les persécutions ne sont pas de trop pour maintenir allumée la lueur parfois fragile de Noël dans la nuit de l'histoire.

Enfin, la fête de la Sainte Famille rappelle cette dimension universelle de l'existence humaine, elle aussi parfois menacée et bafouée.

Noël n'est pas la parenthèse enchantée de notre calendrier annuel : c'est la source d'une espérance et un appel au don de soi pour que vienne un règne de paix.

Après le jour-octave de Noël (le 1er janvier), le temps de Noël se poursuit. Il comporte la solennité de l'Épiphanie et s'achève au Baptême du Seigneur.

Nativité du Seigneur 25 décembre 2013

NOËL, L'ANNONCE D'UNE VICTOIRE

Noël est la fête des contrastes : la gloire de Dieu commence à se manifester dans une étable, l'événement intime de la naissance est célébré par une « troupe céleste innombrable », sa lumière brille sur fond de nuit *(premières lectures de la messe de la veille de Noël et de la messe de la nuit)*. Libération d'un joug, alliance nuptiale, telles sont les images de l'Ancien Testament que nous propose la liturgie pour annoncer la naissance du Christ. De quelle victoire serait-elle synonyme ?

Noël est tout d'abord une victoire sur nos limites : c'est avec chacun de nous que Dieu, par son Fils, fait alliance. Nos calculs, nos prévisions, Dieu les déjoue en choisissant une gloire qui défie notre envie de puissance et en choisissant une femme et un homme pour prendre soin de lui. Si Jésus nous délivre, c'est d'abord par la confiance qu'il place en la plus simple humanité.

Cette confiance placée en l'homme s'accompagne d'une présence : la gloire du Seigneur enveloppe les bergers de sa lumière *(évangile de la nuit)*, comme en écho au geste de Marie qui emmaillote le nouveau-né. Marie a pris soin de Dieu et Dieu prend soin des hommes tout au long de leur histoire : envoyer des bergers reconnaître le Seigneur, n'est-ce pas signifier que Jésus s'inscrit dans la descendance de David, ce berger placé à la tête d'Israël ?

Noël est l'annonce d'une victoire sur la solitude et la mort : si Dieu se donne, c'est pour que chaque vie humaine se greffe sur l'histoire du salut et puisse accueillir au plus profond de lui-même cette parole qui est une vraie lumière pour sa propre vie et pour celle des autres. Noël célèbre le don que fait le Christ en révélant que nous pouvons « devenir enfants de Dieu », promis à l'éternité de l'amour.

Suggestions pour la célébration

• **CHANTER** • Les chants proposés pour la fête de la Nativité peuvent être repris dans le temps de Noël.

Si une veillée précède la messe de la nuit, un ou plusieurs chants peuvent faire le lien entre les deux moments : ***Entendez-vous cette rumeur ?*** **F 35-23**, ***La voici, la nuit de Dieu*** **CNA 398**, ***Douce nuit*** **F 13.**

Pour la procession d'ouverture : ***Il est né, le divin enfant*** **CNA 397**, ***Merveille que les anges*** **CNA 400**, ***À pleine voix chantons pour Dieu*** **F 180**, ***Peuple fidèle*** **CNA 402.**

Pour la préparation pénitentielle : ***Jésus, Emmanuel*** **CNA 382**, ***Toi qui étais au commencement*** **CNA 383.**

Nous retrouvons le chant du *Gloire à Dieu.* On chantera le texte liturgique en prenant par exemple, **AL 40-83-22** ou **CNA 97**, **CNA 199.**

Pour l'acclamation de l'évangile : **CNA 215-2**, **CNA 215-20** ou **CNA 385.**

Pour le Sanctus : **CNA 248.**

Pour l'acclamation de l'anamnèse : **CNA 265** ou **CNA 269.**

Pour la fraction du pain : ***Agneau de Dieu*** **CNA 304** (strophes 1, 2 et 3).

Après l'homélie : ***L'enfant de la promesse*** **F 37-72**, ***Les anges dans nos campagnes*** **CNA 399**, ***Dieu venu dans notre histoire*** **EDIT 114**, ***Dans une humble crèche*** **F 49-89.**

Après la communion : ***Aujourd'hui dans notre monde*** **CNA 801**, ***L'enfant qui vient de naître*** **F 255**, ***Aujourd'hui, le roi des cieux*** **CNA 393**, ***À Bethléem, Jésus est né*** **F 51-83.**

À la fin des célébrations du temps de Noël, on peut chanter la ***Bénédiction solennelle*** **CNA 360-1.**

Pour conclure la célébration, il convient de chanter un Noël populaire : ***Les Anges dans nos campagnes*** **CNA 399**, ***Il est né, le divin enfant*** **CNA 397.**

• **PRIER** • **POUR LA PRÉPARATION PÉNITENTIELLE**

Seigneur Jésus, tu t'es fait homme pour libérer ton peuple,
béni sois-tu et prends pitié de nous.

Ô Christ, tu as choisi de naître dans la précarité d'une étable,
béni sois-tu et prends pitié de nous.

Seigneur, tu fais la lumière dans nos vies,
béni sois-tu et prends pitié de nous.

POUR LA PRIÈRE UNIVERSELLE

Nous pouvons prier :
- pour tous les réfugiés : qu'ils soient secourus et que leur situation soit un appel lancé aux dirigeants pour établir la paix ;
- pour les Juifs : que les chrétiens se souviennent que le Christ est issu d'un peuple que « Dieu a fait grandir » (deuxième lecture de la messe de la veille) ;
- pour que Noël soit signe de fraternité entre les hommes ;
- pour que les chrétiens sachent méditer les événements comme Marie a su le faire.

• **CÉLÉBRER** • On veillera à prendre des chants connus. Les différentes messes de Noël ont des lectures interchangeables, sauf celles de la messe de la veille.

Messe de la veille de Noël

PRIÈRE D'OUVERTURE

Chaque année, Seigneur, tu ravives en nous la joyeuse espérance du salut ; nous accueillons dans l'allégresse ton Fils unique qui vient nous racheter : quand il viendra nous juger, accorde-nous de le regarder sans crainte. Lui qui règne.

1re LECTURE — *Nous sommes la joie de Dieu*

Lecture du livre d'Isaïe — Is 62, 1-5

Pour la cause de Jérusalem je ne me tairai pas, pour Sion je ne prendrai pas de repos, avant que sa justice ne se lève comme l'aurore et que son salut ne flamboie comme une torche. Les nations verront ta justice, tous les rois verront ta gloire. On t'appellera d'un nom nouveau, donné par le Seigneur lui-même. Tu seras une couronne resplendissante entre les doigts du Seigneur, un diadème royal dans la main de ton Dieu. On ne t'appellera plus : « La délaissée », on n'appellera plus ta contrée : « Terre déserte », mais on te nommera : « Ma préférée », on nommera ta contrée : « Mon épouse », car le Seigneur met en toi sa préférence, et ta contrée aura un époux. Comme un jeune homme épouse une jeune fille, celui qui t'a construite t'épousera. Comme la jeune mariée est la joie de son mari, ainsi tu seras la joie de ton Dieu.

PSAUME 88

- **Dieu ! Tu as les paroles d'alliance éternelle.**
- **Sans fin, Seigneur, je chanterai ton amour.**

Autrefois, tu as parlé à tes amis,
dans une vision tu leur as dit :
« J'ai trouvé David, mon serviteur,
je l'ai sacré avec mon huile sainte.

« Il me dira : Tu es mon Père,
mon Dieu, mon roc et mon salut !
Et moi, j'en ferai mon fils aîné,
le plus grand des rois de la terre !

« Sans fin, je lui garderai mon amour,
et mon alliance avec lui sera fidèle ;
je fonderai sa dynastie pour toujours,
son trône aussi durable que les cieux. »

2e LECTURE — *Dieu agit selon sa promesse*

Lecture du livre des Actes des Apôtres — Ac 13, 16-17.22-25

Invité à prendre la parole dans la synagogue d'Antioche de Pisidie, Paul se leva, fit un signe de la main et dit : « Hommes d'Israël, et vous aussi qui adorez notre Dieu, écoutez : Le Dieu d'Israël a choisi nos pères ; il a fait grandir son peuple pendant le séjour en Égypte et, par la vigueur de son bras, il l'en a fait sortir. Plus tard il a suscité David pour le faire roi, et il lui a rendu ce témoignage : "J'ai trouvé David, fils de Jessé, c'est un homme selon mon cœur ; il accomplira toutes mes volontés." Et, comme il l'avait promis, Dieu a fait sortir de sa descendance un sauveur pour Israël : c'est Jésus, dont Jean Baptiste a préparé la venue en proclamant avant lui un baptême de conversion pour tout le peuple d'Israël. Au moment d'achever sa route, Jean disait : "Celui auquel vous pensez, ce n'est pas moi. Mais le voici qui vient après moi, et je ne suis pas digne de lui défaire ses sandales." »

Alléluia. Alléluia. Demain sera détruit le péché de la terre, et sur nous régnera le Sauveur du monde. **Alléluia.**

ÉVANGILE — ***Fils de Joseph et fils de Dieu***

Commencement de l'Évangile de Jésus Christ selon saint Matthieu — Mt 1, 1-25

La lecture des textes entre crochets est facultative.

[Voici la table des origines de Jésus Christ, fils de David, fils d'Abraham :

Abraham engendra Isaac, Isaac engendra Jacob, Jacob engendra Juda et ses frères, Juda, de son union avec Thamar, engendra Pharès et Zara, Pharès engendra Esrom, Esrom engendra Aram, Aram engendra Aminadab, Aminadab engendra Naassone, Naassone engendra Salmone, Salmone, de son union avec Rahab, engendra Booz, Booz, de son union avec Ruth, engendra Jobed, Jobed engendra Jessé, Jessé engendra le roi David.

David, de son union avec la femme d'Ourias, engendra Salomon, Salomon engendra Roboam, Roboam engendra Abia, Abia engendra Asa, Asa engendra Josaphat, Josaphat engendra Joram, Joram engendra Ozias, Ozias engendra Joatham, Joatham engendra Acaz, Acaz engendra Ézékias, Ézékias engendra Manassé, Manassé engendra Amone, Amone engendra Josias, Josias engendra Jékonias et ses frères à l'époque de l'exil à Babylone.

Après l'exil à Babylone, Jékonias engendra Salathiel, Salathiel engendra Zorobabel, Zorobabel engendra Abioud, Abioud engendra Éliakim, Éliakim engendra Azor, Azor engendra Sadok, Sadok engendra Akim, Akim engendra Élioud, Élioud engendra Éléazar, Éléazar engendra Mattane, Mattane engendra Jacob, Jacob engendra Joseph, l'époux de Marie, de laquelle fut engendré Jésus, que l'on appelle Christ (ou Messie). Le nombre total des générations est donc : quatorze d'Abraham jusqu'à David, quatorze de David jusqu'à l'exil à Babylone, quatorze de l'exil à Babylone jusqu'au Christ.]

Voici quelle fut l'origine de Jésus Christ. Marie, la mère de Jésus, avait été accordée en mariage à Joseph ; or, avant qu'ils aient habité ensemble, elle fut enceinte par l'action de l'Esprit Saint. Joseph, son époux, qui était un homme juste, ne voulait pas la dénoncer publiquement ; il décida de la répudier en secret. Il avait formé ce projet, lorsque l'Ange du Seigneur lui apparut en songe et lui dit : « Joseph, fils de David, ne crains pas de prendre chez toi Marie, ton épouse : l'enfant qui est engendré en elle vient de l'Esprit Saint ; elle mettra au monde un fils, auquel tu donneras le nom de Jésus (c'est-à-dire : "le Seigneur sauve"), car c'est lui qui sauvera son peuple de ses péchés. »

Tout cela arriva pour que s'accomplît la parole du Seigneur prononcée par le prophète : Voici que la Vierge concevra et mettra au monde un fils, auquel on donnera le nom d'Emmanuel, qui se traduit : « Dieu-avec-nous ».

Quand Joseph se réveilla, il fit ce que l'Ange du Seigneur lui avait prescrit : il prit chez lui son épouse, mais il n'eut pas de rapports avec elle ; elle enfanta un fils, auquel il donna le nom de Jésus.

Prière sur les offrandes

Donne-nous, Seigneur, de célébrer déjà la fête de Noël avec une ferveur d'autant plus grande que tu nous fais voir dans ce mystère le commencement de notre salut. Par Jésus.

Préface de Noël au choix, p. 23.

Prière après la communion

Fais-nous reprendre vie, Seigneur, alors que nous rappelons la naissance de ton Fils et que déjà tu apaises notre soif et notre faim à la table de ton Royaume. Par Jésus.

Messe de la nuit de Noël

Prière d'ouverture

Seigneur, tu as fait resplendir cette nuit très sainte des clartés de la vraie lumière : de grâce, accorde-nous qu'illuminés dès ici-bas par la révélation de ce mystère, nous goûtions dans le ciel la plénitude de sa joie. Par Jésus Christ.

Aux messes de Noël, on peut utiliser les lectures prévues pour une autre messe du même jour.

1re lecture — *Une grande lumière se lève*

Lecture du livre d'Isaïe — Is 9, 1-6

Le **peuple qui marchait** dans les ténèbres a vu se lever une grande lumière ; sur ceux qui habitaient le pays de l'ombre une lumière a resplendi. Tu as prodigué l'allégresse, tu as fait grandir la joie : ils se réjouissent devant toi comme on se réjouit en faisant la moisson, comme on exulte en partageant les dépouilles des vaincus. Car le joug qui pesait sur eux, le bâton qui meurtrissait leurs épaules, le fouet du chef de corvée, tu les as brisés comme au jour de la victoire sur Madiane. Toutes les chaussures des soldats qui piétinaient bruyamment le sol, tous leurs manteaux couverts de sang, les voilà brûlés : le feu les a dévorés.

Oui ! un enfant nous est né, un fils nous a été donné ; l'insigne du pouvoir est sur son épaule ; on proclame son nom : « Merveilleux-Conseiller, Dieu-Fort, Père-à-jamais, Prince-de-la-Paix ». Ainsi le pouvoir s'étendra, la paix sera sans fin pour David et pour son royaume. Il sera solidement établi sur le droit et la justice dès maintenant et pour toujours. Voilà ce que fait l'amour invincible du Seigneur de l'univers.

Psaume 95

• **Aujourd'hui, un Sauveur nous est né :**
c'est le Christ, le Seigneur.

• **Un enfant nous est né, un Fils nous est donné,**
éternelle est sa puissance.

Chantez au Seigneur un chant nouveau,
chantez au Seigneur, terre entière,
chantez au Seigneur et bénissez son nom !

De jour en jour, proclamez son salut,
racontez à tous les peuples sa gloire,
à toutes les nations ses merveilles !

Joie au ciel ! Exulte la terre !
Les masses de la mer mugissent,
la campagne tout entière est en fête.

Les arbres des forêts dansent de joie
devant la face du Seigneur, car il vient,
pour gouverner le monde avec justice.

2e LECTURE *Un peuple ardent à faire le bien*

Lecture de la lettre de saint Paul Apôtre à Tite Tt 2, 11-14

La grâce de Dieu s'est manifestée pour le salut de tous les hommes. C'est elle qui nous apprend à rejeter le péché et les passions d'ici-bas, pour vivre dans le monde présent en hommes raisonnables, justes et religieux, et pour attendre le bonheur que nous espérons avoir quand se manifestera la gloire de Jésus Christ, notre grand Dieu et notre Sauveur. Car il s'est donné pour nous afin de nous racheter de toutes nos fautes, et de nous purifier pour faire de nous son peuple, un peuple ardent à faire le bien.

Alléluia. Alléluia. Je vous annonce une grande joie. Aujourd'hui nous est né un Sauveur : c'est le Messie, le Seigneur ! **Alléluia.**

ÉVANGILE *Aujourd'hui vous est né un sauveur*

Évangile de Jésus Christ selon saint Luc Lc 2, 1-14

En ces jours-là, parut un édit de l'empereur Auguste, ordonnant de recenser toute la terre. – Ce premier recensement eut lieu lorsque Quirinius était gouverneur de Syrie. – Et chacun allait se faire inscrire dans sa ville d'origine. Joseph, lui aussi, quitta la ville de Nazareth en Galilée, pour monter en Judée, à la ville de David appelée Bethléem, car il était de la maison et de la descendance de David. Il venait se faire inscrire avec Marie, son épouse, qui était enceinte. Or, pendant qu'ils étaient là, arrivèrent les jours où elle devait enfanter. Et elle mit au monde son fils premier-né ; elle l'emmaillota et le coucha dans une mangeoire, car il n'y avait pas de place pour eux dans la salle commune.

Dans les environs se trouvaient des bergers qui passaient la nuit dans les champs pour garder leurs troupeaux. L'ange du Seigneur s'approcha, et la gloire du Seigneur les enveloppa de sa lumière. Ils furent saisis d'une grande crainte, mais l'ange leur dit : « Ne craignez pas, car voici que je viens vous annoncer une bonne nouvelle, une grande joie pour tout le peuple : Aujourd'hui vous est né un Sauveur, dans la ville de David. Il est le Messie, le Seigneur. Et voilà le signe qui vous est donné : vous trouverez un nouveau-né emmailloté et couché dans une mangeoire. » Et soudain, il y eut avec l'ange une troupe céleste innombrable qui louait Dieu en disant : « Gloire à Dieu au plus haut des cieux, et paix sur la terre aux hommes qu'il aime. »

Prière sur les offrandes

Accepte, Seigneur, notre sacrifice en cette nuit de Noël ; et dans un prodigieux échange, nous deviendrons semblables à ton Fils en qui notre nature est unie à la tienne. Lui qui règne.

Préface de Noël, au choix, p. 23.

Dans les prières eucharistiques, il y a des textes propres à la fête de Noël.

Prière après la communion

Joyeux de célébrer dans ces mystères la naissance de notre Rédempteur, nous t'en prions, Seigneur notre Dieu : donne-nous de parvenir, après une vie toujours plus fidèle, jusqu'à la communion glorieuse avec ton Fils bien-aimé. Lui qui règne.

Messe de l'aurore

Prière d'ouverture

Dieu tout-puissant, en ton Verbe fait chair une lumière nouvelle nous envahit : puisqu'elle éclaire déjà nos cœurs par la foi, fais qu'elle resplendisse dans toute notre vie. Par Jésus Christ.

Aux messes de Noël, on peut utiliser les lectures prévues pour une autre messe du même jour.

1re LECTURE *Un peuple racheté par le Seigneur*

Lecture du livre d'Isaïe Is 62, 11-12

Voici la Parole que le Seigneur fait retentir jusqu'aux extrémités de la terre : « Dites à la fille de Sion : Voici ton Sauveur qui vient, le fruit de sa victoire l'accompagne et ses trophées le précèdent. On vous appellera "Peuple saint", "Rachetés-par-le-Seigneur", et toi, on t'appellera "La-Désirée", "La-Ville-qui-n'est-plus-délaissée". »

PSAUME 96

La lumière aujourd'hui a resplendi sur nous :
un Sauveur nous est né !

Le Seigneur est roi ! Exulte la terre !
Joie pour les îles sans nombre !
Les cieux ont proclamé sa justice,
et tous les peuples ont vu sa gloire.

Une lumière est semée pour le juste,
et pour le cœur simple, une joie.
Que le Seigneur soit votre joie, hommes justes ;
rendez grâce en rappelant son nom très saint.

2e LECTURE *Un peuple sauvé par miséricorde*

Lecture de la lettre de saint Paul Apôtre à Tite Tt 3, 4-7

Dieu, notre Sauveur, a manifesté sa bonté et sa tendresse pour les hommes ; il nous a sauvés. Il l'a fait dans sa miséricorde, et non pas à cause d'actes méritoires que nous aurions accomplis par nous-mêmes. Par le bain du baptême, il nous a fait renaître et nous a renouvelés dans l'Esprit Saint. Cet Esprit, Dieu l'a répandu sur nous avec abondance, par Jésus Christ notre Sauveur ; ainsi, par sa grâce, nous sommes devenus des justes, et nous possédons dans l'espérance l'héritage de la vie éternelle.

Alléluia. Alléluia. Gloire à Dieu au plus haut des cieux, et paix sur la terre aux hommes qu'il aime ! **Alléluia.**

ÉVANGILE

La visite des bergers

Évangile de Jésus Christ selon saint Luc — Lc 2, 15-20

Lorsque les anges eurent quitté les bergers pour le ciel, ceux-ci se disaient entre eux : « Allons jusqu'à Bethléem pour voir ce qui est arrivé, et que le Seigneur nous a fait connaître. » Ils se hâtèrent d'y aller, et ils découvrirent Marie et Joseph, avec le nouveau-né couché dans une mangeoire. Après l'avoir vu, ils racontèrent ce qui leur avait été annoncé au sujet de cet enfant. Et tout le monde s'étonnait de ce que racontaient les bergers. Marie, cependant, retenait tous ces événements et les méditait dans son cœur. Les bergers repartirent ; ils glorifiaient et louaient Dieu pour tout ce qu'ils avaient entendu et vu selon ce qui leur avait été annoncé.

PRIÈRE SUR LES OFFRANDES

Puissent nos offrandes, Seigneur, s'accorder pleinement au mystère de nativité que nous célébrons en ce jour : un homme, un petit enfant, s'est manifesté comme Dieu ; fais maintenant que ces fruits de la terre nous communiquent tes dons divins. Par Jésus.

Préface de Noël, au choix, p. 23.

PRIÈRE APRÈS LA COMMUNION

Seigneur, nous célébrons de tout notre cœur la naissance de ton Fils ; accorde-nous la grâce d'approfondir notre foi en ce mystère et d'y trouver la force d'un meilleur amour. Par Jésus.

Messe du jour de Noël

Prière d'ouverture

Père, toi qui as merveilleusement créé l'homme et plus merveilleusement encore rétabli sa dignité, fais-nous participer à la divinité de ton Fils, puisqu'il a voulu prendre notre humanité. Lui qui règne.

Aux messes de Noël, on peut utiliser les lectures prévues pour une autre messe du même jour.

1re lecture — *Il est Roi, ton Dieu*

Lecture du livre d'Isaïe — Is 52, 7-10

Comme il est beau de voir courir sur les montagnes le messager qui annonce la paix, le messager de la bonne nouvelle, qui annonce le salut, celui qui vient dire à la cité sainte : « Il est roi, ton Dieu ! » Écoutez la voix des guetteurs, leur appel retentit, c'est un seul cri de joie ; ils voient de leurs yeux le Seigneur qui revient à Sion. Éclatez en cris de joie, ruines de Jérusalem, car le Seigneur a consolé son peuple, il rachète Jérusalem ! Le Seigneur a montré la force divine de son bras aux yeux de toutes les nations. Et, d'un bout à l'autre de la terre, elles verront le salut de notre Dieu.

Psaume 97

- **La terre entière a vu**
  le Sauveur que Dieu nous donne.
- **Chantons Noël, alléluia,**
  gloire à l'Emmanuel, alléluia.

Chantez au Seigneur un chant nouveau,
car il a fait des merveilles ;
par son bras très saint, par sa main puissante,
il s'est assuré la victoire.

Le Seigneur a fait connaître sa victoire
et révélé sa justice aux nations ;
il s'est rappelé sa fidélité, son amour,
en faveur de la maison d'Israël.

La terre tout entière a vu
la victoire de notre Dieu.
Acclamez le Seigneur, terre entière,
sonnez, chantez, jouez !

Jouez pour le Seigneur sur la cithare,
sur la cithare et tous les instruments ;
au son de la trompette et du cor,
acclamez votre roi, le Seigneur !

2e LECTURE *Dieu nous parle*

Commencement de la lettre aux Hébreux He 1, 1-6

Souvent, dans le passé, Dieu a parlé à nos pères par les prophètes sous des formes fragmentaires et variées ; mais, dans les derniers temps, dans ces jours où nous sommes, il nous a parlé par ce Fils qu'il a établi héritier de toutes choses et par qui il a créé les mondes. Reflet resplendissant de la gloire du Père, expression parfaite de son être, ce Fils qui porte toutes choses par sa parole puissante, après avoir accompli la purification des péchés, s'est assis à la droite de la Majesté divine au plus haut des cieux ; et il est placé bien au-dessus des anges, car il possède par héritage un nom bien plus grand que les leurs. En effet, Dieu n'a jamais dit à un ange : « Tu es mon Fils, aujourd'hui je t'ai engendré. » Ou bien encore : « Je serai pour lui un père, il sera pour moi un fils. » Au contraire, au moment d'introduire le Premier-né dans le monde à venir, il dit : « Que tous les anges de Dieu se prosternent devant lui. »

Alléluia. Alléluia. Aujourd'hui la lumière a brillé sur la terre. Peuples de l'univers, entrez dans la clarté de Dieu ; venez tous adorer le Seigneur. **Alléluia.**

ÉVANGILE — *Le Verbe s'est fait chair*

Commencement de l'Évangile de Jésus Christ selon saint Jean — Jn 1, 1-18

La lecture des textes entre crochets est facultative.

Au commencement était le Verbe, la Parole de Dieu, et le Verbe était auprès de Dieu, et le Verbe était Dieu. Il était au commencement auprès de Dieu. Par lui, tout s'est fait, et rien de ce qui s'est fait ne s'est fait sans lui. En lui était la vie, et la vie était la lumière des hommes ; la lumière brille dans les ténèbres, et les ténèbres ne l'ont pas arrêtée.

[Il y eut un homme envoyé par Dieu. Son nom était Jean. Il était venu comme témoin, pour rendre témoignage à la Lumière, afin que tous croient par lui. Cet homme n'était pas la Lumière, mais il était là pour lui rendre témoignage.]

Le Verbe était la vraie Lumière, qui éclaire tout homme en venant dans ce monde. Il était dans le monde, lui par qui le monde s'était fait, mais le monde ne l'a pas reconnu. Il est venu chez les siens, et les siens ne l'ont pas reçu. Mais tous ceux qui l'ont reçu, ceux qui croient en son nom, il leur a donné de pouvoir devenir enfants de Dieu. Ils ne sont pas nés de la chair et du sang, ni d'une volonté charnelle, ni d'une volonté d'homme : ils sont nés de Dieu. Et le Verbe s'est fait chair, il a habité parmi nous, et nous avons vu sa gloire, la gloire qu'il tient de son Père comme Fils unique, plein de grâce et de vérité.

[Jean Baptiste lui rend témoignage en proclamant : « Voici celui dont j'ai dit : Lui qui vient derrière moi, il a pris place devant moi car avant moi il était. » Tous nous avons eu part à sa plénitude, nous avons reçu grâce après grâce : après la Loi communiquée par Moïse, la grâce et la vérité sont venues par Jésus Christ.

Dieu, personne ne l'a jamais vu ; le Fils unique, qui est dans le sein du Père, c'est lui qui a conduit à le connaître.]

Prière sur les offrandes

Accepte, Seigneur, l'offrande que nous te présentons en ce jour de fête : car elle est le sacrifice qui nous rétablit dans ton Alliance et fait monter vers toi la parfaite louange. Par Jésus.

Préface de Noël, au choix, p. 23-24.
Dans les prières eucharistiques, il y a des textes propres.

Prière après la communion

Nous t'en prions, Dieu notre Père, puisque le Sauveur du monde, en naissant aujourd'hui, nous a fait naître à la vie divine, qu'il nous donne aussi l'immortalité. Lui qui règne.

Deux récits pour un même mystère

« Noël est, comme le disait si bien Péguy, "une histoire arrivée à la chair". Les évangiles de Noël nous offrent deux textes pour approcher ce mystère. Le premier nous est donné à la messe de minuit : le récit de Luc raconte la naissance de Jésus, malmenée par un recensement qui a jeté les parents sur la route et leur a interdit l'accès à la salle commune de Bethléem. Une histoire de petites gens, de ceux qui subissent les aléas des décisions politiques et économiques prises par d'autres. Mais à la messe du jour, nous entendons le prologue de saint Jean, contemplation abyssale du Verbe en sa préexistence éternelle auprès du Père, tourné vers le Père. Il nous faut tenir ensemble ces deux récits, nous tenir devant leur immense contraste, sans chercher à l'éliminer, comme le voudraient une approche seulement historienne ou une approche purement symbolique, déniant l'une et l'autre à la chair et à l'histoire le droit d'accueillir Dieu et le pouvoir de le manifester. Celui qui était depuis le commencement, lumière qui éclaire tout homme, est ce nouveau-né dans la nuit de Bethléem. »

Marguerite Léna, *Une plus secrète Lumière*, Lethielleux, 2010, p. 22-23.

LE CHRIST, PAUVRE DE DIEU

« Le Christ Jésus, ayant la condition de Dieu,
ne retint pas jalousement le rang qui l'égalait à Dieu.
Mais il s'est anéanti, [...]
devenant obéissant jusqu'à la mort,
et la mort de la croix. »

Cette hymne de l'Apôtre Paul nous ouvre au mystère de Dieu qui révèle, en son fils Jésus, l'immensité de son amour. Venu en ce monde, Jésus a parcouru la distance infinie qui sépare Dieu et l'homme ; il a appris à se dépouiller de tout, y compris de lui-même, et à tout remettre dans les mains de son Père.

À Bethléem, sa mère le couche dans une simple mangeoire (Lc 2, 7) ; à Nazareth, il vit d'une manière si ordinaire que son entourage est profondément indigné des paroles qu'il prononce (Mc 6, 13). Lorsqu'il part annoncer sur les routes de Palestine le Royaume de son Père, Jésus « n'a pas d'endroit où reposer la tête » (Mt 8, 20). Et il ne cesse de manifester sa compassion à l'égard des plus démunis, des exclus (Mt 9, 13). À l'heure de passer de ce monde à son Père, Jésus prend la place du serviteur pour laver les pieds de ses disciples, provoquant alors la désapprobation de Pierre (Jn 13, 8).

Trente ans, trois ans, trois jours : trois étapes de la vie terrestre de Jésus vécues jusqu'au bout dans l'obéissance inconditionnelle à son Père. La pauvreté de Jésus découle de sa condition filiale : Jésus ne possède rien qu'il n'ait reçu de son Père ; il se laisse engendrer par son Père. Durant son dernier combat avant la mort, à Gethsémani, ses disciples l'abandonnent (Mt 26, 40). Crucifié, comme un esclave, il éprouve dans sa chair la pauvreté extrême de l'homme humilié, défiguré, méprisé de tous, et dans un abandon confiant à son Père, il fait l'offrande de sa vie : « Père, entre tes mains, je remets mon esprit » (Lc 23, 46).

Ainsi, tout au long du chemin de son incarnation, Jésus « lui qui était riche, est devenu pauvre à cause de nous pour que nous devenions riches par sa pauvreté » (2 Co 8, 9b), de cette pauvreté seule capable d'ouvrir nos cœurs à l'amour tout-puissant du Père pour « nous unir à la divinité de celui qui a pris notre humanité [1]. »

É. G.

[1] Prière dite à la messe par le prêtre lorsqu'il met l'eau dans le calice.

La Sainte Famille 29 décembre 2013

FRAGILITÉ DE DIEU ET FORCE DE L'AMOUR

Ce dimanche, pendant l'octave de la Nativité, c'est la naissance du Fils de Dieu que nous célébrons avant tout. La fête de la Sainte Famille nous dévoile une facette particulière de ce mystère : Jésus au cœur de sa famille humaine. Il attend tout de ses parents : nourriture, protection, affection... car il partage tout de la vie des hommes : la fragilité, la vulnérabilité et la dépendance. L'épisode de la fuite en Égypte *(évangile)* montre combien Jésus, dès le début de sa vie sur terre, est livré entre les mains des hommes : protégé par ses parents qui veillent sur lui mais déjà menacé par ceux qui veulent le faire mourir. Jésus est pleinement homme. Il connaît les liens d'interdépendance entre les membres d'une même famille, comme la joie et les exigences qu'implique un vivre-ensemble de chaque jour. Les évangiles ne disent rien du quotidien de la sainte Famille, sinon qu'elle était fidèle aux prescriptions de la Loi. Nul doute que l'on vivait à la maison de Nazareth les paroles du Sage *(première lecture).*

Si la sainte Famille nous est donnée en exemple *(prière d'ouverture),* c'est bien pour que la qualité des relations entre les membres de nos familles, des communautés chrétiennes et de l'Église tout entière, soit imprégnée de l'amour même de Dieu et de l'écoute de sa Parole. L'apôtre Paul place la Parole et le Christ au cœur de la vie de la communauté, qu'elle soit Église ou famille *(deuxième lecture) ;* d'ailleurs ne dit-on pas justement que la famille est une cellule d'Église ? Pas de place à l'égoïsme, à l'orgueil ou au chacun pour soi. Les membres doivent s'instruire et se reprendre avec sagesse. On n'édifie pas sa vie tout seul mais avec les autres. La soumission dont parle Paul n'a rien à voir avec l'esclavage ou la possession de l'autre. Elle est témoignage mutuel de l'amour même de Dieu, révélé en plénitude par le Christ et l'Évangile. Ainsi les membres de la communauté, comme ceux d'une même famille, doivent faire preuve « de tendresse, de bonté, d'humilité, de douceur, de patience... »

Suggestions pour la célébration

• **CHANTER** • On pourra retenir les chants proposés pour tout le temps de Noël. Si on souhaite caractériser davantage ce dimanche, on pourra chanter :

Il est venu marcher sur nos routes CNA 557 ou ***Peuple fidèle*** CNA 402 pour l'ouverture de la célébration.

Après l'homélie : ***Aujourd'hui dans notre monde*** CNA 801.

Pendant la communion : ***Seigneur, rassemble-nous*** CNA 702 (couplets 1, 2, 4 et 5) ou ***Approchons-nous de la table*** D 19-30.

Après la communion : ***En accueillant l'amour*** CNA 325 ou ***La lumière née de la lumière*** F 20-80-1.

• **PRIER** • **POUR LA PRÉPARATION PÉNITENTIELLE**

Seigneur Jésus, Fils de Dieu venu dans le monde,
béni sois-tu et prends pitié de nous,
prends pitié de nous.
Ô Christ, tu as pris place au cœur de la famille humaine,
béni sois-tu et prends pitié de nous,
prends pitié de nous.
Seigneur, tu nous apportes la paix et l'unité,
béni sois-tu et prends pitié de nous,
prends pitié de nous.

POUR LA PRIÈRE UNIVERSELLE

Nous pouvons prier :
- pour toutes les familles et spécialement celles qui connaissent des épreuves ;
- pour ceux qui sont loin de leur famille, les exilés, les expatriés ;
- pour les Églises : qu'elles avancent dans la recherche de l'unité ;
- pour ceux qui œuvrent et militent pour la dignité des plus faibles et particulièrement des enfants.

• **CÉLÉBRER** • Nous veillerons à ce que divers membres des familles présentes, couples, parents et enfants puissent avoir une place particulière dans la célébration : par des lectures ou la procession des offrandes. On pourra, en fin de célébration, bénir plus spécialement les familles (*Livre des Bénédictions*, n° 57 ou n° 58).

PRIÈRE D'OUVERTURE

Tu as voulu, Seigneur, que la Sainte Famille nous soit donnée en exemple ; accorde-nous la grâce de pratiquer, comme elle, les vertus familiales et d'être unis par les liens de ton amour, avant de nous retrouver pour l'éternité dans la joie de ta maison. Par Jésus Christ.

1re LECTURE — *Les vertus familiales*

Lecture du livre de Ben Sirac le Sage — Si 3, 2-6.12-14

Le **Seigneur glorifie le père** dans ses enfants, il renforce l'autorité de la mère sur ses fils. Celui qui honore son père obtient le pardon de ses fautes, celui qui glorifie sa mère est comme celui qui amasse un trésor. Celui qui honore son père aura de la joie dans ses enfants, au jour de sa prière il sera exaucé. Celui qui glorifie son père verra de longs jours, celui qui obéit au Seigneur donne du réconfort à sa mère.

Mon fils, soutiens ton père dans sa vieillesse, ne le chagrine pas pendant sa vie. Même si son esprit l'abandonne, sois indulgent, ne le méprise pas, toi qui es en pleine force. Car ta miséricorde envers ton père ne sera pas oubliée, et elle relèvera ta maison si elle est ruinée par le péché.

PSAUME 127

- **Heureux les habitants de ta maison, Seigneur !**
- **Dans la maison de Dieu, le bonheur et la paix.**

Heureux qui craint le Seigneur
et marche selon ses voies !

Tu te nourriras du travail de tes mains :
Heureux es-tu ! À toi, le bonheur !

Ta femme sera dans ta maison
comme une vigne généreuse,
et tes fils, autour de la table,
comme des plants d'olivier.

Voilà comment sera béni
l'homme qui craint le Seigneur.
Tu verras le bonheur de Jérusalem
tous les jours de ta vie.

2e LECTURE *Vivre ensemble dans le Christ*

Lecture de la lettre de saint Paul Apôtre aux Colossiens Col 3, 12-21

Frères, puisque vous avez été choisis par Dieu, que vous êtes ses fidèles et ses bien-aimés, revêtez votre cœur de tendresse et de bonté, d'humilité, de douceur, de patience. Supportez-vous mutuellement et pardonnez, si vous avez des reproches à vous faire. Agissez comme le Seigneur : il vous a pardonné, faites de même. Par-dessus tout cela, qu'il y ait l'amour : c'est lui qui fait l'unité dans la perfection. Et que, dans vos cœurs, règne la paix du Christ à laquelle vous avez été appelés pour former en lui un seul corps.

Vivez dans l'action de grâce. Que la parole du Christ habite en vous dans toute sa richesse : instruisez-vous et reprenez-vous les uns les autres avec une vraie sagesse ; par des psaumes, des hymnes et de libres louanges, chantez à Dieu, dans vos cœurs, votre reconnaissance. Et tout ce que vous dites, tout ce que vous faites, que ce soit toujours au nom du Seigneur Jésus Christ, en offrant par lui votre action de grâce à Dieu le Père.

Vous les femmes, soyez soumises à votre mari ; dans le Seigneur, c'est ce qui convient. Et vous les hommes, aimez votre femme, ne soyez pas désagréables avec elle. Vous les enfants, en toutes choses écoutez vos parents ; dans le Seigneur, c'est cela qui est beau. Et vous les parents, n'exaspérez pas vos enfants ; vous risqueriez de les décourager.

Alléluia. Alléluia. Vraiment, tu es un Dieu caché, Dieu parmi les hommes, Jésus Sauveur. **Alléluia.**

ÉVANGILE *La Sainte Famille en Égypte et à Nazareth*

Évangile de Jésus Christ selon saint Matthieu Mt 2, 13-15.19-23

Après le départ des Mages, l'Ange du Seigneur apparaît en songe à Joseph et lui dit : « Lève-toi ; prends l'enfant et sa mère, et fuis en Égypte. Reste là-bas jusqu'à ce que je t'avertisse, car Hérode va rechercher l'enfant, pour le faire périr. » Joseph se leva ; dans la nuit, il prit l'enfant et sa mère, et se retira en Égypte, où il resta jusqu'à la mort d'Hérode. Ainsi s'accomplit ce que le Seigneur avait dit par le prophète : « D'Égypte, j'ai appelé mon fils. »

Après la mort d'Hérode, l'Ange du Seigneur apparaît en songe à Joseph en Égypte et lui dit : « Lève-toi : prends l'enfant et sa mère, et reviens au pays d'Israël, car ils sont morts, ceux qui en voulaient à la vie de l'enfant. » Joseph se leva, prit l'enfant et sa mère, et rentra au pays d'Israël. Mais, apprenant qu'Arkélaüs régnait sur la Judée à la place de son père Hérode, il eut peur de s'y rendre. Averti en songe, il se retira dans la région de Galilée et vint habiter dans une ville appelée Nazareth. Ainsi s'accomplit ce que le Seigneur avait dit par les prophètes : « Il sera appelé Nazaréen. »

PRIÈRE SUR LES OFFRANDES

En t'offrant, Seigneur, le sacrifice qui nous réconcilie avec toi, nous te supplions humblement : à la prière de la Vierge Marie, Mère de Dieu, et à la prière de saint Joseph, affermis nos familles dans ta grâce et la paix. Par Jésus.

Préface de Noël, au choix, p. 23-24.

Dans les prières eucharistiques, on prend les textes propres à la fête de Noël.

Prière après la communion

Toi qui nous as fortifiés par cette communion, accorde à nos familles, Père très aimant, la grâce d'imiter la famille de ton Fils, et de goûter avec elle, après les difficultés de cette vie, le bonheur sans fin. Par Jésus.

Sainte Famille

Sainte Marie et saint Joseph,
C'est la nuit de Noël :
L'enfant vous surprenait,
Vous teniez le trésor
De la vie la plus forte,
Jésus,
Le vainqueur de la nuit.

Sainte Marie et saint Joseph,
À l'épreuve de fuir
La frayeur du tyran,
Vous sauviez le trésor
De la vie la plus belle,
Jésus,
Le vainqueur de la haine.

Sainte Marie et saint Joseph,
Au village banal,
Au pays sans renom,
Vous gardiez le trésor
De la vie la plus digne,
Jésus,
Le vainqueur du mépris.

P. Fertin / CNPL. Hymne, *Liturgie des Heures.*

Calendrier liturgique

Di 29 **La Sainte Famille.**
Liturgie des Heures : Psautier semaine I.
[S. Thomas Becket, évêque de Cantorbéry, martyr, † 1170.]

Ma 31 *S. Sylvestre Ier, pape, † 335, à Rome.*

Me 1er Octave de la Nativité : **SAINTE MARIE, MÈRE DE DIEU, p. 120.**

Je 2 S. Basile le Grand, évêque de Césarée (Asie mineure), † 379 et S. Grégoire de Nazianze, évêque de Constantinople, † vers 389, docteurs de l'Église.

Ve 3 *Le Saint Nom de Jésus.*
En France, Ste Geneviève, vierge, † vers 500 à Paris.
Au Luxembourg, Ste Irmine, religieuse, † vers 710 à Wissembourg.
En Afrique du Nord, S. Fulgence, évêque de Ruspe, † 533.

Bonne fête ! 29 : David. 30 : Roger. 31 : Sylvestre, Colombe. 1er : Fulgence. 2 : Basile, Vassili. 3 : Geneviève, Ginette. 4 : Odilon.

Pour prolonger la prière : Dieu notre Père, tu as confié à Marie et à Joseph la grâce de veiller sur les premières années de Jésus. Fais de l'Église la communauté où les hommes apprennent à veiller les uns sur les autres, et se découvrent membres d'une même famille, en Jésus, notre Seigneur.

Sainte Marie, Mère de Dieu

1er janvier 2014

LA MÈRE DE DIEU

En ce premier jour d'une année nouvelle, l'Église nous invite à prier pour la paix. Qui la fera advenir, sinon celui qui est venu l'apporter au monde, Jésus, prince de la paix ? Qui la transmettra, sinon ceux qui commenceront par chasser de leur cœur toute forme de haine ou de jalousie ?

Aujourd'hui, Marie est donnée pour modèle à l'Église et aux croyants. Elle a accueilli sans réserve le projet de Dieu : donner au monde le Sauveur, son propre Fils. Que le Christ soit au cœur de nos vies et que nous soyons des témoins de l'Évangile, artisans de paix ! Marie a mis au monde Jésus, Dieu fait homme. Qu'elle intercède pour nous et nous aide à offrir le trésor de la parole de Dieu à ceux qui l'attendent !

Suggestions pour la célébration

• **CHANTER** • Pour l'ouverture, on pourra chanter : ***Béni sois-tu, Seigneur*** CNA 617 ou ***Vierge Sainte, Dieu t'a choisie*** CNA 632.

Après l'homélie : ***Comme elle est heureuse*** CNA 618 ou ***Mère d'humanité*** CNA 625.

Après la communion : le ***Magnificat, Gloire à toi Marie*** CNA 620 ou ***Toi qui ravis le cœur de Dieu*** CNA 372. On se souviendra que le 1er janvier, l'Église prie pour la paix. On peut aussi prendre ***Vienne la paix*** CNA 771.

La célébration peut se terminer par le chant du ***Je vous salue, Marie*** ou ***Couronnée d'étoiles*** V 44-58.

• **PRIER** • **POUR LA PRÉPARATION PÉNITENTIELLE**

Seigneur Jésus, vivante image du Père, envoyé pour nous rendre la vie,
prends pitié de nous.

Ô Christ, né de la Vierge Marie, pour nous apporter le pardon,
prends pitié de nous.

Seigneur, Parole éternelle du Père, venu nous promettre la paix,
prends pitié de nous. CNA 178

Pour la prière universelle

Nous pouvons prier :
- pour la paix dans le monde ;
- pour les personnes malades ou isolées ;
- pour les personnes en situation de précarité.

Bénédiction solennelle pour le commencement de l'année

C'est Dieu qui est la source de toute bénédiction : qu'il vous entoure de sa grâce et vous garde en elle tout au long de cette année. **Amen.**
Qu'il nourrisse en vous la foi implantée par le Christ, qu'il entretienne en vous l'espérance du Christ, qu'il vous ouvre à la patience et à la charité du Christ. **Amen.**
Que l'Esprit de paix vous accompagne partout, qu'il vous obtienne ce que vous demanderez et vous achemine vers le bonheur sans fin. **Amen.**
Et que Dieu tout-puissant...

Prière d'ouverture

Dieu tout-puissant, par la maternité virginale de la bienheureuse Marie, tu as offert au genre humain les trésors du salut éternel ; accorde-nous de sentir qu'intervient en notre faveur celle qui nous permit d'accueillir l'auteur de la vie, Jésus Christ, ton Fils, notre Seigneur. Lui qui règne.

1re lecture *Vœux de paix et de bonheur*

Lecture du livre des Nombres Nb 6, 22-27

Le Seigneur dit à Moïse : « Voici comment Aaron et ses descendants béniront les fils d'Israël : “Que le Seigneur te bénisse et te garde ! Que le Seigneur fasse briller sur toi son visage, qu'il se penche vers toi ! Que le Seigneur tourne vers toi son visage, qu'il t'apporte la paix !" C'est ainsi que mon nom sera prononcé sur les fils d'Israël, et moi, je les bénirai. »

Psaume 66

Que Dieu nous prenne en grâce et qu'il nous bénisse !

2e lecture — *Le Fils de Dieu né d'une femme*

Lecture de la lettre de saint Paul Apôtre aux Galates — Ga 4, 4-7

Frères, lorsque les temps furent accomplis, Dieu a envoyé son Fils ; il est né d'une femme, il a été sujet de la Loi de Moïse pour racheter ceux qui étaient sujets de la Loi et pour faire de nous des fils. Et voici la preuve que vous êtes des fils : envoyé de Dieu, l'Esprit de son Fils est dans nos cœurs, et il crie vers le Père en l'appelant « Abba ! ». Ainsi tu n'es plus esclave, mais fils, et comme fils, tu es héritier par la grâce de Dieu.

Évangile : *Jésus fils de Marie* (Lc 2,16-21)

Voir p. 107, Lc 2, 15-20.

Prière sur les offrandes

Tu es l'origine de tous les biens, Seigneur, et tu les mènes à leur plein développement ; puisque cette fête de Marie, Mère de Dieu, nous fait célébrer notre salut dans son germe, donne-nous la joie d'en recueillir tous les fruits. Par Jésus.

Prière après la communion

Nous avons communié à ton sacrement, Seigneur, en ce jour où nous saluons avec fierté dans la bienheureuse Vierge Marie la Mère de ton Fils, et la Mère de l'Église ; que cette communion fasse grandir en nous la vie éternelle. Par Jésus.

Pour mémoire : aujourd'hui – depuis 1968 – journée mondiale de la paix.

Épiphanie du Seigneur 5 janvier 2014

RENCONTRE LUMINEUSE

Après la visite des bergers, voici celle des mages venus d'Orient. Le motif de la venue de ces étrangers trouble pour le moins la quiétude du palais du roi et de la ville de Jérusalem : où est le roi des Juifs qui vient de naître *(évangile)* ? Hérode le Grand, les prêtres, les scribes – qui scrutent cependant les Écritures à longueur de journée – et le peuple, dans l'attente du Messie, n'ont rien vu venir. Mais l'Esprit, selon le dessein de Dieu, a pris la liberté d'envoyer un signe lumineux à des savants du monde païen qui scrutent les étoiles et l'immensité de la voûte céleste : Dieu a envoyé son Fils pour illuminer le monde. Sa lumière n'a pas de frontières. Le roi des Juifs, le Fils de Dieu, est né mais il est encore caché, blotti dans l'humble gîte de Bethléem, au sein de sa famille humaine. L'innocence du petit enfant, promis à la royauté, contraste avec la puissance et la violence d'Hérode. C'est la présence fragile de Dieu au cœur d'une humanité marquée par le péché, l'orgueil, la jalousie et la soif de dominer. Mais « elle est venue, la lumière, et la gloire du Seigneur s'est levée sur Jérusalem » *(première lecture)*. C'est la douce aurore d'un monde d'amour, de justice et de paix, l'avènement d'un roi qui « aura souci du faible et du pauvre dont il sauve la vie » *(psaume)*. La recherche et l'humilité des savants ont été récompensées par la joie de la rencontre. La vérité de leur hommage et de leur offrande tranche avec le mensonge et la perfidie d'Hérode. Le monde païen est appelé à la rencontre avec le Christ, tout homme est invité à offrir à Dieu la véritable louange. C'est la grâce de l'Esprit qui nous fait connaître le mystère du Christ, dit saint Paul *(deuxième lecture)*. « Les païens sont associés au même héritage [...] au partage de la même promesse ». Les mages ne repasseront pas par Jérusalem ; ils emporteront avec eux, là où ils vivent, le souvenir de la visite et de la rencontre lumineuse.

Suggestions pour la célébration

• CHANTER • Aux chants proposés pour le temps de Noël, on pourra préférer :

Pour la procession d'ouverture : ***Jubilez, tous les peuples*** **T 25-91**, ***Un astre nouveau*** **F 23-18-1**, ***Sur le chemin de ton étoile*** **FA 53-88**, ***Brillante étoile*** **CNA 394**.

Après l'homélie : ***Qui es-tu, roi d'humilité ?*** **CNA 403**, ***Dans une humble crèche*** **F 49-89-3**.

Après la communion : ***Tu es la vraie lumière*** **CNA 595**, ***Jubilez, criez de joie, Qu'exulte tout l'univers*** **DEV 44-72**.

• PRIER • **POUR LA PRÉPARATION PÉNITENTIELLE**

Seigneur Jésus, tu es la lumière qui illumine nos ténèbres,
béni sois-tu et prends pitié de nous,
prends pitié de nous.

Ô Christ, tu appelles tous les hommes à te rencontrer,
béni sois-tu et prends pitié de nous,
prends pitié de nous.

Seigneur, tu nous conduis à la splendeur du Père,
béni sois-tu et prends pitié de nous,
prends pitié de nous.

POUR LA PRIÈRE UNIVERSELLE

Nous te prions, Père,
– pour les savants et les chercheurs : garde-les dans l'humilité et donne-leur de connaître toujours plus profondément la splendeur de ta Création ;
– pour ceux qui te cherchent dans la nuit de l'épreuve : mets sur leur chemin des témoins de ta douce présence ;
– pour ceux qui ont souci du faible et du pauvre : qu'ils sachent leur offrir des raisons d'espérer et de se remettre debout ;
– pour les Églises d'Afrique, afin qu'elles témoignent toujours plus de l'Évangile et de ses exigences.

• **CÉLÉBRER** • La prière sur les offrandes nous rappelle que la véritable offrande de la messe est celle du Christ lui-même. Il continue de s'offrir au Père et nous recevons dans l'Eucharistie la grâce du salut qu'il nous obtient. Et nous, que pouvons-nous offrir ? Offrir une part de nos biens matériels (quête) et notre temps pour que la communauté chrétienne continue de célébrer et d'annoncer le Christ, offrir notre louange et notre prière d'intercession pour le monde, enfin offrir nos propres vies au Christ et à l'annonce de l'Évangile.

PRIÈRE D'OUVERTURE

Aujourd'hui, Seigneur, tu as révélé ton Fils unique aux nations, grâce à l'étoile qui les guidait ; daigne nous accorder, à nous qui te connaissons déjà par la foi, d'être conduits jusqu'à la claire vision de ta splendeur. Par Jésus Christ.

1re LECTURE *Les nations marchent vers la lumière de Jérusalem*

Lecture du livre d'Isaïe Is 60, 1-6

Debout, Jérusalem ! Resplendis ; elle est venue, ta lumière, et la gloire du Seigneur s'est levée sur toi. Regarde : l'obscurité recouvre la terre, les ténèbres couvrent les peuples ; mais sur toi se lève le Seigneur, et sa gloire brille sur toi. Les nations marcheront vers ta lumière, et les rois, vers la clarté de ton aurore. Lève les yeux, regarde autour de toi : tous, ils se rassemblent, ils arrivent ; tes fils reviennent de loin, et tes filles sont portées sur les bras. Alors tu verras, tu seras radieuse ; ton cœur frémira et se dilatera. Les trésors d'au-delà des mers afflueront vers toi avec les richesses des nations. Des foules de chameaux t'envahiront, des dromadaires de Madiane et d'Épha. Tous les gens de Saba viendront, apportant l'or et l'encens et proclamant les louanges du Seigneur.

PSAUME 71

• **Parmi toutes les nations, Seigneur,**
on connaîtra ton salut.

• **Aujourd'hui, nous avons vu ta gloire.**

Dieu, donne au roi tes pouvoirs,
à ce fils de roi ta justice.
Qu'il gouverne ton peuple avec justice,
qu'il fasse droit aux malheureux !

En ces jours-là fleurira la justice,
grande paix jusqu'à la fin des lunes !
Qu'il domine de la mer à la mer,
et du Fleuve jusqu'au bout de la terre !

Les rois de Tarsis et des Iles
apporteront des présents,
les rois de Saba et de Seba feront leur offrande.
Tous les rois se prosterneront devant lui,
tous les pays le serviront.

Il délivrera le pauvre qui appelle
et le malheureux sans recours.
Il aura souci du faible et du pauvre,
du pauvre dont il sauve la vie.

2e LECTURE — *Universalité du salut*

Lecture de la lettre de saint Paul Apôtre aux Éphésiens — Ep 3, 2-3a.5-6

Frères, vous avez appris en quoi consiste la grâce que Dieu m'a donnée pour vous : par révélation, il m'a fait connaître le mystère du Christ. Ce mystère, il ne l'avait pas fait connaître aux hommes des générations passées, comme il l'a révélé maintenant par l'Esprit à ses saints Apôtres et à ses prophètes. Ce mystère, c'est que les païens sont associés au même héritage, au même corps, au partage de la même promesse, dans le Christ Jésus, par l'annonce de l'Évangile.

Alléluia. Alléluia. Nous avons vu se lever son étoile, et nous sommes venus adorer le Seigneur. **Alléluia.**

ÉVANGILE *Visite des mages*

Évangile de Jésus Christ selon saint Matthieu Mt 2, 1-12

Jésus était né à Bethléem en Judée, au temps du roi Hérode le Grand. Or, voici que des mages venus d'Orient arrivèrent à Jérusalem et demandèrent : « Où est le roi des Juifs qui vient de naître ? Nous avons vu se lever son étoile et nous sommes venus nous prosterner devant lui. » En apprenant cela, le roi Hérode fut pris d'inquiétude, et tout Jérusalem avec lui. Il réunit tous les chefs des prêtres et tous les scribes d'Israël, pour leur demander en quel lieu devait naître le Messie. Ils lui répondirent : « À Bethléem en Judée, car voici ce qui est écrit par le prophète : Et toi, Bethléem en Judée, tu n'es certes pas le dernier parmi les chefs-lieux de Judée ; car de toi sortira un chef, qui sera le berger d'Israël mon peuple. » Alors Hérode convoqua les mages en secret pour leur faire préciser à quelle date l'étoile était apparue ; puis il les envoya à Bethléem, en leur disant : « Allez vous renseigner avec précision sur l'enfant. Et quand vous l'aurez trouvé, avertissez-moi pour que j'aille, moi aussi, me prosterner devant lui. » Sur ces paroles du roi, ils partirent.

Et voilà que l'étoile qu'ils avaient vue se lever les précédait ; elle vint s'arrêter au-dessus du lieu où se trouvait l'enfant. Quand ils virent l'étoile, ils éprouvèrent une très grande joie. En entrant dans la maison, ils virent l'enfant avec Marie sa mère ; et, tombant à genoux, ils se prosternèrent devant lui. Ils ouvrirent leurs coffrets, et lui offrirent leurs présents : de l'or, de l'encens et de la myrrhe.

Mais ensuite, avertis en songe de ne pas retourner chez Hérode, ils regagnèrent leur pays par un autre chemin.

PRIÈRE SUR LES OFFRANDES

Regarde avec bonté, Seigneur, les dons de ton Église qui ne t'offre plus ni l'or, ni l'encens, ni la myrrhe, mais celui que ces présents révélaient, qui s'immole et se donne en nourriture : Jésus, le Christ, notre Seigneur. Lui qui règne.

PRÉFACE

Vraiment, il est juste et bon de te rendre gloire, de t'offrir notre action de grâce, toujours et en tout lieu, à toi, Père très saint, Dieu éternel et tout-puissant.

Aujourd'hui, tu as dévoilé dans le Christ le mystère de notre salut pour que tous les peuples en soient illuminés ; et quand le Christ s'est manifesté dans notre nature mortelle, tu nous as recréés par la lumière éternelle de sa divinité.

C'est pourquoi, avec les anges et tous les saints, nous proclamons ta gloire, en chantant (disant) d'une seule voix : **Saint !...**

Dans les prières eucharistiques il y a des textes propres à la fête de l'Épiphanie.

PRIÈRE APRÈS LA COMMUNION

Que la clarté d'en haut, Seigneur, nous dirige en tous temps et en tous lieux, et puisque tu nous fais communier à ce mystère, puissions-nous désormais le pénétrer d'un regard pur et l'accueillir dans un cœur plus aimant. Par Jésus.

L'Astre paraît

Voici, au profond de la nuit,
Sous nos regards l'Astre paraît.
Quelqu'un pas à pas nous conduit
Vers une source de clarté.

Jadis Abraham le croyant
Prit cette route sans détour ;
Joyeux, nous partons vers l'Enfant
Dont il a vu naître le Jour.

L'appel du lointain rendez-vous
Dans notre cœur a retenti,
Le Père en secret jusqu'au bout
Nous mènera près de son Fils.

Déjà la cité de David
Est apparue devant nos yeux ;

La quête en nos cœurs se poursuit
Dans ta lumière, Agneau de Dieu.

CFC, *Hymne*, *Liturgie des Heures.*

Calendrier liturgique

Di 5 **ÉPIPHANIE DU SEIGNEUR.**
Liturgie des Heures : Psautier semaine II.
[En Afrique du Nord, S. Longin, † 488, S. Eugène, † 501, et S. Vindémial, † 483, évêques.]

Ma 7 *S. Raymond de Penyafort, prêtre, dominicain, † 1275 à Barcelone.*

Me 8 *En Afrique du Nord, S. Quodvultdeus, † 439, et S. Deogratias, † 457 ou 458, évêques.*

Sa 11 En Afrique du Nord, S. Victor Ier, † vers 199, S. Miltiade, † 314, et S. Gélase Ier, † 496, papes.

Bonne fête ! 5 : Édouard, Teddy, Émilien. 6 : Melaine, Tiphaine. 7 : Raymond, Raymonde, Cédric, Virginie. 8 : Lucien, Lucienne, Gudule, Peggy. 9 : Alix, Alexia. 10 : Guillaume, Guillemette, William, Willy. 11 : Paulin.

Pour mémoire : dimanche de l'Épiphanie : en France et en Belgique, quête impérée pour l'Aide aux Églises d'Afrique (AEA).

Il y a cinquante ans, du 4 au 6 janvier 1964, le pape Paul VI se trouvait en Terre Sainte pour un pèlerinage sur les pas du Christ. La double rencontre avec le patriarche orthodoxe grec Athénagoras Ier de Constantinople fut un moment fort de ce voyage. C'était la première fois depuis le concile de Florence (1439) que les primats des Églises de Rome et de Constantinople se rencontraient. Ils prirent la décision de créer une commission où théologiens catholiques et orthodoxes discuteraient sur les questions qui les divisent. Paul VI offrit au patriarche un calice en or (symbole de la communion entre les deux Églises voulue par le pape) et reçut de lui une croix pectorale (symbole de l'autorité épiscopale).

Pour prolonger la prière : Seigneur notre Dieu, une étoile a conduit les mages jusqu'à ton Fils. Que l'éclat de ta parole et la lumière de ton Esprit nous mènent aujourd'hui jusqu'à toi, le Vivant pour les siècles des siècles.

Baptême du Seigneur

12 janvier 2014

FILS BIEN-AIMÉ DU PÈRE

En venant vers Jean pour se faire baptiser, Jésus veut « accomplir parfaitement ce qui est juste » *(évangile)*, c'est-à-dire ce qui est parfaitement ajusté, parfaitement conforme à la volonté de Dieu depuis toujours. N'est-il pas celui qui, annoncé par les prophètes, vient accomplir le projet de salut de Dieu ? Il est le Serviteur choisi de toute éternité par le Père, annoncé par Isaïe *(première lecture)* ; il est celui par qui arrive enfin la lumière pour toutes les nations. Bien sûr, Jésus n'avait pas besoin de recevoir de Jean un baptême de purification, mais en recevant ce baptême, il se met au rang des pécheurs pour lesquels il est venu. Il inaugure sa mission d'annonce de la Bonne Nouvelle du salut pour tous ceux qui accepteront de le suivre et de croire en lui. Envoyé par le Père pour ce service, Jésus est investi de la force de l'Esprit : il reçoit l'onction, il est le Christ, il est le Messie. Plus encore, il est manifesté comme étant le « Fils bien-aimé ». Ce qui était annoncé, ce qui était en germe dans l'Ancienne Alliance, advient dans les eaux du Jourdain. Cette page d'évangile exprime l'unité parfaite, sans confusion des personnes, entre le Père, le Fils et l'Esprit. Le baptême de Jésus inaugure le nôtre qui nous fait participer à la vie même de Dieu. Incorporés au Christ, nous devenons, par la grâce de l'Esprit, frères de Jésus et fils bien-aimés du Père. Quelles que soient leurs origines, tous les hommes peuvent avoir accès à la grâce du baptême. « Quelle que soit leur race, Dieu accueille les hommes qui l'adorent et font ce qui est juste » *(deuxième lecture)*. Le baptême engage ceux qui le reçoivent à conformer leur vie à la parole de Dieu, à s'y « ajuster ». Aussi l'Église demande-t-elle au Père, en ce jour du Baptême de Jésus, d'accorder à ses fils adoptifs, nés de l'eau et de l'Esprit, de se garder toujours dans sa sainte volonté *(prière d'ouverture)*, d'accomplir ce que Dieu attend d'eux.

Suggestions pour la célébration

• **CHANTER** • Pour la procession d'ouverture : ***L'Esprit de Dieu repose sur moi*** CNA 565 ; ***Peuple de baptisés*** CNA 573 ; ***Sauvés des mêmes eaux*** CNA 584.

Après l'homélie : ***Bien-aimé de Dieu*** CNA 606 ; ***Tu parais sur les bords du Jourdain*** XP 48-54.

Pendant la communion : ***Le Verbe s'est fait chair*** D 155.

Après la communion : ***Père adorable*** CNA 516 ; ***Chantons à Dieu*** CNA 538 ; ***Gloire et louange à toi*** CNA 555.

• **PRIER** • **POUR LA PRÉPARATION PÉNITENTIELLE**

Seigneur Jésus, mis au rang des pécheurs, tu nous offres le pardon,
prends pitié de nous.

Ô Christ, tu fais de nous tes frères, enfants d'un même Père,
prends pitié de nous.

Seigneur Ressuscité, tu nous conduis à la joie du Royaume,
prends pitié de nous.

Ou bien, on peut proposer à la place le rite de l'aspersion avec l'un des chants suivants : ***J'ai vu l'eau vive*** CNA 191, ***Je verserai sur vous*** CNA 192, ***Une source d'eau vive*** CNA 193 ou ***Hommes nouveaux baptisés*** CNA 675.

POUR LA PRIÈRE UNIVERSELLE

Nous pouvons prier :
- pour tous ceux qui se préparent au baptême et pour leurs accompagnateurs ;
- pour tous les membres de l'Église, peuple de frères dans le Christ ;
- pour ceux qui se sentent mal aimés ou rejetés ;
- pour les artisans de justice et de paix.

• **CÉLÉBRER** • Même si c'est une période où il y a moins de baptêmes de petits enfants, pensons à toujours laisser accessible, propre et accueillant le lieu du baptême dans l'église. Ce dimanche particulièrement, il serait bon de le fleurir et de l'éclairer. C'est au baptême qu'a commencé notre vie nouvelle dans le Christ. Pourquoi pas, si les circonstances le permettent, processionner depuis ce lieu, au début de la célébration de la messe ?

Prière d'ouverture

Dieu éternel et tout-puissant, quand le Christ fut baptisé dans le Jourdain, et que l'Esprit Saint reposa sur lui, tu l'as désigné comme ton Fils bien-aimé ; accorde à tes fils adoptifs, nés de l'eau et de l'Esprit, de se garder toujours dans ta sainte volonté. Par Jésus Christ.

1re lecture — *Serviteur appelé par le Seigneur*

Lecture du livre d'Isaïe — 42, 1-4.6-7

Ainsi parle le Seigneur : Voici mon serviteur que je soutiens, mon élu en qui j'ai mis toute ma joie. J'ai fait reposer sur lui mon esprit ; devant les nations, il fera paraître le jugement que j'ai prononcé. Il ne criera pas, il ne haussera pas le ton, on n'entendra pas sa voix sur la place publique. Il n'écrasera pas le roseau froissé, il n'éteindra pas la mèche qui faiblit, il fera paraître le jugement en toute fidélité. Lui ne faiblira pas, lui ne sera pas écrasé, jusqu'à ce qu'il impose mon jugement dans le pays, et que les îles lointaines aspirent à recevoir ses instructions.

Moi, le Seigneur, je t'ai appelé selon la justice, je t'ai pris par la main, je t'ai mis à part, j'ai fait de toi mon Alliance avec le peuple et la lumière des nations ; tu ouvriras les yeux des aveugles, tu feras sortir les captifs de leur prison, et de leur cachot, ceux qui habitent les ténèbres.

Psaume 28

Dieu, bénis ton peuple, donne-lui la paix.

Rendez au Seigneur, vous, les dieux,
rendez au Seigneur gloire et puissance.

Rendez au Seigneur la gloire de son nom,
adorez le Seigneur, éblouissant de sainteté.

La voix du Seigneur domine les eaux,
le Seigneur domine la masse des eaux.
Voix du Seigneur dans sa force,
voix du Seigneur qui éblouit.

Le Dieu de la gloire déchaîne le tonnerre.
Et tous dans son temple s'écrient : « Gloire ! »
Au déluge le Seigneur a siégé ;
il siège, le Seigneur, il est roi pour toujours !

2e LECTURE *Le ministère de Jésus commence à son baptême*

Lecture du livre des Actes des Apôtres Ac 10, 34-38

Quand Pierre arriva à Césarée, chez un centurion de l'armée romaine, il s'adressa à ceux qui étaient là : « En vérité, je le comprends, Dieu ne fait pas de différence entre les hommes ; mais, quelle que soit leur race, il accueille les hommes qui l'adorent et font ce qui est juste. Il a envoyé la Parole aux fils d'Israël, pour leur annoncer la paix par Jésus Christ : c'est lui, Jésus, qui est le Seigneur de tous.

Vous savez ce qui s'est passé à travers tout le pays des Juifs, depuis les débuts en Galilée, après le baptême proclamé par Jean : Jésus de Nazareth, Dieu l'a consacré par l'Esprit Saint et rempli de sa force. Là où il passait, il faisait le bien et il guérissait tous ceux qui étaient sous le pouvoir du démon. Car Dieu était avec lui. »

Alléluia. Alléluia. Le ciel s'est entrouvert et la voix du Père a retenti : « Voici mon Fils, mon bien-aimé, écoutez-le ! » **Alléluia.**

ÉVANGILE *Le baptême de Jésus*

Évangile de Jésus Christ selon saint Matthieu Mt 3, 13-17

Jésus, arrivant de Galilée, paraît sur les bords du Jourdain, et il vient à Jean pour se faire baptiser par lui. Jean voulait l'en empêcher et disait : « C'est moi qui ai besoin de me faire baptiser par toi, et c'est toi qui viens à moi ! » Mais Jésus lui répondit : « Pour le moment, laisse-moi faire ; c'est de cette façon que nous devons accomplir parfaitement ce qui est juste. » Alors Jean le laisse faire.

Dès que Jésus fut baptisé, il sortit de l'eau ; voici que les cieux s'ouvrirent, et il vit l'Esprit de Dieu descendre comme une colombe et venir sur lui. Et des cieux, une voix disait : « Celui-ci est mon Fils bien-aimé ; en lui j'ai mis tout mon amour. »

Prière sur les offrandes

Seigneur, accepte les offrandes que nous te présentons en ce jour où ton Fils nous est révélé : qu'elles deviennent ainsi le sacrifice de celui qui a enlevé le péché du monde. Lui qui règne.

Préface

Vraiment, il est juste et bon de te rendre gloire, de t'offrir notre action de grâce, toujours et en tout lieu, à toi, Père très saint, Dieu éternel et tout-puissant.

Aujourd'hui, sur les eaux du Jourdain, tu veux inaugurer le baptême nouveau : une voix descend du ciel pour attester que ta Parole habite chez les hommes, et l'Esprit, manifesté sous l'aspect d'une colombe, consacre ton Serviteur Jésus, pour qu'il aille annoncer aux pauvres la Bonne Nouvelle.

C'est pourquoi, avec les anges dans le ciel, nous pouvons te bénir sur la terre et t'adorer en chantant (disant) : **Saint !...**

Prière après la communion

Nourris de ton eucharistie et sûrs de ta bonté, nous te prions, Seigneur : accorde à ceux qui sauront écouter ton Fils unique de mériter le nom de fils de Dieu, et de l'être vraiment. Par Jésus.

L'eau qui fait vivre

« Allons, regardez ce stupéfiant déluge, bien supérieur à celui du temps de Noé. Alors l'eau du déluge fit mourir le genre humain ; aujourd'hui, l'eau du baptême, par la puissance de celui qui a été baptisé, ramène les morts à la vie. Alors une colombe, portant dans son bec un rameau d'olivier, a préfiguré la bonne odeur du Christ. Aujourd'hui le Saint Esprit, en survenant sous l'apparence d'une colombe, nous montre combien le Seigneur est miséricordieux. »

S. Proclus de Constantinople,
Sermon pour le baptême du Christ, Liturgie des Heures

Calendrier liturgique

Di 12	**Baptême du Seigneur.** *Liturgie des Heures : Psautier semaine I.* [Au Canada, Ste Marguerite Bourgeois, vierge, fondatrice, † 1700 à Montréal.]
Lu 13	*S. Hilaire, évêque de Poitiers, docteur de l'Église, † 367.*
Me 15	*En France, S. Remi, évêque de Reims, † vers 530.*
Ve 17	S. Antoine, ermite en Égypte, † 356.

Bonne fête ! 12 : Césarine, Tatiana, Tania. 13 : Hilaire, Yvette. 14 : Nina. 15 : Remi. 16 : Marcel, Priscilla, Honoré. 17 : Antoine, Anthony, Toinon, Toinette. 18 : Prisca.

Pour mémoire : du 18 au 25 janvier, semaine de prière pour l'unité des chrétiens.

Pour prolonger la prière : Seigneur notre Dieu, le jour où ton Fils est entré dans le Jourdain pour y être baptisé, c'est nous tous, déjà, qu'il plongeait dans les eaux du baptême. Ravive en nous, par ton Esprit, la joie et la fierté de notre baptême : nous serons alors les témoins fidèles du Christ parmi les hommes et, en toute vérité, nous t'appellerons « Notre Père », maintenant et pour les siècles des siècles.

2e dimanche 19 janvier 2014

TEMPS ORDINAIRE, TEMPS DE LA FIDÉLITÉ, TEMPS DE L'ANNONCE

Annoncer le Christ Jésus, en se laissant guider et sanctifier par lui, c'est la mission de l'Église dans le monde de ce temps, dans l'aujourd'hui de la vie des hommes. Chaque premier jour de la semaine, jour de la résurrection du Seigneur, l'Église se rassemble pour écouter la parole de Dieu et recevoir en nourriture le pain de l'Eucharistie. Au cours de l'année liturgique, l'Église fête les grands mystères du Christ : c'était le cas particulièrement durant le *temps de Noël* que nous venons de quitter. Le *temps ordinaire* est celui dans lequel elle continue de faire mémoire des merveilles de Dieu accomplies en Jésus Christ. L'Église ne cesse pas « d'invoquer le nom du Seigneur » *(deuxième lecture)* pour se laisser convertir et animer par lui. Elle est nommée « peuple saint » non pas parce qu'elle serait parfaite, mais parce qu'elle est choisie, appelée et sanctifiée par Dieu pour être signe du salut ou « sacrement » pour le monde. L'Apôtre Paul rappelle aux fidèles de Corinthe la grâce qu'ils ont reçue en ayant « été sanctifiés dans le Christ ». Être appelé pour annoncer aux hommes le salut de Dieu est une grâce et une grande responsabilité. Isaïe en parle à son propre sujet d'abord, mais aussi au sujet du peuple d'Israël qui, sauvé et rassemblé par le Seigneur, reçoit la mission d'être lumière pour les nations *(première lecture).* Jean Baptiste, prophète lui aussi, appelé par Dieu pour baptiser dans l'eau, en signe de conversion et de purification, annonce celui qui apporte le pardon véritable : « l'Agneau de Dieu qui enlève le péché du monde » *(évangile).* À la suite d'Isaïe, de Jean Baptiste, de Paul, la multitude des chrétiens touchée par la grâce de Dieu, sanctifiée par Jésus et baptisée dans l'Esprit, est appelée à annoncer l'évangile du salut.

Suggestions pour la célébration

• **CHANTER** • Nous voici dans le temps ordinaire. En ce dimanche, nous méditons encore le Baptême du Seigneur. Les chants proposés pour cette fête peuvent convenir.

Cependant, pour bien marquer le changement de temps liturgique, on choisira un nouvel **ordinaire de la messe** qui accompagnera les six dimanches : une préparation pénitentielle simple ; ***Gloire à Dieu :*** **AL 40-83-22 ;** ***Alléluia :*** **CNA 215-18 ;** ***Saint, le Seigneur*** **CNA 245** ou **CNA 246 ;** ***Agneau de Dieu*** **CNA 300** ou **CNA 303.**

Pour la procession d'ouverture : ***Sauvés des mêmes eaux*** **I 20-72-2** ou **CNA 584,** ***Peuple choisi*** **CNA 543.**

Après l'homélie : ***Enfants du même Père*** **CNA 521** ou ***Voici l'Agneau de Dieu*** **X 58-57.**

Pendant la communion : ***Voici le pain partagé*** **CNA 348.**

Après la communion : ***Dieu nous a tous appelés*** **CNA 571,** ***Enfants du même Père*** **CNA 521,** ***Puissance, honneur et gloire à l'Agneau*** **Z 600,** ***Un seul Seigneur*** **CNA 597.**

• **PRIER** • **POUR LA PRÉPARATION PÉNITENTIELLE**

La **litanie CNA 185g** conviendrait. Par Jésus nous sommes baptisés dans l'Esprit.

- Jésus dont l'Esprit vient nous purifier,

R/. Prends pitié de nous, sauve-nous !

- Jésus dont l'Esprit vient nous éclairer, **R/.**
- Jésus dont l'Esprit vient nous sanctifier, **R/.**
- Jésus dont l'Esprit vient nous fortifier, **R/.**
- Jésus dont l'Esprit vient nous pardonner **R/.**
- Jésus dont l'Esprit vient nous adopter, **R/.**

POUR LA PRIÈRE UNIVERSELLE

Nous pouvons prier :
- pour que naissent des vocations sacerdotales et religieuses ;
- pour que grandisse en nos communautés l'esprit missionnaire ;

– pour que soit fructueux le dialogue entre les différentes Églises chrétiennes ;
– pour que nous nous laissions pardonner et sachions pardonner.

• **CÉLÉBRER** • « Voici l'Agneau de Dieu qui enlève le péché du monde ». La parole de Jean Baptiste est prononcée par le prêtre alors qu'il montre aux fidèles le pain consacré, Corps du Christ. C'est un moment important, avant la communion, où est proclamée la foi de l'Église en la présence réelle de Jésus. Cette élévation de l'hostie brisée fait suite à la fraction pendant laquelle les fidèles, en regardant vers l'autel, ont chanté l'"Agneau de Dieu". Ces rites nous préparent à recevoir la communion dans la foi. Ils sont aussi, pour ceux qui ne peuvent communier, l'occasion de professer leur foi et leur attachement au Christ qui pardonne et sauve.

PRIÈRE D'OUVERTURE

Dieu éternel et tout-puissant, qui régis l'univers du ciel et de la terre : exauce, en ta bonté, les prières de ton peuple et fais à notre temps la grâce de la paix. Par Jésus Christ.

1re LECTURE *Le Serviteur de Dieu est la lumière des nations*

Lecture du livre d'Isaïe — Is 49, 3.5-6

Parole du Serviteur de Dieu. Le Seigneur m'a dit : « Tu es mon serviteur, Israël, en toi je me glorifierai. » Maintenant le Seigneur parle, lui qui m'a formé dès le sein de ma mère pour que je sois son serviteur, que je lui ramène Jacob et que je lui rassemble Israël. Oui, j'ai du prix aux yeux du Seigneur, c'est mon Dieu qui est ma force. Il parle ainsi : « C'est trop peu que tu sois mon serviteur pour relever les tribus de Jacob et ramener les rescapés d'Israël : je vais faire de toi la lumière des nations, pour que mon salut parvienne jusqu'aux extrémités de la terre. »

PSAUME 39

• **Me voici, Seigneur, je viens faire ta volonté.**
• **Aujourd'hui, nous avons vu ta gloire.**

D'un grand espoir, j'espérais le Seigneur :
il s'est penché vers moi.
Dans ma bouche il a mis un chant nouveau,
une louange à notre Dieu.

Tu ne voulais ni offrande ni sacrifice,
tu as ouvert mes oreilles ;
tu ne demandais ni holocauste ni victime,
alors j'ai dit : « Voici, je viens. »

Dans le Livre est écrit pour moi
ce que tu veux que je fasse.
Mon Dieu, voilà ce que j'aime :
ta loi me tient aux entrailles.

Vois : je ne retiens pas mes lèvres,
Seigneur, tu le sais.
J'ai dit ton amour et ta vérité
à la grande assemblée.

2e LECTURE — *Paul salue l'Église qui est à Corinthe*

Commencement de la première lettre de saint Paul Apôtre aux Corinthiens — 1 Co 1, 1-3

Moi, Paul, appelé par la volonté de Dieu pour être Apôtre du Christ Jésus : avec Sosthène notre frère, je m'adresse à vous qui êtes, à Corinthe, l'Église de Dieu, vous qui avez été sanctifiés dans le Christ Jésus, vous les fidèles qui êtes, par appel de Dieu, le peuple saint, avec tous ceux qui, en tout lieu, invoquent le nom de notre Seigneur Jésus Christ, leur Seigneur et le nôtre.

Que la grâce et la paix soient avec vous, de la part de Dieu notre Père et de Jésus Christ le Seigneur.

Alléluia. Alléluia. Le Verbe s'est fait chair, il a demeuré parmi nous. Par lui, deviendront fils de Dieu tous ceux qui le reçoivent. **Alléluia.**

ÉVANGILE *Voici l'Agneau de Dieu*

Évangile de Jésus Christ selon saint Jean Jn 1, 29-34

Comme Jean Baptiste voyait Jésus venir vers lui, il dit : « Voici l'Agneau de Dieu, qui enlève le péché du monde ; c'est de lui que j'ai dit : Derrière moi vient un homme qui a sa place devant moi, car avant moi il était. Je ne le connaissais pas ; mais, si je suis venu baptiser dans l'eau, c'est pour qu'il soit manifesté au peuple d'Israël. » Alors Jean rendit ce témoignage : « J'ai vu l'Esprit descendre du ciel comme une colombe et demeurer sur lui. Je ne le connaissais pas, mais celui qui m'a envoyé baptiser dans l'eau m'a dit : "L'homme sur qui tu verras l'Esprit descendre et demeurer, c'est celui-là qui baptise dans l'Esprit Saint". Oui, j'ai vu, et je rends ce témoignage : c'est lui le Fils de Dieu. »

PRIÈRE SUR LES OFFRANDES

Seigneur, accorde-nous la grâce de vraiment participer à cette eucharistie ; car chaque fois qu'est célébré ce sacrifice en mémorial, c'est l'œuvre de notre rédemption qui s'accomplit. Par Jésus.

PRIÈRE APRÈS LA COMMUNION

Pénètre-nous, Seigneur, de ton esprit de charité, afin que soient unis par ton amour ceux que tu as nourris d'un même pain. Par Jésus.

L'Agneau de l'alliance éternelle

« Lorsque sur les rives du Jourdain, Jean Baptiste voit Jésus venir à lui, il s'exclame : "Voici l'Agneau de Dieu, qui enlève le péché du monde" (Jn 1, 29). Il est significatif que la même expression revienne, chaque fois que nous célébrons la Messe, dans l'invitation faite par le prêtre à s'approcher vers l'autel : "Heureux les invités au repas du Seigneur ! Voici l'*Agneau de Dieu* qui enlève le péché du monde." Jésus est le *véritable* agneau pascal qui s'est spontanément offert lui-même en sacrifice pour nous, réalisant ainsi la nouvelle et éternelle alliance. L'Eucharistie contient en elle cette nouveauté radicale, qui se propose de nouveau à nous dans chaque célébration. »

Benoît XVI, *Le sacrement de l'Amour. Exhortation apostolique sur l'Eucharistie*, n° 9, 2007.

Calendrier liturgique

Di 19	**2e dimanche A.** *Liturgie des Heures : Psautier semaine II.*
Lu 20	*S. Fabien, pape et martyr, † 250.* *S. Sébastien, martyr à Rome au début du IVe siècle.*
Ma 21	Ste Agnès, vierge et martyre, † 305 à Rome.
Me 22	*S. Vincent, diacre et martyr, † 304 à Valence (Espagne).*
Ve 24	S. François de Sales, évêque de Genève, docteur de l'Église, † 1622 à Lyon.
Sa 25	CONVERSION DE SAINT PAUL, apôtre. Lectures propres : Ac 22, 3-16 ou Ac 9, 1-22 ; Mc 16, 15-18.

Bonne fête ! 19 : Marius. 20 : Fabien, Fabienne, Sébastien, Bastien. 21 : Agnès, Inès. 22 : Vincent. 23 : Barnard. 24 : François, Francis, Franck. 25 : Priest.

Pour mémoire : du 18 au 25 janvier, semaine de prière pour l'unité des chrétiens.

Pour prolonger la prière : Seigneur Dieu, approfondis en nous le goût de la vérité. Nous saurons alors découvrir la nouveauté toujours jaillissante de la Bonne Nouvelle, Jésus ton Envoyé. En lui, l'Esprit repose en plénitude ; par lui, tu nous es présent, maintenant et pour les siècles des siècles.

3e dimanche — 26 janvier 2014

JÉSUS INAUGURE SON MINISTÈRE

En ce dimanche, nous reprenons la lecture continue de l'évangile de Matthieu. Nous rejoignons Jésus au début de son ministère public. Il a reçu le baptême de Jean. L'Esprit repose sur lui et le Père l'a désigné comme son Fils bien-aimé. Après avoir traversé les épreuves du Tentateur au désert, Jésus est prêt pour sa mission. Avec l'entrée de Jésus dans sa vie publique, commence une prédication nouvelle : « Le Royaume de Dieu est tout proche ». L'évangile souligne des changements. Jean Baptiste, dernier des prophètes de l'Ancienne Alliance, n'a plus la parole, sa prédication s'est achevée de manière dramatique, il est arrêté. Jésus, quant à lui, se rapproche des territoires païens. La prophétie d'Isaïe s'accomplit : « Le peuple qui marchait dans les ténèbres a vu se lever une grande lumière » *(première lecture et évangile)*. La Bonne Nouvelle du salut est pour tous. Elle n'est pas réservée au peuple de l'Alliance, elle rejoint les nations jusque-là dans les ténèbres. « À partir de ce moment », Jésus proclame la conversion. Et qu'est-ce qui caractérise la conversion sinon d'aller dans une direction nouvelle ? Se convertir, c'est accepter de se déplacer, de s'ouvrir à l'imprévu de Dieu. Dès le début, Jésus entreprend d'appeler des hommes de toutes conditions, là il appelle des pêcheurs, plus tard un publicain... qui choisiront librement de le suivre, s'attacheront à lui et témoigneront de ce qu'ils auront vu et entendu. Ainsi se répandra l'Évangile, parole vivifiante de Dieu qui guérit les cœurs blessés. Le témoignage passera aussi par l'unité dont sauront faire preuve les Apôtres, les disciples et les nouveaux convertis. « Qu'il n'y ait pas de divisions entre vous », écrit Paul aux chrétiens de Corinthe *(deuxième lecture)*. C'est ce que nous demandons dans la prière eucharistique : que le Seigneur nous garde dans l'unité, avec les Apôtres, pour que nous soyons des signes crédibles du salut pour le monde.

Suggestions pour la célébration

• **CHANTER** • Pour l'ordinaire de la messe, on se référera aux propositions faites au 2e dimanche.

Pour la procession d'ouverture : ***Pour avancer ensemble*** **CNA 524**, ***Sur les chemins de Palestine*** **A 222** ou **X 913**.

Le psaume 26 peut être mis en œuvre de plusieurs manières : **CNA p. 45, CNA 738** ou **ZL 14-76**.

Après l'homélie : ***Il est venu marcher sur nos routes*** **CNA 557**.

Pendant la communion : ***Seigneur, rassemble-nous*** **CNA 702**.

Après la communion : ***Tu es la vraie lumière*** **CNA 595**, ***Ouvriers de la paix*** **CNA 522** ou ***Nous formons un même corps*** **CNA 570**.

• **PRIER** •

Pour la préparation pénitentielle

Seigneur Jésus, tu nous conduis des ténèbres à ta lumière,
prends pitié de nous, sauve-nous.

Ô Christ, ta croix est le salut pour tout homme,
prends pitié de nous, sauve-nous.

Seigneur, tu nous invites à la joie du Royaume,
prends pitié de nous, sauve-nous.

Pour la prière universelle

Nous pouvons prier :
- pour nos communautés chrétiennes : qu'elles soient accueillantes à ceux qui les rejoignent ;
- pour l'unité dans l'Église ;
- pour le pape, les évêques, les prêtres et tous les apôtres d'aujourd'hui ;
- pour ceux qui n'ont pas accès à l'Évangile ;
- pour les dirigeants des peuples : qu'ils aient le souci et le respect de la liberté religieuse.

• **CÉLÉBRER** • La prière la plus universelle est certainement la prière eucharistique. Elle nous associe au sacrifice du Christ qui a versé son sang pour nous « et pour la multitude en rémission des péchés ». Le développement de la Prière eucharistique IV demande au Père de se souvenir de tous ceux pour qui nous offrons le sacrifice, en particulier tous les hommes qui le « cherchent avec droiture ». Ce dimanche du temps ordinaire, en écho à l'évangile, nous pouvons aussi prendre la *Prière eucharistique pour des circonstances particulières* dont les préfaces I ou III, avec les intercessions qui leur correspondent, ont une dimension missionnaire. La préface IV et l'intercession qui lui correspond marqueront davantage la dimension de charité qui accompagne l'annonce de l'évangile. (cf. Jésus, modèle de charité p. 61).

Prière d'ouverture

Dieu éternel et tout-puissant, dirige notre vie selon ton amour, afin qu'au nom de ton Fils bien-aimé, nous portions des fruits en abondance. Par Jésus Christ.

Ou bien, pour l'unité des chrétiens :

• Seigneur, ravive ton Église au souffle de l'Esprit ; qu'elle avance dans l'amour de la vérité, et travaille d'un cœur généreux à l'unité de tous les chrétiens. Par Jésus Christ.

• Montre-nous, Seigneur, à quel point tu nous aimes, et par la force de ton Esprit rapproche les chrétiens divisés : que ton Église apparaisse clairement comme ton signe au milieu du monde, et que le monde attiré par sa lumière croie en Jésus ton envoyé. Lui qui règne.

1re lecture — *Une lumière se lève*

Lecture du livre d'Isaïe — Is 8, 23–9,3

Dans les temps anciens, le Seigneur a couvert de honte le pays de Zabulon et le pays de Nephtali ; mais ensuite, il a couvert de gloire la route de la mer, le pays au-delà du Jourdain, et la Galilée, carrefour des païens. Le peuple qui marchait dans les ténèbres a vu se lever une grande lumière ; sur ceux qui habitaient le pays de l'ombre une lumière a resplendi. Tu as prodigué l'allégresse, tu as fait grandir la joie : ils se réjouissent devant toi comme on se réjouit en faisant la moisson, comme on exulte en partageant les dépouilles des vaincus. Car le joug qui pesait sur eux, le bâton qui meurtrissait leurs épaules, le fouet du chef de corvée, tu les as brisés comme au jour de la victoire sur Madiane.

PSAUME 121

• **Le Seigneur est ma lumière et mon salut.**

• **La lumière s'est levée, car j'ai vu le Seigneur.**

Le Seigneur est ma lumière et mon salut,
de qui aurais-je crainte ?
Le Seigneur est le rempart de ma vie,
devant qui tremblerais-je ?

J'ai demandé une chose au Seigneur,
la seule que je cherche :
habiter la maison du Seigneur
tous les jours de ma vie.

J'en suis sûr, je verrai les bontés du Seigneur,
sur la terre des vivants.
« Espère le Seigneur, sois fort et prends courage ;
espère le Seigneur. »

2e LECTURE — *Divisions dans l'Église*

Lecture de la première lettre de saint Paul Apôtre aux Corinthiens — 1 Co 1, 10-13.17

Frères, je vous exhorte au nom de notre Seigneur Jésus Christ à être tous vraiment d'accord ; qu'il n'y ait pas de division entre vous, soyez en parfaite harmonie de pensées et de sentiments. J'ai entendu parler de vous, mes frères, par les gens de chez Cloé : on dit qu'il y a des disputes entre vous. Je m'explique. Chacun de vous prend parti en disant : « Moi, j'appartiens à Paul », ou bien : « J'appartiens à Apollos », ou bien : « J'appartiens à Pierre », ou bien : « J'appartiens au Christ ». Le Christ est-il donc divisé ? Est-ce donc Paul qui a été crucifié pour vous ? Est-ce au nom de Paul que vous avez été baptisés ? D'ailleurs, le Christ ne m'a pas envoyé pour baptiser, mais pour annoncer l'Évangile, et sans avoir recours à la sagesse du langage humain, ce qui viderait de son sens la croix du Christ.

Alléluia. Alléluia. Béni soit le Seigneur notre Dieu : sur ceux qui habitent les ténèbres, il a fait resplendir sa lumière. **Alléluia.**

ÉVANGILE *Début du ministère de Jésus en Galilée*

Évangile de Jésus Christ selon saint Matthieu Mt 4, 12-23

La lecture des textes entre crochets est facultative.

Quand Jésus apprit l'arrestation de Jean Baptiste, il se retira en Galilée. Il quitta Nazareth et vint habiter à Capharnaüm, ville située au bord du lac, dans les territoires de Zabulon et de Nephtali. Ainsi s'accomplit ce que le Seigneur avait dit par le prophète Isaïe : « Pays de Zabulon et pays de Nephtali, route de la mer et pays au-delà du Jourdain, Galilée, toi le carrefour des païens : le peuple qui habitait dans les ténèbres a vu se lever une grande lumière. Sur ceux qui habitaient dans le pays de l'ombre et de la mort, une lumière s'est levée. » À partir de ce moment, Jésus se mit à proclamer : « Convertissez-vous, car le Royaume des cieux est tout proche. »

[Comme il marchait au bord du lac de Galilée, il vit deux frères, Simon, appelé Pierre, et son frère André, qui jetaient leurs filets dans le lac : c'étaient des pêcheurs. Jésus leur dit : « Venez derrière moi, et je vous ferai pêcheurs d'hommes. » Aussitôt, laissant leurs filets, ils le suivirent. Plus loin, il vit deux autres frères, Jacques, fils de Zébédée et son frère Jean, qui étaient dans leur barque avec leur père, en train de préparer leurs filets. Il les appela. Aussitôt, laissant leur barque et leur père, ils le suivirent.

Jésus, parcourant toute la Galilée, enseignait dans leurs synagogues, proclamait la Bonne Nouvelle du Royaume, guérissait toute maladie et toute infirmité dans le peuple. »]

Prière sur les offrandes

Dans ta bonté, Seigneur, accepte notre offrande : qu'elle soit sanctifiée et serve ainsi à notre salut. Par Jésus.

• ou pour l'unité des chrétiens :

Dans le sacrifice que nous t'offrons, Seigneur, consume le péché qui divise les chrétiens : puisqu'ils sont d'un même corps par le baptême, qu'ils puissent communier un jour à la même table. Par Jésus.

On peut prendre la préface pour l'unité des chrétiens :

Vraiment, il est juste et bon de te rendre gloire, de t'offrir notre action de grâce, toujours et en tout lieu, à toi, Père très saint, Dieu éternel et tout-puissant, par le Christ, notre Seigneur. Par lui, tu nous conduis à la connaissance de ta vérité, nous appelant à devenir son corps grâce à la même foi et par un seul baptême ; par lui, tu répands ton Esprit Saint sur tous les peuples du monde, l'Esprit qui met en œuvre ses dons les plus divers et qui réalise l'unité : il habite le cœur de tes fils, il remplit l'Église tout entière, il ne cesse de la guider.

C'est pourquoi, avec les anges et tous les saints, nous proclamons ta gloire en disant d'une seule voix : **Saint !...**

Prière après la communion

Permets, nous t'en prions, Dieu tout-puissant, qu'ayant reçu de toi la grâce d'une nouvelle vie, nous puissions nous en émerveiller toujours. Par Jésus.

• ou pour l'unité des chrétiens :

Après avoir communié au sacrifice du Christ, nous te demandons, Seigneur, d'envoyer sur le corps tout entier de l'Église ton Esprit de sainteté, afin qu'il entraîne ceux qui portent le nom de chrétiens à te servir dans l'unité de la foi. Par Jésus.

Calendrier liturgique

Di 26	**3e dimanche A.** *Liturgie des Heures : Psautier semaine III.* [S. Timothée et S. Tite, compagnons de S. Paul. Lecture propre : 2 Tm 1, 1-8 ou Tt 1, 1-5.]
Lu 27	*Ste Angèle Merici, vierge, fondatrice des Ursulines, † 1540 à Brescia (Italie).*
Ma 28	S. Thomas d'Aquin, prêtre, dominicain, docteur de l'Église, † 1274 (7 mars) à Fossanova (Italie), enseveli à Toulouse.
Je 30	En Belgique, S. Mutien-Marie, frère des écoles chrétiennes, † 1917.
Ve 31	S. Jean Bosco, prêtre, fondateur des Salésiens, † 1888 à Turin.

Bonne fête ! 26 : Timothée, Tite, Paule, Pauline, Mélanie. 27 : Angèle, Angélique, Julien. 28 : Thomas. 29 : Gildas. 30 : Bathilde, Jacynthe, Martine. 31 : Marcelle, Alban. 1er : Ella, Véridiana.

Pour mémoire : aujourd'hui, dernier dimanche de janvier, journée mondiale des lépreux, fondée en 1954 par Raoul Follereau et célébrée aujourd'hui dans 127 pays.

Il y a mille deux cents ans, le 28 janvier 814, Charlemagne mourait à Aix-la-Chapelle. Roi des Francs, il fut couronné empereur d'Occident par le pape Léon III (le 25 décembre 800), relevant ainsi une dignité disparue depuis 476. Il réforma l'Église franque en choisissant lui-même comme évêques des hommes irréprochables et dévoués. Il étendit sa sollicitude aux besoins matériels du clergé, à sa formation, à son état moral, notamment en favorisant l'établissement de communautés sacerdotales (les « chanoines séculiers »). Il favorisa le développement de la vie monastique et la pratique de la règle de saint Benoît. Pour enrayer la décadence de la liturgie dans les pays de l'ancienne Gaule, il imposa dans son royaume les livres de la liturgie romaine. Il fut aussi l'initiateur d'un renouveau intellectuel, connu sous le nom de « Renaissance carolingienne » : il s'efforça de restaurer le latin classique ainsi que l'étude de l'Écriture sainte, des Pères de l'Église et de la liturgie. Il encouragea la création d'ateliers de copistes *(scriptoria)*, qui produisirent des manuscrits remarquables par leur calligraphie et leurs riches enluminures. Il invita à sa cour les grands esprits de l'époque pour former l'Académie palatine.

Il y a dix ans, le 1er février 2004, l'abbé Pierre, reçu à l'Élysée par Jacques Chirac, tançait les « gens heureux », dont l'égoïsme nuit aux plus faibles. Cette invitation coïncidait avec le cinquantième anniversaire de l'appel à « l'insurrection de la bonté », lancé par l'abbé Pierre durant l'hiver 54 en faveur des sans-logis et des déshérités.

Pour prolonger la prière : Tu nous as faits à ton image, Dieu d'amour, et tu nous appelles à vivre à ta ressemblance. Ouvre notre esprit à la lumière du Christ, et mets en nous le désir de le suivre ; c'est vers toi qu'il dirige nos regards, maintenant et pour les siècles des siècles.

LOUANGE DE DIEU ET SERVICE DE L'HOMME DANS L'ÉVANGILE DE MATTHIEU

Dans ce titre, les lecteurs auront reconnu le thème d'année proposé par l'équipe du Missel, mis en relation avec l'évangile de Matthieu auquel sont empruntés les évangiles de cette année A.

Le terme « louange » ne revient que deux fois chez Matthieu, mais à des moments importants. Il s'agit de la louange faite par Jésus à propos des tout-petits : « Père, Seigneur du ciel et de la terre, je proclame ta louange : ce que tu as caché aux sages et aux savants, tu l'as révélé aux tout-petits » (Mt 11, 25). Ou bien de la louange faite par les tout-petits eux-mêmes. À ceux qui s'indignent parce que les enfants lui criaient dans le Temple : « Hosanna au fils de David ! », il rétorque : « Vous n'avez donc jamais lu : *De la bouche des enfants, des tout-petits, tu as fait monter une louange* ? » (Mt 21,16).

Le service de l'homme est beaucoup plus présent dans cet évangile. On le trouve dans l'enseignement de Jésus et dans sa pratique : les guérisons qu'il opère, une résurrection même, le pain multiplié pour les foules.

Dans son enseignement, il considère le double commandement d'amour comme le plus grand : « *Tu aimeras le Seigneur ton Dieu de tout ton cœur, de toute ton âme et de tout ton esprit.* Voilà le grand, le premier commandement. Et le second lui est semblable : *Tu aimeras ton prochain comme toi-même* » (22,37-39).

Il énonce la fameuse règle d'or : « Tout ce que vous voudriez que les autres fassent pour vous, faites-le pour eux, vous aussi. » (7,12).

Il donne de multiples recommandations, en particulier le respect des petits : « Gardez-vous de mépriser un seul de ces petits, car, je vous le dis, leurs anges dans les cieux voient sans cesse la face de mon Père qui est aux cieux » (18,10).

Et il y a l'extraordinaire scène du jugement dernier. À ceux qui ont donné à manger aux affamés, à boire à ceux qui ont soif, de quoi se vêtir à ceux qui sont nus, et qui ont accueilli les étrangers, le Roi déclarera : « Chaque fois que vous l'avez fait à l'un de ces petits qui sont mes frères, c'est à moi que vous l'avez fait » (25,31-46).

H. D.

Présentation du Seigneur 2 février 2014

À LA RENCONTRE DU CHRIST, LUMIÈRE ET SALUT POUR LE MONDE

La célébration de la Présentation du Seigneur commence par une marche, une procession, lumière en main. Le peuple de Dieu manifeste que le Christ est sa lumière ; en le suivant, il accède à la lumière éternelle, dans la Maison du Seigneur. « Qu'en marchant au droit chemin, nous parvenions à la lumière qui ne s'éteint jamais », dit l'une des prières de bénédiction des cierges. L'enjeu de cette célébration est d'aller à la rencontre du Christ, notre lumière, et en le rencontrant, nous reconnaissons que c'est lui qui vient à nous pour nous offrir le salut de Dieu. C'était l'attente de Syméon : voir « la Consolation d'Israël » et la « lumière pour éclairer les nations » *(évangile)* ; et dans l'Esprit, il a reconnu l'enfant par qui la promesse de salut se réaliserait.

Jésus est encore tout-petit enfant ; pourtant sa présentation au Temple de Jérusalem est déjà chargée de sens. En accomplissant la prescription de Moïse de consacrer l'aîné au Seigneur, Marie et Joseph inscrivent Jésus dans sa destinée au sein du peuple de l'Alliance. Mais ce peuple va en grande partie le rejeter. Syméon laisse entrevoir la Passion qui se profile à l'horizon : « Il sera signe de division », et Marie communiera à la souffrance de son fils. Le Temple est le lieu des sacrifices. Marie et Joseph apportent l'offrande pour la purification, mais ils tiennent dans leurs bras celui qui sera la seule véritable offrande pour le salut du monde, l'offrande qui bientôt rendra caducs les sacrifices rituels de l'Ancienne Alliance. Jésus sera le seul intercesseur auprès du Père, le « grand prêtre miséricordieux et fidèle, capable d'enlever le péché du peuple » *(deuxième lecture)*. Les prophéties s'accomplissent.

Il est maintenant au cœur de notre assemblée, le Seigneur que nous cherchons aujourd'hui *(première lecture)*. Il nous donne sa parole de lumière et renouvelle au milieu de nous l'offrande qui sauve le monde. Allons à sa rencontre, suivons-le sans crainte et laissons-le illuminer nos vies.

Suggestions pour la célébration

• **CHANTER** • Pour accompagner la procession des lumières : ***Joyeuse lumière*** CNA 477 ; CNA 806 ou CNA 807.

Pour la procession des dons : ***Vers toi, Seigneur*** B 74-1, ***Toi seul es saint*** CNA 233.

Après la communion : ***Tu es la vraie lumière*** CNA 595 ou ***Dieu, nous avons vu ta gloire*** F 64.

• **PRIER** • Il n'y a pas de préparation pénitentielle, la procession d'entrée avec les lumières en tient lieu.

Avant la célébration, les fidèles se tiennent à l'extérieur ou bien au fond de l'église, d'où commencera la procession. Si cela n'est pas possible, les fidèles prennent place dans la nef, et seulement le prêtre, les servants d'autel et quelques fidèles processionnent. On allume les cierges de tous les fidèles et des ministres, puis le prêtre les bénit.

POUR LA PRIÈRE UNIVERSELLE

Nous pouvons prier :
- pour les nouveaux parents qui présentent leur enfant au Seigneur pour recevoir le sacrement du baptême : qu'ils sachent leur transmettre la lumière de la foi ;
- pour les peuples marqués par les ténèbres des conflits ou des dictatures : qu'ils voient poindre la lumière de la paix et de la liberté ;
- pour les personnes consacrées : qu'en Église, et par l'exemple de leur vie, elles témoignent de la lumière de l'Évangile ;
- pour les nouveaux convertis et les catéchumènes, joyeux de découvrir le Christ : qu'ils avancent sans peur sur le chemin de la foi.

Bénédiction et la procession des cierges

ANTIENNE Is 35, 4-5

Voici le Seigneur Dieu qui vient avec puissance ; il vient illuminer notre regard, alléluia.

Le prêtre vient vers le peuple, il le salue et lui adresse les paroles suivantes ou d'autres semblables :

Frères bien-aimés, il y a quarante jours, nous célébrions dans la joie la Nativité du Seigneur. Voici maintenant arrivé le jour où Jésus fut présenté au Temple par Marie et Joseph : il se conformait ainsi à la loi du Seigneur, mais, en vérité, il venait à la rencontre du peuple des croyants. En effet, le vieillard Syméon et la prophétesse Anne étaient venus au Temple, sous l'impulsion de l'Esprit Saint ; éclairés par ce même Esprit ils reconnurent leur Seigneur dans le petit enfant et ils l'annoncèrent à tous avec enthousiasme. Il en va de même pour nous : rassemblés par l'Esprit, nous allons nous mettre en marche vers la maison de Dieu ou vers l'autel du Seigneur à la rencontre du Christ ; nous le trouverons, et nous le reconnaîtrons à la fraction du pain en attendant sa venue dans la gloire.

Après la monition, le prêtre bénit les cierges, en disant l'une des deux prières suivantes :

Prions le Seigneur.

• Dieu qui es la source et l'origine de toute lumière, toi qui as montré au vieillard Syméon la lumière qui éclaire les nations, nous te supplions humblement : que ta bénédiction sanctifie ces cierges ; exauce la prière de ton peuple qui s'est ici rassemblé pour les recevoir et les porter à la louange de ton Nom : qu'en avançant au droit chemin, nous parvenions à la lumière qui ne s'éteint jamais. Par Jésus, le Christ, notre Seigneur.

• Seigneur Dieu, véritable lumière, source et foyer de la lumière éternelle, fais resplendir au cœur de tes fidèles la lumière qui jamais ne s'éteint ; donne à ceux qui portent ces cierges, et qui en sont illuminés dans ce temple, de parvenir à la splendeur de ta gloire. Par Jésus, le Christ, notre Seigneur. **Amen.**

Le prêtre reçoit alors le cierge qui a été préparé pour lui et il dit :

Avançons maintenant dans la paix, à la rencontre du Seigneur.

CANTIQUE DE SYMÉON

Lc 2, 29-32

Lumière qui se révèle aux nations
et donne gloire à ton peuple Israël.

Maintenant, ô Maître souverain,
tu peux laisser ton serviteur s'en aller
en paix, selon ta parole.

Car mes yeux ont vu le salut
que tu préparais à la face des peuples.

Gloire au Père, et au Fils, et au Saint-Esprit,
au Dieu qui est, qui était et qui vient,
pour les siècles des siècles. Amen.

À l'entrée de la procession dans l'église, on chante le chant d'entrée de la Messe.

Messe du 2 février

PRIÈRE D'OUVERTURE

Dieu éternel et tout-puissant, nous t'adressons cette humble prière : puisque ton Fils unique, ayant revêtu notre chair, fut en ce jour présenté dans le Temple, fais que nous puissions aussi, avec une âme purifiée, nous présenter devant toi. Par Jésus Christ.

1re LECTURE *Le Seigneur vient dans son temple pour nous purifier*

Lecture du livre de Malachie — Ml 3, 1-4

Ainsi parle le Seigneur Dieu : Voici que j'envoie mon Messager pour qu'il prépare le chemin devant moi ; et soudain viendra dans son Temple le Seigneur que vous cherchez. Le messager de l'Alliance que vous désirez, le voici qui vient, dit le Seigneur de l'univers. Qui pourra soutenir le jour de sa venue ? Qui pourra rester debout lorsqu'il se montrera ? Car il est pareil au feu du fondeur, pareil à la lessive des blanchisseurs. Il s'installera pour fondre et purifier. Il purifiera les fils de Lévi, il les affinera comme l'or et l'argent : ainsi pourront-ils, aux yeux du Seigneur, présenter l'offrande en toute justice. Alors, l'offrande de Juda et de Jérusalem sera bien accueillie du Seigneur, comme il en fut aux jours anciens, dans les années d'autrefois.

PSAUME 23

- **Gloire au Messie de Dieu,**
  gloire à l'envoyé du Seigneur !
- **Voici qu'il vient dans le temple de Dieu,**
  le messager de l'Alliance !

Portes, levez vos frontons,
élevez-vous, portes éternelles :
qu'il entre, le roi de gloire !

Qui est ce roi de gloire ?
C'est le Seigneur, le fort, le vaillant,
le Seigneur, le vaillant des combats.

Portes, levez vos frontons,
levez-les, portes éternelles :
qu'il entre, le roi de gloire !

Qui donc est ce roi de gloire ?
C'est le Seigneur, Dieu de l'univers ;
c'est lui, le roi de gloire.

2e LECTURE *Un prêtre en tout semblable à nous*

Lecture de la lettre aux Hébreux He 2, 14-18

Puisque les hommes ont tous une nature de chair et de sang, Jésus a voulu partager cette condition humaine : ainsi, par sa mort, il a pu réduire à l'impuissance celui qui possédait le pouvoir de la mort, c'est-à-dire le démon, et il a rendu libres ceux qui, par crainte de la mort, passaient toute leur vie dans une situation d'esclaves. Car ceux qu'il vient aider, ce ne sont pas les anges, ce sont les fils d'Abraham. Il lui fallait donc devenir en tout semblable à ses frères, pour être, dans leurs relations avec Dieu, un grand prêtre miséricordieux et fidèle, capable d'enlever les péchés du peuple. Ayant souffert jusqu'au bout l'épreuve de sa passion, il peut porter secours à ceux qui subissent l'épreuve.

ÉVANGILE *Présentation du Seigneur au Temple*

Évangile de Jésus Christ selon saint Luc Lc 2, 22-40

La lecture des textes entre crochets est facultative.

Quand arriva le jour fixé par la loi de Moïse pour la purification, les parents de Jésus le portèrent à Jérusalem pour le présenter au Seigneur, selon ce qui est écrit dans la Loi : Tout premier-né de sexe masculin sera consacré au Seigneur. Ils venaient aussi présenter en offrande le sacrifice prescrit par la loi du Seigneur : un couple de tourterelles ou deux petites colombes.

Or, il y avait à Jérusalem un homme appelé Syméon. C'était un homme juste et religieux, qui attendait la Consolation d'Israël, et l'Esprit Saint était sur lui. L'Esprit lui avait révélé qu'il ne verrait pas la mort avant d'avoir vu le Messie du Seigneur. Poussé par l'Esprit, Syméon vint au Temple. Les parents y entraient avec l'enfant Jésus pour accomplir les rites de la Loi qui le concernaient. Syméon prit l'enfant dans ses bras, et il bénit Dieu en disant : « Maintenant, ô Maître, tu peux laisser ton serviteur s'en aller dans la paix, selon ta parole. Car mes yeux ont vu ton salut, que tu as préparé à la face de tous les peuples : lumière pour éclairer les nations païennes, et gloire d'Israël ton peuple. »

[Le père et la mère de l'enfant s'étonnaient de ce qu'on disait de lui. Syméon les bénit, puis il dit à Marie sa mère : « Vois, ton fils, qui est là, provoquera la chute et le relèvement de beaucoup en Israël. Il sera un signe de division. – Et toi-même, ton cœur sera transpercé par une épée. – Ainsi seront dévoilées les pensées secrètes d'un grand nombre. »

Il y avait là une femme qui était prophète, Anne, fille de Phanuel, de la tribu d'Aser. Demeurée veuve après sept ans de mariage, elle avait atteint l'âge de quatre-vingt-quatre ans. Elle ne s'éloignait pas du Temple, servant Dieu jour et nuit dans le jeûne et la prière. S'approchant d'eux à ce moment, elle proclamait les louanges de Dieu et parlait de l'enfant à tous ceux qui attendaient la délivrance de Jérusalem.

Lorsqu'ils eurent accompli tout ce que prescrivait la loi du Seigneur, ils retournèrent en Galilée, dans leur ville de Nazareth.

L'enfant grandissait et se fortifiait, tout rempli de sagesse, et la grâce de Dieu était sur lui.]

Prière sur les offrandes

Accueille, Seigneur, avec bonté les dons de ton Église en fête : elle te les présente pour le sacrifice de ton Fils unique, puisque tu as voulu qu'il s'offre à toi comme l'Agneau sans tache pour le salut du monde. Lui qui règne.

Préface

Vraiment, il est juste et bon de te rendre gloire, de t'offrir notre action de grâce, toujours et en tout lieu, à toi, Père très saint, Dieu éternel et tout-puissant.

Aujourd'hui, ton Fils éternel est présenté dans le Temple, et l'Esprit Saint, par la bouche de Syméon, le désigne comme la gloire de ton peuple et la lumière des nations.

Joyeux nous aussi d'aller à la rencontre du Sauveur, nous te chantons avec les anges et tous les saints, et déjà nous proclamons : **Saint !...**

Textes propres pour la prière eucharistique :

1

Dans la communion de toute l'Église, nous célébrons le jour où la Vierge Marie te présenta dans le Temple ton Fils unique, son enfant nouveau-né ; et nous voulons nommer en premier lieu cette Vierge bienheureuse, la Mère de notre Dieu et Seigneur, Jésus Christ. *(Suite p. 31.)*

2

Toi qui es vraiment saint, toi qui es la source de toute sainteté, nous voici rassemblés devant toi, et, dans la communion de toute l'Église, nous célébrons le jour où la Vierge Marie te présenta dans le Temple son enfant nouveau-né, ton Fils unique, notre Seigneur. Par lui, lumière née de ta lumière, Dieu notre Père, nous te prions: Sanctifie... *(Suite p. 37.)*

3

C'est pourquoi nous voici rassemblés devant toi et, dans la communion de toute l'Église, nous célébrons le jour où la Vierge Marie te présenta dans le Temple son enfant nouveau-né, ton Fils unique, notre Seigneur. Par lui, lumière née de ta lumière, Dieu tout-puissant, nous te supplions de consacrer toi-même les offrandes que nous apportons. *(Suite p. 40.)*

Prière après la communion

Par cette communion, Seigneur, prolonge en nous l'œuvre de ta grâce, toi qui as répondu à l'espérance de Syméon: tu n'as pas voulu qu'il meure avant d'avoir accueilli le Messie; puissions-nous aussi obtenir la vie éternelle, en allant à la rencontre du Christ. Lui qui règne.

La Lumière du Christ

« Puisque la lumière est venue dans le monde et l'a illuminé alors qu'il baignait dans les ténèbres, puisque le Soleil levant qui vient d'en haut nous a visités, ce mystère est le nôtre. C'est pour cela que nous avançons en tenant des cierges, c'est pour cela que nous accourons en portant des lumières, afin de signifier la lumière qui a brillé pour nous, mais aussi afin d'évoquer la splendeur que cette lumière nous donnera. Courons donc ensemble, allons tous à la rencontre de Dieu. »

S. Sophrone de Jérusalem, *Sermon pour la fête des lumières, Liturgie des Heures.*

Calendrier liturgique

Di 2	**Présentation du Seigneur** *Liturgie des Heures : Psautier semaine IV.*
Lu 3	4e semaine du temps ordinaire. *S. Blaise, évêque de Sébaste (Asie Mineure), martyr, † vers 316.* *S. Anschaire, évêque de Hambourg, † 865.*
Ma 4	*En Afrique du Nord, Ste Célérina et ses compagnons, martyrs à Carthage (IIIe siècle).*
Me 5	Ste Agathe, vierge et martyre, † 251 à Catane (Italie).
Je 6	S. Paul Miki, prêtre, et ses compagnons, martyrs, † 1597 à Nagasaki. *En Belgique, S. Amand, évêque de Maastricht, † 679 ou 684 à Saint-Amand-les-Eaux.*
Ve 7	En Belgique, S. Paul Miki et ses compagnons, martyrs, † 1597 à Nagasaki.
Sa 8	*S. Jérôme Émilien, fondateur des Serviteurs des pauvres, † 1537, à Somasca (Italie).* *Ste Joséphine Bakhita, vierge, esclave soudanaise, puis religieuse, † 1947 à Schio (Italie).*

Bonne fête ! 2 : Théophane. 3 : Blaise, Anatole, Oscar. 4 : Gilbert, Véronique, Bérénice, Vanessa. 5 : Agathe. 6 : Amand, Gaston, Dorothée, Doris. 7 : Eugénie. 8 : Joséphine, Jacqueline, Jackie.

Pour mémoire : en cette fête de la Présentation du Seigneur, journée de la vie consacrée (religieuses, religieux, instituts séculiers, etc.).

Aujourd'hui, en France : journée chrétienne de la communication.

5e dimanche

9 février 2014

LA SAVEUR ET LA CLARTÉ DE L'ÉVANGILE

Le sel n'est pas fait pour rester dans son pot, pas plus qu'il n'est fait pour être mangé à la petite cuillère. Utilisé seul ou mis à l'écart, il ne peut pas remplir son rôle essentiel, celui de donner de la saveur aux aliments. Il en est de même pour le disciple du Christ : s'il reste isolé ou s'il confine sa foi dans la seule sphère de sa vie privée, comment sera-t-il « sel de la terre » ? *(évangile).* Tenant sa place au cœur du monde, vivant et travaillant au milieu des autres hommes, le disciple de Jésus doit donner l'humble témoignage en actes et en paroles d'une vie transformée par l'Évangile, saveur nouvelle offerte au monde d'aujourd'hui. Si Jésus enseigne ses disciples, c'est pour que son Évangile soit une parole nouvelle et lumineuse pour l'humanité tout entière. Il n'appelle pas des disciples à sa suite pour que ces derniers restent cachés comme des lampes allumées sous un boisseau.

Autrefois, sur la montagne, Moïse recevait des commandements pour éclairer le peuple d'Israël. Sur la montagne encore, les disciples reçoivent de Jésus de nouveaux commandements. En les mettant en pratique, ils seront eux-mêmes porteurs d'espérance et annonciateurs du salut qui vient. Jésus a enseigné les Béatitudes (Mt 5, 1-12), l'Évangile à vivre. Pour qu'en faisant œuvre de paix, de justice, de partage, de miséricorde, le croyant devienne lumière qui « se lève dans les ténèbres ». Sa vie sortira de l'obscurité pour « devenir lumière de midi » *(première lecture).* En descendant de la montagne, Jésus et les disciples iront à la rencontre de la foule, large part de l'humanité en attente d'une Bonne Nouvelle, humanité encore à évangéliser. Chaque baptisé est appelé à témoigner de la saveur et de la clarté de l'Évangile là où il vit, non pas « avec le langage d'une sagesse qui veut convaincre » *(deuxième lecture)* mais dans l'amour de l'autre, le service et l'humilité, en comptant sur l'Esprit, force de Dieu.

Suggestions pour la célébration

• **CHANTER** • Pour la procession d'ouverture : *Pour avancer ensemble* CNA 524, *Ta nuit sera lumière* CNA 589, *Sur les chemins de Palestine* A 222, *Peuple choisi* CNA 543 (couplets 4, 5 et 7).

Après l'homélie : *Lumière pour l'homme aujourd'hui* CNA 568 ou *Ta nuit sera lumière de midi* CNA 589.

Après la communion : *Celui qui a mangé de ce pain* CNA 321 ; *Tu es la vraie lumière* CNA 595, *Mendiant du jour* CNA 334.

• **PRIER** • **POUR LA PRÉPARATION PÉNITENTIELLE**

Seigneur Jésus, tu nous rassembles près de toi pour louer le Père,
béni sois-tu et prends pitié de nous,
prends pitié de nous.

Ô Christ, tu nous enseignes une parole nouvelle, lumière sur nos chemins,
béni sois-tu et prends pitié de nous,
prends pitié de nous.

Seigneur, tu nous invites à la table où tu t'offres en nourriture,
béni sois-tu et prends pitié de nous,
prends pitié de nous.

POUR LA PRIÈRE UNIVERSELLE

Nous pouvons prier :
– pour tous les membres de l'Église : qu'ils donnent toujours au monde le témoignage d'une charité active ;
– pour les ministres dans l'Église, qui ont la charge de l'enseignement de la Parole : qu'ils le fassent dans l'humilité et l'esprit de service ;
– pour les dirigeants et les responsables politiques : qu'ils aient toujours le souci de la justice et de l'aide aux plus démunis ;
– pour tous ceux qui manquent d'espérance : qu'ils rencontrent des personnes attentives qui apportent sel et lumière à leur vie.

• **CÉLÉBRER** • Innombrables sont les références à la lumière dans la Bible et la liturgie. Dans le Credo nous affirmons que Jésus, Fils de Dieu, est « lumière, née de la lumière » ; dans l'évangile, nous entendons Jésus dire : « Vous êtes la lumière du monde ». Dans la liturgie, la lumière a une forte charge symbolique. Essayer d'en donner la ou les significations serait déjà limiter et amoindrir la force du symbole. Des lumières dans la célébration ? Ni trop ni trop peu... mais aux lieux ou aux moments qui marquent particulièrement la présence du Christ : dans la procession d'entrée qui traverse l'assemblée, à l'ambon (particulièrement à la proclamation de l'évangile), à l'autel, lieu du sacrifice eucharistique...

PRIÈRE D'OUVERTURE

Dans ton amour inlassable, Seigneur, veille sur ta famille ; et puisque ta grâce est notre unique espoir, garde-nous sous ta constante protection. Par Jésus Christ.

1re LECTURE

Celui qui partage est lumière

Lecture du livre d'Isaïe — Is 58, 7-10

Partage ton pain avec celui qui a faim, recueille chez toi le malheureux sans abri, couvre celui que tu verras sans vêtement, ne te dérobe pas à ton semblable. Alors ta lumière jaillira comme l'aurore, et tes forces reviendront rapidement. Ta justice marchera devant toi, et la gloire du Seigneur t'accompagnera. Alors, si tu appelles, le Seigneur répondra ; si tu cries, il dira : « Me voici. » Si tu fais disparaître de ton pays le joug, le geste de menace, la parole malfaisante, si tu donnes de bon cœur à celui qui a faim, et si tu combles les désirs du malheureux, ta lumière se lèvera dans les ténèbres et ton obscurité sera comme la lumière de midi.

PSAUME 111

- **Dans la nuit de ce monde,**
  brille la lumière du juste.
- **Sa lumière jaillira comme l'aurore.**

Heureux qui craint le Seigneur !
Lumière des cœurs droits,
il s'est levé dans les ténèbres,
homme de justice, de tendresse et de pitié.

L'homme de bien a pitié, il partage ;
cet homme jamais ne tombera ;
toujours on fera mémoire du juste.

Il ne craint pas l'annonce d'un malheur :
le cœur ferme, il s'appuie sur le Seigneur.
Son cœur est confiant, il ne craint pas.

À pleines mains, il donne au pauvre ;
à jamais se maintiendra sa justice,
sa puissance grandira, et sa gloire !

2e LECTURE — *Paul annonce le Messie crucifié*

Lecture de la première lettre de saint Paul Apôtre aux Corinthiens — 1 Co 2, 1-5

Frères, quand je suis venu chez vous, je ne suis pas venu vous annoncer le mystère de Dieu avec le prestige du langage humain ou de la sagesse. Parmi vous, je n'ai rien voulu connaître d'autre que Jésus Christ, ce Messie crucifié. Et c'est dans la faiblesse, craintif et tout tremblant, que je suis arrivé chez vous. Mon langage, ma proclamation de l'Évangile, n'avaient rien à voir avec le langage d'une sagesse qui veut convaincre ; mais c'est l'Esprit et sa puissance qui se manifestaient, pour que votre foi ne repose pas sur la sagesse des hommes, mais sur la puissance de Dieu.

Alléluia. Alléluia. Lumière du monde, Jésus Christ, celui qui marche à ta suite aura la lumière de la vie. **Alléluia.**

ÉVANGILE — *Le sel de la terre et la lumière du monde.*

Évangile de Jésus Christ selon saint Matthieu — Mt 5, 13-16

Comme les disciples s'étaient rassemblés autour de Jésus, sur la montagne, il leur disait : « Vous êtes le sel de la terre. Si le sel se dénature, comment redeviendra-t-il du sel ? Il n'est plus bon à rien : on le jette dehors et les gens le piétinent.

Vous êtes la lumière du monde. Une ville située sur une montagne ne peut être cachée. Et l'on n'allume pas une lampe pour la mettre sous le boisseau ; on la met sur le lampadaire, et elle brille pour tous ceux qui sont dans la maison. De même, que votre lumière brille devant les hommes ; alors, en voyant ce que vous faites de bien, ils rendront gloire à votre Père qui est aux cieux. »

Prière sur les offrandes

Seigneur notre Dieu, tu as voulu choisir dans ta création le pain et le vin qui refont chaque jour nos forces : fais qu'ils deviennent aussi pour nous le sacrement de la vie éternelle. Par Jésus.

Prière après la communion

Tu as voulu, Seigneur, que nous partagions un même pain et que nous buvions à la même coupe : accorde-nous de vivre tellement unis dans le Christ que nous portions du fruit pour le salut du monde. Par Jésus.

Calendrier liturgique

Di 9	**5e dimanche A.** *Liturgie des Heures : Psautier semaine I.*
Lu 10	Ste Scholastique, moniale, sœur de S. Benoît, † vers 547 au Mont-Cassin.
Ma 11	*Notre-Dame de Lourdes (1858).*
Ve 14	S. CYRILLE, moine, † 869 à Rome, et son frère S. MÉTHODE, évêque de Moravie, † 895, patrons de l'Europe. En Europe, lectures propres : Ac 13,46-49 ou 2 Co 4,1-2.5-7 ; Lc 10,1-9.

Bonne fête ! 9 : Apolline. 10 : Scholastique, Arnaud. 11 : Lourdes. 12 : Félix. 13 : Béatrice, Jourdain. 14 : Cyrille, Méthode, Valentin, Tino. 15 : Faustin, Georgina, Claude.

Pour mémoire : le 11 février, mémoire de Notre-Dame de Lourdes, journée mondiale de la santé et des malades.

Il y a un an, le 11 février 2013, le pape Benoît XVI annonçait son intention de renoncer à sa charge le 28 février suivant.

Il y a mille ans, le 14 février 1014, le pape Benoît VIII introduisait la récitation du Credo (avec le *Filioque*) dans la messe romaine, à l'occasion du couronnement impérial d'Henri II à Rome. La liturgie romaine fut la dernière à faire entrer le Credo dans la messe, longtemps après les liturgies byzantine et mozarabe (VIe s.) et la liturgie franque (VIIIe s.).

Pour prolonger la prière : Quelle merveille pour tes serviteurs, Dieu d'amour, de voir à quel point ils comptent pour toi et comment tu les appelles sans te lasser. Dans la liberté de l'Esprit Saint, donne à notre vie d'attester la lumière et la saveur qu'elle trouve en Jésus Christ, maintenant, et pour les siècles des siècles.

20 SIÈCLES D'ÉGLISE AU SERVICE DES PAUVRES

Déjà S. Paul avait organisé une collecte pour les pauvres de Jérusalem. Clément de Rome, au Ier siècle, demande au fort de prendre soin du faible, et au riche d'assister le pauvre. S. Justin (165) constate : « Nous mettons en commun ce que nous avons, et nous le partageons avec les pauvres. » S. Basile (379) s'indigne du luxe démesuré des riches : « À l'affamé appartient le pain que tu gardes ; à l'homme nu, le manteau que tu conserves dans tes coffres ; au va-nu-pieds, la chaussure qui pourrit chez toi. » Et pour accueillir les pauvres qui affluent, il construit une cité, qu'on appellera la Basiliade. À Rome, l'exemple du diacre Laurent ayant distribué aux pauvres les biens de l'Église reste dans les mémoires. Et le pape Grégoire le Grand (604) disait : « Quand nous donnons aux miséreux les choses indispensables, nous ne leur faisons pas de largesses personnelles : nous leur rendons ce qui est à eux. » En Gaule, le geste de S. Martin (397), donnant au pauvre la moitié de son manteau, est resté célèbre.

Aux XIe et XIIe siècles apparaissent les hôpitaux, c'est-à-dire les hospices accueillant les pauvres, les pèlerins et les malades, souvent fondés par de riches laïcs. L'archevêque de Florence, S. Antonin (1459), enseigne que le superflu ne commence que lorsque la nécessité du pauvre est satisfaite.

Quand S. Vincent de Paul (1660) fonde les Filles de la Charité, aux cornettes légendaires, il leur dit : « Vous servez Jésus-Christ en la personne des pauvres. Et cela est aussi vrai que nous sommes ici. »

À l'époque moderne, en particulier au XIXe siècle, se multiplient les congrégations, de religieuses surtout, pour le service des pauvres, en particulier des enfants pauvres. Un jeune étudiant laïc, Frédéric Ozanam (1853), fonde les Conférences de S. Vincent de Paul, mettant les jeunes bourgeois au service des pauvres. S. Damien Veuster (1889) se donne aux lépreux jusqu'à la mort. L'encyclique *Rerum novarum* (1891) du pape Léon XIII met en forme la doctrine sociale de l'Église, qui devait connaître d'amples développements jusqu'à nos jours.

Le XXe siècle ne fut pas en reste : Cardijn, Helder Camara, Romero, Rodhain, l'Abbé Pierre, M. Teresa, Sr Emmanuelle, Wrezinski, autant de personnalités-phares attestant le souci permanent des pauvres. Puisse l'Église du XXIe siècle développer cette exigence évangélique.

H. D.

6e dimanche

16 février 2014

DE LA LOI AU ROYAUME

Depuis le 4e dimanche, nous entendons le premier grand discours de Jésus rapporté par Matthieu, appelé « Sermon sur la Montagne ». Nous y sommes entrés par le grand porche des Béatitudes, programme du bonheur pour celui qui marche selon les voies de Dieu. Le Sermon, que la liturgie fait entendre pendant cinq dimanches, expose la justice nouvelle révélée par Jésus à ceux qui le suivent. Plutôt que la Loi, qu'il n'est pourtant pas venu abolir mais accomplir pour la parfaire, Jésus propose le Royaume. Énonçant le nouveau code de l'Alliance, il se donne d'autorité non seulement comme le nouveau Moïse, mais comme Dieu lui-même *(évangile)*.

Le texte se compose d'antithèses opposant l'ancienne loi, interprétée par les scribes et les pharisiens, et la nouvelle loi vécue dans sa chair par Jésus puis par ses disciples. Ces antithèses jouent sur la figure de l'hyperbole qui exagère volontairement son propos pour se faire bien comprendre. « Tendre l'autre joue » (7e dimanche) n'est pas un précepte, mais l'invitation à aller toujours plus loin dans l'apaisement des conflits et à se montrer « doux ». De même, s'arracher l'œil n'ordonne pas de se mutiler mais de renoncer aux racines de la tentation : c'est avoir un « cœur pur ». Faute de voir cela, on lira le Sermon comme une utopie décourageante, ou on aboutira à des pratiques absurdes.

La justice nouvelle du Royaume dépasse de loin la logique du « donnant donnant ». Elle est éclairée par le texte de Ben Sirac *(première lecture)* qui reprend lui-même la doctrine des deux voies du Deutéronome (Dt 30, 15-20). Le chemin proposé par Jésus appelle un choix aussi pratique que décisif pour accéder au bonheur, choix que l'Esprit chaque jour nous pousse à faire et dans lequel nous sommes déjà engagés à la suite de Jésus avec qui nous rendons grâce au Père.

Suggestions pour la célébration

• CHANTER • Pendant la procession d'ouverture, ***Pour avancer ensemble*** **CNA 524,** ***Sur les chemins de Palestine*** **A 222,** ***À ce monde que tu fais*** **CNA 526,** ***Peuple choisi*** **CNA 543,** ***Peuple de Dieu, marche joyeux*** **CNA 574** (couplets 2 et 3), ***Peuple de l'alliance*** **G 244.**

Pour la préparation pénitentielle, ***Christ le Fils du Père*** **CNA 413** (couplets 5, 6 et 7).

Après l'homélie, ***Heureux le cœur habité par ta Parole*** **X 19-66,** ***Pour que l'homme soit un fils*** **CNA 426.**

Pendant la procession des offrandes, ***Si tu présentes ton offrande*** **B 56b** de Lucien Deiss, couplets à une voix d'homme.

Après la communion, ***En mémoire du Seigneur*** **CNA 327** (en respectant le tempo lent et méditatif), ***Tu es la vraie lumière*** **CNA 595** ou, pour souligner la cohérence entre le sacrement eucharistique et le « sacrement du frère », ***Quand tu manges ton pain*** **D 318,** ***Toi qui manges*** **D 344 .**

• PRIER • **POUR LA PRÉPARATION PÉNITENTIELLE**

Seigneur Jésus, tu es doux et humble de cœur,
béni soit ton nom, prends pitié de nous.
Ô Christ, homme au cœur pur, Fils du Dieu vivant,
béni soit ton nom, prends pitié de nous.
Seigneur, tu as faim et soif de la justice,
béni soit ton nom, prends pitié de nous.

POUR LA PRIÈRE UNIVERSELLE

Dans la liberté de notre cœur, prions notre Père qui nous a révélé sa sagesse :
– pour les hommes qui ne connaissent pas leur liberté d'enfants de Dieu ;
– pour ceux qui n'entendent pas les vrais appels de la vie ;
– pour ceux qui se trompent de bonheur et de sagesse ;
– pour ceux qui souffrent de la haine, du mépris, de l'infidélité, du mensonge ;
– pour ceux qui confondent la loi et le légalisme.

• **CÉLÉBRER** • *La Prière eucharistique* n° 4 avec sa préface propre fait écho au témoignage de Paul : « Nous proclamons la sagesse du mystère de Dieu... » : « Tu étais avant tous les siècles, tu demeures éternellement, lumière au-delà de toute lumière. »

« Lorsque tu vas présenter ton offrande sur l'autel, si là tu te souviens que ton frère a quelque chose contre toi, laisse là ton offrande et va d'abord te réconcilier avec lui » (Mt 5, 23-24). On peut, exceptionnellement et en l'expliquant, placer le geste de paix avant la procession des offrandes en faisant référence à cette phrase de l'évangile, comme cela se fait dans certaines liturgies orientales.

Le Missel romain prévoit une acclamation spécifique après la lecture de l'Évangile : « Acclamons la parole de Dieu » à laquelle le peuple répond « Louange à toi, Seigneur, Jésus ! ». Il ne convient pas de reprendre l'alléluia à ce moment, « Alléluia » signifiant littéralement « Louez Yahvé ». Or, après l'évangile, c'est le Christ, parole de Dieu, que nous acclamons.

PRIÈRE D'OUVERTURE

Dieu qui veux habiter les cœurs droits et sincères, donne-nous de vivre selon ta grâce, alors tu pourras venir en nous pour y faire ta demeure. Par Jésus Christ.

1re LECTURE

Choisis la vie !

Lecture du livre de Ben Sirac le Sage — Si 15, 15-20

Si tu le veux, tu peux observer les commandements, il dépend de ton choix de rester fidèle. Le Seigneur a mis devant toi l'eau et le feu : étends la main vers ce que tu préfères. La vie et la mort sont proposées aux hommes, l'une ou l'autre leur est donnée selon leur choix. Car la sagesse du Seigneur est grande, il est tout-puissant et il voit tout. Ses regards sont tournés vers ceux qui le craignent, il connaît toutes les actions des hommes.

Il n'a commandé à personne d'être impie, il n'a permis à personne de pécher.

PSAUME 118

• **Heureux qui règle ses pas sur la parole de Dieu.**

• **Ouvre mes yeux à tes merveilles,**
aux splendeurs de ta loi.

Heureux les hommes intègres dans leurs voies,
qui marchent suivant la loi du Seigneur !
Heureux ceux qui gardent ses exigences,
ils le cherchent de tout cœur.

Toi, tu promulgues des préceptes
à observer entièrement.
Puissent mes voies s'affermir
à observer tes commandements !

Sois bon pour ton serviteur, et je vivrai,
j'observerai ta parole.
Ouvre mes yeux,
que je contemple les merveilles de ta loi.

Enseigne-moi, Seigneur, le chemin de tes ordres ;
à les garder, j'aurai ma récompense.
Montre-moi comment garder ta loi,
que je l'observe de tout cœur.

2e LECTURE *Sagesse du mystère de Dieu pour la gloire de l'Homme*

Lecture de la première lettre de saint Paul Apôtre aux Corinthiens — 1 Co 2, 6-10

Frères, c'est bien une sagesse que nous proclamons devant ceux qui sont adultes dans la foi, mais ce n'est pas la sagesse de ce monde, la sagesse de ceux qui dominent le monde et qui déjà se détruisent. Au contraire, nous proclamons la sagesse du mystère de Dieu, sagesse tenue cachée, prévue par lui dès avant les siècles, pour nous donner la gloire. Aucun de ceux qui dominent ce monde ne l'a connue, car, s'ils l'avaient connue, ils n'auraient jamais crucifié le Seigneur de gloire. Mais ce que nous proclamons, c'est, comme dit l'Écriture, ce que personne n'avait vu de ses yeux ni entendu de ses oreilles, ce que le cœur de l'homme n'avait pas imaginé, ce qui avait été préparé pour ceux qui aiment Dieu. Et c'est à nous que Dieu, par l'Esprit, a révélé cette sagesse. Car l'Esprit voit le fond de toutes choses, et même les profondeurs de Dieu.

Alléluia. Alléluia. La loi du Seigneur est joie pour le cœur, lumière pour les yeux. **Alléluia.**

ÉVANGILE *Les exigences du Royaume libèrent notre vie*

Évangile de Jésus Christ selon saint Matthieu Mt 5, 17-37

La lecture des textes entre crochets est facultative.

Comme les disciples s'étaient rassemblés autour de Jésus, sur la montagne, il leur disait : [« Ne pensez pas que je suis venu abolir la Loi ou les Prophètes : je ne suis pas venu abolir, mais accomplir. Amen, je vous le dis : Avant que le ciel et la terre disparaissent, pas une lettre, pas un seul petit trait ne disparaîtra de la Loi jusqu'à ce que tout se réalise. Donc, celui qui rejettera un seul de ces plus petits commandements, et qui enseignera aux hommes à faire ainsi, sera déclaré le plus petit dans le Royaume des cieux. Mais celui qui les observera et les enseignera sera déclaré grand dans le Royaume des cieux. Je vous le dis en effet :] Si votre justice ne surpasse pas celle des scribes et des pharisiens, vous n'entrerez pas dans le Royaume des cieux.

Vous avez appris qu'il a été dit aux anciens : "Tu ne commettras pas de meurtre, et si quelqu'un commet un meurtre, il en répondra au tribunal." Eh bien moi, je vous dis : Tout homme qui se met en colère contre son frère, en répondra au tribunal.

[Si quelqu'un insulte son frère, il en répondra au grand conseil. Si quelqu'un maudit son frère, il sera passible de la géhenne de feu. Donc, lorsque tu vas présenter ton offrande sur l'autel, si, là tu te souviens que ton frère a quelque chose contre toi, laisse ton offrande là, devant l'autel, va d'abord te réconcilier avec ton frère et ensuite viens présenter ton offrande. Accorde-toi vite avec ton adversaire pendant que tu es en chemin avec lui, pour éviter que ton adversaire ne te livre au juge, le juge au garde, et qu'on ne te jette en prison. Amen, je te le dis : tu n'en sortiras pas avant d'avoir payé jusqu'au dernier sou.]

Vous avez appris qu'il a été dit : "Tu ne commettras pas d'adultère." Eh bien moi, je vous dis : Tout homme qui regarde une femme et la désire, a déjà commis l'adultère avec elle dans son cœur. [Si ton œil droit entraîne ta chute, arrache-le et jette-le loin de toi : car c'est ton intérêt de perdre un de tes membres et que ton corps tout entier ne soit pas jeté dans la géhenne. Et si ta main droite entraîne ta chute, coupe-la et jette-la loin de toi : car c'est ton intérêt de perdre un de tes membres, et que ton corps tout entier ne s'en aille pas dans la géhenne.

Il a été dit encore : "Si quelqu'un renvoie sa femme, qu'il lui donne un acte de répudiation." Eh bien moi, je vous dis : Tout homme qui renvoie sa femme, sauf en cas d'union illégitime, la pousse à l'adultère ; et si quelqu'un épouse une femme renvoyée, il est adultère.]

Vous avez encore appris qu'il a été dit aux anciens : "Tu ne feras pas de faux serments, mais t'acquitteras de tes serments envers le Seigneur." Eh bien moi, je vous dis de ne faire aucun serment, [ni par le ciel, car c'est le trône de Dieu, ni par la terre, car elle est son marchepied, ni par Jérusalem, car elle est la Cité du grand Roi. Et tu ne jureras pas non plus sur ta tête, parce que tu ne peux pas rendre un seul de tes cheveux blanc ou noir.] Quand vous dites "oui", que ce soit un "oui", quand vous dites "non", que ce soit un "non". Tout ce qui est en plus vient du Mauvais. »

Prière sur les offrandes

Que cette eucharistie, Seigneur notre Dieu, nous purifie et nous renouvelle : qu'elle donne à ceux qui font ta volonté le bonheur que tu leur as promis. Par Jésus.

Prière après la communion

Tu nous as donné, Seigneur, de goûter aux joies du ciel : fais que nous ayons toujours soif des sources de la vraie vie. Par Jésus.

Faire corps

« Nous te prions pour tous ceux qui font corps de ton Fils avec nous, pour ceux qui vont peinant vers les béatitudes et dont nous partageons la peine et l'espérance... Quand tu découvriras ton œuvre en toute chair avec les fruits que ta semence aura multipliés, tu fêteras en évidence, toi, notre Père, les noces de ton Fils et de l'humanité fiancée. »

P. de La Tour du Pin, *Deuxième concert eucharistique.*

Calendrier liturgique

Di 16 **6e dimanche A.**
Liturgie des Heures : Psautier semaine II.

Lu 17 *Les sept saints fondateurs des Servites de Marie à Florence, XIVe siècle.*

Ma 18 *En France, Ste Bernadette Soubirous, vierge, † 1879 à Nevers.*

Ve 21 *S. Pierre Damien, cardinal-évêque d'Ostie, docteur de l'Église, † 1072.*

Sa 22 CHAIRE DE SAINT PIERRE, Apôtre. Lectures propres : 1 P 5, 1-4 ; Mt 16, 13-19.

Bonne fête ! 16 : Juliette, Paméla. 17 : Alexis. 18 : Bernadette, Siméon, Nadine, Flavien. 19 : Gabin, Boniface. 20 : Aimée. 21 : Damien. 22 : Isabelle.

Pour prolonger la prière : Béni sois-tu, Père du ciel, de nous donner l'Évangile pour que ses exigences libèrent notre vie. Nous t'en prions : attire notre regard vers ta justice et ton amour, car Jésus, ton Fils, les a déployés parmi nous, et ton Esprit veut les répandre dans notre cœur. À toi la louange, ô notre Père, maintenant et pour les siècles des siècles.

7e dimanche 23 février 2014

JUSTICE ET AMOUR

Le Sermon sur la Montagne s'adresse, chez Matthieu, à des disciples qui suivent Jésus car ils ont compris qu'en lui était la vie. Comme les disciples, nos communautés ont fait, elles aussi, cette expérience d'une libération donnée par les exigences inouïes de l'Évangile : tendre l'autre joue, aimer ses ennemis, pardonner les offenses. Du fond de notre petitesse et de la conscience de nos limites, nous mettons notre confiance dans la parole de Celui qui annonce Dieu dont il est la Parole. Or que dit Jésus quand il demande, avec une rudesse presque brutale, à la communauté et à chacun de ceux qui la composent d'être parfaits comme Dieu ? Il annonce un Dieu dont l'amour est sans limite, un Dieu dont la sainteté est folie, un Dieu capable de donner sa vie jusqu'au dernier souffle, comme Jésus le fera lui-même. Être saint comme Dieu est saint, ce n'est donc pas une prescription étouffante, c'est une exigence d'amour fondée sur l'expérience de la libération. Déjà le Code de l'Alliance s'enracinait dans l'expérience de la libération d'Égypte ; la sainteté de l'homme, sa raison d'être et ses raisons d'agir sont fondées en Dieu : « Soyez saints car je suis saint » *(première lecture)*. « Soyez parfaits ! » *(évangile)* Quelle ambition !

Pour mettre en pratique ces exigences du Royaume avec la douceur et l'humilité qui sont celles mêmes de Jésus, l'Esprit dont la communauté est le Temple *(deuxième lecture)* œuvre au cœur de chacun. Dans ces deux dernières antithèses du Sermon sur la Montagne, Jésus invite à renoncer au droit strict de la peine proportionnée à la faute (qui était déjà une avancée notable dans le règlement des conflits) pour entrer dans l'univers de la gratuité. Il invite aussi à accepter l'autre, différent, même opposé, voire hostile, comme Dieu le fait inlassablement avec nous.

Suggestions pour la célébration

• **CHANTER** • Aux chants proposés depuis le 3e dimanche, on peut ajouter pour la procession d'ouverture ***À ce monde que tu fais*** CNA 526 (couplets 1, 2, 3, 4), ***Tu es notre Dieu*** A 187 ; après l'homélie ***Celui qui aime*** CNA 537, ***Celui qui aime son frère*** D 32-89 ; après la communion ***À l'image de ton amour*** CNA 529, ***Heureux ceux que Dieu a choisis*** CNA 553.

Pour la fraction du pain, ***Agneau de l'Alliance fidèle*** A 240 ou ***Corps du Seigneur, Sang de l'Agneau*** AL 220.

• **PRIER** •

Pour la préparation pénitentielle

On peut chanter **K 180** couplet 14 : « Rappelle-toi, heureuse Église, tu es un peuple de pécheurs ! Dieu te guérit : tu as à dire que son pardon fait ta grandeur » ; puis le président commencerait le « Je confesse à Dieu ».

On peut préférer prendre ***De ton peuple rassemblé par ta parole*** CNA 171 pour embrayer ensuite sur le ***Gloire à Dieu*** CNA 197.

Pour la prière universelle

Nous pouvons prier :
- avec ceux qui recherchent la perfection évangélique en abandonnant toute volonté de puissance et toute richesse matérielle ;
- avec les hommes et les femmes capables de discerner la présence de l'Esprit dans nos communautés et de susciter l'action de grâce de l'Église ;
- pour les personnes offensées qui ont du mal à pardonner ;
- pour celles qui sont enfermées dans une logique de vengeance et pour celles qui tentent d'en sortir.

• **CÉLÉBRER** • Pour faire écho à l'évangile, on peut choisir la deuxième *prière eucharistique* pour la réconciliation avec sa préface : « C'est à toi que nous le devons si le désir de s'entendre l'emporte sur la guerre..., les ennemis se parlent, les adversaires se tendent la main. »

On veillera à faire une procession d'entrée qui signifie bien le rassemblement du peuple de Dieu autour du Christ (la croix vient en tête).

Attention au geste de paix : rappeler éventuellement le sens de ce geste avant la communion et devant l'autel (*cf.* Mt 5, 23-24), proposer de le faire avec les deux mains tendues plutôt qu'en une simple poignée de main ordinaire.

Si l'assemblée n'est pas trop nombreuse, on peut aussi proposer de venir communier dans le chœur autour de l'autel pour retrouver une dimension communautaire de la démarche de communion.

Prière d'ouverture

Accorde-nous, Dieu tout-puissant, de conformer à ta volonté nos paroles et nos actes dans une inlassable recherche des biens spirituels. Par Jésus Christ.

1re lecture — *Soyez saints car je suis Saint*

Lecture du livre des Lévites — Lv 19, 1-2.17-18

Le **Seigneur adressa la parole** à Moïse : « Parle à toute l'assemblée des fils d'Israël ; tu leur diras : Soyez saints, car moi, le Seigneur votre Dieu, je suis saint.

Tu n'auras aucune pensée de haine contre ton frère. Mais tu n'hésiteras pas à réprimander ton compagnon, et ainsi tu ne partageras pas son péché. Tu ne te vengeras pas. Tu ne garderas pas de rancune contre les fils de ton peuple. Tu aimeras ton prochain comme toi-même. Je suis le Seigneur ! »

Psaume 102

Le Seigneur est tendresse et pitié.

Bénis le Seigneur, ô mon âme,
bénis son nom très saint, tout mon être !
Bénis le Seigneur, ô mon âme,
n'oublie aucun de ses bienfaits !
Car il pardonne toutes tes offenses
et te guérit de toute maladie ;

il réclame ta vie à la tombe
et te couronne d'amour et de tendresse.

Le Seigneur est tendresse et pitié,
lent à la colère et plein d'amour ;
il n'agit pas envers nous selon nos fautes,
ne nous rend pas selon nos offenses.

Aussi loin qu'est l'Orient de l'Occident,
il met loin de nous nos péchés ;
comme la tendresse du père pour ses fils,
la tendresse du Seigneur pour qui le craint.

2e LECTURE *Vous êtes le temple de l'Esprit*

Lecture de la première lettre de saint Paul Apôtre aux Corinthiens 1 Co 3, 16-23

Frères, n'oubliez pas que vous êtes le temple de Dieu et que l'Esprit de Dieu habite en vous. Si quelqu'un détruit le temple de Dieu, Dieu le détruira ; car le temple de Dieu est sacré, et ce temple, c'est vous. Que personne ne s'y trompe : si quelqu'un parmi vous pense être un sage à la manière d'ici-bas, qu'il devienne fou pour devenir sage. Car la sagesse de ce monde est folie devant Dieu. L'Écriture le dit : C'est lui qui prend les sages au piège de leur propre habileté. Elle dit encore : Le Seigneur connaît les raisonnements des sages : ce n'est que du vent ! Ainsi, il ne faut pas mettre son orgueil en des hommes dont on se réclame. Car tout vous appartient, Paul et Apollos et Pierre, le monde et la vie et la mort, le présent et l'avenir : tout est à vous, mais vous, vous êtes au Christ, et le Christ est à Dieu.

Alléluia. Alléluia. Celui qui garde la parole du Christ connaît l'amour de Dieu dans sa perfection. **Alléluia.**

ÉVANGILE *Aimez vos ennemis*

Évangile de Jésus Christ selon saint Matthieu Mt 5, 38-48

Comme les disciples s'étaient rassemblés autour de Jésus, sur la montagne, il leur disait : « Vous avez appris qu'il a été dit : Œil pour œil, dent pour dent. Eh bien moi, je vous dis de ne pas riposter au méchant ; mais si quelqu'un te gifle sur la joue droite, tends-lui encore l'autre. Et si quelqu'un veut te faire un procès et prendre ta tunique, laisse-lui encore ton manteau. Et si quelqu'un te réquisitionne pour faire mille pas, fais-en deux mille avec lui. Donne à qui te demande ; ne te détourne pas de celui qui veut t'emprunter.

Vous avez appris qu'il a été dit : Tu aimeras ton prochain et tu haïras ton ennemi. Eh bien moi, je vous dis : Aimez vos ennemis, et priez pour ceux qui vous persécutent, afin d'être vraiment les fils de votre Père qui est dans les cieux ; car il fait lever son soleil sur les méchants et sur les bons, et tomber la pluie sur les justes et sur les injustes. Si vous aimez ceux qui vous aiment, quelle récompense aurez-vous ? Les publicains eux-mêmes n'en font-ils pas autant ? Et si vous ne saluez que vos frères, que faites-vous d'extraordinaire ? Les païens eux-mêmes n'en font-ils pas autant ? Vous donc, soyez parfaits comme votre Père céleste est parfait. »

PRIÈRE SUR LES OFFRANDES

En célébrant avec respect tes mystères, Seigneur, nous te supplions humblement : que les dons offerts pour te glorifier servent à notre salut. Par Jésus.

PRIÈRE APRÈS LA COMMUNION

Nous t'en prions, Dieu tout-puissant, donne-nous de recueillir tous les fruits de salut dont ces mystères sont déjà la promesse et le gage. Par Jésus.

« Ton Christ a signé son passage
dans tous les temps comme aujourd'hui.
Il a l'oreille du ciel et de la terre
qui ne s'entendent pas sans lui.
Il est la bouche de leur alliance
et le cœur qui fait tout accord.
Il est l'Homme que nous ne sommes pas encore
nous qui sommes déjà de Lui.
Et les arbres, le ciel et les pierres elles-mêmes
entrent dans le concert où nous Le disons Dieu
et où nous appelons son Règne. »

P. de La Tour du Pin, *Septième concert eucharistique*.

Calendrier liturgique

Di 23 **7e dimanche A.**
Liturgie des Heures : Psautier semaine III.
[S. Polycarpe, évêque de Smyrne (Asie mineure) et martyr, † 155.]

Bonne fête ! 23 : Lazare, Polycarpe. 24 : Modeste, Robert. 25 : Roméo. 26 : Nestor. 27 : Honorine, Gabriel. 28 : Romain. 1er : Aubin, Albin. 2 : Charles.

Pour prolonger la prière : Tu nous aimes d'un amour inlassable, Dieu notre Père, et ton Fils a aimé les hommes, en supportant la contradiction sans jamais céder à la vengeance. Apprends-nous à recevoir sa parole et son témoignage pour vivre en enfants de lumière.

8e dimanche

2 mars 2014

FAIRE CONFIANCE À DIEU

Dans le Sermon sur la Montagne, Jésus révèle à ses disciples que Dieu est Père. C'est cette révélation qui justifie les exigences rappelées par Matthieu ces derniers dimanches, qui formeront le socle de la piété authentique énoncée le mercredi des cendres pour être mises en pratique tout au long du Carême. La dernière série d'exhortations que nous entendons aujourd'hui porte sur la confiance des disciples envers le Père. « Servir Dieu » plutôt que l'argent *(évangile),* c'est savoir discerner le vrai trésor et les vraies valeurs. Mais alors comment gérer le quotidien ? « Ne vous faites pas de souci », répond Jésus. Ce verbe revient six fois. Il évoque moins une disposition psychologique que les domaines pratiques pour lesquels l'homme dépense en priorité ses énergies. La confiance envers le Père n'implique pas une désertion du travail et de l'effort humain, mais un engagement dans les relations d'amour prônées par Jésus. Le texte d'Isaïe *(première lecture)* apporte un éclairage complémentaire sur Dieu, mère autant que père.

Celui qui prie le *Notre Père* découvre qu'il ne vit pas seulement de ce qu'il produit, et que son sort ne dépend pas d'abord de ce qu'il fait. Il est au fond un être qui demande et qui reçoit. Le Dieu de Jésus n'est pas un dieu qui exige et menace, qui châtie et condamne, mais le Dieu qui s'approche et qui donne. Il nous fait être par surabondance de vie. Sa générosité ne se crispe pas sur le don qu'il fait : le lis des champs s'épanouit au soleil de Dieu, l'oiseau est libre comme l'air : comment imaginer que Dieu puisse aliéner la plus précieuse de ses « œuvres » ? Le Père que Jésus nous apprend à aimer est libérant parce qu'il est, en lui-même, parfaite liberté.

En suivant Jésus, nous accueillons la grâce de devenir libres sous le regard de l'Amour. Avec Jésus nous rendons grâce.

Suggestions pour la célébration

• **CHANTER** • Pendant la procession d'ouverture : ***Pour avancer ensemble*** **CNA 524,** ***Tu es notre Dieu*** **A 187,** ***Que soit béni le nom de Dieu*** **A 245.**

Pour la préparation pénitentielle : ***De ton peuple rassemblé par ta parole*** **CNA 171** qui sera suivi par le ***Gloire à Dieu*** **CNA 197.**

Pendant la communion : ***Tu es le Dieu fidèle*** **CNA 346,** ***Tu es mon berger*** **D 6,** ***Mendiant du jour*** **CNA 334.**

Après la communion : ***Tenons en éveil*** **CNA 591,** ***En accueillant l'amour*** **CNA 325,** ***Bienheureux le pauvre*** **CNA 536.**

• **PRIER** •

Pour la préparation pénitentielle

Seigneur Jésus, tu t'es fait pauvre
pour nous enrichir par ta pauvreté,
prends pitié de nous.

ô Christ, pour les pauvres de cœur
tu inaugures ton Royaume de justice,
prends pitié de nous.

Seigneur, seul maître qui rend pleinement libre,
tu nous enseignes la vraie liberté,
prends pitié de nous.

Pour la prière universelle

Nous pouvons prier :
- pour les pauvres que la misère empêche de vivre dans la dignité ;
- pour les personnes qui se font trop de souci pour leurs biens matériels ;
- pour les responsables politiques et économiques chargés de réguler la distribution des richesses ;
- avec ceux qui, dans l'humilité et la confiance, cherchent le Royaume de Dieu et sa justice.

• **CÉLÉBRER** • C'est le jour idéal où soigner la gestuelle du Notre Père : après avoir levé les bras en position d'orant pendant les premières phrases, on peut joindre les mains en forme de coupe pour demander les biens que Dieu ne manquera pas de nous donner.

PRIÈRE D'OUVERTURE

Fais que les événements du monde, Seigneur, se déroulent dans la paix, selon ton dessein, et que ton peuple connaisse la joie de te servir sans inquiétude. Par Jésus Christ.

1re LECTURE — *Le peuple, enfant de Dieu*

Lecture du livre d'Isaïe — Is 49, 14-15

Jérusalem disait : « Le Seigneur m'a abandonnée, le Seigneur m'a oubliée. » Est-ce qu'une femme peut oublier son petit enfant, ne pas chérir le fils de ses entrailles ? Même si elle pouvait l'oublier, moi, je ne t'oublierai pas. – Parole du Seigneur tout-puissant.

PSAUME 61

En Dieu seul,
le repos de notre âme.

Je n'ai de repos qu'en Dieu seul,
mon salut vient de lui.
Lui seul est mon rocher, mon salut,
ma citadelle : je suis inébranlable.

Mon salut et ma gloire
se trouvent près de Dieu.
Chez Dieu, mon refuge,
mon rocher imprenable !

Comptez sur lui en tous temps,
vous, le peuple.
Devant lui, épanchez votre cœur :
Dieu est pour nous un refuge.

2e LECTURE — *Mériter la confiance de Dieu*

Lecture de la première lettre de saint Paul Apôtre aux Corinthiens — 1 Co 4, 1-5

Frères, il faut que l'on nous regarde seulement comme les serviteurs du Christ et les intendants des mystères de Dieu. Et ce que l'on demande aux intendants, c'est en somme de mériter confiance. Pour ma part, je me soucie fort peu de votre jugement sur moi, ou de celui que prononceraient les hommes ; d'ailleurs, je ne me juge même pas moi-même. Ma conscience ne me reproche rien, mais ce n'est pas pour cela que je suis juste : celui qui me juge, c'est le Seigneur. Alors, ne portez pas de jugement prématuré, mais attendez la venue du Seigneur, car il mettra en lumière ce qui est caché dans les ténèbres, et il fera paraître les intentions secrètes. Alors, la louange qui revient à chacun lui sera donnée par Dieu.

Alléluia. Alléluia. Cherchez d'abord le Royaume de Dieu et tout vous sera donné par surcroît. **Alléluia.**

ÉVANGILE — *Dieu, Père de son peuple*

Évangile de Jésus Christ selon saint Matthieu — Mt 6, 24-34

Comme les disciples s'étaient rassemblés autour de Jésus, sur la montagne, il leur disait : « Aucun homme ne peut servir deux maîtres : ou bien il détestera l'un et aimera l'autre, ou bien il s'attachera à l'un et méprisera l'autre. Vous ne pouvez pas servir à la fois Dieu et l'Argent. C'est pourquoi je vous dis : Ne vous faites pas tant de souci pour votre vie, au sujet de la nourriture, ni pour votre corps, au sujet des vêtements. La vie ne vaut-elle pas plus que la nourriture, et le corps plus que le vêtement ? Regardez les oiseaux du ciel : ils ne font ni semailles ni moisson, ils ne font pas de réserves dans des greniers, et votre Père céleste les nourrit. Ne valez-vous pas beaucoup plus qu'eux ? D'ailleurs, qui d'entre vous, à force de souci, peut prolonger tant soit peu son existence ? Et au sujet des vêtements, pourquoi se faire tant de souci ? Observez comment poussent les lis des champs : ils ne travaillent pas, ils ne filent pas. Or je vous dis que Salomon lui-même, dans toute sa gloire, n'était pas habillé comme l'un d'eux. Si Dieu habille ainsi l'herbe des champs, qui est là aujourd'hui, et qui demain sera jetée au feu, ne fera-t-il pas bien davantage pour vous, hommes de peu de foi ? Ne vous faites donc pas tant de souci ; ne dites pas : "Qu'allons-nous manger ?" ou bien : "Qu'allons-nous boire ?" ou encore : "Avec quoi nous habiller ?" Tout cela, les païens le recherchent. Mais votre Père céleste sait que vous en avez besoin. Cherchez d'abord son Royaume et sa justice, et tout cela vous sera donné par-dessus le marché. Ne vous faites pas tant de souci pour demain : demain se souciera de lui-même ; à chaque jour suffit sa peine. »

Prière sur les offrandes

C'est toi qui nous donnes, Seigneur, ce que nous t'offrons : pourtant tu vois dans notre offrande un geste d'amour ; aussi te prions-nous avec confiance : puisque tes propres dons sont notre seule valeur, qu'ils fructifient pour nous en bonheur éternel. Par Jésus.

Prière après la communion

Tu nous as nourris, Seigneur, dans cette communion au mystère du salut ; et nous t'adressons encore une prière : par le sacrement qui est notre force aujourd'hui, fais-nous vivre avec toi pour l'éternité. Par Jésus.

« À nous, au sein de cette vie
que le mal veut faire avorter,
à nous qui n'avons pas choisi de vivre,
qui haïssons ce qui nous abolit,
tu as offert la liberté
de renaître et de ressusciter,
d'être à jamais eucharistie. »

P. de La Tour du Pin, *Cinquième concert eucharistique.*

Calendrier liturgique

Di 2	**8e dimanche A.** *Liturgie des Heures : Psautier semaine IV.*
Ma 4	*S. Casimir, prince de Lituanie, † 1484 à Grodno.*
Me 5	Stes Perpétue et Félicité, martyres, † 203 à Carthage. En Afrique du Nord, fête.
Je 6	*S. Jean de Dieu, fondateur des Frères hospitaliers, † 1550 à Grenade.*

Bonne fête ! 2 : Charles. 3 : Guénolé. 4 : Casimir. 5 : Olivia, Olive. 6 : Colette. 7 : Félicité. 8 : Urbain.

Pour prolonger la prière : Toi que nous appelons « notre Père », tu nous sais pétris de gloire et de poussière ; aussi nous te prions : ne laisse pas les soucis de la vie nous faire oublier que tu es notre Créateur et que notre avenir repose entre tes mains de Père. Nous te le demandons par Jésus, ton enfant bien-aimé, dans la communion de l'Esprit Saint, Dieu vivant pour les siècles des siècles.

TEMPS DE LA RENCONTRE DU CHRIST

Avant d'être un temps de privation ou d'exigences morales, le Carême est une invitation à aller à la rencontre de Dieu avec tous les baptisés, qui se reconnaissent pécheurs, et avec les catéchumènes, afin de raviver l'esprit de notre baptême. Pendant ces quarante jours, chaque dimanche l'évangile nous présentera une rencontre du Christ : Jésus affronte le mal dans sa confrontation avec le Tentateur, d'où il ressortira libre et vainqueur. Puis, alors qu'il est transfiguré devant trois de ses disciples, il s'entretient avec Moïse et Élie : là se manifeste sa divinité en vue de sa Passion. Ensuite viennent les textes que nous entendrons en cette année A. Ils sont aussi choisis quand l'Église célèbre la préparation ultime des catéchumènes pour leur baptême, ce qu'on appelle les scrutins. Il s'agit alors pour eux d'affermir leur choix de la conversion en vue de leur baptême.

La source jaillissante pour la vie éternelle *(troisième dimanche : dialogue de Jésus avec la Samaritaine)* est le symbole de l'Esprit Saint que Jésus nous promet, selon les Pères de l'Église. Il nous offre sa lumière afin que nos yeux le reconnaissent comme Sauveur *(4e dimanche : guérison de l'aveugle-né)*. Jésus redonne vie à ce qui est mort en nous *(5e dimanche : la résurrection de Lazare)*. Ces textes invitent donc à la conversion en accueillant le Christ.

Déjà, le premier texte que nous entendrons le mercredi des Cendres se présente comme une proclamation inaugurale : « Revenez au Seigneur votre Dieu car il est tendre et miséricordieux ». Au terme de ce chemin parcouru avec le Christ et de ces rencontres avec lui pendant quarante jours, nous reconnaîtrons en Dieu le maître de la vie, parce que nous l'aurons accueilli en son Fils qu'il ressuscite.

Mercredi des Cendres 2 mars 2014

SOUVIENS-TOI QUE TU RETOURNERAS EN POUSSIÈRE !

Une des deux formules de l'imposition des Cendres, la moins souvent utilisée, nous rappelle : « Souviens-toi que tu es poussière et que tu retourneras en poussière. »

Être comparé à de la poussière est dévalorisant et ce qui se réduit en poussière rappelle la condition mortelle. Le mercredi des Cendres ouvre le temps du Carême où il est bien question de vie et de mort, ou plutôt de mort puis de vie. Le baptême nous a donné de recevoir la vie éternelle. Désormais la mort n'est plus devant nous mais derrière nous : elle est devenue un passage vers la vie nouvelle. Encore faut-il cultiver la vie et ne plus revenir en arrière. Alors que nous sommes marqués par la condition mortelle, nous avons besoin de la vie éternelle qui vient transformer notre existence.

Mais nous mettons des entraves à la dynamique de notre baptême, « ce qui laisse sans effet la grâce reçue de Dieu » *(deuxième lecture)*. Le temps du Carême est un retour vers Dieu comme nous y invite le prophète Joël : « Revenez au Seigneur votre Dieu... Il pourrait vous combler de ses bienfaits » *(première lecture)*.

Dans l'Église le mercredi des Cendres est un jour de pénitence qu'il s'agit de mettre en œuvre de tout notre cœur. Dieu n'a que faire d'attitudes formelles : il voit le secret des cœurs *(évangile)*. Le chemin du Carême est un temps de maîtrise de nos désirs (le jeûne), d'ouverture à nos frères (le partage) et de relation authentique avec Dieu (la prière). Ce sont là les trois domaines de notre vie au quotidien, donc de notre vie de baptisés.

Suggestions pour la célébration

• **CHANTER** • La célébration des Cendres réclame sobriété et silence. On veillera à ne pas trop chanter.

On peut prendre, pour l'ouverture, ***Changez vos cœurs*** CNA 415, ***Oui, je me lèverai*** CNA 423, ***Tu connais ton œuvre*** CNA 411, ***Seigneur, avec toi, nous irons au désert*** CNA 414.

Si l'on veut indiquer la dimension catéchuménale du Carême de l'année A, on pourra chanter : ***Pour l'appel à rejoindre*** CNA 676.

Après l'homélie : ***Ouvre mes yeux*** CNA 424 ou CNA 699.

Pendant l'imposition des cendres : ***Oui, je me lèverai*** CNA 423, ***Christ, le Fils du Père*** CNA 413, ***Seigneur, ne nous traite pas*** CNA 428.

On n'oubliera pas le psaume 50 que l'on peut chanter au début, après la Parole ou pendant l'imposition des cendres.

À la fin de la célébration : ***Vivons en enfants de lumière*** CNA 430.

• **PRIER** • Il n'y a pas de préparation pénitentielle en raison de l'imposition des cendres qui donne à l'ensemble de la célébration un caractère pénitentiel. Il est important de souligner la démarche communautaire de ce geste au moins par le chant qui unit l'assemblée pendant la procession. En ce sens, et pour donner un esprit dynamique à l'entrée en Carême, on pourra prolonger la messe des Cendres d'une soirée « bol de riz » : c'est un moment convivial où les uns et les autres se retrouvent pour commencer joyeusement cette période de conversion avec les efforts que cela suppose.

Pour la prière universelle

Alors que nous avons entendu l'appel à la réconciliation, nous pouvons prier :

- pour les catéchumènes qui se préparent au baptême et pour tous ceux qui connaissent une conversion intérieure ;
- pour les peuples déchirés par la haine et la violence ;
- pour ceux qui ont été victimes ou responsables de discordes graves et qui s'apprêtent à des gestes de réconciliation.

• **CÉLÉBRER** • On veillera à donner une tonalité de sobriété à l'ensemble de la célébration, en particulier pour l'aménagement de l'espace liturgique et le choix des chants. On pourra mettre en valeur le lien entre la croix et les cendres en les apportant l'une et l'autre dans la procession d'entrée.

Pendant le Carême nous nous privons du « Gloire à Dieu » et des « alléluia » que nous retrouverons la nuit de Pâques.

PRIÈRE D'OUVERTURE

Accorde-nous, Seigneur, de savoir commencer saintement, par une journée de jeûne, notre entraînement au combat spirituel : que nos privations nous rendent plus forts pour lutter contre l'esprit du mal. Par Jésus Christ.

1re LECTURE — *Chercher la miséricorde du Seigneur*

Lecture du livre de Joël — Jl 2, 12-18

Parole du Seigneur : Revenez à moi de tout votre cœur, dans le jeûne, les larmes et le deuil ! Déchirez vos cœurs et non pas vos vêtements, et revenez au Seigneur votre Dieu, car il est tendre et miséricordieux, lent à la colère et plein d'amour, renonçant au châtiment. Qui sait ? Il pourrait revenir, il pourrait renoncer au châtiment, et vous combler de ses bienfaits : ainsi vous pourrez offrir un sacrifice au Seigneur votre Dieu. Sonnez de la trompette dans Jérusalem ; prescrivez un jeûne sacré, annoncez une solennité, réunissez le peuple, tenez une assemblée sainte, rassemblez les anciens, réunissez petits enfants et nourrissons ! Que le jeune époux sorte de sa maison, que la jeune mariée quitte sa chambre ! Entre le portail et l'autel, les prêtres, ministres du Seigneur, iront pleurer et diront : « Pitié, Seigneur, pour ton peuple, n'expose pas ceux qui t'appartiennent à l'insulte et aux moqueries des païens ! Faudra-t-il qu'on dise : Où donc est leur Dieu ? »

Et le Seigneur s'est ému en faveur de son pays, il a eu pitié de son peuple.

PSAUME 50

• **Pitié, Seigneur, car nous avons péché.**

• **Donne-nous, Seigneur, un cœur nouveau ;**
mets en nous, Seigneur, un esprit nouveau.

Pitié pour moi, mon Dieu, dans ton amour,
selon ta grande miséricorde, efface mon péché.
Lave-moi tout entier de ma faute,
purifie-moi de mon offense.

Oui, je connais mon péché,
ma faute est toujours devant moi.
Contre toi, et toi seul, j'ai péché,
ce qui est mal à tes yeux, je l'ai fait.

Crée en moi un cœur pur, ô mon Dieu,
renouvelle et raffermis au fond de moi mon esprit.
Ne me chasse pas loin de ta face,
ne me reprends pas ton esprit saint.

Rends-moi la joie d'être sauvé ;
que l'esprit généreux me soutienne.
Seigneur, ouvre mes lèvres,
et ma bouche annoncera ta louange.

2e LECTURE — *Laissez-vous réconcilier avec Dieu*

Lecture de la seconde lettre de saint Paul Apôtre aux Corinthiens — 2 Co 5, 20-6, 2

Frères, nous sommes les ambassadeurs du Christ et par nous c'est Dieu lui-même qui, en fait, vous adresse un appel. Au nom du Christ, nous vous le demandons, laissez-vous réconcilier avec Dieu. Celui qui n'a pas connu le péché, Dieu l'a pour nous identifié au péché des hommes, afin que, grâce à lui, nous soyons identifiés à la justice de Dieu. Et puisque nous travaillons avec lui, nous vous invitons encore à ne pas laisser sans effet la grâce reçue de Dieu. Car il dit dans l'Écriture : Au moment favorable, je t'ai exaucé, au jour du salut, je suis venu à ton secours. Or, c'est maintenant le moment favorable, c'est maintenant le jour du salut.

Ta Parole, Seigneur, est vérité, et ta loi, délivrance. Convertissez-vous, dit le Seigneur, car le Royaume des cieux est proche. **Ta Parole, Seigneur, est vérité, et ta loi, délivrance.**

ÉVANGILE *Ton Père voit ce que tu fais en secret*

Évangile de Jésus Christ selon saint Matthieu Mt 6, 1-6.16-18

C**omme les disciples** s'étaient rassemblés autour de Jésus, sur la montagne, il leur disait : « Si vous voulez vivre comme des justes, évitez d'agir devant les hommes pour vous faire remarquer. Autrement, il n'y a pas de récompense pour vous auprès de votre Père qui est aux cieux. Ainsi, quand tu fais l'aumône, ne fais pas sonner de la trompette devant toi, comme ceux qui se donnent en spectacle dans les synagogues et dans les rues, pour obtenir la gloire qui vient des hommes. Amen, je vous le déclare : ceux-là ont touché leur récompense. Mais toi, quand tu fais l'aumône, que ta main gauche ignore ce que donne ta main droite, afin que ton aumône reste dans le secret ; ton Père voit ce que tu fais en secret : il te le revaudra.

Et quand vous priez, ne soyez pas comme ceux qui se donnent en spectacle : quand ils font leurs prières, ils aiment à se tenir debout dans les synagogues et les carrefours pour bien se montrer aux hommes. Amen, je vous le déclare : ceux-là ont touché leur récompense. Mais toi, quand tu pries, retire-toi au fond de ta maison, ferme la porte, et prie ton Père qui est présent dans le secret ; ton Père voit ce que tu fais dans le secret : il te le revaudra.

Et quand vous jeûnez, ne prenez pas un air abattu, comme ceux qui se donnent en spectacle : ils se composent une mine défaite pour bien montrer aux hommes qu'ils jeûnent. Amen, je vous le déclare : ceux-là ont touché leur récompense. Mais toi, quand tu jeûnes, parfume-toi la tête et lave-toi le visage : ainsi, ton jeûne ne sera pas connu des hommes mais seulement de ton Père qui est présent dans le secret ; ton Père voit ce que tu fais en secret : il te le revaudra. »

LITURGIE DES CENDRES

Après l'homélie, qui a fait le lien entre la parole de Dieu et le rite des Cendres, le prêtre prie pour l'assemblée.

• Seigneur notre Dieu, toi qui aimes pardonner à ceux qui s'humilient et veulent réparer leurs torts, prête l'oreille à nos prières ; en ta bonté, répands sur tes serviteurs qui vont recevoir les cendres la grâce de ta bénédiction : par leur fidélité à ce temps de pénitence, qu'ils parviennent avec une âme purifiée à la célébration de la Pâque de ton Fils. Lui qui règne.

• Seigneur notre Dieu, toi qui ne veux pas la mort du pécheur mais sa conversion, dans ta bonté, exauce notre prière ; bénis les cendres dont nous serons marqués, nous qui venons de la terre et devons retourner à la terre. En nous appliquant à observer le Carême, puissions-nous obtenir le pardon de nos péchés et vivre de la vie nouvelle à l'image de ton Fils ressuscité. Lui qui règne.

Ensuite le prêtre impose les cendres à ceux qui le désirent, en disant :

• Convertissez-vous et croyez à l'Évangile.

• Souviens-toi que tu es poussière,
et que tu retourneras en poussière.

Prière sur les offrandes

En t'offrant, au début du Carême, cette eucharistie, nous te supplions, Seigneur : inspire-nous des actes de pénitence et de charité qui nous détournent de nous-mêmes, afin que, purifiés de nos fautes, nous puissions mieux nous unir à la passion de ton Fils. Lui qui règne.

Préface

Vraiment, il est juste et bon de te rendre gloire, de t'offrir notre action de grâce, toujours et en tout lieu, à toi, Père très saint, Dieu éternel et tout-puissant.

Car tu veux, par notre jeûne et nos privations, réprimer nos penchants mauvais, élever nos esprits, nous donner la force et enfin la récompense, par le Christ, notre Seigneur.

Par lui, avec les anges et tous les saints, nous chantons l'hymne de ta gloire, et sans fin nous proclamons : **Saint !...**

• *Ou la préface « Tu accueilles nos pénitences », p. 25.*

Prière après la communion

Que cette communion, Seigneur, nous ouvre à la justice et à la charité, pour que nous observions le seul jeûne que tu aimes et qui mène à notre guérison. Par Jésus.

Pour prolonger la prière : Père, en ce début de Carême, voici devant toi notre communauté. Par notre baptême, tu nous as fait entrer dans le peuple de l'alliance. Sois avec nous pour nous donner un cœur nouveau. Montre-nous la route de la fidélité et conduis-nous jusqu'à la joie de Pâques, avec ton Fils Jésus Christ, vivant avec toi et l'Esprit pour les siècles des siècles.

1er dimanche de Carême 9 mars 2014

RÉSISTER À LA TENTATION DU MENSONGE

Les récits de tentation que nous entendrons *(première lecture et évangile)* montrent bien qu'au-delà de l'objet présenté comme attrayant, le Tentateur cherche à tromper sa victime en lui faisant croire qu'elle peut obtenir une autre identité. Il lui ment en déclarant : « Vous serez comme des dieux. » La perversité est menée à son extrême dans l'évangile quand le Tentateur fait valoir, au nom de la nature du Fils de Dieu, des pouvoirs qui sont d'un autre ordre. Jésus est tenté sur ce qui nous constitue dans notre existence humaine : les relations sociales sont indispensables pour obtenir du pain, symbole de toute nourriture ; des lois physiques limitent le corps humain ; nous ne pouvons faire fi de la nécessité d'obéir à Dieu et de refuser toutes formes de domination.

Nous savons que nous sommes confrontés à la tentation. La prière prononcée au moment du baptême des petits enfants nous avertit : *« Tu sais que ces enfants, comme chacun de nous, seront tentés par les mensonges de ce monde et devront résister à Satan... donne-leur la force du Christ, et garde-les tout au long de leur vie. »* La force du Christ nous est donnée parce qu'il nous a rendus justes et cette justification nous donne la vie *(deuxième lecture)*. C'est le fruit de l'obéissance du Christ qui nous entraîne nous-mêmes à obéir à Dieu et à rejeter le Tentateur. Le temps du Carême est une opportunité pour regarder ce qui dans nos vies est désobéissance à la Parole de Dieu et refus d'entendre la voix du Christ, lui qui a engagé pour nous le combat contre le Mal. L'Esprit qui a conduit Jésus au désert est le même Esprit de force qui nous permet d'entrer dans la voie d'obéissance. Celle-ci n'est pas soumission servile mais exercice de notre liberté pour vivre selon notre dignité d'hommes et de chrétiens. Ainsi nous marcherons sur le chemin de vie qui mène à Pâques.

Suggestions pour la célébration

• CHANTER • Pour tout le temps du Carême, il convient de retenir un unique ordinaire de la messe, sobre et recueilli : par exemple **Sanctus : CNA 241, 244, 250.** Anamnèse : ***Jésus, Messie humilié*** **C 246-01 ; *Agnus Dei :*** **CNA 312, 305** ou **309.**

Pour l'acclamation de l'évangile : ***Pain pour notre marche*** **CNA 217** ou ***Gloire au Christ, Parole éternelle*** **CNA 211.**

Un chant-phare sera utile pour unifier le temps du Carême. Il peut être chanté en ouverture, après l'homélie ou après la communion : ***Parle, Seigneur, à notre cœur*** **G 47-93** dont les strophes reprennent les textes de chaque dimanche, ou ***En quel pays de solitude*** **CNA 416.**

Le chant ***Vivons en enfants de lumière*** **CNA 430** reprend les évangiles de chaque dimanche et convient particulièrement si la communauté chrétienne accompagne des catéchumènes.

On pourra donner davantage d'ampleur à la préparation pénitentielle. Dans ce cas, on ne chante pas de chant d'entrée et la préparation devient le premier chant de la liturgie : ***Jésus, Verbe de Dieu*** **CNA 696, *Jésus ami des hommes*** **CNA 412, *Seigneur Jésus, toi qui es venu*** **CNA 177.**

On peut aussi retenir une forme litanique proposée chaque dimanche et chantée selon la musique de la **messe de Sylvanès CNA 167.**

Conviendrait aussi pour le 1er dimanche : ***Seigneur, avec toi, nous irons au désert*** **CNA 414.**

Pour la communion : ***Pain de l'espoir*** **G 12-73, *Pour que nos cœurs*** **CNA 344, *Partageons le pain du Seigneur*** **CNA 342.**

Après la communion, ***Lumière des hommes*** **CNA 422, *Prenons la main*** **CNA 580, *Pain de l'espoir*** **L 210.**

• PRIER • **POUR LA PRÉPARATION PÉNITENTIELLE**

Jésus, Sauveur de tous les hommes,
tu nous ouvres le chemin de la Vérité,
prends pitié de nous.

Ô Christ, don du Père pour la multitude,
tu nous justifies par ton obéissance,
prends pitié de nous.

Jésus, premier-né d'entre les morts,
tu nous conduis vers le Royaume de vie,
prends pitié de nous.

Pour la prière universelle

Nous pouvons prier :
- pour l'Église : que tous les chrétiens parlent et agissent en vérité ;
- pour les hommes et les femmes qui sont victimes du mensonge ;
- pour ceux qui ne savent pas résister à toutes les tentations qui se présentent à eux ;
- pour les catéchumènes qui doivent lutter pour suivre le Christ.

• **CÉLÉBRER** • Pour signifier que le Carême est un temps de conversion qui ravive l'esprit de notre baptême, la procession d'entrée pourra partir du baptistère si son emplacement le permet. Cela mettra en valeur ce lieu symbolique de la naissance de notre foi. Dans la monition d'ouverture, on pourra rappeler que nous serons conduits à redire notre renoncement au péché lors de la Veillée pascale, comme on le fait au baptême.

Prière d'ouverture

Accorde-nous, Dieu tout-puissant, tout au long de ce Carême, de progresser dans la connaissance de Jésus Christ et de nous ouvrir à sa lumière par une vie de plus en plus fidèle. Lui qui règne.

1re lecture — *L'œuvre du Mensonge*

Lecture du livre de la Genèse — Gn 2, 7-9 ; 3, 1-7a

Au temps où le Seigneur Dieu fit le ciel et la terre, il modela l'homme avec la poussière tirée du sol ; il insuffla dans ses narines le souffle de vie, et l'homme devint un être vivant. Le Seigneur Dieu planta un jardin en Éden, à l'Orient, et y plaça l'homme qu'il avait modelé. Le Seigneur Dieu fit pousser du sol toute sorte d'arbres à l'aspect attirant et aux fruits savoureux ; il y avait aussi l'arbre de vie au milieu du jardin, et l'arbre de la connaissance du bien et du mal.

Or, le serpent était le plus rusé de tous les animaux des champs que le Seigneur Dieu avait faits. Il dit à la femme : « Alors, Dieu vous a dit : "Vous ne mangerez le fruit d'aucun arbre du jardin" ? » La femme répondit au serpent : « Nous mangeons les fruits des arbres du jardin. Mais, pour celui qui est au milieu du jardin, Dieu a dit : "Vous n'en mangerez pas, vous n'y toucherez pas, sinon vous mourrez". » Le serpent dit à la femme : « Pas du tout ! Vous ne mourrez pas ! Mais Dieu sait que, le jour où vous en mangerez, vos yeux s'ouvriront, et vous serez comme des dieux, connaissant le bien et le mal. » La femme s'aperçut que le fruit de l'arbre devait être savoureux, qu'il avait un aspect agréable et qu'il était désirable, puisqu'il donnait l'intelligence. Elle prit de ce fruit, et en mangea. Elle en donna aussi à son mari, et il en mangea. Alors leurs yeux à tous deux s'ouvrirent et ils connurent qu'ils étaient nus.

PSAUME 50

• **Pitié, Seigneur, car nous avons péché.**

• **Détourne ta face de mes fautes,**
enlève tous mes péchés.

Pitié pour moi, mon Dieu, dans ton amour,
selon ta grande miséricorde, efface mon péché.
Lave-moi tout entier de ma faute,
purifie-moi de mon offense.

Oui, je connais mon péché,
ma faute est toujours devant moi.
Contre toi, et toi seul, j'ai péché,
ce qui est mal à tes yeux, je l'ai fait.

Crée en moi un cœur pur, ô mon Dieu,
renouvelle et raffermis au fond de moi mon esprit.
Ne me chasse pas loin de ta face,
ne me reprends pas ton esprit saint.

Rends-moi la joie d'être sauvé ;
que l'esprit généreux me soutienne.
Seigneur, ouvre mes lèvres,
et ma bouche annoncera ta louange.

2e LECTURE *Par la justice du Christ tous ont été rendus justes*

Lecture de la lettre de saint Paul Apôtre aux Romains Rm 5, 12-19

La lecture du texte entre crochets est facultative.

Frères, par un seul homme, Adam, le péché est entré dans le monde, et par le péché est venue la mort, et ainsi, la mort est passée en tous les hommes, du fait que tous ont péché.

[Avant la loi de Moïse, le péché était déjà dans le monde. Certes, on dit que le péché ne peut être sanctionné quand il n'y a pas de loi ; mais pourtant, depuis Adam jusqu'à Moïse, la mort a régné, même sur ceux qui n'avaient pas péché par désobéissance à la manière d'Adam. Or, Adam préfigurait celui qui devait venir. Mais le don gratuit de Dieu et la faute n'ont pas la même mesure. En effet, si la mort a frappé la multitude des hommes par la faute d'un seul, combien plus la grâce de Dieu a-t-elle comblé la multitude, cette grâce qui est donnée en un seul homme, Jésus Christ. Le don de Dieu et les conséquences du péché d'un seul n'ont pas la même mesure non plus : d'une part, en effet, pour la faute d'un seul, le jugement a conduit à la condamnation ; d'autre part, pour une multitude de fautes, le don gratuit de Dieu conduit à la justification.]

En effet, si, à cause d'un seul homme, par la faute d'un seul homme, la mort a régné, combien plus, à cause de Jésus Christ et de lui seul, régneront-ils dans la vie, ceux qui reçoivent en plénitude le don de la grâce qui les rend justes. Bref, de même que la faute commise par un seul a conduit tous les hommes à la condamnation, de même l'accomplissement de la justice par un seul a conduit tous les hommes à la justification qui donne la vie. En effet, de même que tous sont devenus pécheurs parce qu'un seul homme a désobéi, de même tous deviendront justes parce qu'un seul homme a obéi.

Ta Parole, Seigneur, est vérité, et ta loi, délivrance. L'homme ne vit pas seulement de pain, mais de toute parole venant de la bouche de Dieu. **Ta Parole, Seigneur, est vérité, et ta loi, délivrance.**

ÉVANGILE *Jésus tenté par le Mal*

Évangile de Jésus Christ selon saint Matthieu Mt 4, 1-11

Jésus, après son baptême, fut conduit au désert par l'Esprit pour être tenté par le démon. Après avoir jeûné quarante jours et quarante nuits, il eut faim. Le tentateur s'approcha et lui dit : « Si tu es le Fils de Dieu, ordonne que ces pierres deviennent des pains. » Mais Jésus répondit : « Il est écrit : "Ce n'est pas seulement de pain que l'homme doit vivre, mais de toute parole qui sort de la bouche de Dieu". »

Alors le démon l'emmène à la ville sainte, à Jérusalem, le place au sommet du Temple et lui dit : « Si tu es le Fils de Dieu, jette-toi en bas ; car il est écrit : "Il donnera pour toi des ordres à ses anges", et : "Ils te porteront sur leurs mains, de peur que ton pied ne heurte une pierre". » Jésus déclara : « Il est encore écrit : "Tu ne mettras pas à l'épreuve le Seigneur ton Dieu". »

Le démon l'emmène encore sur une très haute montagne et lui fait voir tous les royaumes du monde avec leur gloire. Il lui dit : « Tout cela, je te le donnerai, si tu te prosternes pour m'adorer. » Alors, Jésus lui dit : « Arrière, Satan ! car il est écrit : C'est devant le Seigneur ton Dieu que tu te prosterneras, et c'est lui seul que tu adoreras. »

Alors le démon le quitte. Voici que des anges s'approchèrent de lui, et ils le servaient.

PRIÈRE SUR LES OFFRANDES

Avec cette eucharistie, Seigneur, nous commençons notre marche vers Pâques : fais que nos cœurs correspondent vraiment à nos offrandes. Par Jésus.

Préface

Vraiment, il est juste et bon de te rendre gloire, de t'offrir notre action de grâce, toujours et en tout lieu, à toi, Père très saint, éternel et tout-puissant, par le Christ, notre Seigneur.

En jeûnant quarante jours au désert, il consacrait le temps du Carême ; lorsqu'il déjouait les pièges du Tentateur, il nous apprenait à résister au péché, pour célébrer d'un cœur pur le mystère pascal, et parvenir enfin à la Pâque éternelle. C'est pourquoi, avec tous les anges et tous les saints, nous chantons l'hymne de ta gloire et nous proclamons : **Saint !...**

Prière après la communion

Le pain que nous avons reçu de toi, Seigneur notre Dieu, a renouvelé nos cœurs : il nourrit la foi, fait grandir l'espérance et donne la force d'aimer ; apprends-nous à toujours avoir faim du Christ, seul pain vivant et vrai, et à vivre de toute parole qui sort de ta bouche. Par Jésus.

Vainqueur dans le Christ

« Il nous a donc transfigurés en lui, quand il a voulu être tenté par Satan. On lisait tout à l'heure dans l'évangile que le Seigneur Jésus Christ, au désert, était tenté par le diable. Parfaitement ! Le Christ était tenté par le diable ! Dans le Christ, c'est toi qui étais tenté, parce que le Christ tenait de toi sa chair, pour te donner le salut ; tenait de toi la mort, pour te donner la vie ; tenait de toi les outrages, pour te donner les honneurs ; donc il tenait de toi la tentation, pour te donner la victoire.

Si c'est en lui que nous sommes tentés, c'est en lui que nous dominons le diable. Tu remarques que le Christ a été tenté, et tu ne remarques pas qu'il a vaincu ? Reconnais que c'est toi qui es tenté en lui ; et alors reconnais que c'est toi qui es vainqueur en lui. Il pouvait écarter de lui le diable ; mais, s'il n'avait pas été tenté, il ne t'aurait pas enseigné, à toi qui dois être soumis à la tentation, comment on remporte la victoire. »

S. Augustin, « Dans le Christ, c'est toi qui es tenté », *Commentaire du psaume 60.*

Calendrier liturgique

Di 9	**1er dimanche de Carême A.**
	Liturgie des Heures : Psautier semaine I.
Lu 10	Lv 19, 1-2.11-18 ; Ps 18 ; Mt 25, 31-46.
Ma 11	Is 55, 10-11 ; Ps 33 ; Mt 6, 7-15.
Me 12	Jon 3, 1-10 ; Ps 50 ; Lc 11, 29-32.
Je 13	Est 14, 1.3-5.12-14 Vg ; Ps 137 ; Mt 7, 7-12.
Ve 14	Ez 18, 21-28 ; Ps 129 ; Mt 5, 20-26.
Sa 15	Dt 26, 16-19 ; Ps 118 ; Mt 5, 43-48.

Bonne fête ! 9 : Françoise, France, Francine. 10 : Viviane. 11 : Rosine. 12 : Justine, Pol. 13 : Rodrigue. 14 : Mathilde, Maud. 15 : Louise.

Pour mémoire : il y a un an, le 13 mars 2013, le cardinal argentin Jorge Mario Bergoglio est élu pape. Il a pris le nom de François. À 20 h 22, il est apparu à la loggia de la basilique vaticane et a déclaré aux milliers de personnes rassemblées place Saint-Pierre :

« Et maintenant, commençons ce chemin : l'évêque et le peuple. Ce chemin de l'Église de Rome, qui est celle qui préside dans la charité toutes les Églises. Un chemin de fraternité, d'amour, de confiance entre nous. Prions toujours pour nous : l'un pour l'autre. Prions pour le monde entier afin qu'advienne une grande fraternité. Je souhaite que ce chemin que nous commençons aujourd'hui et au long duquel je serai aidé par mon cardinal vicaire ici présent, soit fructueux pour l'évangélisation de cette ville si belle !

Et maintenant je voudrais donner la bénédiction, mais auparavant, auparavant je vous demande une faveur : avant que l'évêque bénisse le peuple, je vous demande de prier le Seigneur afin qu'il me bénisse : la prière du peuple, demandant la bénédiction pour son évêque. Faisons cette prière en silence de vous tous sur moi. »

Pour prolonger la prière : Dieu notre Père, en choisissant de faire de ton Fils un homme comme nous, soumis à l'épreuve, tu refuses d'imposer ton Règne et ta puissance. Mets en nous une conviction plus forte que toutes les tentations, et nous ferons sans cesse le choix de ton Royaume.

LE PSAUME, CRI DES HOMMES VERS DIEU

Au début, un cri ; puis l'écriture d'un cri. Parole dite avant d'être écrite. Attribués à David, les psaumes sont la résultante de cris adressés à Dieu dont l'écrit est comme la cicatrice.

Poèmes millénaires, prière du Christ, ont-ils encore quelque chose à voir avec nos vies et notre monde ? En priant les psaumes, l'Église ose s'adresser à Dieu. De tous les cris des hommes, ceux d'autrefois et ceux d'aujourd'hui, elle fait sa prière. Elle devient alors le porte-parole de l'humanité à sauver, un porte-parole qui, d'un bout à l'autre du monde, prie Dieu avec les mêmes mots inspirés par l'Esprit. Par le psaume, l'humanité, dans ce qu'elle a de plus humain, exprime tour à tour sa louange, sa demande, sa supplication, la reconnaissance de ses manques, son désir de rencontre de Dieu, ses imprécations violentes. Comment ne pas entendre ces mots comme des mots d'aujourd'hui : « Le méchant affûte son épée, il se prépare des engins de mort » (Ps 7) ? « Délivre-moi de ceux qui me poursuivent... Tire-moi de la prison où je suis » (Ps 41). « Beaucoup demandent : qui nous fera voir le bonheur ? » (Ps 4). « Dans ta colère, détruis-les, détruis-les : qu'ils disparaissent » (Ps 58). « Des profondeurs, je crie vers toi, écoute mon appel » (Ps 129). Et comment ne pas recevoir comme un appel pressant et une source d'espérance les mots du psaume 145 : « Il fait justice aux opprimés ; aux affamés, il donne le pain ; le Seigneur délie les enchaînés... le Seigneur protège l'étranger, il soutient la veuve et l'orphelin » ? Comment ne pas entrer dans la louange avec le psaume 103 : « Bénis le Seigneur, ô mon âme » ?

Écouter, dire, chanter les psaumes nous met au cœur de la vie, de ses multiples expressions, au cœur des combats des hommes pour la justice et contre toutes les misères. Enfin, ultime dépouillement, le psaume nous éduque à une âme de pauvre. Il nous oblige à accepter que Dieu sait mieux que nous ce qui touche son cœur de Père. Il nous apprend à prier humblement avec des mots venus de Lui et hérités de centaines de générations qui en ont été traversées et sanctifiées.

S. K.

2e dimanche de Carême 16 mars 2014

DIEU A MANIFESTÉ SA GLOIRE EN SON FILS

Pour voir et pour accueillir les merveilles de Dieu, il faut partir, se déplacer, ouvrir un espace où Dieu peut se révéler à nous. C'est l'appel qui est lancé à Abraham *(première lecture)*. Ce changement suppose un lâcher-prise qui se justifie par une attitude de foi. Alors Abraham recevra la bénédiction de Dieu. Quant aux Apôtres, ils n'ont pas à quitter une terre pour être les témoins de la Transfiguration du Christ *(évangile),* mais ils devront aussi entrer dans une attitude de foi en Jésus pour le suivre, jusqu'à ce qu'il soit ressuscité d'entre les morts. Le Christ est transfiguré : toute la lumière se fait en lui et autour de lui, et même ses vêtements en deviennent blancs. Il devient l'interlocuteur de Moïse et d'Élie, figures de la Loi et des prophètes, c'est-à-dire du cœur de la Parole de Dieu donnée aux hommes dans la première Alliance. Pour Pierre, Jacques et Jean, par cet événement s'ouvre une fenêtre sur l'avenir : Jésus apparaît dans sa gloire, tel qu'il sera dans sa résurrection. Le baptême nous fait partager la gloire du Christ et nous permet d'accomplir, dans la foi, le passage de la mort à la vie éternelle. Au moment où le nouveau baptisé revêt le vêtement blanc, le prêtre ou le diacre dit : « Tu es une création nouvelle dans le Christ : tu as revêtu le Christ ; ce vêtement blanc en est le signe. Que tes parents et amis t'aident, par leur parole et leur exemple, à garder intacte la dignité des fils de Dieu, pour la vie éternelle. » Alors les chrétiens que nous sommes, baptisés dans la mort et la résurrection du Christ, partagent sa mission et sont appelés à prendre leur part de souffrance pour l'annonce de l'évangile *(deuxième lecture)*.

Ce dimanche, le récit de la transfiguration du Christ est une anticipation de la lumière de Pâques : nous pourrons y « trouver les vivres dont notre foi a besoin » *(prière d'ouverture)*.

Suggestions pour la célébration

• CHANTER • Aux chants proposés pour le 1er dimanche, on peut ajouter des chants qui conviennent à l'évangile de la Transfiguration : *Aujourd'hui, montons sur la montagne* T 119, *Lumière des hommes* CNA 422, *Le Seigneur est notre secours* G 9.

Pour conclure la célébration : *Fais paraître ton jour* CNA 552.

• PRIER • POUR LA PRÉPARATION PÉNITENTIELLE

Jésus, toi qui t'es abaissé jusqu'à prendre notre condition humaine,
béni sois-tu et prends pitié de nous.

Ô Christ, toi qui es le reflet de la gloire du Père,
béni sois-tu et prends pitié de nous.

Jésus, toi qui prépares tes disciples à l'épreuve de ta Passion,
béni sois-tu et prends pitié de nous.

POUR LA PRIÈRE UNIVERSELLE

Notre prière peut rejoindre :
- ceux qui ont été obligés de quitter leur pays : qu'ils trouvent des espaces d'accueil fraternels ;
- ceux qui ont tout quitté à l'appel de la Parole du Seigneur : qu'ils connaissent la joie de la manifestation de Dieu ;
- les catéchistes qui participent à l'annonce de l'Évangile : qu'ils soient à l'écoute du Christ qui les instruit ;
- ceux qui marchent dans l'obscurité : qu'ils rencontrent des témoins du Christ ressuscité.

• CÉLÉBRER • Pour associer la croix à la résurrection, on pourra fleurir celle-ci comme une croix glorieuse. C'est le sens de la Transfiguration : annonce de la Passion du Christ et manifestation de sa gloire.

PRIÈRE D'OUVERTURE

Tu nous as dit, Seigneur, d'écouter ton Fils bien-aimé ; fais-nous trouver dans ta parole les vivres dont notre foi a besoin : et nous aurons le regard assez pur pour discerner ta gloire. Par Jésus Christ.

1re LECTURE — *La vocation d'Abraham*

Lecture du livre de la Genèse — Gn 12, 1-4

Abraham vivait alors en Chaldée. Le Seigneur lui dit : « Pars de ton pays, laisse ta famille et la maison de ton père, va dans le pays que je te montrerai. Je ferai de toi une grande nation, je te bénirai, je rendrai grand ton nom, et tu deviendras une bénédiction. Je bénirai ceux qui te béniront, je maudirai celui qui te méprisera. En toi seront bénies toutes les familles de la terre. »

Abraham partit, comme le Seigneur le lui avait dit, et Loth partit avec lui.

PSAUME 32

• **Seigneur, ton amour soit sur nous,**
comme notre espoir est en toi.

• **Le Seigneur est fidèle en toutes ses œuvres.**

Oui, elle est droite, la parole du Seigneur ;
il est fidèle en tout ce qu'il fait.
Il aime le bon droit et la justice ;
la terre est remplie de son amour.

Dieu veille sur ceux qui le craignent,
qui mettent leur espoir en son amour,
pour les délivrer de la mort,
les garder en vie aux jours de famine.

Nous attendons notre vie du Seigneur :
il est pour nous un appui, un bouclier.
Que ton amour, Seigneur, soit sur nous,
comme notre espoir est en toi.

2e LECTURE *La grâce divine révélée en Jésus Christ*

Lecture de la seconde lettre de saint Paul Apôtre à Timothée 2 Tm 1, 8-10

Fils bien-aimé, avec la force de Dieu, prends ta part de souffrance pour l'annonce de l'Évangile. Car Dieu nous a sauvés, et il nous a donné une vocation sainte, non pas à cause de nos propres actes, mais à cause de son projet à lui et de sa grâce. Cette grâce nous avait été donnée dans le Christ Jésus avant tous les siècles, et maintenant elle est devenue visible à nos yeux. Car notre Sauveur, le Christ Jésus, s'est manifesté en détruisant la mort, et en faisant resplendir la vie et l'immortalité par l'annonce de l'Évangile.

Gloire au Christ, Parole éternelle du Dieu vivant. Gloire à toi, Seigneur. Du sein de la nuée resplendissante la voix du Père a retenti : « Voici mon Fils, mon bien-aimé, écoutez-le. » **Gloire au Christ, Parole éternelle du Dieu vivant. Gloire à toi, Seigneur.**

ÉVANGILE *Jésus transfiguré*

Évangile de Jésus Christ selon saint Matthieu Mt 17, 1-9

Jésus prend avec lui Pierre, Jacques et Jean son frère, et il les emmène à l'écart, sur une haute montagne. Il fut transfiguré devant eux ; son visage devint brillant comme le soleil, et ses vêtements, blancs comme la lumière. Voici que leur apparurent Moïse et Élie, qui s'entretenaient avec lui. Pierre alors prit la parole et dit à Jésus : « Seigneur, il est heureux que nous soyons ici ! Si tu le veux, je vais dresser ici trois tentes, une pour toi, une pour Moïse et une pour Élie. » Il parlait encore, lorsqu'une nuée lumineuse les couvrit de son ombre ; et, de la nuée, une voix disait : « Celui-ci est mon Fils bien-aimé, en qui j'ai mis tout mon amour ; écoutez-le ! » Entendant cela, les disciples tombèrent la face contre terre et furent saisis d'une grande frayeur. Jésus s'approcha, les toucha et leur dit : « Relevez-vous et n'ayez pas peur ! » Levant les yeux, ils ne virent plus que lui, Jésus seul.

En descendant de la montagne, Jésus leur donna cet ordre : « Ne parlez de cette vision à personne, avant que le Fils de l'homme soit ressuscité d'entre les morts. »

Prière sur les offrandes

Que cette offrande, Seigneur, nous purifie de nos péchés : qu'elle sanctifie le corps et l'esprit de tes fidèles, et les prépare à célébrer les fêtes pascales. Par Jésus.

Préface

Vraiment, il est juste et bon de te rendre gloire, de t'offrir notre action de grâce, toujours et en tout lieu, à toi, Père très saint, Dieu éternel et tout-puissant, par le Christ, notre Seigneur.

Après avoir prédit sa mort à ses disciples, il les mena sur la montagne sainte ; en présence de Moïse et du prophète Élie, il leur a manifesté sa splendeur : il nous révélait ainsi que sa passion le conduirait à la gloire de la résurrection.

C'est pourquoi, avec les anges dans le ciel, nous pouvons te bénir sur la terre et t'adorer en (disant) chantant : **Saint !...**

Prière après la communion

Pour avoir communié, Seigneur, aux mystères de ta gloire, nous voulons te remercier, toi qui nous donnes déjà, en cette vie, d'avoir part aux biens de ton Royaume. Par Jésus.

Ils ne virent plus que Jésus seul

« Le Seigneur étendit la main et releva ses disciples prosternés. "Ils ne virent plus alors que Jésus resté seul." Que signifie cette circonstance ? Vous avez entendu, pendant la lecture de l'Apôtre, que "nous voyons maintenant à travers un miroir, en énigme, mais que nous verrons alors face à face, et que les langues cesseront lorsque nous posséderons l'objet même de notre espoir et de notre foi" (1 Co 13, 12.8.9). Les Apôtres en tombant symbolisent donc notre mort, car il a été dit à la chair : "Tu es terre et tu retourneras en terre" (Gn 3, 19), et notre résurrection quand le Seigneur les relève. Mais après la résurrection, à quoi bon la loi ? À quoi bon les prophètes ? Aussi ne voit-on plus ni Élie ni Moïse. Il ne reste que Celui dont il est écrit : "Au commencement était le Verbe et le Verbe était Dieu" (Jn 1, 1). Il ne reste plus que Dieu, pour être tout en tous (1 Co 15, 28). »

S. Augustin, *Sermon 78.*

Calendrier liturgique

Di 16	**2e dimanche de Carême A.** *Liturgie des Heures : Psautier semaine II.*
Lu 17	Dn 9, 4-10 ; Ps 78 ; Lc 6, 36-38. *S. Patrice, évêque, apôtre de l'Irlande, † 461.*
Ma 18	Is 1, 10.16-20 ; Ps 49 ; Mt 23, 1-12. *S. Cyrille, évêque de Jérusalem, docteur de l'Église, † 386.*
Me 19	**S. JOSEPH, ÉPOUX DE LA VIERGE MARIE**, patron principal du Canada et de la Belgique. Lectures propres : 2 S 7, 4-5a.12-14a.16 ; Ps 88 ; Rm 4, 13.16-18.22 ; Mt 1, 16-24 ou Lc 2, 41-51.
Je 20	Jr 17, 5-10 ; Ps 1 ; Lc 16, 19-31.
Ve 21	Gn 37, 3-4.12-13.17-28 ; Ps 104 ; Mt 21, 33-43.45-46.
Sa 22	Mi 7, 14-15.18-20 ; Ps 102 ; Lc 15, 1-3.11-32.

Bonne fête ! 16 : Bénédicte. 17 : Patrick, Patrice, Patricia. 18 : Cyrille, Salvatore. 19 : Joseph, José, Josette, Josiane. 20 : Herbert. 21 : Clémence, Axel. 22 : Léa, Léïla, Lia, Lila.

Pour mémoire : Il y a sept cents ans, le 18 mars 1314, Jacques de Molay, dernier maître de l'Ordre des Templiers, mourait sur un bûcher dressé sur l'île de la Cité à Paris.

Pour prolonger la prière : Dieu que nul n'a jamais vu, tu as manifesté ta gloire sur le visage transfiguré de ton Fils et, par sa voix, c'est ta Parole que tu nous livres. Illumine nos yeux de la clarté de son regard et rends-nous attentifs à son Évangile : nous serons heureux d'être ses frères et tes enfants, car il est ton Fils bien-aimé qui vit avec toi et le Saint-Esprit pour les siècles des siècles.

3e dimanche de Carême 23 mars 2014

UNE SOURCE JAILLISSANTE POUR LA VIE ÉTERNELLE

Le troisième dimanche du Carême est célébré le premier scrutin pour les catéchumènes. Cette étape vers le baptême consiste à affermir leur libre décision de suivre le Christ ; c'est pourquoi la communauté prie pour eux dans ce choix difficile. Cette année, nous entendrons l'évangile qui y est lié. C'est l'occasion de renouveler l'engagement de notre baptême avec, d'abord, le symbole de l'eau qui nous introduit à la question essentielle de la vie et de la mort. Dans leur traversée du désert, l'eau a sauvé les Hébreux de la soif *(première lecture)*. Cette expérience préfigure le baptême où l'eau donne la vie en abondance. La nuit de Pâques, nous entendrons la prière de bénédiction de l'eau qui commence par ces mots : « Dieu, dont la puissance invisible accomplit des merveilles par les sacrements, tu as voulu, au cours des temps, que l'eau, ta créature, révèle ce que serait la grâce du baptême. » Puis « Maintenant, Seigneur notre Dieu, regarde avec amour ton Église et fais jaillir en elle la source du baptême. » C'est la source jaillissante dont parle Jésus à la Samaritaine *(évangile)*. Par là, il indique la vitalité offerte par le don du Saint-Esprit. Mais pour accéder à cette nouvelle vie, il faut consentir à mourir à quelque chose d'ancien, à renoncer à quelques habitudes ou façons de voir, à quelques modes de vie, qui font obstacle à la source promise par le Christ. Ces renoncements sont un combat dans la préparation au baptême pour les catéchumènes. Il en est de même pour tous, dans l'Église, pendant le Carême, période de conversion qui nous conduira à dire lors de la Veillée pascale que, pour suivre le Christ, nous rejetons le mal.

La deuxième lecture montre que le Christ, en acceptant de mourir, nous a ouvert l'accès au salut, « au monde de sa grâce ». Si le salut nous est déjà donné, encore faut-il que nous soyons capables de le recevoir et de l'accueillir. C'est là l'objet de notre constant travail de conversion.

Suggestions pour la célébration

• CHANTER • Conviendront pour ce dimanche de la Samaritaine : ***Source d'eau vive*** **G 177bis,** ***Choral de la Samaritaine*** **SYL K 300,** ***Réveille les sources*** **CNA 769,** ***Dans sa miséricorde*** **G 203.**

• PRIER • POUR LA PRÉPARATION PÉNITENTIELLE

Jésus, prophète humilié, tu appelles tous les hommes à la conversion,
prends pitié de nous.

Ô Christ, toi le Serviteur, tu t'es abaissé jusqu'à la mort sur la croix,
prends pitié de nous.

Jésus, Messie victorieux, tu abreuves ton peuple en nous donnant ta vie,
prends pitié de nous.

POUR LA PRIÈRE UNIVERSELLE

S'il y a des catéchumènes, on peut prendre dans le *Rituel de l'initiation chrétienne des adultes* la prière litanique au n° 156. La « prière des fidèles » est dite après le renvoi des catéchumènes. Dans ce cas on dit le *Credo* après la prière universelle.
Pour la prière universelle, nous pouvons prier :
- pour l'Église qui accueille les catéchumènes et les accompagne vers les sacrements de l'initiation chrétienne ;
- pour ceux qui doutent dans les épreuves ;
- pour eux qui ne peuvent communier en raison de leur situation personnelle ;
- pour les jeunes qui se préparent à recevoir le don du Saint-Esprit lors de la Confirmation.

• CÉLÉBRER • La préface est propre à ce dimanche et fait écho à l'évangile. La prière eucharistique pour la réconciliation n° 2 convient bien pour ce dimanche en lien avec la deuxième lecture : elle présente le Christ comme « la parole qui sauve les hommes, la main que tu [Dieu] tends aux pécheurs, le chemin par où nous arrive la véritable paix ».

Prière d'ouverture

Tu es la source de toute bonté, Seigneur, et toute miséricorde vient de toi ; tu nous as dit comment guérir du péché par le jeûne, la prière et le partage ; écoute l'aveu de notre faiblesse : nous avons conscience de nos fautes ; patiemment, relève-nous avec amour. Par Jésus Christ.

1re lecture — *L'eau jaillie du rocher*

Lecture du livre de l'Exode — Ex 17, 3-7

Les fils d'Israël campaient dans le désert à Rephidim, et le peuple avait soif. Ils récriminèrent contre Moïse : « Pourquoi nous as-tu fait monter d'Égypte ? Était-ce pour nous faire mourir de soif avec nos fils et nos troupeaux ? » Moïse cria vers le Seigneur : « Que vais-je faire de ce peuple ? Encore un peu, et ils me lapideront ! » Le Seigneur dit à Moïse : « Passe devant eux, emmène avec toi plusieurs des anciens d'Israël, prends le bâton avec lequel tu as frappé le Nil, et va ! Moi, je serai là, devant toi, sur le rocher du mont Horeb. Tu frapperas le rocher, il en sortira de l'eau, et le peuple boira ! » Et Moïse fit ainsi sous les yeux des anciens d'Israël.

Il donna à ce lieu le nom de Massa (c'est-à-dire : « Défi ») et Mériba (c'est-à-dire : « Accusation »), parce que les fils d'Israël avaient accusé le Seigneur, et parce qu'ils l'avaient mis au défi, en disant : « Le Seigneur est-il vraiment au milieu de nous, ou bien n'y est-il pas ? »

Psaume 94

• **Aujourd'hui, ne fermons pas notre cœur,**
mais écoutons la voix du Seigneur !

• **Le Seigneur est vraiment au milieu de nous.**

Venez, crions de joie pour le Seigneur,
acclamons notre Rocher, notre salut !
Allons jusqu'à lui en rendant grâce,
par nos hymnes de fête acclamons-le !

Entrez, inclinez-vous, prosternez-vous,
adorons le Seigneur qui nous a faits.
Oui, il est notre Dieu ;
nous sommes le peuple qu'il conduit.

Aujourd'hui écouterez-vous sa parole ?
« Ne fermez pas votre cœur comme au désert
où vos pères m'ont tenté et provoqué,
et pourtant ils avaient vu mon exploit. »

2e LECTURE — *Le Christ nous a rachetés*

Lecture de la lettre de saint Paul Apôtre aux Romains — Rm 5, 1-2.5-8

Frères, Dieu a fait de nous des justes par la foi ; nous sommes ainsi en paix avec Dieu par notre Seigneur Jésus Christ, qui nous a donné, par la foi, l'accès au monde de la grâce dans lequel nous sommes établis ; et notre orgueil à nous, c'est d'espérer avoir part à la gloire de Dieu. Et l'espérance ne trompe pas, puisque l'amour de Dieu a été répandu dans nos cœurs par l'Esprit Saint qui nous a été donné.

Alors que nous n'étions encore capables de rien, le Christ, au temps fixé par Dieu, est mort pour les coupables que nous étions. – Accepter de mourir pour un homme juste, c'est déjà difficile ; peut-être donnerait-on sa vie pour un homme de bien. – Or, la preuve que Dieu nous aime, c'est que le Christ est mort pour nous, alors que nous étions encore pécheurs.

Gloire au Christ, Sagesse éternelle du Dieu vivant. Gloire à toi, Seigneur. Le Sauveur du monde, Seigneur, c'est toi. Donne-nous de l'eau vive, et nous n'aurons plus soif. **Gloire au Christ, Sagesse éternelle du Dieu vivant. Gloire à toi, Seigneur.**

ÉVANGILE — *Une source jaillissante pour la vie éternelle*

Évangile de Jésus Christ selon saint Jean — Jn 4, 5-42

La lecture des textes entre crochets est facultative.

Jésus arrivait à une ville de Samarie appelée Sykar, près du terrain que Jacob avait donné à son fils Joseph, et où se trouve le puits de Jacob. Jésus, fatigué par la route, s'était assis là, au bord du puits. Il était environ midi. Arrive une femme de Samarie, qui venait puiser de l'eau. Jésus lui dit : « Donne-moi à boire. » (En effet, ses disciples étaient partis à la ville pour acheter de quoi manger.) La Samaritaine lui dit : « Comment ! Toi qui es juif, tu me demandes à boire, à moi, une Samaritaine ? » (En effet, les Juifs ne veulent rien avoir en commun avec les Samaritains.) Jésus lui répondit : « Si tu savais le don de Dieu, si tu connaissais celui qui te dit : "Donne-moi à boire", c'est toi qui lui aurais demandé, et il t'aurait donné de l'eau vive. » Elle lui dit : « Seigneur, tu n'as rien pour puiser, et le puits est profond ; avec quoi prendrais-tu l'eau vive ? Serais-tu plus grand que notre père Jacob qui nous a donné ce puits, et qui en a bu lui-même, avec ses fils et ses bêtes ? » Jésus lui répondit : « Tout homme qui boit de cette eau aura encore soif ; mais celui qui boira de l'eau que moi je lui donnerai n'aura plus jamais soif ; et l'eau que je lui donnerai deviendra en lui source jaillissante pour la vie éternelle. » La femme lui dit : « Seigneur, donne-la-moi, cette eau : que je n'aie plus soif, et que je n'aie plus à venir ici pour puiser. » [Jésus lui dit : « Va, appelle ton mari, et reviens. » La femme répliqua : « Je n'ai pas de mari. » Jésus reprit : « Tu as raison de dire que tu n'as pas de mari, car tu en as eu cinq, et celui que tu as maintenant n'est pas ton mari : là, tu dis vrai. » La femme lui dit : « Seigneur,] je le vois, tu es un prophète. Alors, explique-moi : nos pères ont adoré Dieu sur la montagne qui est là, et vous, les Juifs, vous dites que le lieu où il faut l'adorer est à Jérusalem. » Jésus lui dit : « Femme, crois-moi : l'heure vient où vous n'irez plus ni sur cette montagne ni à Jérusalem pour adorer le Père. Vous adorez ce que vous ne connaissez pas ; nous adorons, nous, celui que nous connaissons, car le salut vient des Juifs. Mais l'heure vient – et c'est maintenant – où les vrais adorateurs adoreront le Père en esprit et vérité : tels sont les adorateurs que recherche le Père. Dieu est esprit, et ceux qui l'adorent, c'est en esprit et vérité qu'ils doivent l'adorer. » La femme lui dit : « Je sais qu'il vient, le Messie, celui qu'on appelle Christ. Quand il viendra, c'est lui qui nous fera connaître toutes choses. » Jésus lui dit : « Moi qui te parle, je le suis. »

[Là-dessus, ses disciples arrivèrent ; ils étaient surpris de le voir parler avec une femme. Pourtant, aucun ne lui dit : « Que demandes-tu ? » ou : « Pourquoi parles-tu avec elle ? » La femme, laissant là sa cruche, revint à la ville et dit aux gens : « Venez voir un homme qui m'a dit tout ce que j'ai fait. Ne serait-il pas le Messie ? » Ils sortirent de la ville, et ils se dirigeaient vers Jésus.

Pendant ce temps, les disciples l'appelaient : « Rabbi, viens manger. » Mais il répondit : « Pour moi, j'ai de quoi manger ; c'est une nourriture que vous ne connaissez pas. » Les disciples se demandaient : « Quelqu'un lui aurait-il apporté à manger ? » Jésus leur dit : « Ma nourriture, c'est de faire la volonté de celui qui m'a envoyé et d'accomplir son œuvre. Ne dites-vous pas : “Encore quatre mois et ce sera la moisson” ? Et moi je vous dis : Levez les yeux et regardez les champs qui se dorent pour la moisson. Dès maintenant, le moissonneur reçoit son salaire : il récolte du fruit pour la vie éternelle, si bien que le semeur se réjouit avec le moissonneur. Il est bien vrai, le proverbe : L'un sème, l'autre moissonne. Je vous ai envoyés moissonner là où vous n'avez pas pris de peine ; d'autres ont pris de la peine, et vous, vous profitez de leurs travaux. »]

Beaucoup de Samaritains de cette ville crurent en Jésus, [à cause des paroles de la femme qui avait rendu ce témoignage : « Il m'a dit tout ce que j'ai fait. »] Lorsqu'ils arrivèrent auprès de lui, ils l'invitèrent à demeurer chez eux. Il y resta deux jours. Ils furent encore beaucoup plus nombreux à croire à cause de ses propres paroles, et ils disaient à la femme : « Ce n'est plus à cause de ce que tu nous as dit que nous croyons maintenant ; nous l'avons entendu par nous-mêmes, et nous savons que c'est vraiment lui le Sauveur du monde. »

Prière sur les offrandes

Que cette eucharistie nous obtienne, Seigneur, à nous qui implorons ton pardon, la grâce de savoir pardonner à nos frères. Par Jésus.

Préface

Vraiment, il est juste et bon de te rendre gloire, de t'offrir notre action de grâce, toujours et en tout lieu, à toi, Père très saint, Dieu éternel et tout-puissant, par le Christ, notre Seigneur. En demandant à la Samaritaine de lui donner à boire, Jésus faisait à cette femme le don de la foi. Il avait un si grand désir d'éveiller la foi dans son cœur, qu'il fit naître en elle l'amour même de Dieu. Voilà pourquoi le ciel et la terre t'adorent ; ils te chantent leur hymne toujours nouvelle, et nous-mêmes, unissant notre voix à celle des anges, nous t'acclamons ! **Saint !...**

Prière après la communion

Nous avons reçu de toi, Seigneur, un avant-goût du ciel en mangeant dès ici-bas le pain du Royaume, et nous te supplions encore : fais-nous manifester par toute notre vie ce que le sacrement vient d'accomplir en nous. Par Jésus.

Donne-moi à boire

« Jésus lui dit : "Donne-moi à boire" ; car ses disciples s'en étaient allés en ville pour acheter de quoi se nourrir. Or, cette femme Samaritaine lui dit : "Comment se fait-il qu'étant Juif tu me demandes à boire, à moi qui suis Samaritaine ?" Car les Juifs ne communiquent pas avec les Samaritains. Vous le voyez, c'étaient des étrangers pour les Juifs : ceux-ci ne voulaient pas même se servir des vases qui étaient à leur usage. Et comme cette femme portait avec elle un vase pour puiser de l'eau, elle s'étonne qu'un Juif lui demande à boire. Car les Juifs n'avaient pas coutume de le faire. Mais si Jésus lui demandait à boire, c'était en réalité de sa foi qu'il avait soif. »

S. Augustin, *Homélies sur l'Évangile de Jean,* 4, 11-17 ; 25.

Calendrier liturgique

Di 23	**Troisième dimanche de Carême A.** *Liturgie des Heures : Psautier semaine III.*
Lu 24	2 R 5, 1-15 ; Ps 41-42 ; Lc 4, 24-30.
Ma 25	**ANNONCIATION DU SEIGNEUR**, p. 217.
Me 26	Dt 4, 1.5-9 ; Ps 147 ; Mt 5, 17-19.
Je 27	Jr 7, 23-28 ; Ps 94 ; Lc 11, 14-23.
Ve 28	Os 14, 2-10 ; Ps 80 ; Mc 12, 28-34.
Sa 29	Os 6, 1-6 ; Ps 50 ; Lc 18, 9-14.

Bonne fête ! 23 : Victorien, Rébecca. 24 : Catherine, Aldemar. 25 : Annuntiata, Annonciation. 26 : Larissa, Lara. 27 : Habib. 28 : Gontran. 29 : Gladys.

Pour mémoire : le week-end prochain, passage à l'heure d'été.

Il y a dix ans, le 25 mars 2004, le Congrès des États-Unis adoptait un texte selon lequel le fœtus est un enfant *in utero,* « un membre de l'espèce *homo sapiens,* à quelque stade de développement qu'il soit, porté dans la matrice ».

Pour prolonger la prière : Dieu qui donnes et qui pardonnes, en Jésus tu veux révéler à tout homme le don que tu fais à l'humanité ; ouvre nos cœurs à sa présence, et que notre soif de vie trouve en lui l'unique source capable de nous combler, dès maintenant et pour les siècles des siècles.

Annonciation du Seigneur 25 mars 2014

Neuf mois avant Noël, l'Annonciation n'est pas d'abord une fête de la Vierge Marie mais elle est centrée sur le Christ qui va venir dans le monde, promesse de Dieu à son peuple. Marie nous est présentée comme l'instrument de Dieu, modèle de disponibilité et de confiance totale en son Créateur et Sauveur. À son école, nous écoutons la parole de Dieu : « Il est ton Seigneur : prosterne-toi devant lui » (Ps 44, 12).

CHANTER En ouverture : ***Béni sois-tu, Seigneur*** **CNA 617.** Après la communion, le **Magnificat.** À la fin de la célébration, ***Je vous salue, Marie*** **CNA 621,** ***Voici que l'ange Gabriel*** **Renouveau 182** ou ***Vierge sainte, Dieu t'a choisie*** **CNA 632.**

PRIÈRE D'OUVERTURE Seigneur, tu as voulu que ton Verbe prît chair dans le sein de la Vierge Marie ; puisque nous reconnaissons en lui notre Rédempteur, à la fois homme et Dieu, accorde-nous d'être participants de sa nature divine. Lui qui règne.

LECTURES

Is 7, 10-14 *La jeune fille enfantera un fils*
Ps 39 *Heureux qui met sa foi dans le Seigneur*
He 10, 4-10 *L'offrande de Jésus faite en son corps*
Lc 1, 26-38 *L'annonce à Marie*

PRÉFACE Vraiment, il est juste et bon de te rendre gloire, de t'offrir notre action de grâce, toujours et en tout lieu, à toi, Père très saint, Dieu éternel et tout-puissant, par le Christ, notre Seigneur.
C'est lui qui pour sauver les hommes devait naître parmi les hommes ; c'est lui que l'ange annonce à la Vierge Immaculée et qu'à l'ombre de l'Esprit Saint elle accueille par la foi ; lui qu'elle porte avec tendresse dans sa chair. Il venait accomplir les promesses faites à Israël, combler, et même dépasser, l'espérance des nations.

PRIÈRE APRÈS LA COMMUNION
Par cette communion, Seigneur, fortifie en nos cœurs la vraie foi, afin qu'ayant proclamé le fils de la Vierge vrai Dieu et vrai homme, nous parvenions au salut et à la joie éternelle par la puissance de sa résurrection. Lui qui règne.

4e dimanche de Carême 30 mars 2014

VIVRE EN ENFANTS DE LA LUMIÈRE

Les trois lectures de ce jour orientent nos regards sur la claire vision que Dieu donne aux hommes. La première lecture, avec le choix du jeune David, enseigne qu'il ne faut pas juger selon les apparences et que c'est le Seigneur qui inspire les bons choix, selon des critères qui ne sont pas forcément les nôtres. Un vrai discernement n'est possible qu'avec l'aide de Dieu. L'évangile, qui correspond à celui du deuxième scrutin des catéchumènes, indique le moyen qui permet d'avoir une juste vision des choses : il faut de la lumière. Cette évidence sur un plan matériel demande une conversion si on envisage le regard spirituel. Jésus se présente comme la lumière qui vient dans le monde : il est même la lumière du monde. Par là il signifie que sans lui les hommes ne peuvent avoir une juste appréciation de ce qui fait leur vie. Voir, c'est aussi comprendre. C'est ce que nous retrouvons dans l'expression courante : « Je vois bien ce que tu veux dire. » Mêlée à la question du voir, la question du comprendre rebondit dans l'évangile. Les voisins de l'aveugle cherchent à comprendre comment celui-ci a été guéri. Les pharisiens veulent comprendre mais refusent de croire. Ils sont perdus entre leur ignorance de l'origine du Christ et le constat de la guérison de l'aveugle. Quant à l'aveugle, il croit en la parole de Jésus et il lui obéit. Ainsi il peut voir et reconnaître en Jésus le Fils de l'homme. Par là nous apprenons qu'il faut croire pour comprendre. En conséquence, par l'illumination du baptême nous pouvons devenir nous-mêmes lumière *(deuxième lecture)*. C'est ce que nous entendons au baptême lors de la remise du cierge allumé : « C'est à vous, parents, parrain et marraine, que cette lumière est confiée. Veillez à l'entretenir : que ces enfants, illuminés par le Christ, avancent dans la vie en enfants de lumière et demeurent fidèles à la foi de leur baptême. »

Suggestions pour la célébration

• CHANTER • Les chants suivants conviendront pour ce dimanche de l'aveugle-né : ***Ouvre mes yeux*** **CNA 699,** ***Tu es la vraie lumière*** **CNA 595,** ***Voici que jaillit la lumière*** **A 188,** ***Vers toi, je viens, Jésus Christ*** **CNA 429.**

• PRIER • **POUR LA PRÉPARATION PÉNITENTIELLE**

Jésus, toi la lumière qui vient en ce monde,
béni sois-tu et prends pitié de nous !

Ô Christ, toi qui appelles tous les hommes à se convertir,
béni sois-tu et prends pitié de nous !

Jésus, toi qui fais de nous des enfants de lumière,
béni sois-tu et prends pitié de nous !

POUR LA PRIÈRE UNIVERSELLE

S'il y a des catéchumènes, on peut prendre dans le *Rituel de l'initiation chrétienne des adultes* la prière litanique au n° 164/1 ou 164/2. La « prière des fidèles » est dite après le renvoi des catéchumènes. Dans ce cas, on dit le *Credo* après la prière universelle.
Nous pouvons prier :
– pour les chrétiens, qui ont été illuminés par le Christ au jour de leur baptême : qu'ils entretiennent la lumière qui leur a été confiée ;
– pour ceux qui ont des responsabilités politiques : qu'ils soient éclairés pour prendre de justes décisions ;
– pour ceux qui traversent la nuit de l'épreuve, de la maladie, de la tristesse, du deuil : qu'ils trouvent des appuis dans leur entourage ;
– pour ceux qui prennent part aux activités de ténèbres dans la violence, le mensonge, la corruption : qu'ils se détournent de leur conduite.

• CÉLÉBRER • Rappelons que s'il y a des servants d'autel ceux-ci, au moment de l'acclamation de l'évangile, tiennent des cierges allumés et sont tournés vers l'ambon. Les textes de ce jour invitent à mettre en valeur le Christ, lumière. On pourra demander à quelques enfants ou même des adultes d'accomplir ce service s'il n'y a pas de servants.

Prière d'ouverture

Dieu qui as réconcilié avec toi toute l'humanité en lui donnant ton propre Fils, augmente la foi du peuple chrétien pour qu'il se hâte avec amour au-devant des fêtes pascales qui approchent. Par Jésus Christ.

1re lecture — *Le choix de David*

Lecture du premier livre de Samuel — 1 S 16, 1.6-7.10-13a

Le Seigneur dit à Samuel : « J'ai rejeté Saül. Il ne régnera plus sur Israël. Je t'envoie chez Jessé de Bethléem, car j'ai découvert un roi parmi ses fils. Prends une corne que tu rempliras d'huile, et pars ! » En arrivant, Samuel aperçut Éliab, un des fils de Jessé, et il se dit : « Sûrement, c'est celui que le Seigneur a en vue pour lui donner l'onction ! » Mais le Seigneur dit à Samuel : « Ne considère pas son apparence ni sa haute taille, car je l'ai écarté. Dieu ne regarde pas comme les hommes, car les hommes regardent l'apparence, mais le Seigneur regarde le cœur. » Jessé présenta ainsi à Samuel ses sept fils, et Samuel lui dit : « Le Seigneur n'a choisi aucun de ceux-là. N'as-tu pas d'autres garçons ? » Jessé répondit : « Il reste encore le plus jeune, il est en train de garder le troupeau. » Alors Samuel dit à Jessé : « Envoie-le chercher : nous ne nous mettrons pas à table tant qu'il ne sera pas arrivé. » Jessé l'envoya chercher : le garçon était roux, il avait de beaux yeux, il était beau. Le Seigneur dit alors : « C'est lui ! donne-lui l'onction. » Samuel prit la corne pleine d'huile et lui donna l'onction au milieu de ses frères. L'Esprit du Seigneur s'empara de David à partir de ce jour-là.

Psaume 22

Le psaume 22 chante la grâce reçue au baptême et la confiance dans ce berger envoyé par Dieu, qui se révélera Dieu lui-même.

• **Le Seigneur est mon berger,**
rien ne saurait me manquer.

• Le Seigneur a regardé son serviteur :
il l'a choisi selon son cœur.

Le Seigneur est mon berger,
je ne manque de rien.
Sur des prés d'herbe fraîche,
il me fait reposer.

Il me mène vers les eaux tranquilles
et me fait revivre ;
il me conduit par le juste chemin
pour l'honneur de son nom.

Si je traverse les ravins de la mort,
je ne crains aucun mal,
car tu es avec moi,
ton bâton me guide et me rassure.

Tu prépares la table pour moi
devant mes ennemis ;
tu répands le parfum sur ma tête,
ma coupe est débordante.
Grâce et bonheur m'accompagnent
tous les jours de ma vie ;
j'habiterai la maison du Seigneur
pour la durée de mes jours.

2e LECTURE — *Vivre dans la lumière*

Lecture de la lettre de saint Paul Apôtre aux Éphésiens — Ép 5, 8-14

Frères, autrefois, vous n'étiez que ténèbres ; maintenant, dans le Seigneur, vous êtes devenus lumière ; vivez comme des fils de la lumière, – or la lumière produit tout ce qui est bonté, justice et vérité – et sachez reconnaître ce qui est capable de plaire au Seigneur. Ne prenez aucune part aux activités des ténèbres, elles ne produisent rien de bon ; démasquez-les plutôt. Ce que ces gens-là font en cachette, on a honte d'en parler. Mais quand ces choses-là sont démasquées, leur réalité apparaît grâce à la lumière, et tout ce qui apparaît ainsi devient lumière. C'est pourquoi l'on chante : « Réveille-toi, ô toi qui dors, relève-toi d'entre les morts, et le Christ t'illuminera. »

Gloire et louange à toi, Seigneur Jésus. Lumière du monde, Jésus Christ, celui qui marche à ta suite aura la lumière de la vie. **Gloire et louange à toi, Seigneur Jésus.**

ÉVANGILE — *Jésus, lumière du monde*

Évangile de Jésus Christ selon saint Jean — Jn 9, 1-41

La lecture des textes entre crochets est facultative.

En sortant du Temple, Jésus vit sur son passage un homme qui était aveugle de naissance.

[Ses disciples l'interrogèrent : « Rabbi, pourquoi cet homme est-il né aveugle ? Est-ce lui qui a péché, ou bien ses parents ? » Jésus répondit : « Ni lui, ni ses parents. Mais l'action de Dieu devait se manifester en lui. Il nous faut réaliser l'action de celui qui m'a envoyé, pendant qu'il fait encore jour ; déjà la nuit approche, et personne ne pourra plus agir. Tant que je suis dans le monde, je suis la lumière du monde. » Cela dit,] il cracha sur le sol et avec la salive il fit de la boue qu'il appliqua sur les yeux de l'aveugle, et il lui dit : « Va te laver à la piscine de Siloé » (ce nom signifie « Envoyé »). L'aveugle y alla donc, et il se lava ; quand il revint, il voyait.

Ses voisins, et ceux qui étaient habitués à le rencontrer – car il était mendiant – dirent alors : « N'est-ce pas celui qui se tenait là pour mendier ? » Les uns disaient : « C'est lui. » Les autres disaient : « Pas du tout, c'est quelqu'un qui lui ressemble. » Mais lui affirmait : « C'est bien moi. »

[Et on lui demandait : « Alors comment tes yeux se sont-ils ouverts ? » Il répondit : « L'homme qu'on appelle Jésus a fait de la boue, il m'en a frotté les yeux et il m'a dit : "Va te laver à la piscine de Siloé." J'y suis donc allé et je me suis lavé ; alors, j'ai vu. Ils lui dirent : « Et lui, où est-il ? » Il répondit : « Je ne sais pas. »]

On amène aux pharisiens cet homme qui avait été aveugle. Or, c'était un jour de sabbat que Jésus avait fait de la boue et lui avait ouvert les yeux. À leur tour, les pharisiens lui demandèrent : « Comment se fait-il que tu voies ? » Il leur répondit : « Il m'a mis de la boue sur les yeux, je me suis lavé, et maintenant je vois. » Certains pharisiens disaient : « Celui-là ne vient pas de Dieu, puisqu'il n'observe pas le repos du sabbat. » D'autres répliquaient : « Comment un homme pécheur pourrait-il accomplir des signes pareils ? »

Ainsi donc ils étaient divisés. Alors ils s'adressent de nouveau à l'aveugle : « Et toi, que dis-tu de lui, puisqu'il t'a ouvert les yeux ? » Il dit : « C'est un prophète. »

[Les Juifs ne voulaient pas croire que cet homme, qui maintenant voyait, avait été aveugle. C'est pourquoi ils convoquèrent ses parents et leur demandèrent : « Cet homme est bien votre fils, et vous dites qu'il est né aveugle ? Comment se fait-il qu'il voie maintenant ? » Les parents répondirent : « Nous savons que c'est bien notre fils et qu'il est né aveugle. Mais comment il peut voir à présent, nous ne le savons pas ; et qui lui a ouvert les yeux, nous ne le savons pas non plus. Interrogez-le, il est assez grand pour s'expliquer. » Ses parents parlaient ainsi parce qu'ils avaient peur des Juifs. En effet les Juifs s'étaient déjà mis d'accord pour exclure de la synagogue tous ceux qui déclareraient que Jésus est le Messie. Voilà pourquoi les parents avaient dit : « Il est assez grand, interrogez-le ! »

Pour la seconde fois, les pharisiens convoquèrent l'homme qui avait été aveugle, et ils lui dirent : « Rends gloire à Dieu ! Nous savons, nous, que cet homme est un pécheur. » Il répondit : « Est-ce un pécheur ? Je n'en sais rien ; mais il y a une chose que je sais : j'étais aveugle, et maintenant je vois. » Ils lui dirent alors : « Comment a-t-il fait pour t'ouvrir les yeux ? » Il leur répondit : « Je vous l'ai déjà dit, et vous n'avez pas écouté. Pourquoi voulez-vous m'entendre encore une fois ? Serait-ce que vous aussi vous voulez devenir ses disciples ? » Ils se mirent à l'injurier : « C'est toi qui es son disciple ; nous, c'est de Moïse que nous sommes les disciples. Moïse, nous savons que Dieu lui a parlé ; quant à celui-là, nous ne savons pas d'où il est. » L'homme leur répondit : « Voilà bien ce qui est étonnant ! Vous ne savez pas d'où il est, et pourtant il m'a ouvert les yeux. Comme chacun sait, Dieu n'exauce pas les pécheurs, mais si quelqu'un l'honore et fait sa volonté, il l'exauce. Jamais encore on n'avait entendu dire qu'un homme ait ouvert les yeux à un aveugle de naissance. Si cet homme-là ne venait pas de Dieu, il ne pourrait rien faire. »]

Ils répliquèrent : « Tu es tout entier plongé dans le péché depuis ta naissance, et tu nous fais la leçon ? » Et ils le jetèrent dehors.

Jésus apprit qu'ils l'avaient expulsé. Alors il vint le trouver et lui dit : « Crois-tu au Fils de l'homme ? » Il répondit : « Et qui est-il, Seigneur, pour que je croie en lui ? » Jésus lui dit : « Tu le vois, et c'est lui qui te parle. » Il dit : « Je crois, Seigneur », et il se prosterna devant lui.

[Jésus dit alors : « Je suis venu en ce monde pour une remise en question : pour que ceux qui ne voient pas puissent voir, et que ceux qui voient deviennent aveugles. » Des pharisiens qui se trouvaient avec lui entendirent ces paroles et lui dirent : « Serions-nous des aveugles, nous aussi ? » Jésus leur répondit : « Si vous étiez des aveugles, vous n'auriez pas de péché ; mais du moment que vous dites : "Nous voyons !" votre péché demeure. »]

Prière sur les offrandes

Seigneur, nous te présentons dans la joie le sacrifice qui sauve notre vie et nous te prions humblement : accorde-nous de le célébrer avec respect et de savoir l'offrir pour le salut du monde. Par Jésus.

Préface

Vraiment, il est juste et bon de te rendre gloire, de t'offrir notre action de grâce, toujours et en tout lieu, à toi, Père très saint, Dieu éternel et tout-puissant, par le Christ, notre Seigneur. En prenant la condition humaine, il a guidé vers la lumière de la foi l'humanité qui s'en allait dans les ténèbres ; et par le bain qui fait renaître, il a donné aux hommes, nés dans le péché, de devenir vraiment fils de Dieu.

Voilà pourquoi le ciel et la terre t'adorent ; ils te chantent leur hymne toujours nouvelle, et nous-mêmes, unissant notre voix à celle des anges, nous t'acclamons : **Saint !...**

Prière après la communion

Dieu qui éclaires tout homme venant dans ce monde, illumine nos cœurs par la clarté de ta grâce : afin que toutes nos pensées soient dignes de toi, et notre amour, de plus en plus sincère. Par Jésus.

Guéri de la cécité originelle

« L'aveugle de naissance est le genre humain. Par conséquent, si nous voulons réfléchir sur la signification de ce qui a été fait, c'est le genre humain qui est cet aveugle, car par le péché cette cécité a frappé le premier homme, dont nous avons tous tiré une origine, non seulement de mort, mais encore d'iniquité. [...] L'aveugle se lava les yeux à la piscine de Siloé, Siloé qui veut dire "envoyé". Autrement dit, il fut baptisé dans le Christ. Si donc Jésus lui ouvrit les yeux en le baptisant en lui, d'une certaine manière on peut dire qu'il fit de lui un catéchumène quand il lui fit une onction sur les yeux. »

S. Augustin, *Homélies sur l'évangile de Jean.*

Calendrier liturgique

Di 30	**Quatrième dimanche de Carême A.**
	Liturgie des Heures : Psautier semaine IV.
Lu 31	Is 65, 17-21 ; Ps 29 ; Jn 4, 43-54.
Ma 1er	Ez 47, 1-9.12 ; Ps 45 ; Jn 5, 1-16.
Me 2	Is 49, 8-15 ; Ps 144 ; Jn 5, 17-30.
	S. François de Paule, ermite italien † 1507 à Plessis-les-Tours.
Je 3	Ex 32, 7-14 ; Ps 105 ; Jn 5, 31-47.

Ve 4	Sg 2, 1a.12-22 ; Ps 33 ; Jn 7, 2.10.14.25-30.
	S. Isidore, évêque de Séville, docteur de l'Église, † 636.
Sa 5	Jr 11, 18-20 ; Ps 125 ; Jn 7, 40-53.
	S. Vincent Ferrier, prêtre, dominicain espagnol, † 1419 à Vannes.

Bonne fête ! 30 : Amédée. 31 : Benjamin, Balbine. 1er : Hugues, Valérie. 2 : Sandra. 3 : Richard. 4 : Isidore, Aleth. 5 : Irène, Ève, Juliana.

Pour mémoire : Il y a cinquante ans, en 1964, Martin Luther King recevait le Prix Nobel de la paix pour sa lutte non-violente contre la ségrégation raciale aux États-Unis et pour le respect des droits civils. Il est mort assassiné quatre ans plus tard, le 4 avril 1968, à Memphis (Tennessee).

« Nous devons développer et entretenir notre aptitude au pardon. Celui qui est incapable de pardonner est incapable d'aimer. Il est impossible de seulement commencer à aimer ses ennemis sans avoir accepté d'abord la nécessité, sans cesse renouvelée, de pardonner à ceux qui nous infligent le mal et l'injustice. Il faut comprendre aussi que l'acte du pardon doit toujours être posé d'abord par la victime d'une tromperie, d'un tort grave, d'une injustice tortueuse, d'un acte terrible d'oppression. Le coupable peut demander pardon. Il peut rentrer en lui-même et, comme le fils prodigue, s'en aller sur quelque route poussiéreuse, le cœur palpitant du désir de pardon. Mais seuls le prochain maltraité, le père retrouvé plein d'amour à la maison peuvent vraiment verser les eaux chaleureuses du pardon. Pardonner ne signifie pas ignorer ce qui a été fait ou coller une étiquette fausse sur un acte mauvais. Cela signifie plutôt que cet acte mauvais cesse d'être un obstacle aux relations. Le pardon est un catalyseur, qui crée l'ambiance nécessaire à un nouveau départ et à un recommencement... »

Martin Luther King, *La force d'aimer,* Paris, Casterman, 1964, p. 64.

Pour prolonger la prière : Dieu notre Père, tu offres aux hommes la lumière dont ils ont besoin pour diriger leurs pas : fais pénétrer au plus profond de notre esprit cette autre lumière, ton Fils Jésus. Avec lui, nous marcherons jusqu'à toi et nous découvrirons ton visage pour les siècles des siècles.

5e dimanche de Carême 6 avril 2014

MOI, JE SUIS LA RÉSURRECTION ET LA VIE

Pour ce dernier dimanche de Carême, avant d'écouter l'entrée messianique de Jésus à Jérusalem et le récit de la Passion, nous sommes mis en face de la question centrale de la mort, et donc de la vie. Ce qui était évoqué symboliquement ces deux derniers dimanches par l'eau avec la Samaritaine, puis par la lumière avec l'aveugle-né, est maintenant clairement révélé : Jésus est la Résurrection. Et quand la vie vient à manquer, sur un plan spirituel, moral ou corporel, il sauve de la mort et de ses manifestations *(évangile).* Le prophète Ézékiel parlant des tombeaux utilisait une image pour exprimer la réalité de l'exil *(première lecture).* Avec le Christ l'image devient réalité : Lazare sort du tombeau. S'il est ramené à la vie, il n'est pas à proprement parler ressuscité, puisque ses jours sont comptés. Seul Jésus, par sa résurrection, passe, le premier, de la mort à la vie éternelle. Dans l'un et l'autre cas, Dieu intervient au cœur d'une situation désespérée, là où aucun signe ne peut laisser présumer une sortie de crise. Ces textes sont annonciateurs du mystère pascal : quand tout paraît inexorablement lié à la mort, Dieu fait jaillir la vie. Ceci est aussi vrai pour nous. L'œuvre de résurrection est déjà commencée en nous. Le Christ continue d'agir par les sacrements célébrés en Église. C'est ce qui permet à saint Paul de dire que nous vivons désormais sous l'emprise de l'Esprit et que ce même Esprit pourra donner vie à nos corps mortels *(deuxième lecture).* La bénédiction de l'eau lors du sacrement du baptême le signifie : « Par la grâce de ton Fils, que vienne sur cette eau la puissance de l'Esprit Saint, afin que tout homme qui sera baptisé, enseveli dans la mort avec le Christ, ressuscite avec le Christ pour la vie car il est vivant pour les siècles des siècles ».

Suggestions pour la célébration

• **CHANTER** • Conviennent pour ce dimanche de la résurrection de Lazare : ***Seigneur, tu as vaincu la mort*** CNA 587, ***En toi, Seigneur, mon espérance*** CNA 417 ou CNA 418, ***Tu es le Dieu fidèle*** CNA 346, ***Dieu qui nous appelles à vivre*** CNA 547, ***Il a passé la mort*** G 14-63-1, ***À ce monde que tu fais*** CNA 526.

• **PRIER** • POUR LA PRÉPARATION PÉNITENTIELLE

Jésus, venu apporter la vie au monde, tu nous invites à vivre dans l'espérance,
prends pitié de nous.
Ô Christ, envoyé par le Père, tu nous promets de nous donner la vie,
prends pitié de nous.
Jésus, victorieux de la mort, tu nous ouvres le chemin de la vie éternelle,
prends pitié de nous.

POUR LA PRIÈRE UNIVERSELLE

S'il y a des catéchumènes, on peut prendre dans le *Rituel de l'initiation chrétienne des adultes* la prière litanique au n° 171/1 ou 171/2. La « prière des fidèles » est dite après le renvoi des catéchumènes. Dans ce cas, on dit le *Credo* après la prière universelle.
En ce jour où nous célébrons la résurrection du Christ, nous prions :
– pour les catéchumènes qui vivent leur ultime préparation au baptême : qu'ils se rendent disponibles au travail de l'Esprit Saint ;
– pour les personnes qui s'engagent dans la solidarité avec les pays les plus pauvres : que leurs actions soient efficaces ;
– pour les personnes touchées récemment par un décès : que des témoins leur partagent l'espérance de la vie éternelle ;
– pour les membres de la pastorale des funérailles qui soutiennent les familles en deuil et témoignent de la foi de l'Église en la résurrection.

• **CÉLÉBRER** • Pour ce dernier dimanche de Carême où les ornements sont encore de couleur violette, on pourra orner la croix située près de l'autel (ou au fond du chœur) d'un drapé violet. Pour les Rameaux, ce tissu sera remplacé par un autre de couleur rouge et enfin un autre de couleur blanche pour la nuit de Pâques. Ainsi la croix apparaîtra en relation avec nos attitudes de conversion, et avec la Passion et la Résurrection du Christ.

Prière d'ouverture

Que ta grâce nous obtienne, Seigneur, d'imiter avec joie la charité du Christ qui a donné sa vie par amour pour le monde. Lui qui règne.

1re lecture *Même mort, le peuple revivra*

Lecture du livre d'Ézékiel Éz 37, 12-14

Ainsi parle le Seigneur Dieu. Je vais ouvrir vos tombeaux et je vous en ferai sortir, ô mon peuple, et je vous ramènerai sur la terre d'Israël. Vous saurez que je suis le Seigneur, quand j'ouvrirai vos tombeaux et vous en ferai sortir, ô mon peuple ! Je mettrai en vous mon esprit, et vous vivrez ; je vous installerai sur votre terre, et vous saurez que je suis le Seigneur : je l'ai dit, et je le ferai. – Parole du Seigneur.

Psaume 129

• **Auprès du Seigneur est la grâce,**
la pleine délivrance.

• **Mets en nous ton esprit, Seigneur ;**
fais-nous sortir de nos tombeaux.

Des profondeurs je crie vers toi, Seigneur,
Seigneur, écoute mon appel !
Que ton oreille se fasse attentive
au cri de ma prière !

Si tu retiens les fautes, Seigneur,
Seigneur, qui subsistera ?

Mais près de toi se trouve le pardon
pour que l'homme te craigne.

J'espère le Seigneur de toute mon âme ;
je l'espère, et j'attends sa parole.
Mon âme attend le Seigneur
plus qu'un veilleur ne guette l'aurore.

Oui, près du Seigneur, est l'amour ;
près de lui, abonde le rachat.
C'est lui qui rachètera Israël
de toutes ses fautes.

2e LECTURE — *L'Esprit de Dieu habite en vous*

Lecture de la lettre de saint Paul Apôtre aux Romains — Rm 8, 8-11

Frères, sous l'emprise de la chair, on ne peut pas plaire à Dieu. Or vous, vous n'êtes pas sous l'emprise de la chair, mais sous l'emprise de l'Esprit, puisque l'Esprit de Dieu habite en vous. Celui qui n'a pas l'Esprit du Christ ne lui appartient pas. Mais si le Christ est en vous, votre corps a beau être voué à la mort à cause du péché, l'Esprit est votre vie, parce que vous êtes devenus des justes. Et si l'Esprit de celui qui a ressuscité Jésus d'entre les morts habite en vous, celui qui a ressuscité Jésus d'entre les morts donnera aussi la vie à vos corps mortels par son Esprit qui habite en vous.

Gloire à toi, Seigneur, gloire à toi. Tu es la Résurrection, tu es la Vie, Seigneur Jésus ! Celui qui croit en toi ne mourra jamais. **Gloire à toi, Seigneur, gloire à toi.**

ÉVANGILE — *Jésus ramène Lazare à la vie*

Évangile de Jésus Christ selon saint Jean — Jn 11, 1-45

La lecture des textes entre crochets est facultative.

[Un homme était tombé malade.** C'était Lazare, de Béthanie, le village de Marie et de sa sœur Marthe. (Marie est celle qui versa du parfum sur le Seigneur et lui essuya les pieds avec ses cheveux. Lazare, le malade, était son frère.) Donc] les deux sœurs envoyèrent dire à Jésus : « Seigneur, celui que tu aimes est malade. » En apprenant cela, Jésus dit : « Cette maladie ne conduit pas à la mort, elle est pour la gloire de Dieu, afin que par elle le Fils de Dieu soit glorifié. » Jésus aimait Marthe et sa sœur, ainsi que Lazare. Quand il apprit que celui-ci était malade, il demeura pourtant deux jours à l'endroit où il se trouvait ; alors seulement il dit aux disciples : « Revenons en Judée. »

[Les disciples lui dirent : « Rabbi, tout récemment les Juifs cherchaient à te lapider, et tu retournes là-bas ? » Jésus répondit : « Ne fait-il pas jour pendant douze heures ? Celui qui marche pendant le jour ne trébuche pas, parce qu'il voit la lumière de ce monde ; mais celui qui marche pendant la nuit trébuche, parce que la lumière n'est pas en lui. » Après ces paroles, il ajouta : « Lazare, notre ami, s'est endormi ; mais je m'en vais le tirer de ce sommeil. » Les disciples lui dirent alors : « Seigneur, s'il s'est endormi, il sera sauvé. » Car ils pensaient que Jésus voulait parler du sommeil, tandis qu'il parlait de la mort. Alors il leur dit clairement : « Lazare est mort, et je me réjouis de n'avoir pas été là, à cause de vous, pour que vous croyiez. Mais allons auprès de lui ! » Thomas, dont le nom signifie : Jumeau, dit aux autres disciples : « Allons-y nous aussi, pour mourir avec lui ! »]

Quand Jésus arriva, il trouva Lazare au tombeau depuis quatre jours déjà. [Comme Béthanie était tout près de Jérusalem – à une demi-heure de marche environ –, beaucoup de Juifs étaient venus manifester leur sympathie à Marthe et à Marie, dans leur deuil.] Lorsque Marthe apprit l'arrivée de Jésus, elle partit à sa rencontre, tandis que Marie restait à la maison. Marthe dit à Jésus : « Seigneur, si tu avais été là, mon frère ne serait pas mort. Mais je sais que, maintenant encore, Dieu t'accordera tout ce que tu lui demanderas. » Jésus lui dit : « Ton frère ressuscitera. » Marthe reprit : « Je sais qu'il ressuscitera au dernier jour, à la résurrection. » Jésus lui dit : « Moi, je suis la Résurrection et la Vie. Celui qui croit en moi, même s'il meurt, vivra ; et tout homme qui vit et qui croit en moi ne mourra jamais. Crois-tu cela ? » Elle répondit : « Oui, Seigneur, tu es le Messie, je le crois ; tu es le Fils de Dieu, celui qui vient dans le monde. » [Ayant dit cela, elle s'en alla appeler sa sœur Marie, et lui dit tout bas : « Le maître est là, il t'appelle. » Marie, dès qu'elle l'entendit, se leva aussitôt et partit rejoindre Jésus. Il n'était pas encore entré dans le village ; il se trouvait toujours à l'endroit où Marthe l'avait rencontré. Les Juifs qui étaient à la maison avec Marie, et lui manifestaient leur sympathie, quand ils la virent se lever et sortir si vite, la suivirent, pensant qu'elle allait au tombeau pour y pleurer. Elle arriva à l'endroit où se trouvait Jésus ; dès qu'elle le vit, elle se jeta à ses pieds et lui dit : « Seigneur, si tu avais été là, mon frère ne serait pas mort. » Quand il vit qu'elle pleurait, et que les Juifs venus avec elle pleuraient aussi, Jésus fut bouleversé d'une émotion profonde.] Il demanda : « Où l'avez-vous déposé ? » Ils lui répondirent : « Viens voir, Seigneur. » Alors Jésus pleura. Les Juifs se dirent : « Voyez comme il l'aimait ! » Mais certains d'entre eux disaient : « Lui qui a ouvert les yeux de l'aveugle, ne pouvait-il pas empêcher Lazare de mourir ? » Jésus [repris par l'émotion,] arriva au tombeau. C'était une grotte fermée par une pierre. Jésus dit : « Enlevez la pierre. » Marthe, la sœur du mort, lui dit : « Mais, Seigneur, il sent déjà ; voilà quatre jours qu'il est là. » Alors Jésus dit à Marthe : « Ne te l'ai-je pas dit ? Si tu crois, tu verras la gloire de Dieu. » On enleva donc la pierre. Alors Jésus leva les yeux au ciel et dit : « Père, je te rends grâce parce que tu m'as exaucé. Je savais bien, moi, que tu m'exauces toujours, mais si j'ai parlé, c'est pour cette foule qui est autour de moi, afin qu'ils croient que tu m'as envoyé. » Après cela, il cria d'une voix forte : « Lazare, viens dehors ! » Et le mort sortit, les pieds et les mains attachés, le visage enveloppé d'un suaire. Jésus leur dit : « Déliez-le, et laissez-le aller. » Les nombreux Juifs, qui étaient venus entourer Marie et avaient donc vu ce que faisait Jésus, crurent en lui.

Prière sur les offrandes

Exauce tes serviteurs, Dieu tout-puissant : tu les as initiés à la foi chrétienne, qu'ils soient purifiés par ce sacrifice. Par Jésus.

Préface

Vraiment, il est juste et bon de te rendre gloire, de t'offrir notre action de grâce, toujours et en tout lieu, à toi, Père très saint, Dieu éternel et tout-puissant, par le Christ, notre Seigneur.

Il est cet homme plein d'humanité qui a pleuré sur son ami Lazare ; il est Dieu, le Dieu éternel qui fit sortir le mort de son tombeau : ainsi, dans sa tendresse pour tous les hommes, il nous conduit, par les mystères de sa Pâque, jusqu'à la vie nouvelle.

C'est par lui que les anges assemblés devant toi adorent ta sainteté ; laisse donc nos voix se joindre à leur louange pour chanter et proclamer : **Saint !...**

Prière après la communion

Accorde-nous, Dieu tout-puissant, d'être toujours comptés parmi les membres du Christ, nous qui communions à son corps et à son sang. Lui qui règne.

Tu vivras

« "Dieu n'est pas le Dieu des morts, mais le Dieu des vivants ; car tous vivent pour lui" (Mt 22, 32). Crois donc, et quand tu serais mort, tu vivras ; mais si tu ne crois pas, quoique tu sois vivant, tu es réellement mort. Prouvons que si tu ne crois pas, quoique tu sois vivant, tu es réellement mort. Quelqu'un différait de suivre le Seigneur et s'excusait en disant : "Je vais d'abord ensevelir mon père. – Laisse, dit le Seigneur, laisse les morts ensevelir leurs morts ; pour toi, viens et suis-moi" (Mt 8, 21). Il y avait donc un mort à ensevelir, il y avait aussi des morts qui devaient ensevelir ce mort : l'un était mort dans son corps, les autres dans leur âme. D'où vient la mort dans l'âme ? De ce que la foi n'y est plus. D'où vient la mort dans le corps ? De ce que l'âme n'y est plus. Donc, l'âme de ton âme, c'est la foi. »

S. Augustin, *Traité 49 sur l'Évangile de Jean.*

Calendrier liturgique

Di 6	**5e dimanche de Carême A.** *Liturgie des Heures : Psautier semaine I.*
Lu 7	Dn 13, 1-9.15-17.19-30.33-62 ; Ps 22 ; Jn 8, 1-11. S. Jean-Baptiste de la Salle, prêtre, fondateur des Frères des écoles chrétiennes, † 1719 à Rouen.
Ma 8	Nb 21, 4-9 ; Ps 101 ; Jn 8, 21-30.
Me 9	Dn 3, 14-20.91-92.95 ; Dn 3 ; Jn 8, 31-42.
Je 10	Gn 17, 3-9 ; Ps 104 ; Jn 8, 51-59.
Ve 11	Jr 20, 10-13 ; Ps 17 ; Jn 10, 31-42. S. Stanislas, évêque de Cracovie, martyr, † 1079.
Sa 12	Ez 37, 21-28 ; Jr 31 ; Jn 11, 45-57.

Bonne fête ! 6 : Marcellin. 7 : Saturnin. 8 : Constance, Julie. 9 : Gautier, Walter. 10 : Fulbert. 11 : Stanislas, Gemma. 12 : Jules.

Pour mémoire : aujourd'hui, en France, quête pour le CCFD ; en Belgique, quête pour Entraide et Fraternité.

Pour prolonger la prière : Dieu par qui tout existe, tu ne laisses pas mourir en nous la vie que tu nous offres. À l'appel de ton Fils, fais-nous sortir des tombeaux où nous enferme le péché : rends-nous à ta lumière éclatante, Dieu vivant pour les siècles des siècles.

PROPOSITION POUR UNE CÉLÉBRATION DE LA RÉCONCILIATION

Elle s'articule selon les quatre temps prévus par le *Rituel de Pénitence et Réconciliation.*

1. « S'ACCUEILLIR MUTUELLEMENT »

Chant d'entrée : *Peuple de l'Alliance* CNA 425. On pourra aussi reprendre un chant du mercredi des Cendres. Après la lecture de la Lettre aux Éphésiens, on peut chanter le **psaume 129** ou ***Pitié, Seigneur*** **CNA 701** ou ***Lave-nous de nos fautes*** **CNA 698.**

Mot d'accueil : Certains chrétiens ont besoin de se réconcilier avec le sacrement du pardon, soit parce qu'ils ne le fréquentent plus, soit parce qu'ils le pratiquent en restant centrés sur eux-mêmes. On leur a parfois dit de porter leur attention sur leur propre vie, sur leur responsabilité et sur le mal qu'ils ont commis pour un aveu complet de leurs péchés. C'est vrai, mais cela enferme et laisse à Dieu une place secondaire. Or, ce sacrement est celui de la joie de Dieu ! C'est ce que nous enseigne le Christ : « Il y a plus de joie au ciel pour un pécheur qui se convertit... ». Pour cela il faut regarder le Sauveur : « Le Christ est mort pour tous, afin que les vivants n'aient plus leur vie centrée sur eux-mêmes, mais sur lui » (2 Corinthiens 5, 15).

Oraison : Père très bon et miséricordieux, tu ne veux pas la mort du pécheur, mais sa conversion ; viens au secours de ton peuple pour qu'il revienne à toi et qu'il vive. Donne-nous d'écouter ta Parole et de reconnaître notre péché ; alors nous pourrons te rendre grâce pour ton pardon et, en vivant dans la vérité de l'amour, nous marcherons sur les pas de ton Fils Jésus Christ qui règne pour les siècles des siècles.

2. « ÉCOUTER LA PAROLE DE DIEU »

Souvent située au milieu du Carême, cette célébration est une occasion de méditer plus longuement un texte prévu pour le 4e dimanche de Carême (Ep 5, 8-14).

3. « CONFESSER L'AMOUR DE DIEU EN MÊME TEMPS QUE NOTRE PÉCHÉ »

Regard sur nos vies à partir de la Parole entendue pour découvrir l'amour de Dieu et notre péché :

- « La lumière produit tout ce qui est bonté » (Ep 5, 9). Nous prenons d'abord le temps de faire mémoire de ce qui est pour nous la joie d'être chrétien : les situations où nous rencontrons la bonté, la justice, la vérité, les moments où, grâce à Dieu, nous sommes aussi artisans de justice, de paix, de charité. Quels sont les événements qui nous redonnent de l'espérance, les personnes qui nous stimulent dans notre foi, dans la vie quotidienne ?
- « Ne prenez aucune part aux activités des ténèbres ; [...] démasquez-les plutôt » (Ep 5, 11). En repensant aux visages de ceux que nous croisons, nous démasquons nos lâchetés, nos mots ou nos attitudes violentes ou blessantes. Il nous arrive de pactiser avec les ténèbres par lassitude, par manque d'espérance, par égoïsme ; cela nous conduit à ne plus voir nos frères et nos sœurs.

Prière communautaire de confession : « Je confesse à Dieu... » puis « Notre Père »

4. « ACCUEILLIR LE PARDON DE DIEU POUR EN ÊTRE LES TÉMOINS AUPRÈS DE TOUS »

Confession individuelle : il peut être utile de donner quelques indications pour la rencontre individuelle avec le prêtre.

Proposition à l'assemblée d'un signe de conversion et de pénitence :

- Participer à un projet d'aide humanitaire par l'information et le soutien financier (CCFD par exemple) ;
- Agir contre la torture avec l'ACAT en signant une pétition et en priant pour les victimes et les bourreaux ;
- Prier pour telle ou telle personne de la rue.

LA GRANDE SEMAINE

« La Grande Semaine » : c'est une appellation traditionnelle de la Semaine sainte. Elle est grande, en effet. Non seulement parce qu'au lieu de sept jours, elle en compte huit, incluant deux dimanches, mais surtout parce qu'elle célèbre le cœur du mystère de notre salut. C'est la semaine décisive pour l'humanité, le centre de l'histoire et, d'une certaine manière, sa fin, car en elle parvient à son terme la longue quête humaine, marquée par la souffrance et la mort, mais aspirant à une vie bienheureuse et sans limite.

Ce salut se réalise par la Pâque du Christ, qui passe par la souffrance et la mort pour accéder à la vie nouvelle de la résurrection. En cet homme incomparable, qui est aussi le Fils de Dieu, c'est toute l'humanité qui, en germe, parvient à la Pâque éternelle. Car selon Paul, il est le premier d'une multitude de frères et de sœurs. Mais nous devons encore intégrer peu à peu ce salut dans toute notre existence humaine, en participant aux sacrements du salut et en pratiquant la charité. C'est le chemin de la vie chrétienne.

Chaque année, nous est offert ce temps fort de la Grande Semaine. Le parcours de huit jours s'ouvre par une marche triomphale à la suite du Christ. Mais cette acclamation est éphémère. Et dès le dimanche des Rameaux, nous entendons le récit poignant de la Passion, qui déroule sous nos yeux la trahison, le jugement injuste, les tortures et la mort du Messie.

Les trois jours suivants sont des jours de préparation. Puis vient ce que l'on appelle le Triduum pascal. Ces trois jours vont du jeudi soir au dimanche soir. Le Jeudi saint, la messe commémore le dernier repas du Seigneur avec ses disciples, la Cène, la première eucharistie, marquée par la proximité de la mort mais aussi par un amour intense de celui qui se montre le serviteur de ses disciples en leur lavant les pieds. Le Vendredi saint sera le point culminant de cet amour, lorsque, sur la croix d'infamie, le Christ offre sa vie par amour pour tous les hommes. Le troisième jour, qui est le dimanche, commence déjà dans la nuit du samedi : c'est la Veillée pascale, cœur des célébrations chrétiennes, au cours de laquelle la célébration ou le rappel du baptême permet de prendre part plus intensément à la mort et à la résurrection du Christ. C'est cette dernière qui fait l'objet de la messe du jour de Pâques, dimanche qui clôt dans l'allégresse cette grande semaine. Mais Pâques continue tout au long de l'année liturgique...

Dimanche des Rameaux et de la Passion

13 avril 2014

HOSANNA – CRUCIFIE-LE !

À quelques jours d'intervalle, deux clameurs contradictoires : « Hosanna ! », crie la foule enthousiaste. « Crucifie-le ! », hurle la foule haineuse. Des foules différentes ? Sans doute. Mais il est possible aussi que, le vendredi, on retrouve pour l'hallali des gens qui, le premier jour de la semaine, avaient acclamé celui qu'ils reconnaissaient comme le Messie. Sans doute, espéraient-ils encore que ce Jésus de Nazareth, tel un nouveau David, allait délivrer Israël du joug de Rome, qui souillait la Terre sainte par la présence de ses armées. Mais quand ils voient ce même Jésus, garrotté, livré au bon vouloir du procurateur romain qui, seul, a le droit de condamner à mort, leurs folles espérances s'écroulent, et l'enthousiasme déçu se change en haine : « Crucifie-le ! » Versatilité des foules, dit-on. Certes. Mais aussi versatilité des individus. Car l'être humain est souvent tenté de se mettre du côté du vainqueur.

Pendant la procession initiale, nous revivons, les rameaux à la main, l'entrée triomphale de Jésus à Jérusalem, acclamé par la foule qui agitait des palmes. Puis, nous allons être confrontés au récit de la Passion de Jésus, cette année la Passion selon S. Matthieu. C'est une étape de notre marche à la suite du Seigneur. Nous avons à rester à ses côtés, non seulement quand il est applaudi par la foule, mais aussi et d'abord quand il est honni, torturé et crucifié. Car tel est le chemin que Jésus a choisi pour accomplir son service de l'humanité, le chemin du Serviteur souffrant.

Ce choix qu'il a fait est finalement très heureux pour nous qui sommes loin de vivre chaque jour dans une ambiance triomphale. Dans l'existence quotidienne, c'est plutôt les épreuves que nous rencontrons. Il nous est bon de savoir que le Christ, Messie et Fils de Dieu, a partagé nos souffrances et que, par lui, nous pourrons les surmonter. Nous pouvons, en effet, adresser à un tel Messie notre Hosanna, « Sauve, de grâce ! »

Suggestions pour la célébration

• CHANTER • Pour la célébration des Rameaux, ***Hosanna au fils de David*** MNA 34-11, ***Hosanna*** CNA 441 avec les versets prévus, ***Gloire et louange à toi*** CNA 555, ***Sion, crie d'allégresse*** SYL L 113.

Pendant la procession des Rameaux : ***Gloire à toi, Sauveur des hommes*** CNA 442, ***Envoyés dans ce monde*** CNA 443, ***Victoire, tu régneras*** CNA 468, ***Nous chantons la croix du Seigneur*** CNA 342.

À l'entrée de l'église : ***Voici que s'ouvrent pour le roi*** CNA 444, ***Fais paraître ton jour*** CNA 552 (strophes 1, 2, 3 et 4), ***Lauda Jerusalem*** (répertoire de Lourdes).

On veillera à une belle mise en œuvre du **psaume 21** comme proposé dans **CNA p. 34** ou dans le *Psautier des dimanches (EQC).*

La lecture de la Passion peut être ponctuée à deux ou trois reprises par un refrain : ***C'était nos péchés qu'il portait*** CNA 463.

Pour l'anamnèse : ***Jésus, Messie humilié*** C 246.

Pendant la communion : ***Recevez le corps du Christ*** CNA 345, ***Partageons le pain du Seigneur*** CNA 342.

Après la communion : ***Par la Croix qui fit mourir*** CNA 467, ***Croix plantée sur nos chemins*** H 189, ***Ô Croix dressée sur le monde*** CNA 465, ***Hymne à la Croix*** Edit 172.

• PRIER •

Pour la préparation pénitentielle

La bénédiction des Rameaux tient lieu de préparation pénitentielle. Si on ne bénit pas les rameaux, on peut prendre la litanie proposée dans le *Missel Noté de l'Assemblée* 34.15.

Pour la prière universelle

Nous pouvons prier :
- pour l'Église, afin qu'au long de son chemin sur la terre, elle honore son Seigneur dans la louange et l'action de grâce ;
- pour les juges et les responsables politiques, afin que, libres de toute pression extérieure, ils prennent leurs décisions en pleine justice ;
- pour les personnes que l'on persécute ou que l'on met à mort à cause de leurs opinions religieuses ;
- pour les jeunes, afin qu'ils découvrent dans le Christ celui qui peut donner sens à leur vie.

• **CÉLÉBRER** • On soignera particulièrement la lecture de la Passion. Le Lectionnaire prévoit une répartition des rôles entre divers lecteurs. Ceux-ci doivent être bien choisis et préparés, au plan de la diction et de la sobre mise en scène que cette répartition suppose.

Prière de bénédiction

• Dieu tout-puissant, daigne bénir ces rameaux que nous portons pour fêter le Christ notre Roi : accorde-nous d'entrer avec lui dans la Jérusalem éternelle. Lui qui règne.

• Augmente la foi de ceux qui espèrent en toi, Seigneur, exauce la prière de ceux qui te supplient : nous tenons à la main ces rameaux pour acclamer le triomphe du Christ ; pour que nous portions en lui des fruits qui te rendent gloire, donne-nous de vivre comme lui en faisant le bien. Lui qui règne.

Évangile — *Béni soit celui qui vient au nom du Seigneur*

Évangile de Jésus Christ selon saint Matthieu — Mt 21, 1-11

Quelques jours avant la fête de la Pâque, Jésus et ses disciples, approchant de Jérusalem, arrivèrent à Bethphagé, sur les pentes du mont des Oliviers. Alors Jésus envoya deux disciples : « Allez au village qui est en face de vous ; vous trouverez aussitôt une ânesse attachée et son petit avec elle. Détachez-la et amenez-les moi. Et si l'on vous dit quelque chose, vous répondrez : “Le Seigneur en a besoin, mais il les renverra aussitôt”. » Cela s'est passé pour accomplir la parole transmise par le prophète : « Dites à la fille de Sion : voici ton roi qui vient vers toi, humble, monté sur une ânesse et un petit âne, le petit d'une bête de somme. » Les disciples partirent et firent ce que Jésus leur avait ordonné. Ils amenèrent l'ânesse et son petit, disposèrent sur eux leurs manteaux, et Jésus s'assit dessus. Dans la foule, la plupart étendirent leurs manteaux sur le chemin ; d'autres coupaient des branches aux arbres et en jonchaient la route. Les foules qui marchaient devant Jésus et celles qui suivaient criaient : « Hosanna au fils de David ! Béni soit celui qui vient au nom du Seigneur ! Hosanna au plus haut des cieux ! » Comme Jésus entrait à Jérusalem, l'agitation gagna toute la ville ; on se demandait : « Qui est cet homme ? » Et les foules répondaient : « C'est le prophète Jésus, de Nazareth en Galilée. »

Procession

Et maintenant, avançons, comme les foules de Jérusalem, heureuses d'acclamer le Messie.

Messe de la Passion

Prière d'ouverture

Dieu éternel et tout-puissant, pour montrer au genre humain quel abaissement il doit imiter, tu as voulu que notre Sauveur, dans un corps semblable au nôtre, subisse la mort de la croix : accorde-nous cette grâce de retenir les enseignements de sa passion et d'avoir part à sa résurrection. Lui qui règne.

1re lecture — *Je n'ai pas caché ma face devant les outrages*

Lecture du livre d'Isaïe — Is 50, 4-7

Dieu mon Seigneur m'a donné le langage d'un homme qui se laisse instruire, pour que je sache à mon tour réconforter celui qui n'en peut plus. La Parole me réveille chaque matin, chaque matin elle me réveille pour que j'écoute comme celui qui se laisse instruire. Le Seigneur Dieu m'a ouvert l'oreille et moi, je ne me suis pas révolté, je ne me suis pas dérobé. J'ai présenté mon dos à ceux qui me frappaient, et mes joues à ceux qui m'arrachaient la barbe. Je n'ai pas protégé mon visage des outrages et des crachats. Le Seigneur Dieu vient à mon secours ; c'est pourquoi je ne suis pas atteint par les outrages, c'est pourquoi j'ai rendu mon visage dur comme pierre : je sais que je ne serai pas confondu.

PSAUME 21

**• Par-delà ma détresse,
fais-moi vivre, Seigneur !**

**• Mon Dieu, mon Dieu,
pourquoi m'as-tu abandonné ?**

Tous ceux qui me voient me bafouent,
ils ricanent et hochent la tête :
« Il comptait sur le Seigneur : qu'il le délivre !
Qu'il le sauve, puisqu'il est son ami ! »

Oui, des chiens me cernent,
une bande de vauriens m'entoure ;
ils me percent les mains et les pieds,
je peux compter tous mes os.

Ils partagent entre eux mes habits
et tirent au sort mon vêtement.
Mais toi, Seigneur, ne sois pas loin :
ô ma force, viens vite à mon aide !

Mais tu m'as répondu !
Et je proclame ton nom devant mes frères,
je te loue en pleine assemblée.
Vous qui le craignez, louez le Seigneur.

2e LECTURE *Il s'est abaissé : c'est pourquoi Dieu l'a exalté*

Lecture de la lettre de saint Paul Apôtre aux Philippiens Ph 2, 6-11

Le Christ Jésus, lui qui était dans la condition de Dieu, n'a pas jugé bon de revendiquer son droit d'être traité à l'égal de Dieu ; mais au contraire, il se dépouilla lui-même en prenant la condition de serviteur. Devenu semblable aux hommes et reconnu comme un homme à son comportement, il s'est abaissé lui-même en devenant obéissant jusqu'à mourir, et à mourir sur une croix.

C'est pourquoi Dieu l'a élevé au-dessus de tout ; il lui a conféré le Nom qui surpasse tous les noms, afin qu'au Nom de Jésus, aux cieux, sur terre et dans l'abîme, tout être vivant tombe à genoux, et que toute langue proclame : « Jésus Christ est le Seigneur », pour la gloire de Dieu le Père.

Gloire et louange à toi, Seigneur Jésus. Pour nous, le Christ s'est fait obéissant, jusqu'à la mort, et la mort sur une croix. Voilà pourquoi Dieu l'a élevé souverainement et lui a donné le Nom qui est au-dessus de tout nom. **Gloire et louange à toi, Seigneur Jésus.**

ÉVANGILE — *La Croix par amour*

La Passion de notre Seigneur Jésus Christ selon saint Matthieu

Mt 26, 14–27, 66
ou bien lecture brève :
Mt 27, 11-54 (nos 8 à 12)

Pour une lecture de la Passion à plusieurs voix : L. = le lecteur ; + = Jésus ; D. = les disciples ; F. = la foule ; A. = les autres personnages.
On peut aussi, d'une façon plus sobre, ne pas exprimer les dialogues par plusieurs voix, mais changer de lecteur au fur et à mesure des différents épisodes.

L. L'un des douze Apôtres de Jésus, nommé Judas Iscariote, alla trouver les chefs des prêtres et leur dit :
D. Que voulez-vous me donner, si je vous le livre ?
L. Ils lui proposèrent trente pièces d'argent. Dès lors, Judas cherchait une occasion favorable pour le livrer.
Le premier jour de la fête des pains sans levain, les disciples vinrent dire à Jésus :
D. Où veux-tu que nous fassions les préparatifs de ton repas pascal ?
L. Il leur dit :
\+ Allez à la ville, chez un tel, et dites-lui : « Le Maître te fait dire : Mon temps est proche ; c'est chez toi que je veux célébrer la Pâque avec mes disciples. »
L. Les disciples firent ce que Jésus leur avait prescrit et ils préparèrent la Pâque.

1. La Pâque avec les disciples

Le soir venu, Jésus se trouvait à table avec les Douze. Pendant le repas, il leur déclara :
+ Amen, je vous le dis : l'un de vous va me livrer.
L. Profondément attristés, ils se mirent à lui demander, l'un après l'autre :
D. Serait-ce moi, Seigneur ?
L. Il leur répondit :
+ Celui qui vient de se servir en même temps que moi, celui-là va me livrer. Le Fils de l'homme s'en va, comme il est écrit à son sujet ; mais malheureux l'homme par qui le Fils de l'homme est livré ! Il vaudrait mieux que cet homme-là ne soit pas né !
L. Judas, celui qui le livrait, prit la parole :
D. Rabbi, serait-ce moi ?
L. Jésus lui répond :
+ C'est toi qui l'as dit !
L. Pendant le repas, Jésus prit du pain, prononça la bénédiction, le rompit et le donna à ses disciples, en disant :
+ Prenez, mangez : ceci est mon corps.
L. Puis, prenant une coupe et rendant grâce, il la leur donna, en disant :
+ Buvez-en tous, car ceci est mon sang, le sang de l'Alliance, répandu pour la multitude en rémission des péchés. Je vous le dis, désormais je ne boirai plus de ce fruit de la vigne, jusqu'au jour où je boirai un vin nouveau avec vous dans le Royaume de mon Père.

2. À Gethsémani

L. Après avoir chanté les psaumes, ils partirent pour le mont des Oliviers. Alors Jésus leur dit :
+ Cette nuit, je serai pour vous tous une occasion de chute ; car il est écrit : « Je frapperai le berger, et les brebis du troupeau seront dispersées. » Mais après que je serai ressuscité, je vous précéderai en Galilée.

L. Pierre lui dit :
D. Si tous viennent à tomber à cause de toi, moi, je ne tomberai jamais.
L. Jésus reprit :
+ Amen, je te le dis : cette nuit même, avant que le coq chante, tu m'auras renié trois fois.
L. Pierre lui dit :
D. Même si je dois mourir avec toi, je ne te renierai pas. Et tous les disciples en dirent autant.
L. Alors Jésus parvient avec eux à un domaine appelé Gethsémani et leur dit :
+ Restez ici, pendant que je m'en vais là-bas pour prier.
L. Il emmena Pierre, ainsi que Jacques et Jean, les deux fils de Zébédée, et il commença à ressentir tristesse et angoisse. Il leur dit alors :
+ Mon âme est triste à en mourir. Demeurez ici et veillez avec moi.
L. Il s'écarta un peu et tomba la face contre terre, en faisant cette prière :
+ Mon Père, s'il est possible, que cette coupe passe loin de moi ! Cependant, non pas comme je veux, mais comme tu veux.
L. Puis il revient vers ses disciples et les trouve endormis ; il dit à Pierre :
+ Ainsi, vous n'avez pas eu la force de veiller une heure avec moi ? Veillez et priez, pour ne pas entrer en tentation : l'esprit est ardent, mais la chair est faible.
L. Il retourna prier une deuxième fois :
+ Mon Père, si cette coupe ne peut passer sans que je la boive, que ta volonté soit faite !
L. Revenu près des disciples, il les trouva endormis, car leurs yeux étaient lourds de sommeil. Il les laissa et retourna prier pour la troisième fois, répétant les mêmes paroles. Alors il revient vers les disciples et leur dit :
+ Désormais, vous pouvez dormir et vous reposer ! La voici toute proche, l'heure où le Fils de l'homme est livré aux mains des

pécheurs. Levez-vous ! Allons ! Le voici tout proche, celui qui me livre.
L. Jésus parlait encore, lorsque Judas, l'un des Douze, arriva, avec une grande foule armée d'épées et de bâtons, envoyée par les chefs des prêtres et les anciens du peuple.
Le traître leur avait donné un signe :
D. « Celui que j'embrasserai, c'est lui ; arrêtez-le. »
L. Aussitôt, s'approchant de Jésus, il lui dit :
D. Salut, Rabbi !
L. et il l'embrassa. Jésus lui dit :
+ Mon ami, fais ta besogne.
L. Alors ils s'avancèrent, mirent la main sur Jésus et l'arrêtèrent. Un de ceux qui étaient avec Jésus, portant la main à son épée, la tira, frappa le serviteur du grand prêtre et lui trancha l'oreille. Jésus lui dit :
+ Rentre ton épée, car tous ceux qui prennent l'épée périront par l'épée. Crois-tu que je ne puisse pas faire appel à mon Père qui mettrait aussitôt à ma disposition plus de douze légions d'anges ? Mais alors, comment s'accompliraient les Écritures ? D'après elles, c'est ainsi que tout doit se passer.
L. À ce moment-là, Jésus dit aux foules :
+ Suis-je donc un bandit pour que vous soyez venus m'arrêter avec des épées et des bâtons ? Chaque jour, j'étais assis dans le Temple où j'enseignais, et vous ne m'avez pas arrêté. Mais tout cela est arrivé pour que s'accomplissent les écrits des prophètes.
L. Alors les disciples l'abandonnèrent tous et s'enfuirent.

3. *CHEZ LE GRAND PRÊTRE*

L. Ceux qui avaient arrêté Jésus l'amenèrent devant Caïphe, le grand prêtre, chez qui s'étaient réunis les scribes et les anciens. Quant à Pierre, il le suivait de loin, jusqu'au palais du grand prêtre ; il entra dans la cour et s'assit avec les serviteurs pour voir comment cela finirait. Les chefs des prêtres et tout le grand conseil cherchaient un faux témoignage contre Jésus pour le faire condamner à mort. Ils n'en trouvèrent pas ; pourtant beaucoup

de faux témoins s'étaient présentés. Finalement il s'en présenta deux qui déclarèrent :
A. Cet homme a dit : « Je peux détruire le Temple de Dieu et, en trois jours, le rebâtir. »
L. Alors le grand prêtre se leva et lui dit :
A. Tu ne réponds rien à tous ces témoignages portés contre toi ?
L. Mais Jésus gardait le silence. Le grand prêtre lui dit :
A. Je t'adjure, par le Dieu Vivant, de nous dire si tu es le Messie, le Fils de Dieu.
L. Jésus lui répond :
+ C'est toi qui l'as dit ; mais en tout cas, je vous le déclare : désormais vous verrez le Fils de l'homme siéger à la droite du Tout-Puissant et venir sur les nuées du ciel.
L. Alors le grand prêtre déchira ses vêtements, en disant :
A. Il a blasphémé ! Pourquoi nous faut-il encore des témoins ? Vous venez d'entendre le blasphème ! Quel est votre avis ?
L. Ils répondirent :
F. Il mérite la mort.
L. Alors ils lui crachèrent au visage et le rouèrent de coups ; d'autres le giflèrent en disant :
F. Fais-nous le prophète, Messie ! qui est-ce qui t'a frappé ?
L. Quant à Pierre, il était assis dehors dans la cour. Une servante s'approcha de lui :
A. Toi aussi, tu étais avec Jésus le Galiléen !
L. Mais il nia devant tout le monde :
D. Je ne sais pas ce que tu veux dire.
L. Comme il se retirait vers le portail, une autre le vit et dit aux gens qui étaient là :
A. Celui-ci était avec Jésus de Nazareth.
L. De nouveau, Pierre le nia :
D. Je jure que je ne connais pas cet homme.
L. Peu après, ceux qui se tenaient là s'approchèrent de Pierre :
A. Sûrement, toi aussi, tu fais partie de ces gens-là ; d'ailleurs ton accent te trahit.
L. Alors, il se mit à protester violemment et à jurer :

D. Je ne connais pas cet homme.
L. Aussitôt un coq chanta. Et Pierre se rappela ce que Jésus lui avait dit : « Avant que le coq chante, tu m'auras renié trois fois. » Il sortit et pleura amèrement.
L. Le matin venu, tous les chefs des prêtres et les anciens du peuple tinrent conseil contre Jésus pour le faire condamner à mort. Après l'avoir ligoté, ils l'emmenèrent pour le livrer à Pilate, le gouverneur. Alors Judas, le traître, fut pris de remords en le voyant condamné ; il rapporta les trente pièces d'argent aux chefs des prêtres et aux anciens. Il leur dit :
D. J'ai péché en livrant à la mort un innocent.
L. Ils répliquèrent :
A. Qu'est-ce que cela nous fait ? Cela te regarde !
L. Jetant alors les pièces d'argent dans le Temple, il se retira et alla se pendre. Les chefs des prêtres ramassèrent l'argent et se dirent :
A. Il n'est pas permis de le verser dans le trésor, puisque c'est le prix du sang.
L. Après délibération, ils achetèrent avec cette somme le Champ-du-Potier pour y enterrer les étrangers. Voilà pourquoi ce champ a été appelé jusqu'à ce jour le Champ-du-Sang. Alors s'est accomplie la parole transmise par le prophète Jérémie : « Ils prirent les trente pièces d'argent, le prix de celui qui fut mis à prix par les enfants d'Israël, et ils les donnèrent pour le champ du potier, comme le Seigneur me l'avait ordonné. »

Début de la lecture brève.

4. Devant Pilate

L. On fit comparaître Jésus devant Pilate, le gouverneur, qui l'interrogea :
A. Es-tu le roi des Juifs ?
L. Jésus déclara :
+ C'est toi qui le dis.
L. Mais, tandis que les chefs des prêtres et les anciens l'accusaient, il ne répondit rien. Alors Pilate lui dit :

A. Tu n'entends pas tous les témoignages portés contre toi ?

L. Mais Jésus ne lui répondit plus un mot, si bien que le gouverneur était très étonné. Or, à chaque fête, celui-ci avait coutume de relâcher un prisonnier, celui que la foule demandait. Il y avait alors un prisonnier bien connu, nommé Barabbas. La foule s'étant donc rassemblée, Pilate leur dit :

A. Qui voulez-vous que je vous relâche : Barabbas ? ou Jésus qu'on appelle le Messie ?

L. Il savait en effet que c'était par jalousie qu'on l'avait livré. Tandis qu'il siégeait au tribunal, sa femme lui fit dire :

A. Ne te mêle pas de l'affaire de ce juste, car aujourd'hui j'ai beaucoup souffert en songe à cause de lui.

L. Les chefs des prêtres et les anciens poussèrent les foules à réclamer Barabbas et à faire périr Jésus. Le gouverneur reprit :

A. Lequel des deux voulez-vous que je vous relâche ?

L. Ils répondirent :

F. Barabbas !

L. Il reprit :

A. Que ferai-je donc de Jésus, celui qu'on appelle le Messie ?

L. Ils répondirent tous :

F. Qu'on le crucifie !

L. Il poursuivit :

A. Quel mal a-t-il donc fait ?

L. Ils criaient encore plus fort :

F. Qu'on le crucifie !

L. Pilate vit que ses efforts ne servaient à rien, sinon à augmenter le désordre : alors il prit de l'eau et se lava les mains devant la foule, en disant :

A. Je ne suis pas responsable du sang de cet homme : cela vous regarde !

L. Tout le peuple répondit :

F. Son sang, qu'il soit sur nous et sur nos enfants !

L. Il leur relâcha donc Barabbas ; quant à Jésus, il le fit flageller et le leur livra pour qu'il soit crucifié.

L. Alors les soldats du gouverneur emmenèrent Jésus dans le prétoire et rassemblèrent autour de lui toute la garde. Ils lui enlevèrent ses vêtements et le couvrirent d'un manteau rouge. Puis, avec des épines, ils tressèrent une couronne, et la posèrent sur sa tête ; ils lui mirent un roseau dans la main droite et, pour se moquer de lui, ils s'agenouillaient en lui disant :
F. Salut, roi des Juifs !
L. Et, crachant sur lui, ils prirent le roseau et ils le frappaient à la tête. Quand ils se furent bien moqués de lui, ils lui enlevèrent le manteau, lui remirent ses vêtements, et l'emmenèrent pour le crucifier.

5. *Au Calvaire*

L. En sortant, ils trouvèrent un nommé Simon, originaire de Cyrène, et ils le réquisitionnèrent pour porter la croix. Arrivés à l'endroit appelé Golgotha, c'est-à-dire Lieu-du-Crâne ou Calvaire, ils donnèrent à boire à Jésus du vin mêlé de fiel ; il en goûta, mais ne voulut pas boire. Après l'avoir crucifié, ils se partagèrent ses vêtements en tirant au sort ; et ils restaient là, assis, à le garder. Au-dessus de sa tête on inscrivit le motif de sa condamnation : « Celui-ci est Jésus, le roi des Juifs. » En même temps, on crucifie avec lui deux bandits, l'un à droite et l'autre à gauche. Les passants l'injuriaient en hochant la tête :
F. Toi qui détruis le Temple et le rebâtis en trois jours, sauve-toi toi-même, si tu es le Fils de Dieu, et descends de la croix !
L. De même, les chefs des prêtres se moquaient de lui avec les scribes et les anciens, en disant :
A. Il en a sauvé d'autres, et il ne peut pas se sauver lui-même ! C'est le roi d'Israël : qu'il descende maintenant de la croix et nous croirons en lui ! Il a mis sa confiance en Dieu : que Dieu le délivre maintenant, s'il l'aime ! Car il a dit : « Je suis le Fils de Dieu. »
L. Les bandits crucifiés avec lui l'insultaient de la même manière.
L. À partir de midi, l'obscurité se fit sur toute la terre jusqu'à trois heures. Vers trois heures, Jésus cria d'une voix forte :
+ Eli, Eli, lama sabactani ?

L. Ce qui veut dire :
+ Mon Dieu, mon Dieu, pourquoi m'as-tu abandonné ?
L. Quelques-uns de ceux qui étaient là disaient en l'entendant :
F. Le voilà qui appelle le prophète Élie !
L. Aussitôt l'un d'eux courut prendre une éponge qu'il trempa dans une boisson vinaigrée ; il la mit au bout d'un roseau, et il lui donnait à boire. Les autres dirent :
F. Attends ! nous verrons bien si Élie va venir le sauver.
L. Mais Jésus, poussant de nouveau un grand cri, rendit l'esprit.

Ici on fléchit le genou et on s'arrête un instant.

L. Et voici que le rideau du Temple se déchira en deux, du haut en bas ; la terre trembla et les rochers se fendirent. Les tombeaux s'ouvrirent ; les corps de nombreux saints qui étaient morts ressuscitèrent et, sortant des tombeaux après la résurrection de Jésus, ils entrèrent dans la ville sainte, et se montrèrent à un grand nombre de gens. À la vue du tremblement de terre et de tous ces événements, le centurion et ceux qui, avec lui, gardaient Jésus, furent saisis d'une grande frayeur et dirent :
A. Vraiment, celui-ci était le Fils de Dieu !

Fin de la lecture brève.

L. Il y avait là plusieurs femmes qui regardaient à distance : elles avaient suivi Jésus depuis la Galilée pour le servir. Parmi elles se trouvaient Marie Madeleine, Marie, mère de Jacques et de Joseph, et la mère des fils de Zébédée.
Le soir venu, arriva un homme riche, originaire d'Arimathie, qui s'appelait Joseph, et qui était devenu lui aussi disciple de Jésus. Il alla trouver Pilate pour demander le corps de Jésus. Alors Pilate ordonna de le lui remettre. Prenant le corps, Joseph l'enveloppa dans un linceul neuf, et le déposa dans le tombeau qu'il venait de se faire tailler dans le roc. Puis il roula une grande pierre à l'entrée du tombeau et s'en alla. Cependant Marie Madeleine et l'autre Marie étaient là, assises en face du tombeau.
L. Quand la journée des préparatifs de la fête fut achevée, les chefs des prêtres et les pharisiens s'assemblèrent chez Pilate, en disant :

A. Seigneur, nous nous sommes rappelé que cet imposteur a dit, de son vivant : « Trois jours après, je ressusciterai. » Donne donc l'ordre que le tombeau soit étroitement surveillé jusqu'au troisième jour, de peur que ses disciples ne viennent voler le corps et ne disent au peuple : « Il est ressuscité d'entre les morts. » Cette dernière imposture serait pire que la première. Pilate leur déclara :
A. Je vous donne une garde ; allez, organisez la surveillance comme vous l'entendez.
L. Ils partirent donc et assurèrent la surveillance du tombeau en mettant les scellés sur la pierre et en y plaçant la garde.

Prière sur les offrandes

Souviens-toi, Seigneur, de la passion de ton Fils, ne tarde pas à nous réconcilier avec toi : il est vrai que nous n'avons pas mérité ton pardon, mais nous comptons sur ta miséricorde et sur la grâce du sacrifice de Jésus. Lui qui règne.

Préface

Vraiment, il est juste et bon de te rendre gloire, de t'offrir notre action de grâce, toujours et en tout lieu, à toi, Père très saint, Dieu éternel et tout-puissant, par le Christ, notre Seigneur.
Alors qu'il était innocent, il a voulu souffrir pour les coupables, et sans avoir commis le mal il s'est laissé juger comme un criminel ; en mourant, il détruit notre péché ; en ressuscitant, il nous fait vivre et nous sanctifie.
C'est par lui que la terre et le ciel, le peuple de Dieu avec tous les anges, ne cessent de t'acclamer en chantant : **Saint !...**

Prière après la communion

Tu nous as fortifiés, Seigneur, dans cette communion à tes saints mystères et nous te supplions encore : toi qui nous as donné, dans la mort de ton Fils, l'espérance des biens auxquels nous croyons, donne-nous, dans sa résurrection glorieuse, de parvenir au Royaume que nous attendons. Par Jésus.

Hosanna

« Dans l'exclamation "Hosanna" nous pouvons ainsi reconnaître une expression de multiples sentiments aussi bien des pèlerins venus avec Jésus que de ses disciples : une joyeuse louange à Dieu au moment de cette entrée ; l'espérance qu'arrive l'heure du Messie et en même temps la demande que se réalise de nouveau le règne de David et avec lui le règne de Dieu sur Israël. »

J. Ratzinger – Benoît XVI, *Jésus de Nazareth,* t. 2, éd. du Rocher, 2011, p. 20-21.

Calendrier liturgique

Di 13 **DIMANCHE DES RAMEAUX ET DE LA PASSION**
Liturgie des Heures : Psautier semaine II.
[S. Martin Ier, pape, martyr en Crimée, † 656].

Lu 14 Lundi saint : Is 42, 1-7 ; Ps 26 ; Jn 12, 1-11.

Ma 15 Mardi saint : Is 49 1-6 ; Ps 70 ; Jn 13, 21-38.

Me 16 Mercredi saint : Is 50, 4-9 ; Ps 68 ; Mt 26, 14-25.

Je 17 **JEUDI SAINT** (p. 254).

Ve 18 **VENDREDI SAINT** (p. 262). Journée de jeûne et d'abstinence.

Sa 19 **SAMEDI SAINT.** Il n'y a pas de célébration de mariage. Le tabernacle reste vide : c'est l'attente de la célébration de la résurrection du Seigneur.

Bonne fête ! 13 : Ida. 14 : Maxime, Ludivine. 15 : Paterne. 16 : Benoît-Joseph. 17 : Étienne. 18 : Parfait. 19 : Emma.

Pour mémoire : depuis le rassemblement de Rome 1985, le dimanche des Rameaux est devenu journée mondiale des jeunes.

Le 15 avril, dans la communauté juive, Pessah, la Pâque.

Pour prolonger la prière : Dieu d'amour et de sainteté, en entrant dans la Ville comme le roi promis, Jésus se préparait aussi à mourir pour elle. Accorde-nous de reconnaître dans le récit de sa Passion, avec quelle violence notre péché te rejette, et avec quelle humilité tu ne cesses d'aimer les hommes.

Jeudi saint

17 avril 2014

TRISTESSE ET AMOUR

Par la « Messe du soir en mémoire de la Cène du Seigneur » s'ouvre le Triduum pascal. En ce dernier repas que Jésus prit sur cette terre avec ses disciples les plus proches, l'atmosphère est marquée par deux sentiments contrastés : la tristesse que suscite la proximité de la mort de Jésus, et l'amitié, l'amour même, que Jésus exprime à l'égard des siens.

Tristesse, car les paroles de Jésus sonnent comme un testament ; tristesse qui se double d'indignation quand les convives apprennent que l'un des leurs va trahir et livrer le maître auquel ils sont profondément attachés. On devine un climat pesant, voire oppressant.

Mais en même temps, ce futur condamné à mort leur exprime l'affection qu'il leur porte. Et cela non seulement par des paroles : « Je ne vous appelle plus serviteurs ; je vous appelle mes amis », mais aussi par deux actes hautement symboliques.

Dans les évangiles synoptiques, l'acte majeur de la Cène est l'institution du repas eucharistique qui a lieu dans le cadre du repas de la Pâque juive, mémorial de la libération d'Égypte *(première lecture)*. Sans doute abasourdis, les disciples entendent : « Ceci est mon corps livré pour vous. Ceci est mon sang répandu pour vous et pour la multitude. Faites cela en mémoire de moi ». Paul se fera, lui aussi, l'écho de ces paroles *(deuxième lecture)*. Le Jeudi saint est, par excellence, le mémorial de ce repas de la nouvelle Pâque.

Dans l'évangile de Jean, par contre, l'eucharistie n'est pas explicitement évoquée, mais, au cours du dernier repas, un autre geste symbolique est posé qui en donne, au fond, le sens. Car Jésus vient s'agenouiller devant chacun de ses disciples et, tel un esclave, lui lave les pieds *(évangile)*. Ce geste incongru n'est pas celui d'un serviteur quelconque, c'est celui du Serviteur souffrant, annoncé par Isaïe, qui bientôt va offrir sa vie par amour.

Le lendemain, la croix réunira ces deux dimensions : la mort et l'amour, pour la louange de Dieu et le service de l'homme.

Suggestions pour la célébration

• **CHANTER** • Pour l'ouverture de la célébration : ***L'Église ouvre le Livre*** **CNA 450**, ***La nuit qu'il fut livré*** **CNA 449**, chant par excellence pour le Jeudi saint, ***Quand vint le jour d'étendre les bras*** **CNA 454**.

Le ***Gloire à Dieu*** est chanté : **CNA 197** ou **CNA 199**.

On chantera le psaume **115 CNA p. 138** ou *Psautier d'Église qui chante*.

Pour accompagner le rite du lavement des pieds : ***La dernière place*** **H 184**, ***Où sont amour et charité*** **MNA 452**, ***À l'image de ton amour*** **CNA 529**, ***Aimer, c'est tout donner*** **IEV 22-04**, ***Ubi Caritas*** **CNA 448**.

Pour la procession des dons : ***Préparons la table*** **CNA 232**, ***Qui donc a mis la table ?*** **C 121** (couplets 1 et 2), ***Table dressée sur nos chemins*** **B 54-05**.

Pour l'acclamation d'anamnèse, ***Quand nous mangeons ce pain*** **CNA 264**.

Pour accompagner la fraction du pain, ***Agneau de Dieu, pauvre de Dieu*** **CNA 311**, ***Agneau vainqueur*** **CNA 310**, ou ***Agneau de Dieu*** **CNA 304** (couplets 3 et 5).

Pendant la communion, ***La Sagesse a dressé une table*** **CNA 332**, ***Recevez le corps du Christ*** **CNA 345**, ***Qui mange ma chair*** **CNA 343**, ***La coupe que nous bénissons*** **CNA 331**.

Pour la procession au reposoir : ***C'est toi, Seigneur, le pain rompu*** **CNA 322**, l'hymne ***Pange lingua*** **CNA 775** ou l'un des chants proposés pour la procession d'ouverture.

Au reposoir, on peut chanter ***Pain véritable*** **CNA 340**, ***Âme du Christ*** **CNA 778** ou ***Pas de plus grand amour*** **CNA 452**, qui introduiront bien à la prière silencieuse.

• **PRIER** • **POUR LA PRÉPARATION PÉNITENTIELLE**

On peut soit dire, soit chanter les invocations proposées dans **CNA 176**, *ou* :

Seigneur Jésus, Agneau de Dieu offert pour nos péchés,
prends pitié de nous.

Ô Christ, pain de la vie nouvelle,
prends pitié de nous.

Seigneur, Maître qui te fais serviteur,
prends pitié de nous.

Pour la prière universelle

Nous pouvons prier :
- pour l'Église qui, à l'image de son maître, doit être servante et pauvre, et au service des plus démunis ;
- pour ceux qui se font rares à la célébration eucharistique, afin qu'ils retrouvent le chemin du repas qui nourrit la vie nouvelle ;
- pour notre communauté qui, par la communion au Corps et au Sang du Christ, devient elle-même Corps du Christ.

• **CÉLÉBRER** • On n'écartera pas trop vite la perspective de mettre en œuvre le lavement des pieds comme le prévoit le Missel romain. Autrefois, ce rite était réservé à l'évêque dans sa cathédrale. Depuis la réforme de la Semaine sainte sous Pie XII, il peut être pratiqué dans les paroisses. Bien fait, ce rite est un geste fort, exprimant de manière parlante la condition de serviteur qu'a voulu prendre le Fils de Dieu pour nous.

Le Jeudi saint est le jour où, par excellence, on peut proposer aux fidèles la communion sous les deux espèces, qui manifeste de manière plus riche la symbolique de l'eucharistie célébrée conformément au double ordre du Seigneur : Prenez et mangez ! Prenez et buvez !

Messe du soir en mémoire de la Cène du Seigneur

Gloire à Dieu

Pendant le chant, les cloches sonnent. Elles se taisent ensuite jusqu'au même chant de la Veillée de Pâques.

Prière d'ouverture

Tu nous appelles, Dieu notre Père, à célébrer ce soir la très sainte Cène où ton Fils unique, avant de se livrer lui-même à la mort, a voulu remettre à son Église le sacrifice nouveau de l'Alliance éternelle ; fais que nous recevions de ce repas qui est le sacrement de son amour, la charité et la vie. Par Jésus Christ.

1re LECTURE *Le repas de la Pâque des Hébreux*

Lecture du livre de l'Exode Ex 12, 1-8.11-14

Dans le pays d'Égypte, le Seigneur dit à Moïse et à son frère Aaron : « Ce mois-ci sera pour vous le premier des mois, il marquera pour vous le commencement de l'année. Parlez ainsi à toute la communauté d'Israël :

Le dix de ce mois, que l'on prenne un agneau par famille, un agneau par maison. Si la maisonnée est trop peu nombreuse pour un agneau, elle le prendra avec son voisin le plus proche, selon le nombre des personnes. Vous choisirez l'agneau d'après ce que chacun peut manger. Ce sera un agneau sans défaut, un mâle, âgé d'un an. Vous prendrez un agneau ou un chevreau. Vous le garderez jusqu'au quatorzième jour du mois. Dans toute l'assemblée de la communauté d'Israël, on l'immolera au coucher du soleil. On prendra du sang que l'on mettra sur les deux montants et sur le linteau des maisons où on le mangera. On mangera sa chair cette nuit-là, on la mangera rôtie au feu, avec des pains sans levain et des herbes amères. Vous mangerez ainsi : la ceinture aux reins, les sandales aux pieds, le bâton à la main. Vous mangerez en toute hâte : c'est la Pâque du Seigneur.

Cette nuit-là, je traverserai le pays d'Égypte, je frapperai tout premier-né au pays d'Égypte, depuis les hommes jusqu'au bétail. Contre tous les dieux de l'Égypte j'exercerai mes jugements : je suis le Seigneur. Le sang sera pour vous un signe, sur les maisons où vous serez. Je verrai le sang, et je passerai : vous ne serez pas atteints par le fléau dont je frapperai le pays d'Égypte.

Ce jour-là sera pour vous un mémorial. Vous en ferez pour le Seigneur une fête de pèlerinage. C'est une loi perpétuelle : d'âge en âge vous la fêterez. »

PSAUME 115

**• Bénis soient la coupe et le pain
où ton peuple prend corps.**

**• Voici la Pâque du Seigneur
au milieu de son peuple.**

Comment rendrai-je au Seigneur
tout le bien qu'il m'a fait ?
J'élèverai la coupe du salut,
j'invoquerai le nom du Seigneur.

Il en coûte au Seigneur
de voir mourir les siens !
Ne suis-je pas, Seigneur, ton serviteur,
moi, dont tu brisas les chaînes ?

Je t'offrirai le sacrifice d'action de grâce,
j'invoquerai le nom du Seigneur.
Je tiendrai mes promesses au Seigneur,
oui, devant tout son peuple.

2e LECTURE *Le pain et la coupe, mémorial de la mort du Seigneur*

Lecture de la première lettre de saint Paul Apôtre
aux Corinthiens 1 Co 11, 23-26

Frères, moi, Paul, je vous ai transmis ce que j'ai reçu de la tradition qui vient du Seigneur : la nuit même où il était livré, le Seigneur Jésus prit du pain, puis, ayant rendu grâce, il le rompit, et dit : « Ceci est mon corps, qui est pour vous. Faites cela en mémoire de moi. » Après le repas, il fit de même avec la coupe, en disant : « Cette coupe est la nouvelle Alliance en mon sang. Chaque fois que vous en boirez, faites cela en mémoire de moi. » Ainsi donc, chaque fois que vous mangez ce pain et que vous buvez à cette coupe, vous proclamez la mort du Seigneur, jusqu'à ce qu'il vienne.

Gloire et louange à toi, Seigneur Jésus. Tu nous donnes un commandement nouveau : Aimez-vous les uns les autres, comme je vous ai aimés. **Gloire et louange à toi, Seigneur Jésus.**

ÉVANGILE *Il les aima jusqu'au bout*

Évangile de Jésus Christ selon saint Jean Jn 13, 1-15

Avant la fête de la Pâque, sachant que l'heure était venue pour lui de passer de ce monde à son Père, Jésus, ayant aimé les siens qui étaient dans le monde, les aima jusqu'au bout. Au cours du repas, alors que le démon avait déjà inspiré à Judas Iscariote, fils de Simon, l'intention de le livrer, Jésus, sachant que le Père a tout remis entre ses mains, qu'il est venu de Dieu et qu'il retourne à Dieu, se lève de table, quitte son vêtement, et prend un linge qu'il se noue à la ceinture ; puis, il verse de l'eau dans un bassin, il se met à laver les pieds des disciples et à les essuyer avec le linge qu'il avait à la ceinture. Il arrive ainsi devant Simon-Pierre. Et Pierre lui dit : « Toi, Seigneur, tu veux me laver les pieds ! » Jésus lui déclara : « Ce que je veux faire, tu ne le sais pas maintenant ; plus tard tu comprendras. » Pierre lui dit : « Tu ne me laveras pas les pieds ; non, jamais ! » Jésus lui répondit : « Si je ne te lave pas, tu n'auras point de part avec moi. » Simon-Pierre lui dit : « Alors, Seigneur, pas seulement les pieds, mais aussi les mains et la tête ! » Jésus lui dit : « Quand on vient de prendre un bain, on n'a pas besoin de se laver : on est pur tout entier. Vous-mêmes, vous êtes purs, ... mais non pas tous. » Il savait bien qui allait le livrer ; et c'est pourquoi il disait : « Vous n'êtes pas tous purs. »

Après leur avoir lavé les pieds, il reprit son vêtement et se remit à table. Il leur dit alors : « Comprenez-vous ce que je viens de faire ? Vous m'appelez "Maître" et "Seigneur", et vous avez raison, car vraiment je le suis. Si donc moi, le Seigneur et le Maître, je vous ai lavé les pieds, vous aussi vous devez vous laver les pieds les uns aux autres. C'est un exemple que je vous ai donné afin que vous fassiez, vous aussi, comme j'ai fait pour vous. »

Lavement des pieds

Aujourd'hui, on ne dit pas le Credo.

Prière sur les offrandes

Seigneur, accorde-nous la grâce de vraiment participer à cette eucharistie ; car chaque fois qu'est célébré ce sacrifice en mémorial, c'est l'œuvre de notre Rédemption qui s'accomplit. Par Jésus.

Préface

Vraiment, il est juste et bon de te rendre gloire, de t'offrir notre action de grâce, toujours et en tout lieu, à toi, Père très saint, Dieu éternel et tout-puissant, par le Christ, notre Seigneur.

C'est lui le prêtre éternel et véritable, qui apprit à ses disciples comment perpétuer son sacrifice ; il s'est offert à toi en victime pour notre salut ; il nous a prescrit d'accomplir après lui cette offrande pour célébrer son mémorial.

Quand nous mangeons sa chair immolée pour nous, nous sommes fortifiés ; quand nous buvons le sang qu'il a versé pour nous, nous sommes purifiés.

C'est pourquoi, avec les anges et les archanges, avec les puissances d'en haut et tous les esprits bienheureux, nous chantons l'hymne de ta gloire et sans fin nous proclamons : **Saint !...**

Dans les prières eucharistiques, il y a des textes propres au Jeudi saint.

Prière après la communion

Nous avons repris des forces, Dieu tout-puissant, en participant ce soir à la Cène de ton Fils ; accorde-nous d'être un jour rassasiés à la table de son Royaume éternel. Lui qui règne.

Ensuite le prêtre porte solennellement au lieu prévu le pain eucharistique pour la communion du lendemain et pour l'adoration dans la soirée.

JÉSUS AU SERVICE DE L'HOMME : LE LAVEMENT DES PIEDS

Au temps de Jésus, la coutume du lavement des pieds est un geste d'accueil et d'hospitalité. Au seuil de la porte, les esclaves lavaient les pieds de leur maître, les femmes ceux de leur mari, les enfants ceux de leur père. Mais dans l'évangile tout s'inverse : le geste a lieu au cours du repas et le maître l'accomplit.

Le Christ n'entre pas dans sa Passion en victime mais en homme libre : « Ma vie, nul ne la prend, c'est moi qui la donne » (Jn 10, 18). Il « sait » qu'il va être livré aux forces du mal dont la trahison de Judas est l'instrument. Il sait que son heure est venue. « Comme il avait aimé les siens qui étaient dans le monde, il les aima jusqu'au bout », rappelons-nous dans la prière eucharistique IV. Ce verset, au début de l'évangile du lavement des pieds (Jn 13, 1-20), est la clé de lecture du geste de Jésus. Le sens du lavement des pieds se comprend sur le fond de la croix, là même où le Fils de Dieu est élevé. Pour laver les pieds de ses Apôtres, Jésus enlève son vêtement, comme « il s'est dépouillé lui-même en prenant la condition de serviteur » (Ph 2, 7).

Comment comprendre ce geste déroutant de Jésus ? Dans l'évangile, Pierre veut être lavé tout entier. Il raisonne sur le registre de la purification rituelle et non sur celui de la relation entre le disciple et son maître. Il n'a pas compris que le geste d'amour, figuré dans le lavement des pieds, est suffisant en lui-même parce qu'il est un symbole de l'abaissement de Jésus sur la croix. Et en s'abaissant, Jésus est Seigneur.

Le lavement des pieds instaure une nouvelle pratique, un renversement des valeurs : le maître ne se situe pas dans un rapport de force mais entoure l'autre de sa sollicitude, sans tenter de l'aliéner. Cependant, le geste de Jésus n'appelle pas seulement une imitation. Il a valeur de fondement. L'amour illimité de Jésus jusqu'à la croix fonde l'amour qu'il demande de ses disciples.

Quelle puissance ne faut-il pas à Dieu pour que l'amour en lui soit sans condescendance ? Jésus nous révèle cela quand il lave les pieds des siens. Son geste dit en vérité comment Dieu aime.

S. G.

Vendredi saint

18 avril 2014

DEUX PASSIONS

Le Vendredi saint célèbre la Passion du Seigneur. Le mot « passion » a deux sens. Celui qu'il a en ce jour désigne le fait de souffrir, de pâtir. La Passion du Christ est ce qu'il a souffert dans les dernières heures de son existence terrestre. Ces dernières heures furent, à vue humaine, atroces. Après la flagellation, il subit le supplice réservé aux esclaves, la crucifixion, sans doute l'une des tortures les plus cruelles inventées par l'ingéniosité humaine. Le Vendredi saint, nous entendons chaque année le récit de cette Passion dans la version que nous offre Jean *(évangile)*. Le Christ y apparaît avec majesté. Il est la victime, mais, fondamentalement, il reste le maître de l'histoire.

En Jean, sa seule plainte est : « J'ai soif ». Soif d'une boisson qui vienne un peu désaltérer son corps exsangue. Soif aussi d'un amour qui réponde à son amour. Car l'odieuse Passion qu'il subit ne s'explique finalement que par une autre passion, celle qu'il nous porte : littéralement, il nous aime à en mourir. C'est pour manifester l'amour de Dieu envers nous qu'il s'abaisse jusque-là : telle est la vérité dont il est venu témoigner dans le monde (verset 37). Sa mission, voulue par le Père, c'est de manifester cet amour divin, quoi qu'il en coûte. Et cela lui a coûté énormément. Jésus a dû faire un chemin intérieur pour actualiser cette volonté du Père : « Bien qu'il soit le Fils, il a pourtant appris l'obéissance par les souffrances de sa Passion ; et, ainsi conduit à sa perfection, il est devenu pour tous ceux qui lui obéissent, la cause du salut éternel » *(deuxième lecture)*. On en trouvait déjà l'annonce dans le livre d'Isaïe : « Parce qu'il a connu la souffrance, le juste, mon serviteur, justifiera les multitudes, il se chargera de leurs péchés » *(première lecture)*. Et aussi, paradoxalement, dans la conclusion d'un raisonnement purement politique formulée par le grand prêtre Caïphe : « Il vaut mieux qu'un seul homme meure pour tout le peuple ».

Finalement, par la Passion du Christ, s'établit un extraordinaire échange d'amour entre Dieu et les hommes.

Suggestions pour la célébration

• **CHANTER** • Le silence tient une grande place dans la célébration du Vendredi saint. Ainsi, on ne chante pas de chant d'ouverture. Le premier chant sera le psaume 30, **CNA p. 50.**

À la fin de la lecture de la Passion, on peut chanter : ***C'était nos péchés qu'il portait*** **CNA 463** ou ***Mystère du Calvaire*** **CNA 464.**

Pendant la vénération de la Croix : ***Croix plantée sur nos chemins*** **H 189.** On peut encore chanter les Impropères **CNA 461** ou ***Quand Jésus mourait au Calvaire*** **CNA 627.**

Pendant la communion : ***Partageons le pain du Seigneur*** **CNA 342** ou ***Pour ton corps qui se livre*** **H 30.**

• **CÉLÉBRER** • Outre les chants indiqués ci-dessus, on pourra soigner la mise en œuvre du psaume 21 « Mon Dieu, mon Dieu, pourquoi m'as-tu abandonné ? » soit par une cantillation adaptée à la gravité du jour, soit par une déclamation sobre, l'une et l'autre accordées au poids de souffrance qui y est évoqué.

Célébration de la Passion du Seigneur

Après un moment de prière en silence :

Prière d'ouverture

Seigneur, nous savons que tu aimes sans mesure, toi qui n'as pas refusé ton propre Fils mais qui l'as livré pour sauver tous les hommes ; aujourd'hui encore, montre-nous ton amour : nous voulons suivre le Christ qui marche librement vers sa mort ; soutiens-nous comme tu l'as soutenu, et sanctifie-nous dans le mystère de sa Pâque. Lui qui règne avec toi et le Saint-Esprit, maintenant et pour les siècles des siècles.

ou une autre prière.

1re LECTURE *C'est à cause de nos fautes qu'il a été broyé*

Lecture du livre d'Isaïe Is 52, 13–53, 12

Mon serviteur réussira, dit le Seigneur ; il montera, il s'élèvera, il sera exalté !

La multitude avait été consternée en le voyant, car il était si défiguré qu'il ne ressemblait plus à un homme ; il n'avait plus l'aspect d'un fils d'Adam. Et voici qu'il consacrera une multitude de nations ; devant lui les rois resteront bouche bée, car ils verront ce qu'on ne leur avait jamais dit, ils découvriront ce dont ils n'avaient jamais entendu parler. Qui aurait cru ce que nous avons entendu ? À qui la puissance du Seigneur a-t-elle été ainsi révélée ? Devant Dieu, le serviteur a poussé comme une plante chétive, enracinée dans une terre aride. Il n'était ni beau ni brillant pour attirer nos regards, son extérieur n'avait rien pour nous plaire. Il était méprisé, abandonné de tous, homme de douleurs, familier de la souffrance, semblable au lépreux dont on se détourne ; et nous l'avons méprisé, compté pour rien. Pourtant, c'étaient nos souffrances qu'il portait, nos douleurs dont il était chargé. Et nous, nous pensions qu'il était châtié, frappé par Dieu, humilié. Or, c'est à cause de nos fautes qu'il a été transpercé, c'est par nos péchés qu'il a été broyé. Le châtiment qui nous obtient la paix est tombé sur lui, et c'est par ses blessures que nous sommes guéris.

Nous étions tous errants comme des brebis, chacun suivait son propre chemin. Mais le Seigneur a fait retomber sur lui nos fautes à nous tous. Maltraité, il s'humilie, il n'ouvre pas la bouche ; comme un agneau conduit à l'abattoir, comme une brebis muette devant les tondeurs, il n'ouvre pas la bouche. Arrêté, puis jugé, il a été supprimé. Qui donc s'est soucié de son destin ? Il a été retranché de la terre des vivants, frappé à cause des péchés de son peuple. On l'a enterré avec les mécréants, son tombeau est avec ceux des enrichis ; et pourtant il n'a jamais commis l'injustice, ni proféré le mensonge. Broyé par la souffrance, il a plu au Seigneur. Mais, s'il fait de sa vie un sacrifice d'expiation, il verra sa descendance, il prolongera ses jours ; par lui s'accomplira la volonté du Seigneur.

À cause de ses souffrances, il verra la lumière, il sera comblé. Parce qu'il a connu la souffrance, le juste, mon serviteur, justifiera les multitudes, il se chargera de leurs péchés. C'est pourquoi je lui donnerai la multitude en partage, les puissants seront la part qu'il recevra, car il s'est dépouillé lui-même jusqu'à la mort, il a été compté avec les pécheurs, alors qu'il portait le péché des multitudes et qu'il intercédait pour les pécheurs.

PSAUME 30

• **Ô Père, dans tes mains je remets mon esprit.**

• **En tes mains, Seigneur, je remets mon esprit.**

En toi, Seigneur, j'ai mon refuge ;
garde-moi d'être humilié pour toujours.
En tes mains, je remets mon esprit ;
tu me rachètes, Seigneur, Dieu de vérité.

Je suis la risée de mes adversaires
et même de mes voisins ;
je fais peur à mes amis,
s'ils me voient dans la rue, ils me fuient.

On m'ignore comme un mort oublié,
comme une chose qu'on jette.
J'entends les calomnies de la foule ;
ils s'accordent pour m'ôter la vie.

Moi, je suis sûr de toi, Seigneur,
je dis : « Tu es mon Dieu ! »
Mes jours sont dans ta main : délivre-moi
des mains hostiles qui s'acharnent.

Sur ton serviteur, que s'illumine ta face ;
sauve-moi par ton amour.
Soyez forts, prenez courage,
vous tous qui espérez le Seigneur !

2e LECTURE *Il a connu l'épreuve comme nous*

Lecture de la lettre aux Hébreux He 4, 14-16 ; 5, 7-9

Frères, en Jésus, le Fils de Dieu, nous avons le grand prêtre par excellence, celui qui a pénétré au-delà des cieux ; tenons donc ferme l'affirmation de notre foi. En effet, le grand prêtre que nous avons n'est pas incapable, lui, de partager nos faiblesses ; en toutes choses, il a connu l'épreuve comme nous, et il n'a pas péché. Avançons-nous donc avec pleine assurance vers le Dieu tout-puissant qui fait grâce, pour obtenir miséricorde et recevoir, en temps voulu, la grâce de son secours.

Le Christ, pendant les jours de sa vie mortelle, a présenté, avec un grand cri et dans les larmes, sa prière et sa supplication à Dieu qui pouvait le sauver de la mort ; et parce qu'il s'est soumis en tout, il a été exaucé. Bien qu'il soit le Fils, il a pourtant appris l'obéissance par les souffrances de sa passion ; et, ainsi conduit à sa perfection, il est devenu, pour tous ceux qui lui obéissent, la cause du salut éternel.

Christ, mort pour nos péchés,
Christ, ressuscité pour notre vie !
Pour nous, le Christ s'est fait obéissant, jusqu'à la mort, et la mort sur une croix. Voilà pourquoi Dieu l'a élevé souverainement et lui a donné le Nom qui est au-dessus de tout nom.
Christ, mort pour nos péchés,
Christ, ressuscité pour notre vie !

ÉVANGILE *Il vaut mieux qu'un seul homme meure pour tout le peuple*

La Passion de notre Seigneur Jésus Christ selon saint Jean Jn 18, 1–19, 42

On peut lire la Passion à plusieurs voix : L. = *le lecteur,* + = *Jésus,* D. = *les disciples,* F. = *la foule,* A. = *les autres personnages. On peut aussi changer de lecteur au fur et à mesure des différents épisodes.*

1. Jésus est arrêté

L. Après le repas, Jésus sortit avec ses disciples et traversa le torrent du Cédron ; il y avait là un jardin, dans lequel il entra avec ses disciples. Judas, qui le livrait, connaissait l'endroit, lui aussi, car Jésus y avait souvent réuni ses disciples. Judas prit donc avec lui un détachement de soldats, et des gardes envoyés par les chefs des prêtres et les pharisiens. Ils avaient des lanternes, des torches et des armes. Alors Jésus, sachant tout ce qui allait lui arriver, s'avança et leur dit :
+ « Qui cherchez-vous ? »
L. Ils lui répondirent :
F. « Jésus le Nazaréen. »
L. Il leur dit :
+ « C'est moi. »
L. Judas, qui le livrait, était au milieu d'eux. Quand Jésus leur répondit : « C'est moi », ils reculèrent, et ils tombèrent par terre. Il leur demanda de nouveau :
+ « Qui cherchez-vous ? »
L. Ils dirent :
F. « Jésus le Nazaréen. »
L. Jésus répondit :
+ « Je vous l'ai dit : c'est moi. Si c'est bien moi que vous cherchez, ceux-là, laissez-les partir. »
L. (Ainsi s'accomplissait la parole qu'il avait dite : « Je n'ai perdu aucun de ceux que tu m'as donnés. ») Alors Simon-Pierre, qui avait une épée, la tira du fourreau ; il frappa le serviteur du grand prêtre et lui coupa l'oreille droite. Le nom de ce serviteur était Malcus. Jésus dit à Pierre :
+ « Remets ton épée au fourreau. Est-ce que je vais refuser la coupe que le Père m'a donnée à boire ? »
L. Alors les soldats, le commandant et les gardes juifs se saisissent de Jésus et l'enchaînent. Ils l'emmenèrent d'abord chez Anne, beau-père de Caïphe, le grand prêtre de cette année-là. (C'est Caïphe qui avait donné aux Juifs cet avis : « Il vaut mieux qu'un seul homme meure pour tout le peuple. »)

2. Jésus est renié par Pierre

L. Simon-Pierre et un autre disciple suivaient Jésus. Comme ce disciple était connu du grand prêtre, il entra avec Jésus dans la cour de la maison du grand prêtre, mais Pierre était resté dehors, près de la porte. Alors l'autre disciple – celui qui était connu du grand prêtre – sortit, dit un mot à la jeune servante qui gardait la porte et fit entrer Pierre. La servante dit alors à Pierre :
A. « N'es-tu pas, toi aussi, un des disciples de cet homme-là ? »
L. Il répondit :
D. « Non, je n'en suis pas ! »
L. Les serviteurs et les gardes étaient là ; comme il faisait froid, ils avaient allumé un feu pour se réchauffer. Pierre était avec eux, et se chauffait lui aussi.

3. Jésus est interrogé par le grand prêtre

L. Or, le grand prêtre questionnait Jésus sur ses disciples et sur sa doctrine. Jésus lui répondit :
+ « J'ai parlé au monde ouvertement. J'ai toujours enseigné dans les synagogues et dans le Temple, là où tous les Juifs se réunissent, et je n'ai jamais parlé en cachette. Pourquoi me questionnes-tu ? Ce que j'ai dit, demande-le à ceux qui sont venus m'entendre. Eux savent ce que j'ai dit. »
L. À cette réponse, un des gardes, qui était à côté de Jésus, lui donna une gifle en disant :
A. « C'est ainsi que tu réponds au grand prêtre ! »
L. Jésus lui répliqua :
+ « Si j'ai mal parlé, montre ce que j'ai dit de mal ; mais si j'ai bien parlé, pourquoi me frappes-tu ? »
L. Anne l'envoya, toujours enchaîné, au grand prêtre Caïphe.

4. Jésus est renié par Pierre pour la seconde fois

L. Simon-Pierre était donc en train de se chauffer ; on lui dit :
A. « N'es-tu pas un de ses disciples, toi aussi ? »
L. Il répondit :

D. « Non, je n'en suis pas ! »
L. Un des serviteurs du grand prêtre, parent de celui à qui Pierre avait coupé l'oreille, insista :
A. « Est-ce que je ne t'ai pas vu moi-même dans le jardin avec lui ? »
L. Encore une fois, Pierre nia. À l'instant le coq chanta.

5. *Jésus est emmené chez Pilate*

L. Alors on emmène Jésus de chez Caïphe au palais du gouverneur. C'était le matin. Les Juifs n'entrèrent pas eux-mêmes dans le palais, car ils voulaient éviter une souillure qui les aurait empêchés de manger l'agneau pascal. Pilate vint au-dehors pour leur parler :
A. « Quelle accusation portez-vous contre cet homme ? »
L. Ils lui répondirent :
F. « S'il ne s'agissait pas d'un malfaiteur, nous ne te l'aurions pas livré. »
L. Pilate leur dit :
A. « Reprenez-le, et vous le jugerez vous-mêmes suivant votre loi. »
L. Les Juifs lui dirent :
F. « Nous n'avons pas le droit de mettre quelqu'un à mort. »
L. Ainsi s'accomplissait la parole que Jésus avait dite pour signifier de quel genre de mort il allait mourir.

6. *Jésus est interrogé par Pilate*

L. Alors Pilate rentra dans son palais, appela Jésus et lui dit :
A. « Es-tu le roi des Juifs ? »
L. Jésus lui demanda :
\+ « Dis-tu cela de toi-même, ou bien parce que d'autres te l'ont dit ? »
L. Pilate répondit :
A. « Est-ce que je suis Juif, moi ? Ta nation et les chefs des prêtres t'ont livré à moi : qu'as-tu donc fait ? »
L. Jésus déclara :

+ « Ma royauté ne vient pas de ce monde ; si ma royauté venait de ce monde, j'aurais des gardes qui se seraient battus pour que je ne sois pas livré aux Juifs. Non, ma royauté ne vient pas d'ici. »
L. Pilate lui dit :
A. « Alors tu es roi ? »
L. Jésus répondit :
+ « C'est toi qui dis que je suis roi. Je suis né, je suis venu dans le monde pour ceci : rendre témoignage à la vérité. Tout homme qui appartient à la vérité écoute ma voix. »
L. Pilate lui dit :
A. « Qu'est-ce que la vérité ? »

7. Jésus est flagellé et couronné d'épines

L. Après cela, il sortit de nouveau pour aller vers les Juifs, et il leur dit :
A. « Moi, je ne trouve en lui aucun motif de condamnation. Mais c'est la coutume chez vous que je relâche quelqu'un pour la Pâque : voulez-vous que je vous relâche le roi des Juifs ? »
L. Mais ils se mirent à crier :
F. « Pas lui ! Barabbas ! »
L. (Ce Barabbas était un bandit.)
Alors Pilate ordonna d'emmener Jésus pour le flageller. Les soldats tressèrent une couronne avec des épines, et la lui mirent sur la tête ; puis ils le revêtirent d'un manteau de pourpre. Ils s'avançaient vers lui et ils disaient :
F. « Honneur à toi, roi des Juifs ! »
L. Et ils le giflaient.

8. Jésus est interrogé par Pilate pour la deuxième fois

L. Pilate sortit de nouveau pour dire aux Juifs :
A. « Voyez, je vous l'amène dehors pour que vous sachiez que je ne trouve en lui aucun motif de condamnation. »
L. Alors Jésus sortit, portant la couronne d'épines et le manteau de pourpre. Et Pilate leur dit :
A. « Voici l'homme. »

L. Quand ils le virent, les chefs des prêtres et les gardes se mirent à crier :
F. « Crucifie-le ! Crucifie-le ! »
L. Pilate leur dit :
A. « Reprenez-le, et crucifiez-le vous-mêmes ; moi, je ne trouve en lui aucun motif de condamnation. »
L. Les Juifs lui répondirent :
F. « Nous avons une Loi, et suivant la Loi il doit mourir, parce qu'il s'est prétendu Fils de Dieu. »
L. Quand Pilate entendit ces paroles, il redoubla de crainte. Il rentra dans son palais, et dit à Jésus :
A. « D'où es-tu ? »
L. Jésus ne lui fit aucune réponse. Pilate lui dit alors :
A. « Tu refuses de me parler, à moi ? Ne sais-tu pas que j'ai le pouvoir de te relâcher, et le pouvoir de te crucifier ? »
L. Jésus répondit :
+ « Tu n'aurais aucun pouvoir sur moi si tu ne l'avais reçu d'en haut ; ainsi, celui qui m'a livré à toi est chargé d'un péché plus grave. »
L. Dès lors, Pilate cherchait à le relâcher ; mais les Juifs se mirent à crier :
F. « Si tu le relâches, tu n'es pas ami de l'empereur. Quiconque se fait roi s'oppose à l'empereur. »
L. En entendant ces paroles, Pilate amena Jésus au-dehors ; il le fit asseoir sur une estrade à l'endroit qu'on appelle le Dallage (en hébreu : Gabbatha). C'était un vendredi, la veille de la Pâque, vers midi. Pilate dit aux Juifs :
A. « Voici votre roi. »
L. Alors ils crièrent :
F. « À mort À mort ! Crucifie-le ! »
L. Pilate leur dit :
A. « Vais-je crucifier votre roi ? »
L. Les chefs des prêtres répondirent :
F. « Nous n'avons pas d'autre roi que l'empereur. »

L. Alors, il leur livra Jésus pour qu'il soit crucifié, et ils se saisirent de lui.

9. Jésus est crucifié

L. Jésus, portant lui-même sa croix, sortit en direction du lieu dit en hébreu : Golgotha (nom qui se traduit : « Calvaire » c'est-à-dire « Crâne »). Là, ils le crucifièrent, et avec lui deux autres, un de chaque côté, et Jésus au milieu.
Pilate avait rédigé un écriteau qu'il fit placer sur la croix, avec cette inscription : « Jésus le Nazaréen, roi des Juifs. » Comme on avait crucifié Jésus dans un endroit proche de la ville, beaucoup de Juifs lurent cet écriteau, qui était libellé en hébreu, en latin et en grec. Alors les prêtres des Juifs dirent à Pilate :
F. « Il ne fallait pas écrire : "Roi des Juifs" ; il fallait écrire : Cet homme a dit : "Je suis le roi des Juifs". »
L. Pilate répondit :
A. « Ce que j'ai écrit, je l'ai écrit. »

10. Les vêtements de Jésus sont tirés au sort

L. Quand les soldats eurent crucifié Jésus, ils prirent ses habits ; ils en firent quatre parts, une pour chacun. Restait la tunique ; c'était une tunique sans couture, tissée tout d'une pièce de haut en bas. Alors ils se dirent entre eux :
A. « Ne la déchirons pas, tirons au sort celui qui l'aura. »
L. Ainsi s'accomplissait la parole de l'Écriture : « Ils se sont partagé mes habits ; ils ont tiré au sort mon vêtement. » C'est bien ce que firent les soldats.

11. La mère de Jésus était là

L. Or, près de la croix de Jésus se tenait sa mère, avec la sœur de sa mère, Marie femme de Cléophas et Marie Madeleine. Jésus, voyant sa mère, et près d'elle le disciple qu'il aimait, dit à sa mère :
\+ « Femme, voici ton fils. »
L. Puis il dit au disciple :
\+ « Voici ta mère. »

L. Et à partir de cette heure-là, le disciple la prit chez lui.

12. JÉSUS MEURT SUR LA CROIX

L. Après cela, sachant que désormais toutes choses étaient accomplies, et pour que l'Écriture s'accomplisse jusqu'au bout, Jésus dit :
+ « J'ai soif. »
L. Il y avait là un récipient plein d'une boisson vinaigrée. On fixa donc une éponge remplie de ce vinaigre à une branche d'hysope, et on l'approcha de sa bouche. Quand il eut pris le vinaigre, Jésus dit :
+ « Tout est accompli. »
L. Puis, inclinant la tête, il remit l'esprit.

Ici on se met à genoux, et on prie un instant en silence.

13. LE CŒUR DE JÉSUS EST PERCÉ D'UN COUP DE LANCE

L. Comme c'était le vendredi, il ne fallait pas laisser des corps en croix durant le sabbat (d'autant plus que ce sabbat était le grand jour de la Pâque). Aussi les Juifs demandèrent à Pilate qu'on enlève les corps après leur avoir brisé les jambes. Des soldats allèrent donc briser les jambes du premier puis du deuxième des condamnés que l'on avait crucifiés avec Jésus. Quand ils arrivèrent à celui-ci, voyant qu'il était déjà mort, ils ne lui brisèrent pas les jambes, mais un des soldats avec sa lance lui perça le côté ; et aussitôt, il en sortit du sang et de l'eau. Celui qui a vu rend témoignage, afin que vous croyiez vous aussi. (Son témoignage est véridique et le Seigneur sait qu'il dit vrai.) Tout cela est arrivé afin que cette parole de l'Écriture s'accomplisse : « Aucun de ses os ne sera brisé. » Et un autre passage dit encore : « Ils lèveront les yeux vers celui qu'ils ont transpercé. »

14. JÉSUS EST MIS AU TOMBEAU

L. Après cela, Joseph d'Arimathie, qui était disciple de Jésus, mais en secret par peur des Juifs, demanda à Pilate de pouvoir enlever le corps de Jésus. Et Pilate le permit. Joseph vint donc enlever le corps de Jésus. Nicodème (celui qui la première fois était venu trouver Jésus pendant la nuit) vint lui aussi ; il apportait un mélange de myrrhe et d'aloès pesant environ cent livres. Ils prirent le corps de Jésus, et ils l'enveloppèrent d'un linceul, en employant les aromates selon la manière juive d'ensevelir les morts. Près du lieu où Jésus avait été crucifié, il y avait un jardin, et dans ce jardin, un tombeau neuf dans lequel on n'avait encore mis personne. Comme le sabbat des Juifs allait commencer, et que ce tombeau était proche, c'est là qu'ils déposèrent Jésus.

Prière universelle

1. Pour l'Église

Prions, frères bien-aimés, pour la sainte Église de Dieu : que le Père tout-puissant lui donne la paix et l'unité, qu'il la protège dans tout l'univers ; et qu'il nous accorde une vie calme et paisible pour que nous rendions grâce à notre Dieu.

Tous prient en silence. Puis le prêtre dit :

Dieu éternel et tout-puissant, dans le Christ, tu as révélé ta gloire à tous les peuples ; protège l'œuvre de ton amour : afin que ton Église répandue par tout l'univers demeure inébranlable dans la foi pour proclamer ton nom. Par Jésus, le Christ, notre Seigneur. **Amen.**

2. Pour le pape

Prions pour notre saint Père le pape, N., élevé par Dieu notre Seigneur à l'ordre épiscopal : qu'il le garde sain et sauf à son Église pour gouverner le peuple de Dieu.

Dieu éternel et tout-puissant dont la sagesse organise toutes choses, daigne écouter notre prière : protège avec amour le pape que tu as choisi, afin que, sous la conduite de ce pasteur, le peuple chrétien que tu gouvernes progresse toujours dans la foi. Par Jésus, le Christ, notre Seigneur. **Amen.**

3. Pour le clergé et le peuple fidèle

Prions pour notre évêque, N., pour tous les évêques, les prêtres, les diacres, pour tous ceux qui remplissent des ministères dans l'Église et pour l'ensemble du peuple des croyants.

Dieu éternel et tout-puissant dont l'Esprit sanctifie et gouverne le corps entier de l'Église, exauce les prières que nous t'adressons pour tous les ordres de fidèles qui la composent : que chacun d'eux, par le don de ta grâce, te serve avec fidélité. Par Jésus, le Christ, notre Seigneur. **Amen.**

4. Pour les catéchumènes

Prions pour les (nos) catéchumènes : que Dieu notre Seigneur ouvre leur intelligence et leur cœur, et les accueille dans sa miséricorde ; après avoir reçu le pardon de tous leurs péchés par le bain de la naissance nouvelle, qu'ils soient incorporés à notre Seigneur Jésus Christ.

Dieu éternel et tout-puissant, toi qui assures toujours la fécondité de ton Église, augmente en nos catéchumènes l'intelligence et la foi : qu'ils renaissent à la source du baptême et prennent place parmi tes enfants d'adoption. Par Jésus, le Christ, notre Seigneur. **Amen.**

5. Pour l'unité des chrétiens

Prions pour tous nos frères qui croient en Jésus Christ et s'efforcent de conformer leur vie à la vérité : demandons au Seigneur notre Dieu de les rassembler et de les garder dans l'unité de son Église.

Dieu éternel et tout-puissant, toi qui rassembles ce qui est dispersé et qui fait l'unité de ce que tu rassembles, regarde avec amour l'Église de ton Fils : nous te prions d'unir dans la totalité de la foi et par le lien de la charité tous les hommes qu'un seul baptême a consacrés. Par Jésus, le Christ, notre Seigneur. **Amen.**

6. Pour le peuple juif

Prions pour les Juifs à qui Dieu a parlé en premier : qu'ils progressent dans l'amour de son Nom et la fidélité à son Alliance.

Dieu éternel et tout-puissant, toi qui as choisi Abraham et sa descendance pour en faire les fils de ta promesse, conduis à la plénitude de la rédemption le premier peuple de l'Alliance, comme ton Église t'en supplie. Par Jésus, le Christ, notre Seigneur. **Amen.**

7. Pour les autres croyants

Prions pour ceux qui ne croient pas en Jésus Christ : demandons qu'à la lumière de l'Esprit Saint, ils soient capables eux aussi de s'engager pleinement sur le chemin du salut.

Dieu éternel et tout-puissant, donne à ceux qui ne croient pas au Christ d'aller sous ton regard avec un cœur sincère, afin de parvenir à la connaissance de la vérité ; et donne-nous de mieux nous aimer les uns les autres et d'ouvrir davantage notre vie à la tienne, pour être dans le monde de meilleurs témoins de ton amour. Par Jésus, le Christ, notre Seigneur. **Amen.**

8. Pour ceux qui ne connaissent pas Dieu

Prions pour ceux qui ne connaissent pas Dieu : demandons qu'en obéissant à leur conscience ils parviennent à le reconnaître.

Dieu éternel et tout-puissant, toi qui as créé les hommes pour qu'ils te cherchent de tout leur cœur et que leur cœur s'apaise en te trouvant, fais qu'au milieu des difficultés de ce monde tous puissent discerner les signes de ta bonté et rencontrer des témoins de ton amour : qu'ils aient le bonheur de te reconnaître, toi, le seul vrai Dieu et le Père de tous les hommes. Par Jésus, le Christ, notre Seigneur. **Amen.**

9. Pour les pouvoirs publics

Prions pour les chefs d'État et tous les responsables des affaires publiques : que le Seigneur notre Dieu dirige leur esprit et leur cœur selon sa volonté pour la paix et la liberté de tous.

Dieu éternel et tout-puissant, toi qui tiens en ta main le cœur des hommes, et garantis les droits des peuples, viens en aide à ceux qui exercent le pouvoir ; que partout sur la terre s'affermissent avec ta grâce la sécurité et la paix, la prospérité des nations et la liberté religieuse. Par Jésus, le Christ, notre Seigneur. **Amen.**

10. Pour nos frères dans l'épreuve

Frères bien-aimés, prions Dieu le Père tout-puissant d'avoir pitié des hommes dans l'épreuve : qu'il débarrasse le monde de toute erreur, qu'il chasse les épidémies et repousse la famine, qu'il vide les prisons et délivre les captifs, qu'il protège ceux qui voyagent, qu'il ramène chez eux les exilés, qu'il donne la force aux malades, et accorde le salut aux mourants.

Dieu éternel et tout-puissant, consolation des affligés, force de ceux qui peinent, entends les prières des hommes qui t'appellent, quelles que soient leurs souffrances : qu'ils aient la joie de trouver dans leurs détresses le secours de ta miséricorde. Par Jésus, le Christ, notre Seigneur. **Amen.**

Adoration et vénération de la croix

Une grande croix est apportée dans l'église, en passant au milieu de l'assemblée, ou bien une croix voilée est découverte peu à peu.

Voici le bois de la Croix, qui a porté le salut du monde.
Venez, adorons le Seigneur.

Ou une autre acclamation. Puis chacun vient vénérer la croix.

On apporte sur l'autel le pain consacré à la messe du Jeudi saint.

Notre Père...

On omet les rites de paix et de la fraction et le chant de l'Agneau de Dieu.

Prière après la communion

Dieu de puissance et de miséricorde, toi qui nous as renouvelés par la mort et la résurrection de ton Christ, entretiens en nous l'œuvre de ton amour ; que notre communion à ce mystère consacre notre vie à ton service. Par Jésus, le Christ, notre Seigneur. **Amen.**

Bénédiction

Que ta bénédiction, Seigneur, descende en abondance sur ton peuple qui a célébré la mort de ton Fils dans l'espérance de sa propre résurrection : accorde-lui pardon et réconfort, augmente sa foi, assure son éternelle rédemption. Par Jésus, le Christ, notre Seigneur. **Amen.**

La célébration se termine dans le silence et le recueillement.

Mon Dieu, mon Dieu, pourquoi... ?

« La dernière prière de Jésus mourant. Quelle est-elle ? Pour Marc et Matthieu, c'est le début du psaume 21 (22) : Éloï, Éloï, lama sabacthani ? (Mc 15,34 et Mt 27,46). On peut comprendre, soit que Jésus prend à son compte ce psaume messianique qui s'achève dans la confiance de la victoire, soit que Jésus meurt dans l'angoisse et l'obscurité de la foi. [...] Je crois que l'utilisation de l'ensemble du psaume dans les récits évangéliques de *la Passion et de la Résurrection,* empêche de donner une interprétation psychologique de ce cri de Jésus. C'est tout ce psaume qui est appliqué au drame du crucifié qui, comme le psalmiste, voit surgir l'assemblée de ses "frères", c'est-à-dire l'Église de la Résurrection. Quoi qu'il en soit, Jésus meurt dans la foi. Il s'en est remis au Père de tout le soin de lui-même. Même s'il ne voit pas de façon concrète comment le Père répondra à son sacrifice, il fait de sa terrible mort un pas de plus dans la confiance éperdue qu'il a en Dieu Père. »

Ph. Ferlay, *Jésus notre Pâque : Théologie du mystère pascal,*
Le Centurion, 1977, p. 77-78.

Résurrection du Seigneur
Veillée pascale

19 avril 2014

LE TROISIÈME JOUR

Le Christ est ressuscité le troisième jour. Le troisième jour, ce n'est pas le samedi mais le dimanche. Conformément à l'usage biblique, où le jour commence la veille au soir, la Veillée pascale appartient donc déjà au dimanche de Pâques. Elle ouvre le troisième jour du Triduum. Le Samedi saint, seule est célébrée la liturgie des Heures, qui commémore le repos du Christ au tombeau et sa descente au séjour des morts pour déjà y apporter la vie.

La Veillée pascale est la célébration principale du Triduum, comme elle est d'ailleurs la célébration principale de l'année liturgique, car elle est le mémorial de ce qui constitue le cœur de la vie chrétienne : la participation à la mort et à la résurrection du Christ. Elle fait passer de l'obscurité à la lumière, de l'Ancienne à la Nouvelle Alliance, du péché à la purification par l'eau du baptême qui fait entrer dans la vie nouvelle du Christ ressuscité. Ce passage est déployé en quatre parties : l'office de la lumière et l'annonce de la Pâque, la liturgie de la Parole, la liturgie baptismale, la liturgie eucharistique.

La Veillée pascale est une célébration qui demande du temps. Il faut la déconseiller aux gens pressés ! Mais ne convient-il pas de donner généreusement de notre temps, au moins une fois par an, pour célébrer sans hâte, pour savourer sans stress, le mystère central de notre foi ?

Car il faut du temps pour passer des ténèbres à la lumière, de la mort à la vie : du temps « pascal », précisément, puisque Pâques signifie passage. C'est une sorte d'accouchement. Ainsi, le baptême par immersion, qui est la forme normale du baptême, même si elle est la forme la moins pratiquée, mime, en quelque sorte, un accouchement : de même que l'enfant sort du sein maternel pour passer dans la vie sociale où il pourra entrer en relation avec autrui, ainsi le baptisé, plongé dans l'eau, en émerge pour participer à la vie nouvelle qui le met en relation avec la Trinité sainte et tous les membres du Christ qui forment l'Église. C'est une sorte de « mutation » dans l'évolution de l'être humain, qui passe de la vie simplement biologique à la vie dans l'Esprit, souffle divin de vie.

Car le troisième jour du Triduum donne accès à l'éternité. Il est le huitième jour de la Grande semaine, le chiffre huit signifiant symboliquement la durée sans fin. Et il est le premier jour de la semaine chrétienne, celui qui, jusqu'à la fin des temps historiques, sera célébré chaque dimanche.

Suggestions pour la célébration

• CHANTER • Lorsque le feu nouveau est allumé, on peut chanter : ***Joyeuse lumière*** **SYL-C.001** ou **CNA 477**, ***Au cœur de notre foi*** **IY 48-06**, ***Jésus Christ, soleil de Pâques*** **I 333**, ***Christ est lumière*** **CNA 476.**

L'annonce de la Pâque est chantée par le diacre, à défaut un prêtre ou un chantre. La traduction française de l'Exultet du Missel romain a fait l'objet de plusieurs musicalisations, en particulier à l'abbaye de Keur Moussa (Sénégal). À défaut, on pourra chanter : ***Qu'éclate dans le ciel*** **I 111-1** ou **IL 20-18-4.**

À l'ouverture de la liturgie de la Parole, ***Au cœur de notre foi*** **IY 48-06.** Ce chant permet d'introduire les différents moments de la Veillée. On pourra le reprendre à plusieurs reprises.

Le chant du psaume bénéficiera d'une mise en œuvre variée et soignée.

On choisira un ***Gloire à Dieu*** bien connu.

Le ***psaume 117*** peut être mis en œuvre comme proposé dans **CNA 215-18, CNA 215-19** ou **CNA 530.**

Pour la liturgie baptismale, **Litanie des saints CNA 641, CNA 478** ou **Y L 26-76-6.**

Si on célèbre des baptêmes, ***Approchez-vous du Seigneur Jésus*** **CNA 671,** ***Baptisés dans l'eau et dans l'Esprit*** **CNA 673,** ***Hommes nouveaux baptisés dans le Christ*** **CNA 675.**

S'il n'y a pas de baptême, on chantera pendant l'aspersion de l'assemblée : ***J'ai vu l'eau vive*** **CNA 191** ou **CNA 481,** ***Sauvés des mêmes eaux*** **CNA 584.**

Pour le *Saint le Seigneur,* CNA 243.

Pour la fraction du pain, *Agneau de Pâques* D 548 ou *Agneau de l'Alliance fidèle* CNA 305.

Pendant la procession de communion : *De la table du Seigneur* CNA 324, *Nous partageons le pain nouveau* CNA 335 ou *Seigneur Jésus, tu es vivant* CNA 586.

Après la communion, *Vainqueur de nos ténèbres* I 27-43, *Gloire à toi, Seigneur ressuscité* SYL 4 002, *Christ est vraiment ressuscité* CNA 487, *Tu as triomphé de la mort* CNA 594, sans oublier le psaume 135 CNA 479.

• CÉLÉBRER • On ne diminuera pas trop facilement le nombre des lectures de l'Ancien Testament, dont chacune est très riche. Pour éviter la monotonie, on pourra les confier à des lecteurs différents. On attirera l'attention des fidèles sur l'importance de la rénovation des promesses du baptême, en particulier si aucun baptême n'est célébré à ce moment.

Célébration de la veillée pascale

Frères bien-aimés, en cette nuit très sainte où notre Seigneur Jésus Christ est passé de la mort à la vie, l'Église invite tous ses enfants disséminés de par le monde à se réunir pour veiller et prier.

Nous allons donc commémorer ensemble la Pâque du Seigneur, en écoutant sa parole et en célébrant ses sacrements, dans l'espérance d'avoir part à son triomphe sur la mort et de vivre avec lui pour toujours en Dieu.

Bénédiction du feu

Seigneur notre Dieu, par ton Fils qui est la lumière du monde, tu as donné aux hommes la clarté de ta lumière ; daigne bénir cette flamme qui brille dans la nuit ; accorde-nous, durant ces fêtes pascales, d'être enflammés d'un si grand désir du ciel que nous puissions parvenir, avec un cœur pur, aux fêtes de l'éternelle lumière. Par Jésus, le Christ, notre Seigneur. **Amen.**

Préparation du cierge pascal

Le Christ, hier et aujourd'hui, commencement et fin de toutes choses, Alpha et Oméga ; à lui, le temps et l'éternité, à lui, la gloire et la puissance pour les siècles sans fin. **Amen.**

Par ses saintes plaies, ses plaies glorieuses, que le Christ Seigneur nous garde et nous protège. **Amen.**

Que la lumière du Christ, ressuscitant dans la gloire, dissipe les ténèbres de notre cœur et de notre esprit. **Amen.**

Procession d'entrée

Lumière du Christ !
Nous rendons grâce à Dieu !

Louange pascale

On choisit l'un des deux textes suivants :

Qu'éclate dans le ciel la joie des anges !
Qu'éclate de partout la joie du monde !
Qu'éclate dans l'Église la joie des fils de Dieu !
La lumière éclaire l'Église,
La lumière éclaire la terre,
Peuples, chantez !

- **Nous te louons, splendeur du Père.**
  Jésus, Fils de Dieu.
- **Sainte lumière, Splendeur du Père,**
  Louange à toi, Jésus Christ !

Voici pour tous les temps l'unique Pâque,
Voici pour Israël le grand passage,
Voici la longue marche vers la terre de liberté !
Ta lumière éclaire la route,
Dans la nuit ton peuple s'avance,
Libre, vainqueur !

Voici maintenant la Victoire,
Voici la liberté pour tous les peuples,

Le Christ ressuscité triomphe de la mort.
Ô nuit qui nous rend la lumière,
Ô nuit qui vit dans sa Gloire
Le Christ Seigneur !

Amour infini de notre Père,
Suprême témoignage de tendresse,
Pour libérer l'esclave, tu as livré le Fils !
Bienheureuse faute de l'homme,
Qui valut au monde en détresse
Le seul Sauveur !

Victoire qui rassemble ciel et terre,
Victoire où Dieu se donne un nouveau peuple,
Victoire de l'Amour, victoire de la Vie !
Ô Père, accueille la flamme,
Qui vers toi s'élève en offrande,
Feu de nos cœurs !

Que brille devant toi cette lumière !
Demain se lèvera l'aube nouvelle
D'un monde rajeuni dans la Pâque de ton Fils !

Et que règnent la Paix, la Justice et l'Amour,
Et que passent tous les hommes
De cette terre à ta grande maison,
Par Jésus Christ ! (I 111)

Ou bien (forme brève) :

Exultez de joie, multitude des anges,
exultez, serviteurs de Dieu,
sonnez cette heure triomphale
et la victoire d'un si grand roi.

Sois heureuse aussi, notre terre,
irradiée de tant de feux,
car il t'a prise dans sa clarté
et son règne a chassé ta nuit.

Réjouis-toi, mère Église,
toute parée de sa splendeur,
entends vibrer dans ce lieu saint
l'acclamation de tout un peuple.

Le Seigneur soit avec vous.
Et avec votre esprit.

Élevons notre cœur.
Nous le tournons vers le Seigneur.

Rendons grâce au Seigneur notre Dieu.
Cela est juste et bon.

Vraiment, il est juste et bon de chanter à pleine voix et de tout cœur le Père tout-puissant, Dieu invisible, et son Fils unique, Jésus Christ, notre Seigneur.

C'est lui qui a remis pour nous au Père éternel le prix de la dette encourue par Adam ; c'est lui qui répandit son sang par amour pour effacer la condamnation du premier péché.

Car voici la fête de la Pâque dans laquelle est mis à mort l'Agneau véritable dont le sang consacre les portes des croyants. Voici la nuit où tu as tiré d'Égypte les enfants d'Israël, nos pères, et leur as fait passer la mer Rouge à pied sec.

C'est la nuit où le feu d'une colonne lumineuse repoussait les ténèbres du péché. C'est maintenant la nuit qui arrache au monde corrompu, aveuglé par le mal, ceux qui, aujourd'hui et dans tout l'univers, ont mis leur foi dans le Christ : nuit qui les rend à la grâce et leur ouvre la communion des saints.

Voici la nuit où le Christ, brisant les liens de la mort, s'est relevé, victorieux, des enfers.

Merveilleuse condescendance de ta grâce ! Imprévisible choix de ton amour : pour racheter l'esclave, tu livres le Fils.

Il fallait le péché d'Adam que la mort du Christ abolit. Heureuse était la faute qui nous valut pareil Rédempteur. Car le pouvoir sanctifiant de cette nuit chasse les crimes et lave les fautes, rend l'innocence aux coupables et l'allégresse aux affligés.

Ô nuit de vrai bonheur, nuit où le ciel s'unit à la terre, où l'homme rencontre Dieu.

Dans la grâce de cette nuit, accueille, Père saint, en sacrifice du soir, la flamme montant de cette colonne de cire que l'Église t'offre par nos mains. Permets que ce cierge pascal, consacré à ton nom, brûle sans déclin dans cette nuit. Qu'il soit agréable à tes yeux, et joigne sa clarté à celle des étoiles.

Qu'il brûle encore quand se lèvera l'astre du matin, celui qui ne connaît pas de couchant, le Christ, ton Fils ressuscité, revenu des enfers, répandant sur les humains sa lumière et sa paix, lui qui règne avec toi et le Saint-Esprit, maintenant et pour les siècles des siècles. **Amen.**

Tous éteignent leur cierge et s'assoient.

1. Genèse : Au commencement, Dieu créa...	p. **285**
2. Genèse : Dieu mit Abraham à l'épreuve...	p. **289**
3. Exode : Les fils d'Israël, voyant...	p. **291**
4. Isaïe : Parole du Seigneur...	p. **294**
5. Isaïe : Vous tous qui avez soif, venez !...	p. **295**
6. Baruc : Écoute, Israël, les préceptes...	p. **297**
7. Ézékiel : La parole du Seigneur...	p. **299**
Lettre de saint Paul aux Romains	p. **302**

1re LECTURE — *Dieu vit que cela était bon*

Lecture du livre de la Genèse — Gn 1, 1–2, 2

La lecture du texte entre crochets est facultative.

Au commencement, Dieu créa le ciel et la terre. [La terre était informe et vide, les ténèbres étaient au-dessus de l'abîme, et le souffle de Dieu planait au-dessus des eaux. Dieu dit : « Que la lumière soit. » Et la lumière fut. Dieu vit que la lumière était bonne, et Dieu sépara la lumière des ténèbres. Dieu appela la lumière :

« jour » ; il appela les ténèbres : « nuit ». Il y eut un soir, il y eut un matin : ce fut le premier jour.

Et Dieu dit : « Qu'il y ait un firmament au milieu des eaux, et qu'il sépare les eaux. » Dieu fit le firmament, il sépara les eaux qui sont au-dessous du firmament et les eaux qui sont au-dessus. Et ce fut ainsi. Dieu appela le firmament : « ciel ». Il y eut un soir, il y eut un matin : ce fut le deuxième jour.

Et Dieu dit : « Les eaux qui sont au-dessous du ciel, qu'elles se rassemblent en un seul lieu, et que paraisse la terre ferme. » Et ce fut ainsi. Dieu appela la terre ferme : « terre », et il appela la masse des eaux : « mer ». Et Dieu vit que cela était bon. Dieu dit : « Que la terre produise l'herbe, la plante qui porte sa semence, et l'arbre à fruit qui donne, selon son espèce, le fruit qui porte sa semence. » Et ce fut ainsi. La terre produisit l'herbe, la plante qui porte sa semence, selon son espèce, et l'arbre qui donne, selon son espèce, le fruit qui porte sa semence. Et Dieu vit que cela était bon. Il y eut un soir, il y eut un matin : ce fut le troisième jour.

Et Dieu dit : « Qu'il y ait des luminaires au firmament du ciel, pour séparer le jour de la nuit ; qu'ils servent de signes pour marquer les fêtes, les jours et les années ; et qu'ils soient, au firmament du ciel, des luminaires pour éclairer la terre. » Et ce fut ainsi. Dieu fit les deux grands luminaires : le plus grand pour régner sur le jour, le plus petit pour régner sur la nuit. Il fit aussi les étoiles. Dieu les plaça au firmament du ciel pour éclairer la terre, pour régner sur le jour et sur la nuit, pour séparer la lumière des ténèbres. Et Dieu vit que cela était bon. Il y eut un soir, il y eut un matin : ce fut le quatrième jour.

Et Dieu dit : « Que les eaux foisonnent d'une profusion d'êtres vivants, et que les oiseaux volent au-dessus de la terre, sous le firmament du ciel. » Dieu créa, selon leur espèce, les grands monstres marins, tous les êtres vivants qui vont et viennent et qui foisonnent dans les eaux, et aussi, selon leur espèce, tous les oiseaux qui volent. Et Dieu vit que cela était bon. Dieu les bénit par ces paroles : « Soyez féconds et multipliez-vous, remplissez les mers, que les oiseaux se multiplient sur la terre. » Il y eut un soir, il y eut un matin : ce fut le cinquième jour.

Et Dieu dit : « Que la terre produise des êtres vivants selon leur espèce, bestiaux, bestioles et bêtes sauvages selon leur espèce. » Et ce fut ainsi. Dieu fit les bêtes sauvages selon leur espèce, les bestiaux, selon leur espèce, et toutes les bestioles de la terre selon leur espèce. Et Dieu vit que cela était bon.]

Dieu dit : « Faisons l'homme à notre image, selon notre ressemblance. Qu'il soit le maître des poissons de la mer, des oiseaux du ciel, des bestiaux, de toutes les bêtes sauvages, et de toutes les bestioles qui vont et viennent sur la terre. » Dieu créa l'homme à son image, à l'image de Dieu, il le créa, il les créa homme et femme. Dieu les bénit et leur dit : « Soyez féconds et multipliez-vous, remplissez la terre et soumettez-la. Soyez les maîtres des poissons de la mer, des oiseaux du ciel, et de tous les animaux qui vont et viennent sur la terre. » Dieu dit encore : « Je vous donne toute plante qui porte sa semence sur toute la surface de la terre, et tout arbre dont le fruit porte sa semence : telle sera votre nourriture. Aux bêtes sauvages, aux oiseaux du ciel, à tout ce qui va et vient sur la terre et qui a souffle de vie, je donne comme nourriture toute herbe verte. » Et ce fut ainsi. Et Dieu vit tout ce qu'il avait fait : c'était très bon. Il y eut un soir, il y eut un matin : ce fut le sixième jour.

[Ainsi furent achevés le ciel et la terre, et tout leur déploiement. Le septième jour, Dieu avait achevé l'œuvre qu'il avait faite. Il se reposa, le septième jour, de toute l'œuvre qu'il avait faite.]

1er PSAUME — Ps 103

- **Ô Seigneur, envoie ton Esprit**
  qui renouvelle la face de la terre !

- **Fils de l'homme à l'image de Dieu,**
  Fils de Dieu, qui transfigures l'homme.

Bénis le Seigneur, ô mon âme :
Seigneur mon Dieu, tu es si grand !
Revêtu de magnificence,
tu as pour manteau la lumière !

Tu as donné son assise à la terre :
qu'elle reste inébranlable, au cours des temps.
Tu l'as vêtue de l'abîme des mers,
les eaux couvraient même les montagnes.

Dans les ravins tu fais jaillir des sources
et l'eau chemine aux creux des montagnes ;
les oiseaux séjournent près d'elle :
dans le feuillage on entend leurs cris.

De tes demeures tu abreuves les montagnes,
et la terre se rassasie du fruit de tes œuvres ;
tu fais pousser les prairies pour les troupeaux,
et les champs pour l'homme qui travaille.

Quelle profusion dans tes œuvres, Seigneur !
Tout cela, ta sagesse l'a fait ;
la terre s'emplit de tes biens.
Bénis le Seigneur, ô mon âme !

ou PSAUME 32

Toute la terre, Seigneur,
est remplie de ton amour.

Oui, elle est droite, la parole du Seigneur ;
il est fidèle en tout ce qu'il fait.
Il aime le bon droit et la justice ;
la terre est remplie de son amour.

Le Seigneur a fait les cieux par sa parole,
l'univers, par le souffle de sa bouche.
Il amasse, il retient l'eau des mers ;
les océans, il les garde en réserve.

Heureux le peuple dont le Seigneur est le Dieu,
heureuse la nation qu'il s'est choisie pour domaine !
Du haut des cieux, le Seigneur regarde :
il voit la race des hommes.

Nous attendons notre vie du Seigneur :
il est pour nous un appui, un bouclier.
Que ton amour, Seigneur, soit sur nous,
comme notre espoir est en toi.

Prière

• Dieu éternel et tout-puissant, toi qui agis toujours avec une sagesse admirable, donne aux hommes que tu as rachetés de comprendre que le sacrifice du Christ, notre Pâque, est une œuvre plus merveilleuse encore que l'acte de la création au commencement du monde. Par Jésus, le Christ, notre Seigneur.

• Seigneur notre Dieu, toi qui as fait merveille en créant l'homme et plus grande merveille encore en le rachetant, donne-nous de résister aux attraits du péché par la sagesse de l'esprit, et de parvenir aux joies éternelles. Par Jésus, le Christ, notre Seigneur.

2e LECTURE *Sacrifice et délivrance d'Isaac, le fils bien-aimé*

Lecture du livre de la Genèse Gn 22, 1-13.15-18

La lecture du texte entre crochets est facultative.

Dieu mit Abraham à l'épreuve. Il lui dit : « Abraham ! » Celui-ci répondit : « Me voici ! » Dieu dit : « Prends ton fils, ton fils unique, celui que tu aimes, Isaac, va au pays de Moriah, et là tu l'offriras en sacrifice sur la montagne que je t'indiquerai. »

[Abraham se leva de bon matin, sella son âne, et prit avec lui deux de ses serviteurs et son fils Isaac. Il fendit le bois pour le sacrifice et se mit en route vers l'endroit que Dieu lui avait indiqué. Le troisième jour, Abraham, levant les yeux, vit l'endroit de loin. Abraham dit à ses serviteurs : « Restez ici avec l'âne. Moi et l'enfant nous irons jusque là-bas pour adorer, puis nous reviendrons vers vous. » Abraham prit le bois pour le sacrifice et le chargea sur son fils Isaac ; il prit le feu et le couteau, et tous deux s'en allèrent ensemble. Isaac interrogea son père Abraham : « Mon père ! » – « Eh bien, mon fils ? » Isaac reprit : « Voilà le feu et le bois, mais où est l'agneau pour l'holocauste ? » Abraham répondit : « Dieu saura bien trouver l'agneau pour l'holocauste, mon fils », et ils s'en allaient tous les deux ensemble.]

Ils arrivèrent à l'endroit que Dieu avait indiqué. Abraham y éleva l'autel et disposa le bois, puis il lia son fils Isaac et le mit sur l'autel, par-dessus le bois. Abraham étendit la main et saisit le couteau pour immoler son fils. Mais l'Ange du Seigneur l'appela du haut du ciel et dit : « Abraham ! Abraham ! » Il répondit : « Me voici ! » L'Ange lui dit : « Ne porte pas la main sur l'enfant ! Ne lui fais aucun mal ! Je sais maintenant que tu crains Dieu : tu ne m'as pas refusé ton fils, ton fils unique. »

Abraham leva les yeux et vit un bélier, qui s'était pris les cornes dans un buisson. Il alla prendre le bélier et l'offrit en holocauste à la place de son fils. Du ciel l'Ange du Seigneur appela une seconde fois Abraham : « Je le jure par moi-même, déclare le Seigneur : parce que tu as fait cela, parce que tu ne m'as pas refusé ton fils, ton fils unique, je te comblerai de bénédictions, je rendrai ta descendance aussi nombreuse que les étoiles du ciel et que le sable au bord de la mer, et ta descendance tiendra les places fortes de ses ennemis. Puisque tu m'as obéi, toutes les nations de la terre s'adresseront l'une à l'autre la bénédiction par le nom de ta descendance. »

2e PSAUME — Ps 15

• **Garde-moi, Seigneur mon Dieu,**
toi, mon seul espoir !

• **Tu m'as montré, Seigneur,**
le chemin de la vie.

Seigneur, mon partage et ma coupe :
de toi dépend mon sort.

Je garde le Seigneur devant moi sans relâche ;
il est à ma droite : je suis inébranlable.

Mon cœur exulte, mon âme est en fête,
ma chair elle-même repose en confiance :
tu ne peux m'abandonner à la mort
ni laisser ton ami voir la corruption.

Mon Dieu, j'ai fait de toi mon refuge.
Tu m'apprends le chemin de la vie :
devant ta face, débordement de joie !
À ta droite, éternité de délices !

Prière

Dieu très saint, Père des croyants, en répandant la grâce de l'adoption, tu multiplies sur toute la terre les fils de ta promesse ; par le mystère pascal, tu fais de ton serviteur Abraham, comme tu l'avais promis, le père de toutes les nations ; accorde à ton peuple de savoir répondre à cet appel. Par Jésus, le Christ, notre Seigneur.

3e lecture — *À pied sec au milieu de la mer*

Lecture du livre de l'Exode — Ex 14, 15–15, 1

Les fils d'Israël, voyant les Égyptiens lancés à leur poursuite, étaient effrayés. Le Seigneur dit à Moïse : « Pourquoi crier vers moi ? Ordonne aux fils d'Israël de se mettre en route ! Toi, lève ton bâton, étends le bras contre la mer, fends-la en deux, et que les fils d'Israël pénètrent dans la mer à pied sec. Et moi, je vais endurcir le cœur des Égyptiens : ils pénétreront derrière eux dans la mer ; je triompherai, pour ma gloire, de Pharaon et de toute son armée, de ses chars et de ses guerriers. Les Égyptiens sauront que je suis le Seigneur, quand j'aurai triomphé, pour ma gloire, de Pharaon, de ses chars et de ses guerriers. » L'ange de Dieu, qui marchait en avant d'Israël, changea de place et se porta à l'arrière. La colonne de nuée quitta l'avant-garde et vint se placer à l'arrière, entre le camp des Égyptiens et le camp d'Israël. Cette nuée était à la fois ténèbres et lumière dans la nuit, si bien que, de toute la nuit, ils ne purent se rencontrer. Moïse étendit le bras contre la mer. Le Seigneur chassa la mer toute la nuit par un fort vent d'est, et il mit la mer à sec. Les eaux se fendirent, et les fils d'Israël pénétrèrent dans la mer à pied sec, les eaux formant une muraille à leur droite et à leur gauche. Les Égyptiens les poursuivirent et pénétrèrent derrière eux – avec tous les chevaux de Pharaon, ses chars et ses guerriers –, jusqu'au milieu de la mer.

Aux dernières heures de la nuit, le Seigneur observa, depuis la colonne de feu et de nuée, l'armée des Égyptiens, et il la mit en déroute. Il faussa les roues de leurs chars, et ils eurent beaucoup de peine à les conduire.

Les Égyptiens s'écrièrent : « Fuyons devant Israël, car c'est le Seigneur qui combat pour eux contre nous ! » Le Seigneur dit à Moïse : « Étends le bras contre la mer : que les eaux reviennent sur les Égyptiens, leurs chars et leurs guerriers ! » Moïse étendit le bras contre la mer. Au point du jour, la mer reprit sa place ; dans leur fuite, les Égyptiens s'y heurtèrent, et le Seigneur les précipita au milieu de la mer. Les eaux refluèrent et recouvrirent toute l'armée de Pharaon, ses chars et ses guerriers, qui avaient pénétré dans la mer à la poursuite d'Israël. Il n'en resta pas un seul. Mais les fils d'Israël avaient marché à pied sec au milieu de la mer, les eaux formant une muraille à leur droite et à leur gauche.

Ce jour-là, le Seigneur sauva Israël de la main de l'Égypte et Israël vit sur le bord de la mer les cadavres des Égyptiens. Israël vit avec quelle main puissante le Seigneur avait agi contre l'Égypte. Le peuple craignit le Seigneur, il mit sa foi dans le Seigneur et dans son serviteur Moïse. Alors Moïse et les fils d'Israël chantèrent ce cantique au Seigneur :

3e CHANT — Ex 15, 2...17

• **Chantons le Seigneur,**
car il a fait éclater sa gloire :
il a jeté à l'eau cheval et cavalier.

• **Chantons le Seigneur, magnifique est sa victoire,**
cheval et cavalier, il les jette à la mer.

Ma force et mon chant, c'est le Seigneur :
il est pour moi le salut.
Il est mon Dieu, je le célèbre ;
j'exalte le Dieu de mon père.
Le Seigneur est le guerrier des combats :
son nom est « Le Seigneur ».

Les chars du Pharaon et ses armées,
il les lance dans la mer.
L'élite de leurs chefs
a sombré dans la mer Rouge.
L'abîme les recouvre :
ils descendent, comme la pierre, au fond des eaux.

Ta droite, Seigneur, magnifique en sa force,
ta droite, Seigneur, écrase l'ennemi.
Tu souffles ton haleine : la mer les recouvre.
Qui est comme toi, Seigneur, parmi les dieux ?
Qui est comme toi, magnifique en sainteté,
terrible en ses exploits, auteur de prodiges ?

Tu les amènes, tu les plantes
sur la montagne, ton héritage,
le lieu que tu as fait,
Seigneur, pour l'habiter,
le sanctuaire, Seigneur,
fondé par tes mains.

Prière

• Seigneur notre Dieu, dans la lumière de l'Évangile tu as donné leur sens aux miracles accomplis sous l'Ancien Testament : on reconnaît dans la mer Rouge l'image de la fontaine baptismale ; et le peuple juif, délivré de la servitude d'Égypte, est la figure du peuple chrétien. Fais que tous les hommes, grâce à la foi, participent au privilège d'Israël, et soient régénérés en recevant ton Esprit. Par Jésus, le Christ, notre Seigneur.

• Maintenant encore, Seigneur, nous voyons resplendir tes merveilles d'autrefois : alors que jadis tu manifestais ta puissance en délivrant un seul peuple de la poursuite des Égyptiens, tu assures désormais le salut de toutes les nations en les faisant renaître à travers les eaux du baptême ; fais que les hommes du monde entier deviennent des fils d'Abraham et accèdent à la dignité de tes enfants. Par Jésus, le Christ notre Seigneur.

4e LECTURE *Dans mon éternelle fidélité, je te montre ma tendresse*

Lecture du livre d'Isaïe Is 54, 5-14

Parole du Seigneur adressée à Jérusalem. Ton époux, c'est ton Créateur, « Seigneur de l'univers » est son nom. Ton Rédempteur, c'est le Dieu saint d'Israël, il se nomme « Dieu de toute la terre ». Oui, comme une femme abandonnée et désolée, le Seigneur te rappelle. Est-ce qu'on rejette la femme de sa jeunesse ? dit le Seigneur ton Dieu.

Un moment, je t'avais abandonnée, mais, dans ma grande tendresse, je te rassemblerai. Ma colère avait débordé, et un moment je t'avais caché ma face. Mais dans mon amour éternel j'ai pitié de toi, dit le Seigneur, ton Rédempteur. C'est ainsi qu'au temps de Noé, j'ai juré que les eaux ne submergeraient plus la terre. De même, je jure de ne plus me mettre en colère contre toi, et de ne plus te menacer.

Quand les montagnes changeraient de place, quand les collines s'ébranleraient, mon amour pour toi ne changera pas, et mon alliance de paix ne sera pas ébranlée, a déclaré le Seigneur, dans sa tendresse pour toi. Jérusalem, malheureuse, battue par la tempête, inconsolée, voici que je vais sertir tes pierres et poser tes fondations sur des saphirs. Je ferai tes créneaux avec des rubis, tes portes en cristal de roche, et tous tes remparts avec des pierres précieuses. Tes fils seront tous instruits par le Seigneur, ils goûteront un bonheur sans limites. Tu seras établie sur la justice, délivrée de l'oppression, que tu ne craindras plus, délivrée de la terreur, qui ne viendra plus jusqu'à toi.

4e PSAUME Ps 29

- **Je t'exalte, Seigneur, toi qui me relèves.**
- **Après les larmes de la nuit,**
au matin les cris de joie.

Quand j'ai crié vers toi, Seigneur,
mon Dieu, tu m'as guéri ;
Seigneur, tu m'as fait remonter de l'abîme
et revivre quand je descendais à la fosse.

Fêtez le Seigneur, vous, ses fidèles,
rendez grâce en rappelant son nom très saint.
Sa colère ne dure qu'un instant,
sa bonté, toute la vie.

Avec le soir, viennent les larmes,
mais au matin, les cris de joie !
Tu as changé mon deuil en une danse,
mes habits funèbres en parure de joie !

Que mon cœur ne se taise pas,
qu'il soit en fête pour toi ;
et que sans fin, Seigneur, mon Dieu,
je te rende grâce !

PRIÈRE

Dieu éternel et tout-puissant, pour l'honneur de ton nom, multiplie la postérité promise à nos pères à cause de leur foi, augmente le nombre de tes enfants d'adoption ; que ton Église voie, dès maintenant, se réaliser la promesse dont les patriarches n'ont jamais douté. Par Jésus, le Christ, notre Seigneur.

Ou bien l'une des prières qui suivent les autres lectures, si elles sont omises.

5e LECTURE *Venez à moi, et vous vivrez*

Lecture du livre d'Isaïe Is 55, 1-11

V**ous tous qui avez soif**, venez, voici de l'eau ! Même si vous n'avez pas d'argent, venez acheter et consommer, venez acheter du vin et du lait sans argent et sans rien payer. Pourquoi dépenser votre argent pour ce qui ne nourrit pas, vous fatiguer pour ce qui ne rassasie pas ?

Écoutez-moi donc : mangez de bonnes choses, régalez-vous de viandes savoureuses ! Prêtez l'oreille ! Venez à moi ! Écoutez et vous vivrez. Je ferai avec vous une alliance éternelle, qui confirmera ma bienveillance envers David. Lui, j'en ai fait un témoin pour les nations, un guide et un chef pour les peuples. Et toi, tu appelleras une nation que tu ne connais pas, et une nation qui t'ignore accourra vers toi, à cause du Seigneur ton Dieu, à cause de Dieu, le Saint d'Israël, qui fait ta splendeur.

Cherchez le Seigneur tant qu'il se laisse trouver. Invoquez-le tant qu'il est proche. Que le méchant abandonne son chemin, et l'homme pervers, ses pensées ! Qu'il revienne vers le Seigneur, qui aura pitié de lui, vers notre Dieu, qui est riche en pardon. Car mes pensées ne sont pas vos pensées, et mes chemins ne sont pas vos chemins, – déclare le Seigneur. Autant le ciel est élevé au-dessus de la terre, autant mes chemins sont élevés au-dessus des vôtres, mes pensées, au-dessus de vos pensées.

La pluie et la neige qui descendent des cieux n'y retournent pas sans avoir abreuvé la terre, sans l'avoir fécondée et l'avoir fait germer, pour donner la semence au semeur et le pain à celui qui mange ; ainsi ma parole, qui sort de ma bouche, ne me reviendra pas sans résultat, sans avoir fait ce que je veux, sans avoir accompli sa mission.

5e CHANT — Is 12

• **Exultant de joie, vous puiserez les eaux**
aux sources du salut.

• **Le Seigneur fait des prodiges sur la terre :**
jubilez !

Voici le Dieu qui me sauve :
j'ai confiance, je n'ai plus de crainte.

Ma force et mon chant, c'est le Seigneur ;
il est pour moi le salut.

Rendez grâce au Seigneur,
proclamez son nom,
annoncez parmi les peuples ses hauts faits !
Redites-le : « Sublime est son nom ! »

Car il a fait les prodiges
que toute la terre connaît.
Jubilez, criez de joie,
car Dieu est grand au milieu de vous !

PRIÈRE

Dieu éternel et tout-puissant, unique espoir du monde, toi qui annonçais par la voix des prophètes les mystères qui s'accomplissent aujourd'hui, daigne inspirer toi-même les désirs de ton peuple, puisque aucun de tes fidèles ne peut progresser en vertu sans l'inspiration de ta grâce. Par Jésus, le Christ, notre Seigneur.

Ou bien l'une des prières qui suivent les lectures 4, 6 et 7.

6e LECTURE *À la lumière de la Sagesse, marche vers la splendeur*

Lecture du livre de Baruc — Ba 3, 9-15.32–4,4

Écoute, Israël, les préceptes de vie, prête l'oreille pour acquérir la connaissance.

Pourquoi donc, Israël, pourquoi es-tu exilé chez tes ennemis, vieillissant sur une terre étrangère, souillé par le contact des cadavres, inscrit parmi les habitants du séjour des morts ? – Parce que tu as abandonné la Source de la Sagesse ! Si tu avais suivi les chemins de Dieu, tu vivrais dans la paix pour toujours. Apprends où se trouvent et la connaissance, et la force, et l'intelligence, apprends en même temps où se trouvent de longues années de vie, la lumière de tes yeux, et la paix.

Mais qui donc a découvert la demeure de la Sagesse, qui a pénétré jusqu'à ses trésors ? Celui qui sait tout en connaît le chemin, il l'a découvert par son intelligence. Il a pour toujours aménagé la terre, et l'a peuplée de troupeaux. Il lance la lumière, et elle prend sa course ; il la rappelle, et elle obéit en tremblant. Les étoiles brillent, joyeuses, à leur poste de veille ; il les appelle, et elles répondent : nous voici ! Elles brillent avec joie pour celui qui les a faites. C'est lui qui est notre Dieu : aucun autre ne lui est comparable. Il a découvert les chemins de la connaissance, et il les a confiés à Jacob, son serviteur, à Israël, son bien-aimé.

Ainsi la Sagesse est apparue sur la terre, elle a vécu parmi les hommes. Elle est le livre des commandements de Dieu, la Loi qui demeure éternellement : tous ceux qui l'observent vivront, ceux qui l'abandonnent mourront.

Reviens à elle, Jacob, reçois-la ; à sa lumière, marche vers la splendeur : ne laisse pas ta gloire à un autre, tes privilèges à un peuple étranger. Heureux sommes-nous, Israël ! Car ce qui plaît à Dieu, nous le connaissons.

6e PSAUME — Ps 18B

• **Dieu, tu as les paroles de la vie éternelle.**

• **Tu révèles ta sagesse aux petits,**
béni sois-tu, Seigneur !

La loi du Seigneur est parfaite,
qui redonne vie ;
la charte du Seigneur est sûre,
qui rend sages les simples.

Les préceptes du Seigneur sont droits,
ils réjouissent le cœur ;
le commandement du Seigneur est limpide,
il clarifie le regard.

La crainte qu'il inspire est pure,
elle est là pour toujours ;

les décisions du Seigneur sont justes
et vraiment équitables :

plus désirables que l'or,
qu'une masse d'or fin,
plus savoureuses que le miel
qui coule des rayons.

[Accueille les paroles de ma bouche,
le murmure de mon cœur ;
qu'ils parviennent devant toi,
Seigneur, mon rocher, mon défenseur !]

PRIÈRE

Dieu qui ne cesses de faire grandir ton Église en appelant à elle les hommes qui sont loin de toi, daigne garder sous ta protection ceux que tu purifies dans l'eau du baptême. Par Jésus, le Christ, notre Seigneur.

Ou bien l'une des prières qui suivent les lectures 4, 5 et 7.

7e LECTURE

Je répandrai sur vous une eau pure et je vous donnerai un cœur nouveau

Lecture du livre d'Ézékiel — Ez 36, 16-17a.18-28

La parole du Seigneur me fut adressée : « Fils d'homme, lorsque les gens d'Israël habitaient leur pays, ils le souillaient par leur conduite et par toutes leurs actions. Alors j'ai déversé sur eux ma fureur, à cause du sang qu'ils avaient versé dans le pays, à cause des idoles qui l'avaient profané. Je les ai dispersés parmi les nations païennes, ils ont été disséminés dans les pays étrangers. Je les ai jugés selon leur conduite et selon leurs actions. Dans les nations où ils sont allés, ils ont profané mon saint nom, et l'on disait : « C'est le peuple du Seigneur, ils sont sortis de son pays. » Mais j'ai voulu préserver la sainteté de mon nom, que les gens d'Israël avaient profanée dans les nations où ils sont allés. Eh bien !

tu diras à la maison d'Israël : Ainsi parle le Seigneur Dieu : Ce n'est pas pour vous que je vais agir, maison d'Israël, mais c'est pour mon saint nom que vous avez profané dans les nations où vous êtes allés.

Je montrerai la sainteté de mon grand nom, qui a été profané dans les nations, mon nom que vous avez profané au milieu d'elles. Les nations apprendront que je suis le Seigneur, déclare le Seigneur Dieu, quand par vous je me montrerai saint à leurs yeux. J'irai vous prendre dans toutes les nations ; je vous rassemblerai de tous les pays, et je vous ramènerai sur votre terre. Je verserai sur vous une eau pure, et vous serez purifiés. De toutes vos souillures, de toutes vos idoles je vous purifierai. Je vous donnerai un cœur nouveau, je mettrai en vous un esprit nouveau. J'enlèverai votre cœur de pierre, et je vous donnerai un cœur de chair. Je mettrai en vous mon Esprit : alors vous suivrez mes lois, vous observerez mes commandements et vous y serez fidèles. Vous habiterez le pays que j'ai donné à vos pères. Vous serez mon peuple, et moi, je serai votre Dieu. »

7e PSAUME — Ps 50

On peut aussi reprendre le cantique d'Isaïe (voir après la 5e lecture) ou encore, s'il n'y a pas de baptême, le psaume 41-42.

- **Donne-nous, Seigneur, un cœur nouveau ;**
  mets en nous, Seigneur, un esprit nouveau.
- **Dieu nous a donné son esprit :**
  nous sommes son peuple.

Crée en moi un cœur pur, ô mon Dieu,
renouvelle et raffermis au fond de moi mon esprit.
Ne me chasse pas loin de ta face,
ne me reprends pas ton esprit saint.

Rends-moi la joie d'être sauvé ;
que l'esprit généreux me soutienne.

Aux pécheurs, j'enseignerai tes chemins ;
vers toi, reviendront les égarés.

Si j'offre un sacrifice, tu n'en veux pas,
tu n'acceptes pas d'holocauste.
Le sacrifice qui plaît à Dieu, c'est un esprit brisé ;
tu ne repousses pas, ô mon Dieu,
un cœur brisé et broyé.

ou PSAUME 41-42

• **Mon âme a soif du Dieu vivant :**
quand le verrai-je face à face ?

• **Conduis-nous, Seigneur Jésus,**
aux sources de la vie !

Comme un cerf altéré
cherche l'eau vive,
ainsi mon âme te cherche,
toi, mon Dieu.

Je conduisais vers la maison de mon Dieu
la multitude en fête,
parmi les cris de joie
et les actions de grâce.

Envoie ta lumière et ta vérité :
qu'elles guident mes pas
et me conduisent à ta montagne sainte,
jusqu'en ta demeure.

J'avancerai jusqu'à l'autel de Dieu,
vers Dieu qui est toute ma joie ;
je te rendrai grâce avec ma harpe,
Dieu, mon Dieu.

PRIÈRE

• Seigneur notre Dieu, puissance inaltérable et lumière sans déclin, regarde avec bonté le sacrement merveilleux de l'Église tout entière. Comme tu l'as prévu de toute éternité, poursuis dans la paix l'œuvre du salut des hommes ; que le monde entier reconnaisse la merveille : ce qui était abattu est relevé, ce qui avait vieilli est rénové, et tout retrouve son intégrité première en celui qui est le principe de tout, Jésus Christ, ton Fils et notre Seigneur. Lui qui règne pour les siècles des siècles.

• Seigneur notre Dieu, tu veux nous former à célébrer le mystère pascal en nous faisant écouter l'Ancien et le Nouveau Testament, ouvre nos cœurs à l'intelligence de ta miséricorde : ainsi la conscience des grâces déjà reçues affermira en nous l'espérance des biens à venir. Par Jésus, le Christ, notre Seigneur.

Ou l'une des prières qui suivent les lectures 4, 5 et 6.

Gloria

Nous retrouvons le chant du Gloire à Dieu. Là où les conditions locales le permettent, les cloches annoncent alors la joie de Pâques.

Prière

Dieu qui fais resplendir cette nuit très sainte par la gloire de la résurrection du Seigneur, ravive en ton Église l'esprit filial que tu lui as donné, afin que, renouvelés dans notre corps et notre âme, nous soyons tout entiers à ton service. Par Jésus Christ.

Épître — ***Ressuscité d'entre les morts, le Christ ne meurt plus***

Lecture de la lettre de saint Paul Apôtre aux Romains — Rm 6, 3-11

Frères, nous tous, qui avons été baptisés en Jésus Christ, c'est dans sa mort que nous avons été baptisés. Si, par le baptême dans sa mort, nous avons été mis au tombeau avec lui, c'est pour que nous menions une vie nouvelle, nous aussi, de même que le Christ, par la toute-puissance du Père, est ressuscité d'entre les morts. Car, si nous sommes déjà en communion avec lui par une mort qui ressemble à la sienne, nous le serons encore par une résurrection qui ressemblera à la sienne.

Nous le savons : l'homme ancien qui est en nous a été fixé à la croix avec lui pour que cet être de péché soit réduit à l'impuissance, et qu'ainsi nous ne soyons plus esclaves du péché. Car celui qui est mort est affranchi du péché.

Et si nous sommes passés par la mort avec le Christ, nous croyons que nous vivrons aussi avec lui. Nous le savons en effet : ressuscité d'entre les morts, le Christ ne meurt plus ; sur lui la mort n'a plus aucun pouvoir. Car lui qui est mort, c'est au péché qu'il est mort une fois pour toutes ; lui qui est vivant, c'est pour Dieu qu'il est vivant. De même vous aussi : pensez que vous êtes morts au péché, et vivants pour Dieu en Jésus Christ.

ALLÉLUIA — Ps 117

Alléluia, alléluia, alléluia !
Rendez grâce au Seigneur : Il est bon !
Éternel est son amour !
Qu'ils le disent, ceux qui craignent le Seigneur :
Éternel est son amour !

Le bras du Seigneur se lève,
le bras du Seigneur est fort !
Non, je ne mourrai pas, je vivrai,
pour annoncer les actions du Seigneur.

La pierre qu'ont rejetée les bâtisseurs
est devenue la pierre d'angle ;
c'est là l'œuvre du Seigneur,
la merveille devant nos yeux.
Alléluia, alléluia, alléluia !

ÉVANGILE — *Il est ressuscité et vous précède en Galilée*

Évangile de Jésus Christ selon saint Matthieu — Mt 28, 1-10

Après le sabbat, à l'heure où commençait le premier jour de la semaine, Marie Madeleine et l'autre Marie vinrent faire leur visite au tombeau de Jésus. Et voilà qu'il y eut un grand tremblement de terre : l'Ange du Seigneur descendit du ciel, vint rouler la pierre et s'assit dessus. Il avait l'aspect de l'éclair et son vêtement était blanc comme la neige. Les gardes, dans la crainte qu'ils éprouvèrent, furent bouleversés et devinrent comme morts. Or l'Ange, s'adressant aux femmes, leur dit : « Vous, soyez sans crainte ! je sais que vous cherchez Jésus le Crucifié. Il n'est pas ici, car il est ressuscité, comme il l'avait dit. Venez voir l'endroit où il reposait. Puis, vite, allez dire à ses disciples : “Il est ressuscité d'entre les morts ; il vous précède en Galilée : là, vous le verrez ! ” Voilà ce que j'avais à vous dire. » Vite, elles quittèrent le tombeau, tremblantes et toutes joyeuses, et elles coururent porter la nouvelle aux disciples. Et voici que Jésus vint à leur rencontre et leur dit : « Je vous salue. » Elles s'approchèrent et, lui saisissant les pieds, elles se prosternèrent devant lui. Alors Jésus leur dit : « Soyez sans crainte, allez annoncer à mes frères qu'ils doivent se rendre en Galilée : c'est là qu'ils me verront. »

Homélie

LITURGIE BAPTISMALE

• *S'il n'y a pas de baptêmes, on commence les litanies sans la monition. On procède ensuite à la bénédiction de l'eau. La célébration se poursuit comme indiqué à la page 308.*

• *Nous donnons ci-dessous la célébration telle qu'elle se déroule lorsqu'elle comporte des baptêmes d'adultes. Les textes sont ceux de l'édition 1997 du Rituel de l'initiation chrétienne des adultes.*

On invite ceux qui vont être baptisés à s'approcher de la vasque baptismale avec leurs parrains et marraines. Le prêtre s'adresse à l'assemblée, en disant par exemple :

Chers frères et sœurs, implorons la miséricorde de Dieu le Père tout-puissant pour N. et N. qui demandent le baptême. C'est lui qui les a appelés et les a conduits jusqu'à cette nuit. Qu'il leur accorde la lumière et la force, pour qu'ils s'attachent au Christ de tout leur cœur et professent la foi de l'Église ; et qu'il leur donne d'être renouvelés par l'Esprit Saint que nous allons invoquer sur cette eau.

Les catéchumènes peuvent s'agenouiller pendant les litanies. Les ministres et l'assemblée restent debout, comme c'est l'usage pendant le temps pascal.

Litanies

Seigneur, prends pitié. **Seigneur, prends pitié.**
Ô Christ, prends pitié. **Ô Christ, prends pitié.**
Seigneur, prends pitié. **Seigneur, prends pitié.**
Sainte Marie, Mère de Dieu, **priez pour nous.**
Saint Michel, **priez pour nous.**
Saints Anges de Dieu, **priez pour nous.**
Saint Jean Baptiste, **priez pour nous.**
Saint Joseph, **priez pour nous.**
Saint Pierre et saint Paul, **priez pour nous.**
Saint André, **priez pour nous.**
Saint Jean, **priez pour nous.**
Sainte Marie Madeleine, **priez pour nous.**
Saint Étienne, **priez pour nous.**
Saint Ignace d'Antioche, **priez pour nous.**
Saint Laurent, **priez pour nous.**
Sainte Perpétue et sainte Félicité, **priez pour nous.**
Sainte Agnès, **priez pour nous.**
Saint Grégoire, **priez pour nous.**
Saint Augustin, **priez pour nous.**
Saint Athanase, **priez pour nous.**
Saint Basile, **priez pour nous.**
Saint Martin, **priez pour nous.**
Saint Benoît, **priez pour nous.**
Saint François et saint Dominique, **priez pour nous.**
Saint François Xavier, **priez pour nous.**
Saint Jean-Marie Vianney, **priez pour nous.**

Sainte Catherine de Sienne, **priez pour nous.**
Sainte Thérèse d'Avila, **priez pour nous.**

On peut ajouter d'autres noms, en particulier les saints patrons des nouveaux baptisés.

Vous tous, saints et saintes de Dieu, **priez pour nous.**
Montre-toi favorable, **délivre-nous, Seigneur.**
De tout mal, **délivre-nous, Seigneur.**
De tout péché, **délivre-nous, Seigneur.**
De la mort éternelle, **délivre-nous, Seigneur.**
Par ton incarnation, **délivre-nous, Seigneur.**
Par ta mort et ta résurrection, **délivre-nous, Seigneur.**
Par le don de l'Esprit Saint, **délivre-nous, Seigneur.**
Nous qui sommes pécheurs, **de grâce, écoute-nous.**

On peut ajouter ici d'autres intentions.

S'il y a des baptêmes :

Pour qu'il te plaise de faire vivre de ta vie
par la grâce du baptême
ceux que tu as appelés, **de grâce, écoute-nous.**

Si l'on ne célèbre pas de baptême :

Pour qu'il te plaise de sanctifier
cette eau d'où naîtront pour toi
de nouveaux enfants, **de grâce, écoute-nous.**

On continue :

Jésus, Fils du Dieu vivant, **de grâce, écoute-nous.**
Ô Christ, écoute-nous. **Ô Christ, écoute-nous.**
Ô Christ, exauce-nous. **Ô Christ, exauce-nous.**
Dieu éternel et tout-puissant, viens agir dans les mystères qui révèlent ton amour, viens agir dans le sacrement du baptême ; envoie ton Esprit pour enfanter les peuples nouveaux qui vont naître pour toi de la fontaine baptismale : fais que les gestes de notre humble ministère deviennent efficaces par ta puissance. Par Jésus, le Christ, notre Seigneur. **Amen.**

Les catéchumènes se relèvent et l'on procède à la bénédiction de l'eau. Le rituel donne le choix entre plusieurs formules de bénédiction qui peuvent être entrecoupées par un refrain chanté.

• Dieu, dont la puissance invisible accomplit des merveilles par les sacrements, tu as voulu, au cours des temps, que l'eau, ta créature, révèle ce que serait la grâce du baptême.

Dès les commencements du monde, c'est ton Esprit qui planait sur les eaux, pour qu'elles reçoivent en germe la force de sanctifier. (Refrain)

Par les flots du déluge, tu annonçais le baptême qui fait renaître, puisque l'eau y préfigurait à la fois la fin de tout péché et le début de toute justice. (Refrain)

Aux enfants d'Abraham, tu as fait passer la mer Rouge à pied sec, pour que le peuple d'Israël, libéré de la servitude, préfigure le peuple des baptisés. (Refrain)

Ton Fils bien-aimé, baptisé par Jean dans les eaux du Jourdain, consacré par l'onction de ton Esprit, suspendu au bois de la croix, laissa couler de son côté ouvert du sang et de l'eau ;

et quand il fut ressuscité, il dit à ses disciples : « Allez, enseignez toutes les nations, et baptisez-les au nom du Père, et du Fils, et du Saint-Esprit. » (Refrain)

Maintenant, Seigneur notre Dieu, regarde avec amour ton Église et fais jaillir en elle la source du baptême.

Que cette eau reçoive de l'Esprit Saint la grâce de ton Fils unique, afin que l'homme, créé à ta ressemblance, et lavé par le baptême des souillures qui déforment cette image, puisse renaître de l'eau et de l'Esprit pour la vie nouvelle d'enfant de Dieu.

Nous t'en prions, Seigneur notre Dieu : Par la grâce de ton Fils, que vienne sur cette eau la puissance de l'Esprit Saint, afin que tout homme qui sera baptisé, enseveli dans la mort avec le Christ, ressuscite avec le Christ pour la vie, car il est vivant pour les siècles des siècles.
Amen.

ou bien :

Béni sois-tu, Père tout-puissant, notre Créateur et notre Dieu : tu nous donnes l'eau qui purifie et qui fait vivre.
Béni sois-tu, Seigneur ! *(ou une autre acclamation)*

Béni sois-tu, Fils unique du Père, Jésus Christ, notre Dieu : pour que naisse l'Église dans le mystère de ta mort et de ta Résurrection, tu laissas couler de ton côté ouvert l'eau et le sang.
Béni sois-tu, Seigneur !

Béni sois-tu, Esprit-Saint, notre Dieu : pour que nous soyons tous baptisés en toi, tu as consacré Jésus quand il fut baptisé dans les eaux du Jourdain.
Béni sois-tu, Seigneur !

Pour que renaissent par l'Esprit Saint ceux que tu as appelés, et pour qu'ils soient de ton peuple, Seigneur, sanctifie cette eau.
Exauce-nous, Seigneur !

• *Dans les églises et chapelles qui ne sont pas destinées à la célébration du baptême, le prêtre bénit l'eau pour l'aspersion :*

Demandons au Seigneur de bénir cette eau ; nous allons en être aspergés en souvenir de notre baptême : que Dieu nous garde fidèles à l'Esprit que nous avons reçu.
Seigneur, Dieu tout-puissant, écoute les prières de ton peuple qui veille en cette nuit très sainte ; alors que nous célébrons la merveille de notre création et la merveille plus grande encore de notre rédemption, daigne bénir cette eau. Tu l'as créée pour féconder la terre et donner à nos corps fraîcheur et pureté. Tu en as fait aussi l'instrument de ta miséricorde ; par elle tu as libéré ton peuple de la servitude et tu as étanché sa soif dans le désert ; par elle les prophètes ont annoncé la nouvelle Alliance que tu voulais sceller avec les hommes ; par elle enfin, eau sanctifiée quand Jésus fut baptisé au Jourdain, tu as renouvelé notre nature pécheresse dans le bain de la nouvelle naissance. Que cette eau, maintenant, nous rappelle notre baptême, et nous fasse participer à la joie de nos frères les baptisés de Pâques. Par Jésus, le Christ, notre Seigneur. **Amen.**

RENONCIATION ET PROFESSION DE FOI

Pour la renonciation au mal et la profession de foi, le prêtre pose chaque question à ceux qui vont être baptisés. Lorsqu'ils ont répondu à une question (Je le rejette ou Je crois), le prêtre se tourne vers l'assemblée et repose la même question à laquelle l'assemblée répond.

On peut aussi procéder maintenant à la renonciation et à la profession de foi de ceux qui vont être baptisés et procéder plus tard à celles de l'assemblée, juste avant de faire sur elle l'aspersion avec l'eau baptismale. On peut choisir entre les formules suivantes :

• Renoncez-vous à Satan, au péché et à tout ce qui conduit au péché ? **J'y renonce.**

• Pour vivre dans la liberté des enfants de Dieu,
rejetez-vous le péché ? **Oui, je le rejette.**

Pour échapper au pouvoir du péché,
rejetez-vous ce qui conduit au mal ? **Oui, je le rejette.**

Pour suivre Jésus Christ, rejetez-vous Satan
qui est l'auteur du péché ? **Oui, je le rejette.**

• Renoncez-vous aux séductions du monde,
elles étouffent la parole de Dieu semée en vous ? **Je renonce.**

Renoncez-vous au péché,
il empêche la parole de Dieu de porter du fruit ? **Je renonce.**

Renoncez-vous à Satan, votre ennemi,
il sème l'ivraie au milieu du bon grain ? **Je renonce.**

Croyez-vous en Dieu, le Père tout-puissant,
créateur du ciel et de la terre ? **Je crois.**

Croyez-vous en Jésus Christ, son Fils unique, notre Seigneur, qui est né de la Vierge Marie, a souffert la passion, a été enseveli, est ressuscité d'entre les morts, et qui est assis à la droite du Père ? **Je crois.**

Croyez-vous en l'Esprit Saint, à la sainte Église catholique, à la communion des saints, au pardon des péchés, à la résurrection de la chair, et à la Vie éternelle ? **Je crois.**

Oraison dite quand il n'y a pas de baptême :

Que Dieu tout-puissant, Père de notre Seigneur Jésus Christ, qui nous a fait renaître par l'eau et l'Esprit Saint, et qui nous a accordé le pardon de tout péché, nous garde encore par sa grâce dans le Christ Jésus notre Seigneur pour la vie éternelle. **Amen.**

Baptême et confirmation

Puis le prêtre baptise chacun des catéchumènes.

N., je te baptise au nom du Père, et du Fils, et du Saint-Esprit.

Il peut leur remettre un vêtement blanc :

Vous avez revêtu le Christ...

et il leur donne un cierge allumé :

La lumière du Christ Jésus...

Normalement, l'évêque – ou le prêtre – qui baptise des adultes leur donne aussi la confirmation.
Il impose les mains aux nouveaux baptisés :

Dieu très bon... donne-leur en plénitude l'Esprit qui reposait sur ton Fils Jésus...

Puis, avec le saint chrême, il trace le signe de la croix sur le front de chacun des confirmands en disant :

N., sois marqué de l'Esprit Saint, le don de Dieu.

Lorsque les nouveaux baptisés ont reçu le vêtement blanc et la lumière prise au cierge pascal, ils peuvent être invités à porter la lumière du Christ à l'assemblée.
La confirmation des nouveaux baptisés étant achevée, le prêtre descend dans l'allée centrale pour asperger tous les participants qui tiennent leur cierge allumé.

S'il n'y a pas eu de baptêmes, aussitôt après la bénédiction de l'eau, tout le peuple renouvelle sa profession de foi baptismale et reçoit l'aspersion avec l'eau bénite.

Frères bien-aimés, par le mystère pascal nous avons été mis au tombeau avec le Christ dans le baptême, afin que nous vivions d'une vie nouvelle. C'est pourquoi, après avoir terminé l'entraînement du Carême, renouvelons notre profession de foi au Dieu vivant et vrai et à son Fils, Jésus Christ, dans la sainte Église catholique.

Renonciation et profession de foi, p. 308.

Après l'aspersion, le prêtre revient au siège. On omet le Credo. On fait la Prière universelle, à laquelle les nouveaux baptisés participent pour la première fois.

LITURGIE EUCHARISTIQUE

Prière sur les offrandes

Avec ces offrandes, Seigneur, reçois les prières de ton peuple ; fais que le sacrifice inauguré dans le mystère pascal nous procure la guérison éternelle. Par Jésus.

Préface

Vraiment il est juste et bon de te glorifier, Seigneur, en tout temps, mais plus encore en cette nuit [aujourd'hui] où le Christ, notre Pâque, a été immolé.
Car il est l'Agneau véritable qui a enlevé le péché du monde : en mourant, il a détruit notre mort ; en ressuscitant, il nous a rendu la vie.
C'est pourquoi le peuple des baptisés, rayonnant de la joie pascale, exulte par toute la terre, tandis que les anges, dans le ciel, chantent sans fin l'hymne de ta gloire : **Saint !...**

Dans les prières eucharistiques, il y a des textes propres à la fête de Pâques. Il y a aussi des textes propres pour ceux qui viennent d'être baptisés et confirmés.
Au moment de la communion, on appelle les nouveaux baptisés avec leurs parrains et marraines. Ils sont accompagnés éventuellement par leurs conjoints. En cette nuit ils communient au Corps et au Sang du Christ.

Prière après la communion

Pénètre-nous, Seigneur, de ton esprit de charité, afin que soient unis par ton amour ceux que tu as nourris du sacrement pascal. Par Jésus.

Bénédiction solennelle

Que demeure en vous la grâce de Dieu, la grâce pascale qu'il vous offre aujourd'hui : qu'elle vous protège de l'oubli et du doute. **Amen.** (*ou :* **Alléluia, Amen.**)

Par la résurrection de son Fils, il vous a fait déjà renaître : qu'il vous rappelle toujours à cette joie que rien, pas même la mort, ne pourra vous ravir. **Amen.**

Ils sont finis, les jours de la passion, suivez maintenant les pas du Ressuscité : suivez-le désormais jusqu'à son Royaume, où vous posséderez enfin la joie parfaite. **Amen.**

Et que Dieu tout-puissant vous bénisse...

Renvoi

Allez, dans la paix du Christ, alléluia, alléluia !
Nous rendons grâce à Dieu, alléluia, alléluia !

Dimanche de la Résurrection
Messe du jour de Pâques

20 avril 2014

LE MATIN DU TROISIÈME JOUR

L'évangile ne décrit nullement le processus de la résurrection. Comment d'ailleurs décrire l'indescriptible passage du Christ dans l'au-delà avec des mots de l'en-deçà ? La mort n'a pas été la dernière étape de son existence, mais seulement l'avant-dernière. Car, par sa résurrection, il est passé, avec toute sa réalité humaine, dans la vie en plénitude qui est celle de son Père. La plume défaille pour relater un tel processus.

Mais il y eut des témoins de la condition nouvelle dans laquelle le Christ venait d'entrer. Car le Ressuscité a bien voulu se porter à la rencontre des siens, qui, au premier abord, eurent de la peine à le reconnaître. Bientôt, cependant, leurs yeux s'ouvrirent et ils reconnurent le Seigneur auquel les avait liés un profond attachement.

Les premiers témoins furent des femmes. Déjà, il y avait eu deux femmes au pied de la croix, et seulement un homme, « le disciple qu'il aimait ». Pour le jour de Pâques, le quatrième évangile ne mentionne que Marie Madeleine. Mais par les évangiles synoptiques, nous savons qu'il y en eut d'autres. Jean nomme la personne qui avait sans doute éprouvé pour Jésus, après Marie sa mère, le sentiment le plus vif. Elle est la première à se rendre, de bon matin, au tombeau où, en un premier temps, elle ne découvre qu'un signe surprenant : le tombeau est ouvert. Vite, elle va trouver Pierre et l'autre disciple, celui que Jésus aimait, sans doute Jean. Eux se risquent à entrer dans le tombeau : le corps de Jésus n'y est plus. Seuls restent les linges qui ont recouvert le corps mort. L'autre disciple comprend soudain : « Il vit, et il crut » *(évangile).* Il vit le tombeau vide et les linges, et, dans l'attachement profond que lui aussi éprouvait pour le Christ, il comprit que celui-ci était ressuscité d'entre les morts.

Pierre ne fut pas en reste, lui qui, cinquante jours plus tard, devait proclamer aux foules de Jérusalem le message que, désormais, il ne cessera de répéter partout où il allait : « Ils l'ont fait mourir en le pendant au bois du supplice. Et voici que Dieu l'a ressuscité le troisième jour » *(première lecture).*

Suggestions pour la célébration

• CHANTER • Pour accompagner la procession d'entrée, ***Jour du vivant*** **CNA 561, *Chrétiens, chantons le Dieu vainqueur*** CNA 485, ***Un nouveau matin se lève*** **I 180, *Jésus Christ, soleil de Pâques*** **I 133,** *Hymne pascale* **Edit 15.87.**

Pour l'aspersion de l'assemblée, ***J'ai vu l'eau vive*** **CNA 481** ou **CNA 191,** *Approchez-vous du Seigneur Jésus* CNA 671, *Peuple de baptisés* CNA 573.

Si on retient une préparation pénitentielle autre que l'aspersion, on pourra chanter : ***Jésus, par ton mystère pascal*** CNA 176, la ***Litanie*** **CNA 185 c** ou ***Kyrie pour le temps pascal*** AL 56-29.

On retiendra un même ***Gloire à Dieu*** pendant tout le temps pascal, par exemple **CNA 199.**

Le Psaume 117 pourra être chanté comme proposé dans **CNA** p. 141 et p. 143.

Avant la proclamation de l'évangile, le Lectionnaire prévoit que l'on chante la séquence ***Victimae pascali laudes.*** Quelques bonnes adaptations existent : ***Sans avoir vu*** CNA **494** ou la version du monastère de Chambarand **I 249-1.**

Pour l'acclamation à l'évangile, on choisira l'Alléluia pascal avec sa cantillation **CNA 215-38.**

On retiendra un ***Saint le Seigneur*** que l'on retrouvera pendant tout le temps pascal : **CNA 247** ou **CNA 254,** ou ***Sanctus de Saint-Sauveur*** **AL 55-53, *Sanctus*** AL 53-97 ou **AL 52-77-15.**

Il en sera de même pour l'***Agneau de Dieu*** : ***Agneau de Pâques*** **D 548,** *Agneau de l'Alliance fidèle* D 548, *Voici l'Agneau de Dieu* **CNA 304** (versets 4 et 5).

Pendant la communion : le psaume 33, ***Venez manger la Pâque*** **CNA 347, *Voici le pain qui donne Dieu*** D 50-07-2, ***Seigneur Jésus, tu es vivant*** CNA 586, ***Nous partageons le pain nouveau*** CNA 335.

Pour l'action de grâce : *Vainqueur de nos ténèbres* I 27-43, *Le Seigneur est ressuscité* CNA 491, *Dans la puissance de l'Esprit* CNA 488, *Chrétiens, chantons* CNA 485, *Tu as triomphé de la mort* CNA 594, *Nous te chantons, Ressuscité* I 262-1.

Si on désire chanter une bénédiction solennelle, CNA propose une formule : CNA 360-2.

Si l'on célèbre la messe du soir de Pâques, plusieurs chants feront écho aux textes des lectures : *Reste avec nous* CNA 815, *Que cherchez-vous au soir tombant ?* I 78.

• **PRIER** • On privilégiera aujourd'hui et pendant le Temps pascal la préparation pénitentielle sous forme d'aspersion de l'assemblée, en mémoire du baptême.

Pour la prière universelle

Nous pouvons prier :
– pour l'Église qui durant la nuit pascale a engendré, par l'eau et l'Esprit Saint, de nouveaux fils et filles de Dieu ;
– pour les ministres de la parole de Dieu, afin qu'ils trouvent les mots pour dire aux hommes de notre temps la foi en la résurrection du Christ notre Sauveur ;
– pour les défunts que nous avons connus et aimés, afin qu'ils soient dans la joie auprès du Christ ressuscité ;
– pour que notre communauté redouble d'espérance et de charité pour mieux vivre la vie nouvelle que nous avons reçue à notre baptême.

Messe du jour de Pâques

Prière d'ouverture

Aujourd'hui, Dieu notre Père, tu nous ouvres la vie éternelle par la victoire de ton Fils sur la mort, et nous fêtons sa résurrection. Que ton Esprit fasse de nous des hommes nouveaux pour que nous ressuscitions avec le Christ dans la lumière de la vie. Lui qui règne.

1re LECTURE *Nous avons mangé et bu avec lui après sa résurrection*

Lecture du livre des Actes des Apôtres Ac 10, 34a.37-43

Quand Pierre arriva à Césarée chez un centurion de l'armée romaine, il prit la parole :

« Vous savez ce qui s'est passé à travers tout le pays des Juifs, depuis les débuts en Galilée, après le baptême proclamé par Jean : Jésus de Nazareth, Dieu l'a consacré par l'Esprit Saint et rempli de sa force. Là où il passait, il faisait le bien et il guérissait tous ceux qui étaient sous le pouvoir du démon. Car Dieu était avec lui. Et nous, les Apôtres, nous sommes témoins de tout ce qu'il a fait dans le pays des Juifs et à Jérusalem. Ils l'ont fait mourir en le pendant au bois du supplice. Et voici que Dieu l'a ressuscité le troisième jour. Il lui a donné de se montrer non pas à tout le peuple, mais seulement aux témoins que Dieu avait choisis d'avance, à nous qui avons mangé et bu avec lui après sa résurrection d'entre les morts. Il nous a chargés d'annoncer au peuple et de témoigner que Dieu l'a choisi comme Juge des vivants et des morts. C'est à lui que tous les prophètes rendent ce témoignage : Tout homme qui croit en lui reçoit par lui le pardon de ses péchés. »

PSAUME 117

Ce jour que fit le Seigneur
est un jour de joie, alléluia !

Rendez grâce au Seigneur : il est bon !
Éternel est son amour !
Qu'ils le disent, ceux qui craignent le Seigneur :
Éternel est son amour !

Le bras du Seigneur se lève,
le bras du Seigneur est fort !

Non, je ne mourrai pas, je vivrai,
pour annoncer les actions du Seigneur.

La pierre qu'ont rejetée les bâtisseurs
est devenue la pierre d'angle :
c'est là l'œuvre du Seigneur,
la merveille devant nos yeux.

2e LECTURE *Pensez aux réalités d'en haut, là où est le Christ*

• Lecture de la lettre de saint Paul Apôtre aux Colossiens — Col 3, 1-4

Frères, vous êtes ressuscités avec le Christ. Recherchez donc les réalités d'en haut : c'est là qu'est le Christ, assis à la droite de Dieu. Tendez vers les réalités d'en haut, et non pas vers celles de la terre.

En effet, vous êtes morts avec le Christ, et votre vie reste cachée avec lui en Dieu. Quand paraîtra le Christ, votre vie, alors vous aussi, vous paraîtrez avec lui en pleine gloire.

OU *Purifiez-vous des vieux ferments, et vous serez une Pâque nouvelle*

• Lecture de la première lettre de saint Paul Apôtre aux Corinthiens — 1 Co 5, 6-8

Frères, vous savez bien qu'un peu de levain suffit pour que toute la pâte fermente. Purifiez-vous donc des vieux ferments, et vous serez une pâte nouvelle, vous qui êtes comme le pain de la Pâque, celui qui n'a pas fermenté. Voici que le Christ, notre agneau pascal, a été immolé. Célébrons donc la Fête non pas avec de vieux ferments : la perversité et le vice ; mais avec du pain non fermenté : la droiture et la vérité.

CANTIQUE

À la Victime pascale,
chrétiens, offrez le sacrifice de louange.

L'Agneau a racheté les brebis ;
le Christ innocent a réconcilié
l'homme pécheur avec le Père.

La mort et la vie s'affrontèrent
en un duel prodigieux.
Le Maître de la vie mourut ; vivant, il règne.

« Dis-nous, Marie Madeleine,
qu'as-tu vu en chemin ? »

« J'ai vu le sépulcre du Christ vivant,
j'ai vu la gloire du Ressuscité.

J'ai vu les anges ses témoins,
le suaire et les vêtements.

Le Christ, mon espérance, est ressuscité !
Il vous précédera en Galilée. »

Nous le savons : le Christ
est vraiment ressuscité des morts.

Roi victorieux,
prends-nous tous en pitié ! Amen.

Alléluia. Alléluia. Notre Pâque immolée, c'est le Christ ! Rassasions-nous dans la joie au festin du Seigneur ! **Alléluia.**

ÉVANGILE — *Il fallait que Jésus ressuscite d'entre les morts*

Évangile de Jésus Christ selon saint Jean — Jn 20, 1-9

Aux messes du matin on lit l'évangile suivant ou l'évangile de la veillée pascale, p. 303.

Aux messes du soir on peut lire Lc 24, 13-35, p. 333.

Le premier jour de la semaine, Marie Madeleine se rend au tombeau de grand matin, alors qu'il fait encore sombre. Elle voit que la pierre a été enlevée du tombeau. Elle court donc trouver Simon-Pierre et l'autre disciple, celui que Jésus aimait, et leur dit : « On a enlevé le Seigneur de son tombeau, et nous ne savons pas où on l'a mis. » Pierre partit donc avec l'autre disciple pour se rendre au tombeau. Ils couraient tous les deux ensemble, mais l'autre disciple courut plus vite que Pierre et arriva le premier au tombeau. En se penchant, il voit que le linceul est resté là ; cependant il n'entre pas. Simon-Pierre, qui le suivait, arrive à son tour. Il entre dans le tombeau, et il regarde le linceul resté là, et le linge qui avait recouvert la tête, non pas posé avec le linceul, mais roulé à part à sa place.

C'est alors qu'entra l'autre disciple, lui qui était arrivé le premier au tombeau. Il vit et il crut. Jusque-là, en effet, les disciples n'avaient pas vu que, d'après l'Écriture, il fallait que Jésus ressuscite d'entre les morts.

Prière sur les offrandes

Dans la joie de Pâques, Seigneur, nous t'offrons ce sacrifice : c'est par lui que ton Église, émerveillée de ta puissance, naît à la vie et reçoit sa nourriture. Par Jésus.

Préface de Pâques, p. 25.

Dans les prières eucharistiques, il y a des textes propres à la fête de Pâques.

Prière après la communion

Dieu de toute bonté, ne cesse pas de veiller sur ton Église : déjà les sacrements de la Pâque nous ont régénérés en nous obtenant ton pardon, en nous faisant communier à ta vie ; donne-nous d'entrer dans la lumière de la résurrection. Par Jésus.

Bénédiction solennelle, p. 312.

Renvoi

Allez dans la paix du Christ, alléluia, alléluia !
Nous rendons grâce à Dieu, alléluia, alléluia !

Un mystère de foi

« La Résurrection n'est pas un miracle tapageur mais un *mystère* de foi et de silence, accessible seulement dans la contemplation. C'est l'achèvement de la Pâque, la manifestation de la totale intimité de l'homme Jésus avec le Père. »

Ph. Ferlay, *Jésus notre Pâque : Théologie du mystère pascal*, Le Centurion, 1977, p. 69.

Calendrier liturgique

Di 20	**PÂQUES, RÉSURRECTION DU SEIGNEUR.** *Liturgie des Heures : Psautier propre.* *Tous les jours de cette semaine privilégiée ont une messe propre l'emportant sur toute autre fête.*
Lu 21	Ac 2, 14-32 ; Ps 15 ; Mt 28, 8-15. *[S. Anselme, évêque de Cantorbéry, docteur de l'Église, † 1109.]*
Ma 22	Ac 2, 36-41 ; Ps 32 ; Jn 20, 11-18.
Me 23	Ac 3, 1-10 ; Ps 104 ; Lc 24, 13-35. *[S. Georges, martyr à Lod en Palestine, IIIe-IVe siècle.* *S. Adalbert, évêque de Prague, martyr, † 997 près de Gdansk (Pologne).]*
Je 24	Ac 3, 11-26 ; Ps 8 ; Lc 24, 35-48. *[S. Fidèle de Sigmaringen, capucin, martyr à Seewis (Suisse), † 1622.]*
Ve 25	Ac 4, 1-12 ; Ps 117 ; Jn 21, 1-14. [S. MARC, ÉVANGÉLISTE.]
Sa 26	Ac 4, 13-21 ; Ps 117 ; Mc 16, 9-15.

Bonne fête ! 20 : Odette, Giraud. 21 : Anselme, Selma. 22 : Alexandre. 23 : Georges, Georgina, Youri, Fortunat. 24 : Fidèle, Euphrasie. 25 : Marc. 26 : Alida, Clet.

Pour mémoire : 20 avril : dans les Églises orthodoxes, Pâques.

Pour prolonger la prière : Dieu vivant, Dieu sauveur, tu as relevé ton Fils de la mort. Plonge-nous dans cette fête pascale pour que nous ressuscitions avec ton Fils et qu'en nous, tout soit neuf de la nouveauté éternelle de ta vie.

CHRIST EST VIVANT

« Nous l'avons vu ressuscité,
Nous, témoins de la Vérité !
Il est venu, il reviendra !
Amen ! Alléluia ! Alléluia [1] ! »

Étonnante période que ces quarante jours, première période du temps pascal où le Christ ressuscité continue à se manifester corporellement avant de monter vers son Père pour siéger définitivement dans la gloire !

Pour la tradition de l'Église, le sens des apparitions du Ressuscité est clair : il fallait que le Christ vivant « dès le commencement » se révèle de manière perceptible pour que ceux dont les yeux ont vu, dont les mains ont touché, qui ont contemplé la Vie, puissent rendre témoignage (1 Jn 1, 1).

Car, c'est bien dans ce temps d'expériences exceptionnelles que va prendre forme le contenu de la foi transmise par les Apôtres auquel adhère la première communauté de croyants. Nous entendrons, au cours de ces dimanches du temps pascal, le récit des Actes des Apôtres : la foi nous est montrée comme une force agissante qui remplit de joie et d'allégresse le cœur des premiers disciples *(première lecture de ces dimanches)*. Et c'est en vertu de ces commencements pleins d'enthousiasme que l'apôtre Pierre exhorte les communautés chrétiennes, menacées par la suspicion et l'hostilité, à manifester la vitalité de leur foi et la qualité de leur espérance *(deuxième lecture de ces dimanches)*.

Nous qui avons accueilli le témoignage concret des premiers disciples, à notre tour d'annoncer au monde Jésus, le seul Vivant, en qui nous devenons vivants : « D'ici peu de temps, le monde ne me verra plus, mais vous, vous me verrez vivant et vous vivrez aussi » *(évangile du 6e dimanche de Pâques)*.

Oui, Christ est vivant aujourd'hui par sa Parole ; il nous donne sa vie dans les sacrements, spécialement lorsque nous recevons l'Eucharistie ; il vient nous rejoindre au cœur des événements du monde et de ceux de notre vie. Nous avons aussi à découvrir sa présence dans le visage des pauvres et des exclus.

[1] Hymne, J. F. Frié, CNPL.

Deuxième dimanche de Pâques ou dimanche de la Divine Miséricorde 27 avril 2014

VOIR DANS LA FOI

Pour beaucoup de nos contemporains, il est bien difficile d'admettre un au-delà de la mort. Notre culture occidentale, imprégnée d'explications scientifiques, impose le plus souvent à ce sujet un voile de silence.

À l'époque de Jésus, c'est déjà le même problème qui hante la conscience de certains groupes, les Sadducéens en particulier. L'*évangile* d'aujourd'hui nous révèle, à travers l'expérience bien concrète de Thomas, que Jésus Christ, Seigneur, est le seul homme qui a traversé la mort. À l'opposé de Jean, le disciple bien-aimé de Jésus qui a cru sans avoir vu le Ressuscité, Thomas veut « toucher » la vie à l'endroit même où siégeait la mort. L'*évangile* ne précise pas si Thomas a effectivement touché sur le corps de Jésus les traces de sa mort en croix. Car devant les plaies, Thomas non seulement proclame haut et clair sa foi en la résurrection du Christ mais aussi reconnaît pleinement sa divinité : « Mon Seigneur et mon Dieu ! » Jésus ne reproche pas à Thomas d'avoir voulu toucher mais d'avoir voulu voir ; en réponse à l'incrédulité de Thomas – après tout, la crédulité n'est-elle pas un vilain défaut ? –, Dieu, dont la puissance infinie de vie peut anéantir la mort, manifeste de façon bien réelle la résurrection.

Aujourd'hui, les sacrements qui nous unissent au Corps du Christ, comportent le toucher – onctions d'huiles, imposition des mains, manducation du pain eucharistique. Mais il faut la lumière du Ressuscité pour reconnaître, comme Thomas, la présence vivifiante de Dieu au sein de notre humanité confrontée à toutes sortes d'épreuves. Tel est bien le paradoxe chrétien souligné par l'apôtre Pierre : regarder avec les yeux de la foi et, sans se laisser abattre par les souffrances, se maintenir dans la joie jusqu'au jour où se révélera en pleine lumière Jésus Christ, « lui que vous aimez sans l'avoir vu, en qui vous croyez sans le voir encore » *(deuxième lecture).*

Suggestions pour la célébration

• **CHANTER** • Pour un répertoire commun au temps pascal, on se reportera aux propositions faites au jour de Pâques, particulièrement pour l'ordinaire de la messe et pour l'aspersion.

Pour faire davantage écho aux textes de ce dimanche, on retiendra : ***Sans avoir vu*** **CNA 494**, ***Christ est vraiment ressuscité*** **CNA 487**, ***Joie nouvelle*** (*Signes Musiques* 121), ***Quand il disait à ses amis*** **I 165-1.**

Après la communion, ***Criez de joie, Christ est ressuscité*** **I 52-51.**

• **PRIER** •

Pour la préparation pénitentielle

On choisira le rite de l'aspersion car il fait mémoire du baptême. L'Église le recommande pendant tous les dimanches du temps pascal *(PGMR 51).* Pour que ce geste manifeste pleinement sa signification, on peut utiliser des rameaux. Les ministres qui font l'aspersion auront soin de faire ce geste amplement et en direction de tous les fidèles. Pour cela, il est souvent nécessaire qu'ils se déplacent dans les allées. On utilisera l'eau bénie pendant la Veillée pascale.

Pour la prière universelle

Nous pouvons prier le Père de miséricorde :
– pour les nouveaux baptisés de Pâques : qu'ils ne cessent de se réjouir de leur appartenance à cet unique Corps qu'est l'Église ;
– pour ceux qui traversent des épreuves de toutes sortes : qu'ils tiennent bon avec une espérance renouvelée ;
– pour ceux qui gardent dans leur corps les traces de la maladie ou de la violence : qu'ils reçoivent la paix que Dieu donne en Jésus ressuscité ;
– pour les communautés chrétiennes : que la foi en la résurrection célébrée à l'Eucharistie soit vraiment la source de toute solidarité avec les hommes.

• **CÉLÉBRER** • Pour introduire le rite de la paix, la parole de l'évangile : « La paix soit avec vous ! » est l'occasion de souligner que nous sommes invités à partager non pas une simple salutation, comme si l'on se disait « bonne journée ! », mais le don du Christ qui par sa victoire sur la mort nous introduit dans la communion avec Dieu. En ce dimanche de la Divine Miséricorde, retrouvons le sens profond de ce don de la Paix que nous recevons du Ressuscité.

PRIÈRE D'OUVERTURE

Dieu de miséricorde infinie, tu ranimes la foi de ton peuple par les célébrations pascales ; augmente en nous ta grâce pour que nous comprenions toujours mieux quel baptême nous a purifiés, quel Esprit nous a fait renaître, et quel sang nous a rachetés. Par Jésus Christ.

1re LECTURE *La communion fraternelle des premiers chrétiens*

Lecture du livre des Actes des Apôtres Ac 2, 42-47

Dans les premiers jours de l'Église, les frères étaient fidèles à écouter l'enseignement des Apôtres et à vivre en communion fraternelle, à rompre le pain et à participer aux prières. La crainte de Dieu était dans tous les cœurs ; beaucoup de prodiges et de signes s'accomplissaient par les Apôtres.

Tous ceux qui étaient devenus croyants vivaient ensemble, et ils mettaient tout en commun ; ils vendaient leurs propriétés et leurs biens, pour en partager le prix entre tous selon les besoins de chacun.

Chaque jour, d'un seul cœur, ils allaient fidèlement au Temple, ils rompaient le pain dans leurs maisons, ils prenaient leurs repas avec allégresse et simplicité. Ils louaient Dieu et trouvaient un bon accueil auprès de tout le peuple. Tous les jours, le Seigneur faisait entrer dans la communauté ceux qui étaient appelés au salut.

PSAUME 117

- **Éternel est son amour !**
- **Ce jour que fit le Seigneur est un jour de joie, alléluia !**

Rendez grâce au Seigneur : Il est bon !
Éternel est son amour !
Qu'ils le disent, ceux qui craignent le Seigneur :
Éternel est son amour !

On m'a poussé, bousculé pour m'abattre ;
mais le Seigneur m'a défendu.
Ma force et mon chant, c'est le Seigneur ;
il est pour moi le salut.

Ouvrez-moi les portes de justice :
j'entrerai, je rendrai grâce au Seigneur.
Je te rends grâce car tu m'as exaucé :
tu es pour moi le salut.

La pierre qu'ont rejetée les bâtisseurs
est devenue la pierre d'angle ;
c'est là l'œuvre du Seigneur,
la merveille devant nos yeux.

Voici le jour que fit le Seigneur,
qu'il soit pour nous jour de fête et de joie !
Donne, Seigneur, donne le salut !
Donne, Seigneur, donne la victoire !

2e LECTURE — *L'espérance des baptisés*

Lecture de la première lettre de saint Pierre Apôtre 1 P 1, 3-9

Béni soit Dieu, le Père de Jésus Christ notre Seigneur : dans sa grande miséricorde, il nous a fait renaître grâce à la résurrection de Jésus Christ pour une vivante espérance, pour l'héritage qui ne connaîtra ni destruction, ni souillure, ni vieillissement. Cet héritage vous est réservé dans les cieux, à vous que la puissance de Dieu garde par la foi, en vue du salut qui est prêt à se manifester à la fin des temps. Vous en tressaillez de joie, même s'il faut que vous soyez attristés, pour un peu de temps encore, par toutes sortes d'épreuves ; elles vérifieront la qualité de votre foi qui est bien plus précieuse que l'or (cet or, voué pourtant à disparaître, qu'on vérifie par le feu). Tout cela doit donner à Dieu louange, gloire et honneur quand se révélera Jésus Christ, lui que vous aimez sans l'avoir vu, en qui vous croyez sans le voir encore ; et vous tressaillez d'une joie inexprimable qui vous transfigure, car vous allez obtenir votre salut, qui est l'aboutissement de votre foi.

Alléluia. Alléluia. Thomas a vu le Seigneur : il a cru. Heureux celui qui croit sans avoir vu ! **Alléluia.**

ÉVANGILE *Apparition du Christ huit jours plus tard*

Évangile de Jésus Christ selon saint Jean Jn 20, 19-31

C'**était après la mort de Jésus,** le soir du premier jour de la semaine. Les disciples avaient verrouillé les portes du lieu où ils étaient, car ils avaient peur des Juifs. Jésus vint, et il était là au milieu d'eux. Il leur dit : « La paix soit avec vous ! » Après cette parole, il leur montra ses mains et son côté. Les disciples furent remplis de joie en voyant le Seigneur. Jésus leur dit de nouveau : « La paix soit avec vous ! De même que le Père m'a envoyé, moi aussi, je vous envoie. » Ayant ainsi parlé, il répandit sur eux son souffle et il leur dit : « Recevez l'Esprit Saint. Tout homme à qui vous remettrez ses péchés, ils lui seront remis ; tout homme à qui vous maintiendrez ses péchés, ils lui seront maintenus. »

Or, l'un des Douze, Thomas (dont le nom signifie « jumeau ») n'était pas avec eux, quand Jésus était venu. Les autres disciples lui disaient : « Nous avons vu le Seigneur ! » Mais il leur déclara : « Si je ne vois pas dans ses mains la marque des clous, si je ne mets pas mon doigt à l'endroit des clous, si je ne mets pas la main dans son côté, non, je n'y croirai pas. »

Huit jours plus tard, les disciples se trouvaient de nouveau dans la maison, et Thomas était avec eux. Jésus vient, alors que les portes étaient verrouillées, et il était là au milieu d'eux. Il dit : « La paix soit avec vous ! » Puis il dit à Thomas : « Avance ton doigt ici, et vois mes mains ; avance ta main et mets-la dans mon côté : cesse d'être incrédule, sois croyant. » Thomas lui dit alors : « Mon Seigneur et mon Dieu ! » Jésus lui dit : « Parce que tu m'as vu, tu crois. Heureux ceux qui croient sans avoir vu ! »

Il y a encore beaucoup d'autres signes que Jésus a faits en présence des disciples et qui ne sont pas mis par écrit dans ce livre. Mais ceux-là y ont été mis afin que vous croyiez que Jésus est le Messie, le Fils de Dieu, et afin que, par votre foi, vous ayez la vie en son nom.

Prière sur les offrandes

Accueille avec bonté, Seigneur, les offrandes de tes fidèles (et de tous ceux qui viennent de renaître dans le Christ) ; renouvelés par la foi et le baptême, qu'ils parviennent au bonheur sans fin. Par Jésus.

Préface de Pâques, au choix, p. 25.

Dans les prières eucharistiques, on prend les textes propres à la fête de Pâques.

Prière après la communion

Nous t'en prions, Dieu tout-puissant : que le mystère pascal accueilli dans cette communion ne cesse jamais d'agir en nos cœurs. Par Jésus.

Renvoi

Allez dans la paix du Christ, alléluia, alléluia.
Nous rendons grâce à Dieu, alléluia, alléluia.

Calendrier liturgique

Di 27 **2e dimanche de Pâques ou de la Divine Miséricorde.**
Liturgie des Heures : Psautier semaine II.
[En Suisse, S. Pierre Canisius, prêtre jésuite, † 21 décembre 1597 à Fribourg (Suisse). Ailleurs, mémoire le 21 décembre.]

Lu 28 *S. Pierre Chanel, prêtre mariste français, premier martyr de l'Océanie, † 1841 à Futuna.*
S. Louis-Marie Grignion de Montfort, prêtre, fondateur de congrégations religieuses, † 1716 à Saint-Laurent-sur-Sèvre (Vendée).

Ma 29 Ste CATHERINE DE SIENNE, vierge, tertiaire dominicaine, docteur de l'Église, † 1380 à Rome, patronne de l'Europe. En Europe, lectures propres : 1 Jn 1, 5 – 2, 2 ; Lc 10, 38-42.

Me 30 S. Pie V, pape, † 1572 à Rome.
En Afrique du Nord, NOTRE-DAME D'AFRIQUE.

Je 1er S. Joseph travailleur.

Ve 2 S. Athanase, évêque d'Alexandrie, docteur de l'Église, † 373.

Sa 3 S. PHILIPPE et S. JACQUES, Apôtres. Lectures propres : 1 Co 15, 1-8 ; Jn 14, 6-14.

Bonne fête ! 27 : Zita. 28 : Louis-Marie, Vital. 29 : Catherine. 30 : Robert, Robin, Rosemonde ; 1er : Tamara, Jérémie, Brieuc. 2 : Athanase, Antonin, Boris, Zoé. 3 : Jacques, James, Jim, Juvénal, Philippe.

Pour mémoire : aujourd'hui, dernier dimanche d'avril, souvenir des déportés. Le 1er mai, fête du travail.

Pour prolonger la prière : Dieu, Père de Jésus Christ, tu as fait de ton Fils le premier Vivant. En lui, tu nous as réconciliés avec la vie. Que la paix qu'il a instaurée soit notre héritage aujourd'hui. En la partageant avec tous les hommes, nous la recevrons comme notre bien commun pour les siècles des siècles.

3e dimanche de Pâques 4 mai 2014

LA JOIE DE CROIRE

La joie de croire envahit tout l'être. Telle est l'expérience du psalmiste qui, de tout son cœur, de toute son âme, de toute sa chair proclame sa joie d'appartenir à Dieu et lui exprime son amour profond et confiant *(psaume)*.

L'apôtre Pierre applique ce psaume à Jésus ressuscité, « Oui, mon cœur est dans l'allégresse, ma chair elle-même reposera dans l'espérance : tu ne peux pas m'abandonner à la mort ni laisser ton fidèle connaître la corruption » *(première lecture)*.

Sur la route d'Emmaüs, les disciples ont appris à reconnaître celui qui montre le chemin de la vie et dont la présence remplit le cœur d'allégresse *(évangile)*. Le récit de l'évangéliste Luc traduit, à travers la rencontre inattendue faite par les deux disciples, l'expérience pascale de tout chrétien : au cœur de l'angoisse, du scepticisme, de la frustration que suscite la réflexion sur un présent et un avenir incertains, vient naître le désir d'une présence en qui peut grandir la confiance. Mais l'évangéliste rappelle à tout chrétien l'exigence continuelle d'un profond enracinement dans la Parole, « en partant de Moïse et de tous les prophètes ». Cette Parole, sans cesse annoncée, expliquée et toujours mieux comprise, permet au chrétien de recevoir le don du Seigneur dans l'Eucharistie : alors, ses yeux s'ouvrent. Devenu capable de reconnaître le Dieu qui chasse toute peur et dispense gratuitement la joie, il peut ainsi mettre en lui toute sa foi et toute son espérance.

Aujourd'hui, comme chaque fois que nous célébrons la messe, nous sommes tous invités à vivre, en union avec le Christ, cette expérience pascale : elle nous introduit dans la joie éternelle dont nous avons à être les témoins en ce monde.

Suggestions pour la célébration

• **CHANTER** • Aux propositions faites pour le temps pascal, on peut ajouter les chants suivants qui font écho aux textes du jour : ***Reste avec nous*** **CNA 815,** ***Depuis l'aube*** **CNA 489,** ***Sur les routes d'Emmaüs*** **I 26-29,** ***Jésus qui m'as brûlé le cœur*** **I 144.**

Après la communion, on pourra chanter : ***Celui qui a mangé de ce pain*** **CNA 321,** ***Pâque nouvelle*** **I 26-19,** ***Criez de joie, Christ est ressuscité*** **I 52-51.**

• **PRIER** • **POUR LA PRÉPARATION PÉNITENTIELLE**

On choisira le rite de l'aspersion car il fait mémoire du baptême. L'Église le recommande pendant tous les dimanches du temps pascal (*PGMR* 51).

POUR LA PRIÈRE UNIVERSELLE

Nous pouvons prier :
– pour ceux qui ne connaissent pas le Christ : qu'ils rencontrent des témoins de sa résurrection ;
– pour ceux qui n'ont plus confiance en l'avenir ou qui s'enferment dans les excitations du moment présent ;
– pour les membres de notre Église, qui se nourrissent de la lecture et de l'étude de l'Écriture pour la transmettre à tous les fidèles ;
– pour nos communautés qui ont à témoigner la joie de partager l'Eucharistie dominicale.

• **CÉLÉBRER** • L'évangile de ce dimanche souligne la structure de la messe : l'ouverture, la liturgie de la parole, la liturgie de l'eucharistie, l'envoi.

PRIÈRE D'OUVERTURE

Garde à ton peuple sa joie, Seigneur, toi qui refais ses forces et sa jeunesse ; tu nous as rendu la dignité de fils de Dieu, affermis-nous dans l'espérance de la résurrection. Par Jésus Christ.

1re LECTURE *Pierre annonce le Christ ressuscité*

Lecture du livre des Actes des Apôtres Ac 2, 14.22b-33

Le jour de la Pentecôte, Pierre, debout avec les onze autres Apôtres, prit la parole ; il dit d'une voix forte : « Habitants de la Judée, et vous tous qui séjournez à Jérusalem, comprenez ce qui se passe aujourd'hui, écoutez bien ce que je vais vous dire. Il s'agit de Jésus le Nazaréen, cet homme dont Dieu avait fait connaître la mission en accomplissant par lui des miracles, des prodiges et des signes au milieu de vous, comme vous le savez bien. Cet homme, livré selon le plan et la volonté de Dieu, vous l'avez fait mourir en le faisant clouer à la croix par la main des païens. Or, Dieu l'a ressuscité en mettant fin aux douleurs de la mort, car il n'était pas possible qu'elle le retienne en son pouvoir. En effet, c'est de lui que parle le psaume de David : “Je regardais le Seigneur sans relâche ; s'il est à mon côté, je ne tombe pas. Oui, mon cœur est dans l'allégresse, ma langue chante de joie ; ma chair elle-même reposera dans l'espérance : tu ne peux pas m'abandonner à la mort ni laisser ton fidèle connaître la corruption. Tu m'as montré le chemin de la vie, tu me rempliras d'allégresse par ta présence.”

Frères, au sujet de David notre père, on peut vous dire avec assurance qu'il est mort, qu'il a été enterré, et que son tombeau est encore aujourd'hui chez nous. Mais il était prophète, il savait que Dieu lui avait juré de faire asseoir sur son trône un de ses descendants. Il a vu d'avance la résurrection du Christ, dont il a parlé ainsi : “Il n'a pas été abandonné à la mort, et sa chair n'a pas connu la corruption.” Ce Jésus, Dieu l'a ressuscité ; nous tous, nous en sommes témoins. Élevé dans la gloire par la puissance de Dieu, il a reçu de son Père l'Esprit Saint qui était promis, et il l'a répandu sur nous : c'est cela que vous voyez et que vous entendez. »

PSAUME 15

• **Tu m'as montré, Seigneur, le chemin de la vie.**

Garde-moi, mon Dieu : j'ai fait de toi mon refuge.
J'ai dit au Seigneur : « Tu es mon Dieu !

Seigneur, mon partage et ma coupe :
de toi dépend mon sort. »

Je bénis le Seigneur qui me conseille :
même la nuit mon cœur m'avertit.
Je garde le Seigneur devant moi sans relâche ;
il est à ma droite : je suis inébranlable.

Mon cœur exulte, mon âme est en fête,
ma chair elle-même repose en confiance :
tu ne peux m'abandonner à la mort
ni laisser ton ami voir la corruption.

Je n'ai pas d'autre bonheur que toi.
Tu m'apprends le chemin de la vie :
devant ta face, débordement de joie !
à ta droite, éternité de délices !

2e LECTURE *Le Christ ressuscité donne à notre vie son vrai sens*

Lecture de la première lettre de saint Pierre Apôtre 1 P 1, 17-21

Frères, vous invoquez comme votre Père celui qui ne fait pas de différence entre les hommes, mais qui les juge chacun d'après ses actes ; vivez donc, pendant votre séjour sur terre, dans la crainte de Dieu. Vous le savez : ce qui vous a libérés de la vie sans but que vous meniez à la suite de vos pères, ce n'est pas l'or et l'argent, car ils seront détruits, c'est le sang précieux du Christ, l'Agneau sans défaut et sans tache. Dieu l'avait choisi dès avant la création du monde, et il l'a manifesté à cause de vous, en ces temps qui sont les derniers. C'est par lui que vous croyez en Dieu, qui l'a ressuscité d'entre les morts, et lui a donné la gloire ; ainsi vous mettez votre foi et votre espérance en Dieu.

Alléluia. Alléluia. Seigneur Jésus, fais-nous comprendre les Écritures. Que notre cœur devienne brûlant tandis que tu nous parles. **Alléluia.**

ÉVANGILE *Apparition aux disciples d'Emmaüs*

Évangile de Jésus Christ selon saint Luc Lc 24, 13-35

Le troisième jour après la mort de Jésus, deux disciples faisaient route vers un village appelé Emmaüs, à deux heures de marche de Jérusalem, et ils parlaient de tout ce qui s'était passé.

Or, tandis qu'ils parlaient et discutaient, Jésus lui-même s'approcha, et il marchait avec eux. Mais leurs yeux étaient aveuglés, et ils ne le reconnaissaient pas. Jésus leur dit : « De quoi causiez-vous donc, tout en marchant ? » Alors ils s'arrêtèrent, tout tristes. L'un des deux, nommé Cléophas, répondit : « Tu es bien le seul, de tous ceux qui étaient à Jérusalem, à ignorer les événements de ces jours-ci. » Il leur dit : « Quels événements ? » Ils lui répondirent : « Ce qui est arrivé à Jésus de Nazareth : cet homme était un prophète puissant par ses actes et ses paroles devant Dieu et devant tout le peuple. Les chefs des prêtres et nos dirigeants l'ont livré, ils l'ont fait condamner à mort et ils l'ont crucifié. Et nous qui espérions qu'il serait le libérateur d'Israël ! Avec tout cela, voici déjà le troisième jour qui passe depuis que c'est arrivé. À vrai dire, nous avons été bouleversés par quelques femmes de notre groupe. Elles sont allées au tombeau de très bonne heure, et elles n'ont pas trouvé le corps ; elles sont même venues nous dire qu'elles avaient eu une apparition : des anges, qui disaient qu'il est vivant. Quelques-uns de nos compagnons sont allés au tombeau, et ils ont trouvé les choses comme les femmes l'avaient dit ; mais lui, ils ne l'ont pas vu. » Il leur dit alors : « Vous n'avez donc pas compris ! Comme votre cœur est lent à croire tout ce qu'ont dit les prophètes ! Ne fallait-il pas que le Messie souffrît tout cela pour entrer dans sa gloire ? » Et, en partant de Moïse et de tous les prophètes, il leur expliqua, dans toute l'Écriture, ce qui le concernait. Quand ils approchèrent du village où ils se rendaient, Jésus fit semblant d'aller plus loin. Mais ils s'efforcèrent de le retenir : « Reste avec nous : le soir approche et déjà le jour baisse. » Il entra donc pour rester avec eux.

Quand il fut à table avec eux, il prit le pain, dit la bénédiction, le rompit et le leur donna. Alors leurs yeux s'ouvrirent, et ils le reconnurent, mais il disparut à leurs regards. Alors ils se dirent l'un à l'autre : « Notre cœur n'était-il pas brûlant en nous, tandis qu'il nous parlait sur la route, et qu'il nous faisait comprendre les Écritures ? » À l'instant même, ils se levèrent et retournèrent à Jérusalem. Ils y trouvèrent réunis les onze Apôtres et leurs compagnons, qui leur dirent : « C'est vrai ! le Seigneur est ressuscité : il est apparu à Simon-Pierre. » À leur tour, ils racontaient ce qui s'était passé sur la route, et comment ils l'avaient reconnu quand il avait rompu le pain.

Prière sur les offrandes

Accueille, Seigneur, les dons de ton Église en fête : tu es à l'origine d'un si grand bonheur, qu'il s'épanouisse en joie éternelle. Par Jésus.

Préface du temps pascal : au choix, p. 26.

Prière après la communion

Regarde avec bonté, Seigneur, le peuple que tu as rénové par tes sacrements : accorde-nous de parvenir à la résurrection bienheureuse, toi qui nous as destinés à connaître ta gloire. Par Jésus.

L'unité des deux tables

« La messe comporte en quelque sorte deux parties, à savoir la liturgie de la parole et la liturgie eucharistique, mais si étroitement liées qu'elles forment un seul acte de culte. En effet, à la messe est dressée aussi bien la table de la parole de Dieu que du Corps du Christ, où les fidèles sont instruits et restaurés. Et certains rites ouvrent et concluent la célébration. »

Présentation Générale du Missel Romain (PGMR), éd. 2002, § 28.

Calendrier liturgique

Di 4 **3e dimanche de Pâques A.**
Liturgie des Heures : Psautier semaine III.

Ma 6 *En Afrique du Nord, S. Jacques, diacre, S. Marien, lecteur, et leurs compagnons, martyrs, † vers 259.*

Bonne fête ! 4 : Florian, Sylvain. 5 : Ange, Judith. 6 : Prudence. 7 : Flavie. 8 : Désiré. 9 : Pacôme, Isaïe. 10 : Solange.

Pour mémoire : il y a mille quatre cents ans, le 5 mai 614, Jérusalem était conquise par les troupes perses, qui incendièrent les églises (dont le Saint Sépulcre) et emportèrent les reliques de la Croix en Perse, où elles restèrent une dizaine d'années.

Pour prolonger la prière : Dieu notre Père, ton Fils nous rejoint sur nos chemins ; sa parole nous provoque. Qu'il nous ouvre le sens des Écritures et nous rompe le pain. Dans la joie de l'Esprit, nous pourrons te rendre grâce, aujourd'hui et pour les siècles des siècles.

4e dimanche de Pâques — 11 mai 2014

JÉSUS BERGER, L'AGNEAU CRUCIFIÉ

La liturgie de ce dimanche est dominée par l'image du pasteur, du berger, qui se confond avec celle de l'Agneau crucifié, la deuxième image fournissant la clef d'interprétation de la première *(évangile et deuxième lecture)*. Aux pharisiens comme à ses disciples, c'est-à-dire à nous aussi, Jésus déclare que le vrai pasteur est celui qui passe par la porte qu'il est lui-même, façon de souligner que les brebis « n'appartiennent » qu'à lui seul. Celui qui n'entre pas par la porte est un voleur ; le voleur vole la liberté des brebis en cherchant à se les accaparer. Mais les brebis n'écoutent que le vrai pasteur, celui qui dans le respect de leur liberté vient les faire reposer « sur des prés d'herbe fraîche » *(psaume auquel fait écho l'évangile)*. Car Jésus apporte la nourriture et la « vie en abondance ». Tout homme aspire à la vie en plénitude ; Jésus, en donnant sa vie jusqu'au bout, est venu révéler cette plénitude de vie que le Père donne à l'humanité.

Avant d'être institué dans sa fonction pastorale, Pierre a été interrogé par trois fois sur l'amour qui l'unissait à Jésus. Ainsi Pierre reçoit de Jésus les brebis non pas en les considérant comme siennes mais bien comme celles de Jésus : « Sois le pasteur de mes brebis » *(voir Jn 21, évangile de la fête des Saints Pierre et Paul, messe de la veille)*. Dans la *première lecture,* Pierre affirme que Dieu a fait de Jésus « le Seigneur et le Christ » et que l'Esprit Saint est donné à ceux qui reçoivent le baptême au nom de Jésus. C'est par l'Esprit que grandira le nouveau peuple de Dieu dont la croissance – 3 000 personnes le jour de la prédication de Pierre – ne s'achèvera qu'avec la fin des temps.

Suggestions pour la célébration

• **CHANTER** • Pour faire écho à l'évangile de Jean et prier pour les vocations, on pourra chanter : pour la procession d'ouverture : ***Tu nous guideras*** **CNA 596**, ***Peuple de prêtres*** **CNA 577** (couplets 6 et 7), ***Nous chanterons pour toi, Seigneur*** **CNA 569** (strophes 8, 10 et 11) ; pour la préparation pénitentielle : ***Jésus, berger de toute humanité*** **G 310-1.**

Après l'homélie : ***Ouvriers de la paix*** **T 13-92-1.**

Après la communion : ***Tenons en éveil*** **CNA 591**, ***Dieu nous a tous appelés*** **CNA 571.**

• **PRIER** • **POUR LA PRÉPARATION PÉNITENTIELLE**

On recommande le rite de l'aspersion car il fait mémoire du baptême. L'Église le choisit pendant tous les dimanches du temps pascal *(PGMR 51).*

POUR LA PRIÈRE UNIVERSELLE

En ce dimanche du bon pasteur et des vocations, nous nous souvenons que nous sommes tous appelés à la sainteté et nous confions au Seigneur plus particulièrement :
– notre pape, pasteur de l'Église : que demeure en lui la fermeté de la foi, la passion de l'unité, la grâce de l'écoute et l'audace nécessaire pour répondre aux attentes de notre temps ;
– les évêques, successeurs des Apôtres : qu'ils se manifestent comme « de bons pasteurs » qui œuvrent efficacement pour la gloire de Dieu et le salut du monde ;
– les hommes qui se reconnaissent appelés à devenir prêtres et ceux dont le désir de remplir cette mission est en train de mûrir ;
– les hommes et les femmes qui se sentent appelés à la vie religieuse ;
– tous ceux qui cherchent comment se mettre au service du Royaume.

• **CÉLÉBRER** • En ce dimanche des vocations, une plaquette éditée chaque année par le Service national des vocations peut aider à la préparation de la célébration. On peut se la procurer au Service national des vocations, 58 avenue de Breteuil, 75007 Paris, tél. 01 72 36 69 70. Site : http://vocations.cef.fr

> Le psaume 22 touche particulièrement ceux dont le cœur est rempli d'angoisse, d'inquiétude, d'insécurité. Il peut être repris tout au long de cette semaine comme un acte de foi et d'espérance, et spécialement par ceux qui s'interrogent sur le choix d'un état de vie.

Prière d'ouverture

Dieu éternel et tout-puissant, guide-nous jusqu'au bonheur du ciel ; que le troupeau parvienne, malgré sa faiblesse, là où son Pasteur est entré victorieux. Lui qui règne.

1re lecture

Pierre appelle à la conversion et il baptise les premiers convertis

Lecture du livre des Actes des Apôtres — Ac 2, 14a.36-41

Le jour de la Pentecôte, Pierre, debout avec les onze autres Apôtres, avait pris la parole ; il disait d'une voix forte : « Que tout le peuple d'Israël en ait la certitude : ce même Jésus que vous avez crucifié, Dieu a fait de lui le Seigneur et le Christ. » Ceux qui l'entendaient furent remués jusqu'au fond d'eux-mêmes : ils dirent à Pierre et aux autres Apôtres : « Frères, que devons-nous faire ? » Pierre leur répondit : « Convertissez-vous, et que chacun de vous se fasse baptiser au nom de Jésus Christ pour obtenir le pardon de ses péchés. Vous recevrez alors le don du Saint-Esprit.

C'est pour vous que Dieu a fait cette promesse, pour vos enfants et pour tous ceux qui sont loin, tous ceux que le Seigneur notre Dieu appellera. » Pierre trouva encore beaucoup d'autres paroles pour les adjurer, et il les exhortait ainsi : « Détournez-vous de cette génération égarée, et vous serez sauvés. »

Alors, ceux qui avaient accueilli la parole de Pierre se firent baptiser. La communauté s'augmenta ce jour-là d'environ trois mille personnes.

PSAUME 22

• **Le Seigneur est mon berger :**
rien ne saurait me manquer.

• **Conduis-nous, Seigneur Jésus,**
aux sources de la vie.

Le Seigneur est mon berger :
je ne manque de rien.
Sur des prés d'herbe fraîche,
il me fait reposer.

Il me mène vers les eaux tranquilles
et me fait revivre ;
il me conduit par le juste chemin
pour l'honneur de son nom.

Si je traverse les ravins de la mort,
je ne crains aucun mal,
car tu es avec moi,
ton bâton me guide et me rassure.

Tu prépares la table pour moi
devant mes ennemis ;
tu répands le parfum sur ma tête,
ma coupe est débordante.

Grâce et bonheur m'accompagnent
tous les jours de ma vie ;
j'habiterai la maison du Seigneur
pour la durée de mes jours.

2e LECTURE *Celui qui a souffert pour nous est devenu notre berger*

Lecture de la première lettre de saint Pierre Apôtre 1 P 2, 20-25

Frères, si l'on vous fait souffrir alors que vous avez bien agi, vous rendrez hommage à Dieu en tenant bon. C'est bien à cela que vous avez été appelés, puisque le Christ lui-même a souffert pour vous et vous a laissé son exemple afin que vous suiviez ses traces, lui qui n'a jamais commis de péché ni proféré de mensonge : couvert d'insultes, il n'insultait pas ; accablé de souffrance, il ne menaçait pas, mais il confiait sa cause à Celui qui juge avec justice. Dans son corps, il a porté nos péchés sur le bois de la croix afin que nous puissions mourir à nos péchés et vivre dans la justice : c'est par ses blessures que vous avez été guéris. Vous étiez errants comme des brebis ; mais à présent vous êtes revenus vers le berger qui veille sur vous.

Alléluia. Alléluia. Jésus, le Bon Pasteur, connaît ses brebis, et ses brebis le connaissent : pour elles il a donné sa vie. **Alléluia.**

ÉVANGILE — *Jésus est le bon pasteur et la porte des brebis*

Évangile de Jésus Christ selon saint Jean — Jn 10, 1-10

Jésus parlait ainsi aux pharisiens : « Amen, amen, je vous le dis : celui qui entre dans la bergerie sans passer par la porte, mais qui escalade par un autre endroit, celui-là est un voleur et un bandit.

Celui qui entre par la porte, c'est lui le pasteur, le berger des brebis. Le portier lui ouvre, et les brebis écoutent sa voix. Ses brebis à lui, il les appelle chacune par son nom, et il les fait sortir. Quand il a conduit dehors toutes ses brebis, il marche à leur tête, et elles le suivent, car elles connaissent sa voix. Jamais elles ne suivront un inconnu, elles s'enfuiront loin de lui, car elles ne reconnaissent pas la voix des inconnus. »

Jésus employa cette parabole en s'adressant aux pharisiens, mais ils ne comprirent pas ce qu'il voulait leur dire. C'est pourquoi Jésus reprit la parole : « Amen, amen, je vous le dis : je suis la porte des brebis. Ceux qui sont intervenus avant moi sont tous des voleurs et des bandits ; mais les brebis ne les ont pas écoutés. Moi, je suis la porte. Si quelqu'un entre en passant par moi, il sera sauvé ; il pourra aller et venir, et il trouvera un pâturage. Le voleur ne vient que pour voler, égorger et détruire. Moi je suis venu pour que les hommes aient la vie, pour qu'ils l'aient en abondance. »

Prière sur les offrandes

Donne-nous, Seigneur, de te rendre grâce toujours par ces mystères de Pâques : ils continuent en nous ton œuvre de rédemption, qu'ils nous soient une source intarissable de joie. Par Jésus.

Préface du temps pascal, p. 26.

Prière après la communion

Père tout-puissant et Pasteur plein de bonté, veille sur tes enfants avec tendresse ; tu nous as sauvés par le sang de ton Fils : ouvre-nous une demeure dans le Royaume des cieux. Par Jésus.

Appelés à « rendre hommage à Dieu en tenant bon » *(2e lecture)*

« Le spectacle de notre monde – les malheurs, la misère, la cruauté sans fond des hommes – est toujours en train d'offusquer la joie rayonnante que provoque la victoire de la lumière. L'humanité continue de se battre dans un océan de boue ; et pourtant il existe toujours un petit troupeau qui se tient à l'écart, sur les cimes les plus élevées des montagnes. Le combat entre le Christ et l'Antéchrist n'est pas encore terminé. Dans ce combat, les disciples du Christ ont leur place. Et *la première de leurs armes, c'est la croix.* Comment comprendre tout cela ? La croix pesante dont le Christ s'est chargé est le démenti de la nature humaine en proie aux conséquences douloureuses du péché dont se voit affligée l'humanité déchue. Arracher loin du monde tout ce poids d'oppression : tel est le sens de la *via crucis*... cela n'appartient qu'à celui dont le regard spirituel peut saisir les liens surnaturels des événements du monde. »

Ste Thérèse-Bénédicte de la Croix (Édith Stein), dans Carlo Martini, *Auschwitz et le silence de la Croix*, éd. Saint-Augustin, 1999, p. 53.

Calendrier liturgique

Di 11	**4e dimanche de Pâques A.** *Liturgie des Heures : Psautier semaine IV.*
Lu 12	*S. Nérée et S. Achille, martyrs, † 304-305 à Rome.* *S. Pancrace, martyr, † 304-305 à Rome.*
Ma 13	*Notre-Dame de Fatima (1917).*

Me 14 S. MATTHIAS, Apôtre. Lectures propres : Ac 1, 15-17. 20-26 ; Jn 15, 9-17.
Sa 17 Au Luxembourg : LA VIERGE MARIE CONSOLATRICE DES AFFLIGÉS, patronne principale du Luxembourg.

Bonne fête ! 11 : Mayeul, Estelle, Stella. 12 : Achille, Nérée, Simon. 13 : Rolande. 14 : Matthias. 15 : Denise, Victorin. 16 : Honoré. 17 : Pascal.

Pour mémoire : aujourd'hui, quatrième dimanche de Pâques, dimanche du Bon Pasteur, journée des vocations.

Aujourd'hui, en Belgique, fête des mères.

Pour prolonger la prière : Père, tu nous donnes Jésus ton Fils, notre Sauveur, et tu l'établis Pasteur du troupeau. Il a porté le poids des hommes, il a donné sa vie pour instaurer ton Alliance. Nous t'en prions : que ton Esprit nous apprenne à écouter sa voix, que nous suivions celui qui nous guide vers les siècles des siècles.

5e dimanche de Pâques

18 mai 2014

CROIRE EN DIEU ET EN JÉSUS, SON FILS

L'évangile de ce dimanche nous révèle l'intimité profonde qui unit Jésus à son Père. Jésus invite ses disciples, qui croient en Dieu, à croire aussi en lui. Mais les Apôtres, complètement désorientés en cette veille de la Passion, interrompent Jésus pour comprendre et celui-ci leur répond : « Moi, je suis le Chemin, la Vérité et la Vie ». Tout au cours de sa vie, Jésus a parcouru la distance infinie entre Dieu et l'humanité ; étant à la fois homme et Dieu, il vient faire vivre les hommes dans la communion qui l'unit à son Père. Le disciple qui vit en communion avec Jésus vivra aussi en communion avec son Père : « Celui qui m'a vu a vu le Père. » Le disciple qui s'engage dans la voie tracée par Jésus deviendra aussi capable d'accomplir les mêmes œuvres que lui, « même de plus grandes », puisque ces œuvres viennent de Dieu. Ainsi Jésus, « à l'heure de passer de ce monde à son Père », se présente comme le seul médiateur entre Dieu et les hommes : « Personne ne va vers le Père sans passer par moi. »

L'apôtre Pierre n'hésitera pas à dire au peuple croyant qu'il se trouve associé à la mission sacerdotale du Christ : par le baptême, nous avons été insérés à la construction vivante dont le Christ est la pierre de fondation *(deuxième lecture)*. Puisque le Christ veut faire vivre toute l'humanité dans la communion d'amour avec Dieu, nous devons avec lui, nous mettre au service de tous les hommes.

C'est parce qu'elle avait bien compris l'exigence de cette mission que la communauté de Jérusalem reconnut la nécessité de mieux s'organiser : le service des repas sera confié aux uns, les autres serviront la Parole *(première lecture)*. Mais tous, quelle que soit leur fonction, se mettent au service de l'amour fraternel et favorisent ainsi la communion.

Suggestions pour la célébration

• **CHANTER** • En écho aux textes de ce dimanche, on pourra retenir, en plus des chants proposés pour le temps pascal : ***Peuple de prêtres*** CNA 578, ***Peuple de baptisés*** CNA 573, ***Pierres vivantes rassemblées*** A 43-01 qui conviendront pour la procession d'ouverture.

Après l'homélie : ***Pâque nouvelle*** I 16-19 ou ***Tu nous parles aujourd'hui par ton Fils*** X 54-03.

Pour la communion : ***Pour que nos cœurs*** CNA 344, ***Nous partageons le pain nouveau*** CNA 335.

Après la communion : ***Vous tous qui avez été baptisés*** IX 231, ***Allez par toute la terre*** CNA 533.

• **PRIER** • **Pour la préparation pénitentielle**

On choisira le rite de l'aspersion car il fait mémoire du baptême. L'Église le recommande pendant tous les dimanches du temps pascal (*PGMR* 51).

Pour la prière universelle

Avec le Christ qui intercède pour nous, nous pouvons prier notre Père :
– pour que l'Église progresse dans l'unité à l'image de la communion divine ;
– pour que les nations marchent à sa lumière vers la paix ;
– pour que les hommes aiment le bon droit et la justice ;
– pour les diacres de nos communautés consacrés au service de la charité.

• **CÉLÉBRER** • « À l'heure où Jésus passait de ce monde à son Père » : cette phrase qui introduit l'évangile de ce dimanche, et que nous retrouverons les deux prochains dimanches, évoque le soir du Jeudi saint où Jésus se donne à ses disciples en s'offrant dans une union intime à son Père. Nous avons sans cesse à nous rappeler que la célébration de la messe nous unit à cette offrande du Christ par laquelle nous sommes introduits dans la communion avec Dieu.

Prière d'ouverture

Dieu qui as envoyé ton Fils pour nous sauver et pour faire de nous tes enfants d'adoption, regarde avec bonté ceux que tu aimes comme un père ; puisque nous croyons au Christ, accorde-nous la vraie liberté et la vie éternelle. Par Jésus Christ.

1re lecture — *La diversité des ministères*

Lecture du livre des Actes des Apôtres — Ac 6, 1-7

En ces jours-là, comme le nombre des disciples augmentait, les frères de langue grecque récriminèrent contre ceux de langue hébraïque ; ils trouvaient que, dans les secours distribués quotidiennement, les veuves de leur groupe étaient désavantagées. Les Douze convoquèrent alors l'assemblée des disciples et ils leur dirent : « Il n'est pas normal que nous délaissions la parole de Dieu pour le service des repas. Cherchez plutôt, frères, sept d'entre vous, qui soient des hommes estimés de tous, remplis d'Esprit Saint et de sagesse, et nous leur confierons cette tâche. Pour notre part, nous resterons fidèles à la prière et au service de la Parole. » La proposition plut à tout le monde, et l'on choisit : Étienne, homme rempli de foi et d'Esprit Saint, Philippe, Procore, Nicanor, Timon, Parménas et Nicolas, un païen originaire d'Antioche, converti au judaïsme. On les présenta aux Apôtres, et ceux-ci, après avoir prié, leur imposèrent les mains.

La parole de Dieu gagnait du terrain, le nombre des disciples augmentait fortement à Jérusalem, et une grande foule de prêtres juifs accueillaient la foi.

Psaume 32

• **Seigneur, ton amour soit sur nous**
comme notre espoir est en toi !

• **Elle est droite la parole du Seigneur.**

Criez de joie pour le Seigneur, hommes justes !
Hommes droits, à vous la louange !
Jouez pour lui sur la harpe à dix cordes.
Chantez-lui le cantique nouveau.

Oui, elle est droite, la parole du Seigneur ;
il est fidèle en tout ce qu'il fait.
Il aime le bon droit et la justice ;
la terre est remplie de son amour.

Dieu veille sur ceux qui le craignent,
qui mettent leur espoir en son amour,
pour les délivrer de la mort,
les garder en vie aux jours de famine.

2e LECTURE — *Le peuple sacerdotal*

Lecture de la première lettre de saint Pierre Apôtre — 1 P 2, 4-9

Frères, approchez-vous du Seigneur Jésus : il est la pierre vivante, que les hommes ont éliminée, mais que Dieu a choisie parce qu'il en connaît la valeur. Vous aussi, soyez les pierres vivantes qui servent à construire le Temple spirituel, et vous serez le sacerdoce saint, présentant des offrandes spirituelles que Dieu pourra accepter à cause du Christ Jésus. On lit en effet dans l'Écriture : « Voici que je pose en Sion une pierre angulaire, une pierre choisie et de grande valeur ; celui qui lui donne sa foi ne connaîtra pas la honte. » Ainsi donc, honneur à vous qui avez la foi, mais pour ceux qui refusent de croire, l'Écriture dit : « La pierre éliminée par les bâtisseurs est devenue la pierre d'angle, une pierre sur laquelle on bute, un rocher qui fait tomber. » Ces gens-là butent en refusant d'obéir à la Parole, et c'est bien ce qui devait leur arriver. Mais vous, vous êtes la race choisie, le sacerdoce royal, la nation sainte, le peuple qui appartient à Dieu ; vous êtes donc chargés d'annoncer les merveilles de celui qui vous a appelés des ténèbres à son admirable lumière.

Alléluia. Alléluia. Tu es le Chemin, la Vérité et la Vie, Jésus, Fils de Dieu. Celui qui croit en toi a reconnu le Père. **Alléluia.**

ÉVANGILE *« Personne ne va vers le Père sans passer par moi »*

Évangile de Jésus Christ selon saint Jean Jn 14, 1-12

A l'heure où Jésus passait de ce monde à son Père, il disait à ses disciples : « Ne soyez donc pas bouleversés : vous croyez en Dieu, croyez aussi en moi. Dans la maison de mon Père, beaucoup peuvent trouver leur demeure ; sinon, est-ce que je vous aurais dit : "Je pars vous préparer une place" ? Quand je serai allé vous la préparer, je reviendrai vous prendre avec moi ; et là où je suis, vous y serez aussi. Pour aller où je m'en vais, vous savez le chemin. » Thomas lui dit : « Seigneur, nous ne savons même pas où tu vas ; comment pourrions-nous savoir le chemin ? » Jésus lui répond : « Moi, je suis le Chemin, la Vérité et la Vie ; personne ne va vers le Père sans passer par moi. Puisque vous me connaissez, vous connaîtrez aussi mon Père. Dès maintenant vous le connaissez, et vous l'avez vu. » Philippe lui dit : « Seigneur, montre-nous le Père ; cela nous suffit. » Jésus lui répond : « Il y a si longtemps que je suis avec vous, et tu ne me connais pas, Philippe ! Celui qui m'a vu a vu le Père. Comment peux-tu dire "Montre-nous le Père" ? Tu ne crois donc pas que je suis dans le Père et que le Père est en moi ! Les paroles que je vous dis, je ne les dis pas de moi-même ; mais c'est le Père qui demeure en moi, et qui accomplit ses propres œuvres. Croyez ce que je vous dis : je suis dans le Père, et le Père est en moi ; si vous ne croyez pas ma parole, croyez au moins à cause des œuvres. Amen, amen, je vous le dis : celui qui croit en moi accomplira les mêmes œuvres que moi. Il en accomplira même de plus grandes, puisque je pars vers le Père. »

PRIÈRE SUR LES OFFRANDES

Seigneur notre Dieu, dans l'admirable échange du sacrifice eucharistique, tu nous fais participer à ta propre nature divine : puisque nous avons la connaissance de ta vérité, accorde-nous de lui être fidèles par toute notre vie. Par Jésus.

Préface du temps pascal, p. 26.

Prière après la communion

Dieu très bon, reste auprès de ton peuple, car sans toi notre vie tombe en ruine : fais passer à une vie nouvelle ceux que tu as initiés aux sacrements de ton Royaume. Par Jésus.

Le sacrement de l'Eucharistie, acte d'offrande à Dieu

« C'est le Christ lui-même qui offre, et il est lui-même l'offrande. Il a voulu que soit sacrement quotidien de cette réalité, le sacrifice de l'Église qui, étant le corps dont il est la tête, apprend à s'offrir elle-même par lui. »

S. Augustin, *Cité de Dieu*, X, 20.

Calendrier liturgique

Di 18	**5e dimanche de Pâques A.** *Liturgie des Heures : Psautier semaine I.* *[S. Jean Ier, pape et martyr, † 526 à Ravenne.]*
Lu 19	*En France, S. Yves, prêtre et juge, † 1303 à Tréguier.*
Ma 20	*S. Bernardin de Sienne, prêtre, franciscain, † 1444 à L'Aquila (Italie).*
Me 21	*S. Christophe Magallanès, prêtre, et ses compagnons, martyrs au Mexique, † 1926-1928.*
Je 22	*Ste Rita de Cascia, religieuse augustine, † 1453 à Cascia (Italie).*

Bonne fête ! 18 : Éric, Corinne, Coralie. 19 : Yves, Yvon, Yvonne, Célestin, Erwin. 20 : Bernardin. 21 : Christophe, Constantin. 22 : Émilie, Rita. 23 : Didier. 24 : Donatien, Rogatien.

Pour prolonger la prière : Seigneur notre Dieu, comment irions-nous jusqu'à toi si ton Esprit n'éclairait notre regard ? Déjà tu nous prépares une demeure en ta maison : que ton Fils nous guide vers le Royaume, puisqu'il est le chemin qui mène à la vie. Par lui, nous te louons pour les siècles des siècles.

6e dimanche de Pâques 25 mai 2014

L'HÔTE INVISIBLE

L'évangile de ce dimanche, qui prolonge celui de dimanche dernier, révèle l'identité de cet hôte intérieur dont Jésus entretient ses disciples : « Moi, je prierai le Père, et il vous donnera un autre défenseur qui sera pour toujours avec vous : c'est l'Esprit de vérité ». Avant son départ vers le Père, Jésus promet un autre soutien. Celui-ci viendra non pas le relayer puisque Jésus, devenu invisible, demeure présent, mais permettre aux disciples de découvrir qu'il vit en eux et les fait vivre : « En ce jour-là, vous reconnaîtrez que je suis en mon Père, que vous êtes en moi et moi en vous. »

On comprend alors que les apôtres Pierre et Jean viennent imposer les mains aux nouveaux convertis pour qu'ils reçoivent l'Esprit Saint. Cette « confirmation » achève la tâche d'évangélisation de Philippe et accomplit en plénitude le don reçu au baptême *(première lecture).* Car tout chrétien – surtout s'il vit dans un climat d'hostilité comme c'était déjà le cas des destinataires de la lettre de Pierre – doit « rendre compte de l'espérance » qui est en lui. Cette espérance consiste à reconnaître que le Christ Seigneur est à l'œuvre dans le monde. Le témoignage des chrétiens doit se faire « avec douceur et respect », à travers des actes de bienveillance et de bienfaisance susceptibles de désarmer leurs adversaires. Si Pierre prend en compte les valeurs propres à la culture gréco-romaine de son temps, il rappelle à ses destinataires que celles-ci ne trouvent leur plein accomplissement qu'en Jésus Christ venu par sa mort et sa résurrection introduire l'homme pécheur dans la vie de Dieu *(deuxième lecture).*

À nous maintenant de vivre dans cette espérance pour manifester au monde celui qui est toujours avec nous, demeure auprès de nous et vit en nous.

Suggestions pour la célébration

• **CHANTER** • Pour caractériser ce dimanche, on pourra retenir : pour la procession d'ouverture : ***Au cœur de ce monde*** **A 238**, ***Peuple choisi*** **CNA 543** (couplets 3, 4 et 5), ***Dieu qui nous appelles à vivre*** **CNA 547** ; après l'homélie : ***Celui qui aime*** **CNA 537**, ***Tu es la source*** **KY 48-66** ; après la communion : ***Celui qui a mangé de ce pain*** **CNA 321**, ***Ouvriers de la paix*** **CNA 488**, ***Pour que Dieu soit dit*** **K 550**.

• **PRIER** • **POUR LA PRÉPARATION PÉNITENTIELLE**

On choisira le rite de l'aspersion car il fait mémoire du baptême. L'Église le recommande pendant tous les dimanches du temps pascal (*PGMR* 51).

POUR LA PRIÈRE UNIVERSELLE

Avec le Christ qui intercède pour nous, nous prions le Père pour qu'il envoie :
- l'Esprit de vérité là où il y a l'erreur et le mensonge ;
- l'Esprit de paix là où il y a la division et la haine ;
- l'Esprit de force et de consolation à ceux qui sont dans l'épreuve et la tristesse ;
- l'Esprit d'amour et de joie pour fléchir nos rigidités et enflammer nos tiédeurs.

• **CÉLÉBRER** • En écho à l'évangile, qui nous montre Jésus demandant à son Père de nous envoyer l'Esprit Saint, on sera particulièrement attentif aux deux « épiclèses » qui se trouvent dans les Prières eucharistiques II, III et IV : ces « épiclèses » sont des demandes adressées au Père pour qu'il envoie son Esprit, d'une part, sur les offrandes du pain et du vin afin qu'elles deviennent le Corps et le Sang du Christ et, d'autre part, sur les fidèles rassemblés afin qu'ils deviennent eux aussi une éternelle offrande à la gloire du Père. On peut insérer deux acclamations au cours de ces prières eucharistiques.

Prière d'ouverture

Dieu tout-puissant, accorde-nous, en ces jours de fête, de célébrer avec ferveur le Christ ressuscité : que le mystère de Pâques dont nous faisons mémoire reste présent dans notre vie et la transforme. Par Jésus Christ.

1re lecture *Évangélisation de la Samarie*

Lecture du livre des Actes des Apôtres Ac 8, 5-8.14-17

Philippe, l'un des Sept, arriva dans une ville de Samarie, et là il proclamait le Christ. Les foules, d'un seul cœur, s'attachaient à ce que disait Philippe, car tous entendaient parler des signes qu'il accomplissait, ou même ils les voyaient. Beaucoup de possédés étaient délivrés des esprits mauvais, qui les quittaient en poussant de grands cris. Beaucoup de paralysés et d'infirmes furent guéris. Et il y eut dans cette ville une grande joie.

Les Apôtres, restés à Jérusalem, apprirent que les gens de Samarie avaient accueilli la parole de Dieu. Alors ils leur envoyèrent Pierre et Jean. À leur arrivée, ceux-ci prièrent pour les Samaritains afin qu'ils reçoivent le Saint-Esprit ; en effet, l'Esprit n'était encore venu sur aucun d'entre eux : ils étaient seulement baptisés au nom du Seigneur Jésus. Alors Pierre et Jean leur imposèrent les mains et ils recevaient le Saint-Esprit.

Psaume 65

Terre entière, acclame Dieu,
chante le Seigneur !

Acclamez Dieu, toute la terre ;
fêtez la gloire de son nom,
glorifiez-le en célébrant sa louange.
Dites à Dieu : « Que tes actions sont redoutables ! »

Toute la terre se prosterne devant toi,
elle chante pour toi, elle chante pour ton nom.
Venez et voyez les hauts faits de Dieu,
ses exploits redoutables pour les fils des hommes.

Il changea la mer en terre ferme :
ils passèrent le fleuve à pied sec.
De là, cette joie qu'il nous donne.
Il règne à jamais par sa puissance.

Venez, écoutez, vous tous qui craignez Dieu ;
je vous dirai ce qu'il a fait pour mon âme.
Béni soit Dieu, qui n'a pas écarté ma prière,
ni détourné de moi son amour !

2e LECTURE *Soyez les témoins de notre espérance au milieu des hommes*

Lecture de la première lettre de saint Pierre Apôtre 1 P 3, 15-18

Frères, c'est le Seigneur, le Christ, que vous devez reconnaître dans vos cœurs comme le seul saint. Vous devez toujours être prêts à vous expliquer devant tous ceux qui vous demandent de rendre compte de l'espérance qui est en vous ; mais faites-le avec douceur et respect. Ayez une conscience droite, pour faire honte à vos adversaires au moment même où ils calomnient la vie droite que vous menez dans le Christ. Car il vaudrait mieux souffrir pour avoir fait le bien, si c'était la volonté de Dieu, plutôt que pour avoir fait le mal. C'est ainsi que le Christ est mort pour les péchés, une fois pour toutes : lui, le juste, il est mort pour les coupables afin de vous introduire devant Dieu. Dans sa chair, il a été mis à mort ; dans l'esprit, il a été rendu à la vie.

Alléluia. Alléluia. Dans l'Esprit Saint, rendez témoignage que Jésus est le Fils de Dieu, car l'Esprit est vérité. **Alléluia.**

ÉVANGILE *« Je ne vous laisserai pas orphelins »*

Évangile de Jésus Christ selon saint Jean Jn 14, 15-21

A l'heure où Jésus passait de ce monde à son Père, il disait à ses disciples : « Si vous m'aimez, vous resterez fidèles à mes commandements. Moi, je prierai le Père, et il vous donnera un autre Défenseur qui sera pour toujours avec vous : c'est l'Esprit de vérité. Le monde est incapable de le recevoir, parce qu'il ne le voit pas et ne le connaît pas ; mais vous, vous le connaissez, parce qu'il demeure auprès de vous, et qu'il est en vous. Je ne vous laisserai pas orphelins, je reviens vers vous. D'ici peu de temps, le monde ne me verra plus, mais vous, vous me verrez vivant, et vous vivrez aussi. En ce jour-là, vous reconnaîtrez que je suis en mon Père, que vous êtes en moi, et moi en vous. Celui qui a reçu mes commandements et y reste fidèle, c'est celui-là qui m'aime ; et celui qui m'aime sera aimé de mon Père ; moi aussi je l'aimerai, et je me manifesterai à lui. »

Prière sur les offrandes

Que nos prières montent vers toi, Seigneur, avec ces offrandes pour le sacrifice ; dans ta bonté purifie-nous, et nous correspondrons davantage aux sacrements de ton amour. Par Jésus.

Préface du temps pascal, p. 26.

Prière après la communion

Dieu tout-puissant, dans la résurrection du Christ, tu nous recrées pour la vie éternelle ; multiplie en nous les fruits du sacrement pascal : fais-nous prendre des forces neuves à cette nourriture qui apporte le salut. Par Jésus.

« Je reviens vers vous »

« Toi, le Christ,
Sauveur de toute vie,
tu viens à nous toujours.
T'accueillir dans la paix des nuits,
dans le silence des jours,
dans la beauté de la création,
comme aux heures des grands combats intérieurs,
t'accueillir, c'est savoir
que tu seras avec nous

en toute situation,
toujours. »

Ce feu ne s'éteint jamais. Prières de frère Roger de Taizé,
Les Presses de Taizé, 1990, p. 90.

Calendrier liturgique

Di 25 **6e dimanche de Pâques A.**
Liturgie des Heures : Psautier semaine II.
[S. Bède le Vénérable, moine, docteur de l'Église, † 735 à Jarrow (Angleterre).
S. Grégoire VII, pape, † 1085 à Salerne (Italie).
Ste Marie-Madeleine de Pazzi, vierge, carmélite, † 1607 à Florence.]

Lu 26 S. Philippe Néri, prêtre, fondateur de l'Oratoire, † 1595 à Rome.

Ma 27 *S. Augustin, évêque de Cantorbéry, † 604 ou 605.*

Je 29 **Ascension du Seigneur,** p. 355.

Ve 30 En France : Ste Jeanne d'Arc, vierge, patronne secondaire de la France, † 1431 à Rouen.

Sa 31 VISITATION DE LA VIERGE MARIE. Lectures propres : So 3, 14-18 ou Rm 12, 9-16 ; Lc 1, 39-56.

Bonne fête ! 25 : Bède, Sophie. 26 : Béranger, Bérangère. 27 : Augustin. 28 : Germain. 29 : Aymar, Maximin. 30 : Ferdinand, Lorraine. 31 : Pétronille, Perrette, Perrine.

Pour mémoire : aujourd'hui, dernier dimanche de mai, en France : fête des mères.

Pour prolonger la prière : Dieu, Père de Jésus, en ton Fils tu nous fais la grâce de reconnaître l'amour dont tu nous as aimés. À sa prière, donne-nous ton Esprit ; qu'il prenne notre défense, qu'il accomplisse ta promesse, et nous t'appartiendrons pour les siècles des siècles.

Ascension du Seigneur

29 mai 2014

VOUS SEREZ MES TÉMOINS

C'est au IVe siècle que l'Église a fixé la fête de l'Ascension le quarantième jour après Pâques ; avant cette date, celle-ci était célébrée le jour de la Pentecôte ou un jour intermédiaire. Dans la tradition biblique, la mention des quarante jours désigne le plus souvent le temps d'une révélation ou le temps de la préparation par le jeûne : par exemple, quarante jours de Moïse au Sinaï (Ex 24, 18) ou d'Élie au désert (1 R 19, 8) ou de Jésus avant sa vie publique (Lc 4, 2). Lorsque Luc fixe à quarante jours la durée des apparitions de Jésus ressuscité, on peut penser qu'il établit un parallèle entre la préparation de Jésus à sa mission et la préparation des disciples à la vie en Église. En effet, l'Ascension indique clairement que Jésus, qui disparaît aux yeux des Apôtres, vient inaugurer des temps nouveaux : ceux de la mission de l'Église animée par sa présence nouvelle et permanente. Luc souligne l'élévation de Jésus dans la « nuée » pour dire son entrée dans la plénitude de la vie de Dieu. C'est là que Jésus reçoit « tout pouvoir au ciel et sur la terre ». Aux Apôtres, qui restent encore prisonniers de leurs vieilles idées au sujet de la royauté en Israël, Jésus promet le don de l'Esprit Saint qui les rendra capables de témoigner de leur foi en lui *(première lecture et évangile).*

Nous tous qui portons le nom de chrétiens et qui nous reconnaissons membres de l'Église dont le Christ est la tête *(deuxième lecture),* nous confessons à la suite des Apôtres que Jésus reste présent par la puissance de l'Esprit et que son pouvoir ne se limite pas à un lieu particulier du monde. Nous pouvons sans cesse l'invoquer pour qu'il aide son Église à annoncer fidèlement l'Évangile, en contradiction avec l'esprit du monde, et pour que nous vivions en témoins vigilants de ce qui est juste et bon. Nous pouvons aussi rendre grâce à Dieu pour la nuée de témoins qui déjà, aux quatre coins du monde, ont suivi le Christ jusque dans son élévation sur la Croix.

Suggestions pour la célébration

• **CHANTER** • Pour la procession d'ouverture : ***Le Seigneur est monté aux cieux*** CNA 491, ***Christ est entré dans la gloire*** PM 46-19, ***Le Seigneur monte au ciel*** I 35.

Après l'homélie : ***Vers le ciel où tu t'élèves*** I 35-78, ***Pourquoi fixer le ciel*** I 32.

Après la communion : ***Allez dire à tous les hommes*** CNA 532, ***Vers ton Père et notre Père*** IX 49-15, ***Entré dans la gloire du Père*** IP 15-52-5.

• **PRIER** • **POUR LA PRÉPARATION PÉNITENTIELLE**

On choisira le rite de l'aspersion car il fait mémoire du baptême. L'Église le recommande pendant tous les dimanches du temps pascal (*PGMR* 51).

POUR LA PRIÈRE UNIVERSELLE

En ce jour où nous fêtons l'Ascension de notre Seigneur Jésus Christ, nous pouvons :
– rendre grâce pour ceux qui nous ont transmis la foi des Apôtres et prier pour que Dieu nous donne de nouveaux témoins de la présence de son Fils ;
– rendre grâce pour ceux qui partent, jusqu'aux extrémités du monde, annoncer l'Évangile et prier Dieu pour que leurs communautés qui célèbrent la Parole et l'Eucharistie demeurent dans la joie de sa présence.

• **CÉLÉBRER** • On choisira la prière eucharistique parmi celles qui font explicitement mémoire de la passion de Jésus, de sa Résurrection et de son Ascension (I, III et IV).

L'Église prie pour la venue de Jésus : « Que ton règne vienne ». Cette demande que nous formulons dans le Notre Père fait écho à la parole de l'évangile : « Et moi, je suis avec vous tous les jours jusqu'à la fin des temps ».

Prière d'ouverture

Dieu qui élèves le Christ au-dessus de tout, ouvre-nous à la joie et à l'action de grâce, car l'Ascension de ton Fils est déjà notre victoire : nous sommes les membres de son corps, il nous a précédés dans la gloire auprès de toi, et c'est là que nous vivons en espérance. Par Jésus Christ.

1re lecture *L'Ascension du Seigneur*

Commencement du livre des Actes des Apôtres Ac 1, 1-11

M**on cher Théophile,** dans mon premier livre j'ai parlé de tout ce que Jésus a fait et enseigné depuis le commencement jusqu'au jour où il fut enlevé au ciel après avoir, dans l'Esprit Saint, donné ses instructions aux Apôtres qu'il avait choisis. C'est à eux qu'il s'était montré vivant après sa Passion : il leur en avait donné bien des preuves, puisque, pendant quarante jours, il leur était apparu, et leur avait parlé du Royaume de Dieu.

Au cours d'un repas qu'il prenait avec eux, il leur donna l'ordre de ne pas quitter Jérusalem, mais d'y attendre ce que le Père avait promis. Il leur disait : « C'est la promesse que vous avez entendue de ma bouche. Jean a baptisé avec de l'eau ; mais vous, c'est dans l'Esprit Saint que vous serez baptisés d'ici quelques jours. » Réunis autour de lui, les Apôtres lui demandaient : « Seigneur, est-ce maintenant que tu vas rétablir la royauté en Israël ? » Jésus leur répondit : « Il ne vous appartient pas de connaître les délais et les dates que le Père a fixés dans sa liberté souveraine. Mais vous allez recevoir une force, celle du Saint-Esprit qui viendra sur vous. Alors vous serez mes témoins à Jérusalem, dans toute la Judée et la Samarie, et jusqu'aux extrémités de la terre. »

Après ces paroles, ils le virent s'élever et disparaître à leurs yeux dans une nuée. Et comme ils fixaient encore le ciel où Jésus s'en allait, voici que deux hommes en vêtements blancs se tenaient devant eux et disaient : « Galiléens, pourquoi restez-vous là à regarder vers le ciel ? Jésus, qui a été enlevé du milieu de vous, reviendra de la même manière que vous l'avez vu s'en aller vers le ciel. »

PSAUME 46

• **Dieu monte parmi l'acclamation,**
le Seigneur, aux éclats du cor.

• **Tous les peuples, battez des mains,**
acclamez Dieu en éclats de joie.

Tous les peuples, battez des mains,
acclamez Dieu par vos cris de joie !
Car le Seigneur est le Très-Haut, le redoutable,
le grand roi sur toute la terre.

Dieu s'élève parmi les ovations,
le Seigneur, aux éclats du cor.
Sonnez pour notre Dieu, sonnez,
sonnez pour notre roi, sonnez !

Car Dieu est le roi de la terre :
que vos musiques l'annoncent !
Il règne, Dieu, sur les païens,
Dieu est assis sur son trône sacré.

2e LECTURE *Domination universelle du Christ assis à la droite du Père*

Lecture de la lettre de saint Paul Apôtre aux Éphésiens Ep 1, 17-23

Frères, que le Dieu de notre Seigneur Jésus Christ, le Père dans sa gloire, vous donne un esprit de sagesse pour le découvrir et le connaître vraiment. Qu'il ouvre votre cœur à sa lumière, pour vous faire comprendre l'espérance que donne son appel, la gloire sans prix de l'héritage que vous partagez avec les fidèles, et la puissance infinie qu'il déploie pour nous, les croyants. C'est la force même, le pouvoir, la vigueur, qu'il a mis en œuvre dans le Christ quand il l'a ressuscité d'entre les morts et qu'il l'a fait asseoir à sa droite dans les cieux. Il l'a établi au-dessus de toutes les puissances et de tous les êtres qui nous dominent, quel que soit leur nom, aussi bien dans le monde présent que dans le monde à venir. Il lui a tout soumis et, le plaçant plus haut que tout, il a fait de lui la tête de l'Église qui est son corps, et l'Église est l'accomplissement total du Christ, lui que Dieu comble totalement de sa plénitude.

Alléluia. Alléluia. Le Seigneur s'élève parmi l'acclamation, il s'élève au plus haut des cieux. **Alléluia.**

ÉVANGILE *« Allez vers toutes les nations... je suis avec vous »*

Évangile de Jésus Christ selon saint Matthieu Mt 28, 16-20

L**es onze disciples s'en allèrent en Galilée,** à la montagne où Jésus leur avait ordonné de se rendre. Quand ils le virent, ils se prosternèrent, mais certains eurent des doutes. Jésus s'approcha d'eux et leur adressa ces paroles : « Tout pouvoir m'a été donné au ciel et sur la terre. Allez donc ! De toutes les nations faites des disciples, baptisez-les au nom du Père, et du Fils, et du Saint-Esprit ; et apprenez-leur à garder tous les commandements que je vous ai donnés. Et moi, je suis avec vous tous les jours jusqu'à la fin du monde. »

PRIÈRE SUR LES OFFRANDES

Seigneur, nous te présentons humblement ce sacrifice pour fêter l'Ascension de ton Fils auprès de toi : que cet échange mystérieux nous fasse vivre avec le Christ ressuscité. Lui qui règne.

PRÉFACE

Vraiment, il est juste et bon de te rendre gloire, de t'offrir notre action de grâce, toujours et en tout lieu, à toi, Père très saint, Dieu éternel et tout-puissant.

Car le Seigneur Jésus, vainqueur du péché et de la mort, est aujourd'hui ce Roi de gloire devant qui s'émerveillent les anges ; il s'élève au plus haut des cieux, pour être le Juge du monde et le Seigneur des seigneurs, seul médiateur entre Dieu et les hommes ; il ne s'évade pas de notre condition humaine : mais en entrant le premier dans le Royaume, il donne aux membres de son corps l'espérance de le rejoindre un jour.

C'est pourquoi le peuple des baptisés, rayonnant de la joie pascale, exulte par toute la terre, tandis que les anges dans le ciel chantent sans fin l'hymne de ta gloire : Saint !...

On peut prendre aussi la préface de la p. 365.

Au cours des prières eucharistiques, il y a des textes propres.

Prière après la communion

Dieu qui nous donnes les biens du ciel alors que nous sommes encore sur la terre, mets en nos cœurs un grand désir de vivre avec le Christ en qui notre nature humaine est déjà près de toi. Lui qui règne.

Un nouveau mode de proximité

« Le Jésus qui prend congé ne s'en va pas quelque part sur un astre lointain. Il entre dans la communion de vie et de pouvoir avec le Dieu vivant, dans la situation de supériorité de Dieu sur toute spatialité. Pour cela, il n'est pas "parti", mais, en vertu du pouvoir même de Dieu, il est maintenant toujours présent à côté de nous et pour nous. Dans les discours d'adieu de l'*Évangile de Jean,* Jésus dit justement cela à ses disciples : "Je m'en vais et je reviendrai vers vous" (14, 28). Ici est merveilleusement synthétisée la particularité du "départ" de Jésus, qui en même temps est sa "venue", et avec cela est aussi expliqué le mystère concernant la Croix, la Résurrection et l'Ascension. Le fait de partir est aussi une venue, un nouveau mode de proximité, de présence permanente. »

Benoît XVI, *Jésus de Nazareth. De l'entrée de Jérusalem à la Résurrection,* éd. du Rocher, 2011, p. 320.

Pour prolonger la prière : Dieu que nos yeux n'ont jamais vu, tu nous as envoyé ton propre Fils. Prends soin de nous, maintenant que lui aussi échappe à nos regards. Que l'Esprit Saint affermisse notre foi jusqu'au jour où nous te verrons face à face. Béni sois-tu, toi qui nous appelles à entrer dans ta gloire pour les siècles des siècles.

7e dimanche de Pâques

1er juin 2014

UNE PRIÈRE INTENSE

Les textes de ce dimanche, situé entre l'Ascension et la Pentecôte, nous invitent à la prière et à l'action de grâces.

La *première lecture* nous montre les Apôtres, tous réunis, « avec quelques femmes dont Marie, mère de Jésus, et avec ses frères », priant d'un seul cœur. C'est l'occasion de nous rappeler que l'unité est une condition nécessaire pour implorer l'Esprit Saint.

L'*évangile* présente Jésus qui, à l'heure d'aller vers son Père, s'adresse à lui, les yeux levés au ciel. Jésus est encore dans ce monde mais il est déjà le Christ glorieux qui, transcendant les limites de l'espace et du temps, prend la place du Grand Prêtre qui célébrait dans le Temple de Jérusalem la liturgie du Grand Pardon : celui-ci, après avoir pénétré dans la partie la plus sacrée, au-delà du voile, intercédait auprès de Dieu pour la rémission des péchés de son peuple. Jésus accomplit la prière, il prie son Père et sa prière se fait intercession pour les disciples qu'il a reçus de la main de son Père. Il se révèle ainsi Grand Prêtre de l'Alliance nouvelle et éternelle conclue entre Dieu et les hommes. Cette prière de Jésus nous porte à rendre grâces à Dieu.

Car c'est bien *par* Jésus Christ que nous sommes entrés le jour de notre baptême dans la « vie éternelle », cette vie qui nous met en relation avec Dieu, source de la vie, de cette vraie vie qui ne s'achève pas au jour de notre mort.

C'est aussi *avec* Jésus Christ, envoyé du Père, que nous découvrons le nom de Dieu, puisque Jésus assume le nom d'Emmanuel : « Dieu avec nous ».

C'est encore *en* Jésus Christ que nous pouvons vivre en communion à Dieu et ne pas succomber aux tentations du monde.

Nous croyons, comme le rappelle l'apôtre Pierre aux chrétiens continuellement exposés aux critiques et aux jugements du monde, que Dieu promet « la joie et l'allégresse » à ceux qui gardent fidèlement la Parole et chantent comme le psalmiste : « Le Seigneur est ma lumière et mon salut, de qui aurai-je crainte ? » *(deuxième lecture et psaume).*

Suggestions pour la célébration

• **CHANTER** • Les chants de ce dimanche nous orientent déjà vers la fête de la Pentecôte.

Pour la procession d'ouverture : ***Peuple choisi*** **CNA 543** (couplets 7, 8 et 9), ***À ce monde que tu fais*** **CNA 526.**

Après l'homélie : ***Amour qui nous attends*** **E 173-1,** ***Ouvrez vos cœurs*** **CNA 812,** ***Père, glorifie ton Fils*** **I 20-09-01.**

Après la communion : ***Chantons à Dieu*** **CNA 538,** ***Tu es la vraie lumière*** **CNA 595,** ***Envoie ton Esprit*** **SYL P 325,** ***Vienne sur le monde*** **K 28-40.**

• **PRIER** • **POUR LA PRÉPARATION PÉNITENTIELLE**

On choisira le rite de l'aspersion car il fait mémoire du baptême. L'Église le recommande pendant tous les dimanches du temps pascal (*PGMR* 51).

POUR LA PRIÈRE UNIVERSELLE

Avec Jésus qui s'adresse à son Père, nous le prions :
- pour que toutes les Églises chrétiennes demeurent fidèles à la Parole et puissent ainsi progresser dans l'unité ;
- pour les Églises chrétiennes qui sont persécutées ou réduites à la clandestinité ;
- pour les hommes qui refusent Dieu ou restent indifférents à son égard ;
- pour tous ceux qui croient et espèrent en Dieu.

• **CÉLÉBRER** • Pour inviter à dire le Notre Père avec une conscience renouvelée, on peut l'introduire en rappelant que l'évangile nous a montré comment Jésus prie son Père. En donnant la prière du Notre Père à ses disciples, Jésus nous a donné cette grâce de pouvoir prier, nous aussi, notre Père.

Prière d'ouverture

Entends notre prière, Seigneur : nous croyons que le Sauveur des hommes est auprès de toi dans la gloire ; fais-nous croire aussi qu'il est encore avec nous jusqu'à la fin des temps, comme il nous l'a promis. Lui qui règne.

1re lecture *Les disciples réunis dans la prière après l'Ascension*

Lecture du livre des Actes des Apôtres Ac 1, 12-14

Les Apôtres, après avoir vu Jésus s'en aller vers le ciel, retournèrent du mont des Oliviers à Jérusalem qui n'est pas loin. (La distance ne dépasse pas ce qui est permis le jour du sabbat.) Arrivés dans la ville, ils montèrent à l'étage de la maison ; c'est là qu'ils se tenaient tous : Pierre, Jean, Jacques et André, Philippe et Thomas, Barthélemy et Matthieu, Jacques fils d'Alphée, Simon le Zélote, et Jude fils de Jacques. D'un seul cœur, ils participaient fidèlement à la prière, avec quelques femmes dont Marie, mère de Jésus, et avec ses frères.

Psaume 26

- **Oui, nous verrons la bonté de Dieu sur la terre des vivants.**
- **Ma lumière et mon salut, c'est le Seigneur, alléluia.**

Le Seigneur est ma lumière et mon salut,
de qui aurai-je crainte ?
Le Seigneur est le rempart de ma vie,
devant qui tremblerai-je ?

J'ai demandé une chose au Seigneur,
la seule que je cherche :
habiter la maison du Seigneur
tous les jours de ma vie.

Écoute, Seigneur, je t'appelle !
Pitié ! Réponds-moi !

Mon cœur m'a redit ta parole :
« Cherchez ma face. »

2e LECTURE *Bienheureux les persécutés pour le Christ*

Lecture de la première lettre de saint Pierre Apôtre 1 P 4, 13-16

Mes bien-aimés, puisque vous communiez aux souffrances du Christ, réjouissez-vous, afin d'être dans la joie et l'allégresse quand sa gloire se révélera. Si l'on vous insulte à cause du nom du Christ, heureux êtes-vous, puisque l'Esprit de gloire, l'Esprit de Dieu, repose sur vous. Si l'on fait souffrir l'un de vous, que ce ne soit pas comme meurtrier, voleur, malfaiteur, ou comme dénonciateur. Mais si c'est comme chrétien, qu'il n'ait pas de honte, et qu'il rende gloire à Dieu à cause de ce nom de chrétien.

Alléluia. Alléluia. Le Seigneur ne vous laisse pas orphelins : il reviendra vers vous, alors votre cœur connaîtra la joie. **Alléluia.**

ÉVANGILE *La grande prière de Jésus : « Père, glorifie ton Fils »*

Évangile de Jésus Christ selon saint Jean Jn 17, 1-11

A l'heure où Jésus passait de ce monde à son Père, il leva les yeux au ciel et pria ainsi : « Père, l'heure est venue. Glorifie ton Fils, afin que le Fils te glorifie. Ainsi, comme tu lui as donné autorité sur tout être vivant, il donnera la vie éternelle à tous ceux que tu lui as donnés. Or, la vie éternelle, c'est de te connaître, toi, le seul Dieu, le vrai Dieu, et de connaître celui que tu as envoyé, Jésus Christ. Moi, je t'ai glorifié sur la terre en accomplissant l'œuvre que tu m'avais confiée. Toi, Père, glorifie-moi maintenant auprès de toi : donne-moi la gloire que j'avais auprès de toi avant le commencement du monde. J'ai fait connaître ton nom aux hommes que tu as pris dans le monde pour me les donner. Ils étaient à toi, tu me les as donnés, et ils ont gardé fidèlement ta parole. Maintenant, ils ont reconnu que tout ce que tu m'as donné vient de toi, car je leur ai donné les paroles que tu m'avais données : ils les ont reçues, ils ont vraiment reconnu que je suis venu d'auprès de toi, et ils ont cru que c'était toi qui m'avais envoyé. Je prie pour eux ; ce n'est pas pour le monde que je prie, mais pour ceux que tu m'as donnés : ils sont à toi, et tout ce qui est à moi est à toi, comme tout ce qui est à toi est à moi, et je trouve ma gloire en eux. Désormais, je ne suis plus dans le monde ; eux, ils sont dans le monde, et moi, je viens vers toi. »

Prière sur les offrandes

Avec ces offrandes, Seigneur, reçois les prières de tes fidèles ; que cette liturgie célébrée avec amour nous fasse passer à la gloire du ciel. Par Jésus.

Préface

Vraiment, il est juste et bon de te rendre gloire, de t'offrir notre action de grâce, toujours et en tout lieu, à toi, Père très saint, Dieu éternel et tout-puissant, par le Christ, notre Seigneur.

Car il s'est manifesté après sa résurrection, en apparaissant à tous ses disciples, et, devant leurs yeux, il est monté au ciel pour nous rendre participants de sa divinité.

C'est pourquoi le peuple des baptisés, rayonnant de la joie pascale, exulte par toute la terre, tandis que les anges dans le ciel chantent sans fin l'hymne de ta gloire : **Saint !...**

On peut prendre la préface de la p. 359.

Prière après la communion

Exauce-nous, Dieu notre Sauveur : que notre communion au mystère du salut nous confirme dans cette assurance que tu glorifieras tout le corps de l'Église comme tu as glorifié son chef, Jésus, le Christ. Lui qui règne.

Calendrier liturgique

Di 1er	**7e dimanche de Pâques A.**
	Liturgie des Heures : Psautier semaine III.
	[S. Justin, philosophe, martyr, † vers 165 à Rome.]
Lu 2	*S. Marcellin et S. Pierre, martyrs, † 304 à Rome.*
	En France : S. Pothin, évêque de Lyon, Ste Blandine, vierge, et leurs compagnons, martyrs, † 177.
Ma 3	S. Charles Lwanga et ses compagnons, martyrs en Ouganda, † 1886.
Me 4	*En France, Ste Clotilde, reine des Francs, † 545 à Tours.*
	En Afrique du Nord, S. Optat, évêque de Milève (IVe siècle).
Je 5	S. Boniface, évêque de Mayence, martyr, † 754.
Ve 6	*S. Norbert, évêque de Magdebourg, fondateur des Prémontrés, † 1134.*

Bonne fête ! 1er : Justin, Roman. 2 : Marcellin, Blandine, Vital. 3 : Kévin. 4 : Clotilde. 5 : Boniface, Igor. 6 : Norbert, Claude. 7 : Gilbert, Maïté.

Pour mémoire : il y a cinquante ans, le 11 avril 1964, le pape Paul VI créait la *Commission pontificale pour les moyens de communication sociale,* devenue en 1988 le *Conseil pontifical pour les communications sociales.* Sa tâche principale est « d'encourager et de soutenir de manière opportune et adaptée l'action de l'Église et de ses membres à travers les différentes formes de communications sociales et de veiller à ce que les journaux quotidiens et périodiques, tout comme les films et les programmes de radio et de télévision, soient de plus en plus empreints d'un esprit humain et chrétien ». C'est ce Conseil qui organise annuellement la Journée mondiale des communications sociales (organisée le dimanche avant la Pentecôte. En France, elle a lieu le premier dimanche de février).

Pour prolonger la prière : Père saint, dans le Christ tu nous as parlé et tu nous révélais ton amour. Garde-nous dans la fidélité à ton nom, pour que nous soyons un, comme tu l'es avec ton Fils et l'Esprit Saint pour les siècles des siècles.

LA PRIÈRE UNIVERSELLE, PRIÈRE POUR LES FRÈRES

La Prière universelle s'enracine dans la plus ancienne tradition du culte eucharistique. Après avoir connu des formes différentes, elle a été remise à l'honneur au xxe siècle, et intégrée de manière précise dans la liturgie par le Missel de Paul VI. Chaque dimanche, depuis 50 ans, une équipe – ou une personne – rédige des intentions selon le schéma donné par le Missel.

On entend souvent reprocher à la Prière universelle d'être trop générale et de se défausser sur Dieu de nos responsabilités humaines vis-à-vis de nos frères. Il est un peu facile de demander à Dieu d'intervenir dans la vie éprouvée des hommes, c'est à nous d'intervenir ! Prions donc pour que Dieu nous donne la force, les talents et l'amour nécessaires pour que le monde aille mieux...

Il faut être attentifs à ces reproches, qui pointent des écueils à éviter. Mais il ne faut pas oublier ce qui fait la spécificité de la Prière universelle à l'intérieur de l'ensemble des prières chrétiennes, et qui lui donne sa grandeur : c'est la seule prière sacerdotale des fidèles. Au nom de leur baptême qui les a faits « prêtres, prophètes et rois », les fidèles intercèdent auprès du Père, par Jésus Christ, pour les hommes leurs frères. La *foi* qui les anime (c'est l'étymologie du mot *fidèle*) leur donne toute *confiance* pour se reconnaître investis de cette magnifique mission d'intercession qu'ils reçoivent du Père par le Christ. Ils ne prient pas pour eux, même pour devenir plus saints (ce sera un moment de la Prière eucharistique), mais ils portent dans leur cœur la prière du Christ pour tous les hommes : elle est à la fois sacerdotale et universelle.

La Prière universelle s'adresse au Père à qui nous confions ses enfants, nos frères. Bien sûr, Dieu n'a pas besoin de cette démarche pour aimer chacun des hommes et des femmes qu'il a créés. Mais c'est le rôle de l'Église de faire mémoire de l'humanité que le Christ a voulu épouser par son incarnation, au moment où elle célèbre le sacrifice eucharistique par lequel il sauve le monde.

Vivant avec nos proches et avec les hommes une histoire commune, nous versons dans le cœur de Dieu les douleurs et les joies qui font le tissu vivant de notre monde, et nous les apportons au pied de l'autel où nous nous tenons.

I. R.-C.

Dimanche de la Pentecôte 8 juin 2014

L'ESPRIT DU RESSUSCITÉ

L'Esprit n'est pas un nouveau personnage arrivant au moment où l'on célèbre la fête juive de Pentecôte, 50 jours après la Pâque *(première lecture)*. Déjà, l'évangéliste Jean situe le don de l'Esprit le soir de la résurrection *(évangile)*. Et souvenons-nous, avant même la Création, l'Esprit est présent. Et dans les évangiles, il « couvre de son ombre » la Vierge Marie à l'Annonciation ; il « descendit sur Jésus » lors de son baptême au Jourdain ; et sur la croix, le Christ « remit l'Esprit ». À l'œuvre dans la nouvelle Création, l'Esprit rend témoignage de l'action de Dieu.

Malgré cela, le soir de Pâques, les disciples sont encore enfermés et apeurés. On pourrait dire qu'ils ne sont pas sortis du tombeau, ils sont encore morts avec le Christ ; ils sont comme « vidés » d'espérance. La présence parmi eux du Ressuscité met fin à cette situation et les remplit de joie. L'Esprit du Ressuscité est à l'œuvre.

Dans l'expérience qu'en font les Apôtres, l'Esprit ne se surajoute pas au Christ, puisqu'il est l'Esprit de Jésus ressuscité, mais leur donne, comme à nous, la certitude de sa présence. Il met sur nos lèvres les mots de la foi et de la confiance car, sans l'Esprit Saint, personne ne peut dire que « Jésus est Seigneur » *(2e lecture)*. Ces mots sont le résumé, le même dans toutes les langues, de la confession de foi des Apôtres.

L'autre conséquence du don de l'Esprit est l'unité que traduit une communion sans limite rassemblant tous ceux qui sont dispersés. Nous devenons un seul corps dans le Christ.

Dans l'eucharistie, nous prions le Père pour qu'il sanctifie les offrandes en répandant sur elles son Esprit. Après la consécration, nous demandons à être « rassemblés par l'Esprit Saint en un seul corps » (PE IV). Par l'Esprit, nous pouvons reconnaître la présence du Ressuscité dans le pain et le vin et dans l'Église. Chaque eucharistie est à la fois Pâques et Pentecôte. Elle est source d'unité et de réconciliation entre les hommes.

La Pentecôte achève le Temps pascal mais elle ouvre aussi une ère nouvelle dans l'histoire.

Suggestions pour la célébration

• CHANTER • Pour la procession d'ouverture, on peut prendre soit un chant qui clôture le temps pascal, par exemple ***Jour du vivant*** **CNA 651** dont on chantera toutes les strophes, soit un chant à l'Esprit Saint : ***Souffle imprévisible*** **CNA 688,** ***Pour que Dieu soit dit*** **K 550,** ***Esprit de Pentecôte*** **K 138,** ***Envoie ton Esprit Saint*** **CNA 502.**

Pour la préparation pénitentielle : ***Jésus dont l'Esprit vient*** **CNA 185 G.** Le Missel prévoit de chanter la ***séquence de Pentecôte*** après la 2e lecture : ***Séquence du jour de la Pentecôte*** **KL 29-79,** ***Viens, Esprit de Dieu*** **CNA 691,** ***Veni Sancte Spiritus*** **K 169** ou **CNA 506.**

Après l'homélie : ***Veni Creator*** **CNA 505,** ***Esprit Saint, tu es l'amour*** **KY 53-82.**

On pourra chanter les épiclèses de la prière eucharistique.

Après la communion : ***Celui qui a mangé de ce pain*** **CNA 321** (strophes 1 à 5), ***Tu es la source*** **K 48-66,** ***Dans la puissance de l'Esprit*** **CNA 488.**

Pour la fin de la célébration : ***Allez par toute la terre*** **CNA 533,** ***Laudate Dominum*** **CNA 764,** ***Jubilez, tous les peuples*** **T 25-91.**

• PRIER • **POUR LA PRÉPARATION PÉNITENTIELLE**

Seigneur Jésus, tu as partagé la vie du monde,
prends pitié de nous.

Ô Christ, tu réconcilies tous les hommes,
prends pitié de nous.

Seigneur, tu demeures avec nous pour toujours,
prends pitié de nous.

POUR LA PRIÈRE UNIVERSELLE

Prions le Père d'envoyer son Esprit :
– sur les nouveaux baptisés de Pâques, leurs familles, leurs parrains et marraines ;
– sur les jeunes qui se sont préparés à recevoir le sacrement de confirmation ;

– sur ceux et celles qui travaillent à l'unité de l'Église et confessent ensemble la foi pascale ;
– sur les hommes et les femmes qui ne connaissent pas Dieu mais œuvrent pour le service des frères et le bien commun.

• CÉLÉBRER • On donnera à la célébration de la Pentecôte la solennité qui convient : encensement, processions développées, beauté des lieux. Le cierge pascal allumé a toute sa place dans le chœur. Il sera transféré solennellement au baptistère à la fin de la messe (sauf si on chante les vêpres du dimanche). Il sera ensuite allumé pour les baptêmes et placé près du cercueil aux funérailles.

Pour le rite pénitentiel, on préférera l'aspersion avec l'eau baptismale qui rappelle Pâques et le baptême.

S'il y a des confirmations, on veillera à garder au mystère de la Pentecôte toute son importance. Des diocèses ou des paroisses choisissent de plus en plus la messe de la veille de Pentecôte pour célébrer les confirmations. Cette vigile permet une liturgie de la Parole développée. Elle introduit dans la fête.

Messe de la veille

Prière d'ouverture

• Dieu éternel et tout-puissant, tu as voulu que la célébration du mystère de Pâques dure cinquante jours et s'achève avec la Pentecôte ; fais que les hommes, en proie aux divisions de toute sorte, soient rassemblés par l'Esprit Saint pour que chacun dans sa langue te rende gloire. Par Jésus Christ.

• Réponds à notre prière, Dieu tout-puissant, et comme au jour de la Pentecôte, que le Christ, lumière de lumière, envoie sur ton Église l'Esprit de feu : qu'il éclaire le cœur de ceux que tu as fait renaître et les confirme dans ta grâce. Par Jésus Christ.

Quatre textes au choix pour la 1re lecture : Genèse, Exode, Ézékiel ou Joël.

• 1re LECTURE (1) *La tour de Babel*

Lecture du livre de la Genèse Gn 11, 1-9

Toute la terre avait alors le même langage et les mêmes mots. Au cours de leurs déplacements du côté de l'orient, les hommes découvrirent une plaine en Mésopotamie, et ils s'y installèrent. Ils se dirent l'un à l'autre : « Allons ! fabriquons des briques et mettons-les à cuire ! » Les briques leur servaient de pierres, et le bitume, de mortier. Ils dirent : « Allons ! bâtissons une ville, avec une tour dont le sommet soit dans les cieux. Nous travaillerons à notre renommée, pour n'être pas dispersés sur toute la terre. » Le Seigneur descendit pour voir la ville et la tour que les hommes avaient bâties. Et le Seigneur dit : « Ils sont un seul peuple, ils ont tous le même langage : s'ils commencent ainsi, rien ne les empêchera désormais de faire tout ce qu'ils décideront. Eh bien ! descendons, embrouillons leur langage : qu'ils ne se comprennent plus les uns les autres. » De là, le Seigneur les dispersa sur toute l'étendue de la terre. Ils cessèrent donc de bâtir la ville. C'est pourquoi on l'appela Babel (Babylone), car c'est là que le Seigneur embrouilla le langage des habitants de toute la terre ; et c'est de là qu'il les dispersa sur toute l'étendue de la terre.

PSAUME 32 : **Bienheureux le peuple de Dieu !**

PRIÈRE

Nous t'en prions, Dieu tout-puissant, accorde à ton Église d'être toujours ce peuple saint qui tient son unité de celle de la Trinité ; qu'elle soit pour le monde le sacrement de ton unité et de ta sainteté, et qu'elle le conduise à la plénitude de ta charité. Par Jésus.

• 1re LECTURE (2) *Théophanie au Sinaï*

Lecture du livre de l'Exode Ex 19, 3-8a.16-20b

Dans le troisième mois qui suivit la sortie d'Égypte, les fils d'Israël arrivèrent au Sinaï. Moïse monta vers Dieu. Le Seigneur l'appela du haut de la montagne : « Tu diras à la maison de Jacob, et tu annonceras aux fils d'Israël : Vous avez vu ce que j'ai fait à l'Égypte, comment je vous ai portés comme sur les ailes d'un aigle pour vous amener jusqu'à moi. Et maintenant, si vous entendez ma voix et gardez mon alliance, vous serez mon domaine particulier parmi tous les peuples – car toute la terre m'appartient – et vous serez pour moi un royaume de prêtres, une nation sainte. Voilà ce que tu diras aux fils d'Israël. » Moïse revint et convoqua les anciens du peuple, il leur communiqua tout ce que le Seigneur avait prescrit. Le peuple tout entier répondit d'une seule voix : « Tout ce qu'a dit le Seigneur, nous le ferons. »

Le troisième jour, dès le matin, il y eut des coups de tonnerre, des éclairs, une lourde nuée sur la montagne, et le son d'une trompette puissante ; dans le camp, tout le peuple trembla. Moïse fit sortir le peuple hors du camp, à la rencontre de Dieu, et ils restèrent debout au pied de la montagne. La montagne du Sinaï était toute fumante, car le Seigneur y était descendu dans le feu ; la fumée montait, comme la fumée d'une fournaise, et toute la montagne tremblait violemment. Le son de la trompette était de plus en plus fort. Moïse parlait, et Dieu lui répondait dans le tonnerre. Le Seigneur descendit sur le sommet du Sinaï, il appela Moïse sur le sommet de la montagne, et Moïse monta vers lui.

• CANTIQUE DE DANIEL

À Toi, louange et gloire, éternellement.

• PSAUME 18 : **Dieu ! tu as les paroles de vie éternelle.**

PRIÈRE

Seigneur, notre Dieu, dans les éclairs et le feu, sur la montagne du Sinaï, tu as donné à Moïse l'ancienne loi, et dans le feu de l'Esprit, au jour de Pentecôte, tu as révélé l'Alliance nouvelle : accorde-nous de toujours brûler de cet Esprit que tu as répandu mystérieusement sur tes Apôtres, et donne à l'Israël nouveau, rassemblé de toutes les nations, d'accueillir avec joie l'éternel commandement de ton amour. Par Jésus.

• 1re LECTURE (3) *Les ossements desséchés*

Lecture du livre d'Ézékiel Éz 37, 1-14

La main du Seigneur se posa sur moi, son esprit m'emporta, et je me trouvai au milieu d'une vallée qui était pleine d'ossements. Il m'en fit faire le tour : le sol de la vallée en était couvert, et ils étaient tout à fait desséchés. Alors le Seigneur me dit : « Fils d'homme, ces ossements peuvent-ils revivre ? » Je lui répondis : « Seigneur Dieu, c'est toi qui le sais ! » Il me dit alors : « Prononce un oracle sur ces ossements. Tu vas leur dire : Ossements desséchés, écoutez la parole du Seigneur. Je vais faire entrer en vous l'esprit, et vous vivrez. Je vais mettre sur vous des nerfs, vous couvrir de chair, et vous revêtir de peau ; je vous donnerai l'esprit, et vous vivrez. Alors vous saurez que je suis le Seigneur. » Je prononçai l'oracle, comme j'en avais reçu l'ordre. Pendant que je prophétisais, il y eut un bruit, puis une violente secousse, et les ossements se rapprochèrent les uns des autres. Je vis qu'ils se couvraient de nerfs, la chair repoussait, la peau les recouvrait, mais il n'y avait pas d'esprit en eux.

Le Seigneur me dit alors : « Adresse un oracle à l'esprit, prophétise, fils d'homme. Tu vas dire à l'esprit : Ainsi parle le Seigneur Dieu : Viens des quatre vents, esprit ! Souffle sur ces morts, et qu'ils vivent ! » Je prophétisai, comme il m'en avait donné l'ordre, et l'esprit entra en eux ; ils revinrent à la vie, et ils se dressèrent sur leurs pieds : c'était une armée immense !

Puis le Seigneur me dit : « Fils d'homme, ces ossements c'est tout le peuple d'Israël. Car ils disent : "Nos ossements sont desséchés, notre espérance est détruite, nous sommes perdus !" Eh bien, adresse-leur cet oracle : Ainsi parle le Seigneur Dieu : Je vais ouvrir vos tombeaux et je vous en ferai sortir, ô mon peuple, et je vous ramènerai sur la terre d'Israël. Vous saurez que je suis le

Seigneur, quand j'ouvrirai vos tombeaux et vous en ferai sortir, ô mon peuple ! Je mettrai en vous mon esprit, et vous vivrez : je vous installerai sur votre terre, et vous saurez que je suis le Seigneur : je l'ai dit, et je le ferai. » Parole du Seigneur.

PSAUME 106

Rendons grâce au Seigneur : éternel est son amour.

PRIÈRE

Seigneur, Dieu puissant et fort, toi qui relèves ce qui est déchu, toi qui protèges ce que tu as relevé, fais grandir le peuple de ceux que tu renouvelles en leur donnant de sanctifier ton nom : que soient toujours guidés par ton souffle ceux que purifie le sacrement du baptême. Par Jésus.

• 1re LECTURE (4) *Vos fils et vos filles deviendront prophètes*

Lecture du livre de Joël Jl 3, 1-5

Parole du Seigneur : Je répandrai mon esprit sur toute créature, vos fils et vos filles deviendront prophètes, vos anciens seront instruits par des songes, et vos jeunes gens par des visions. Même sur les serviteurs et sur les servantes je répandrai mon esprit en ces jours-là. Je ferai des prodiges au ciel et sur la terre : du sang, du feu, des colonnes de fumée. Le soleil se changera en ténèbres, et la lune sera couleur de sang, avant que vienne le Jour du Seigneur, grand et redoutable. Alors, tous ceux qui invoqueront le Nom du Seigneur seront sauvés.

PSAUME 103

Ô Seigneur, envoie ton Esprit
qui renouvelle la face de la terre !

Bénis le Seigneur, ô mon âme ;
Seigneur mon Dieu, tu es si grand !
Revêtu de magnificence,
tu as pour manteau la lumière !

Bénis le Seigneur, ô mon âme !
Quelle profusion dans tes œuvres, Seigneur !
Tout cela, ta sagesse l'a fait ;
la terre s'emplit de tes biens.

Tous les vivants comptent sur toi
pour recevoir leur nourriture au temps voulu.
Tu donnes : eux, ils ramassent ;
tu ouvres la main : ils sont comblés.

Tu reprends leur souffle, ils expirent
et retournent à leur poussière.
Tu envoies ton souffle : ils sont créés ;
tu renouvelles la face de la terre.

Prière

Ce que tu as promis, Seigneur notre Dieu, nous te prions de l'accomplir pour nous dans ta bonté : que la venue de l'Esprit Saint nous rende, à la face du monde, témoins de l'Évangile de notre Seigneur Jésus, le Christ. Lui qui règne.

Si on a lu toutes les lectures, on chante maintenant le Gloire à Dieu, puis le prêtre dit la prière : « Dieu éternel et tout-puissant, tu as voulu... » (p. 370). C'est l'autre prière : « Réponds à notre prière... » (p. 370) qui aura été employée au début de la célébration, après le Kyrie.

2e lecture — *L'action de l'Esprit*

Lecture de la lettre de saint Paul Apôtre aux Romains — Rm 8, 22-27

Frères, nous le savons bien, la création tout entière crie sa souffrance, elle passe par les douleurs d'un enfantement qui dure encore. Et elle n'est pas seule. Nous aussi nous crions en nous-mêmes notre souffrance ; nous avons commencé par recevoir le Saint-Esprit, mais nous attendons notre adoption et la délivrance de notre corps.

Car nous avons été sauvés, mais c'est en espérance ; voir ce qu'on espère, ce n'est plus espérer : ce que l'on voit, comment peut-on l'espérer encore ? Mais nous, qui espérons ce que nous ne voyons pas, nous l'attendons avec persévérance. Bien plus, l'Esprit Saint vient au secours de notre faiblesse, car nous ne savons pas prier comme il faut. L'Esprit lui-même intervient pour nous par des cris inexprimables. Et Dieu, qui voit le fond des cœurs, connaît les intentions de l'Esprit : il sait qu'en intervenant pour les fidèles, l'Esprit veut ce que Dieu veut.

Alléluia. Alléluia. Viens, Esprit Saint ! Pénètre le cœur de tes fidèles ! Qu'ils soient brûlés au feu de ton amour ! **Alléluia.**

ÉVANGILE — *La promesse du don de l'Esprit*

Évangile de Jésus Christ selon saint Jean — Jn 7, 37-39

C'**était le jour solennel** où se terminait la fête des Tentes. Jésus, debout dans le temple de Jérusalem, s'écria : « Si quelqu'un a soif, qu'il vienne à moi, et qu'il boive, celui qui croit en moi ! Comme dit l'Écriture : "Des fleuves d'eau vive jailliront de son cœur". »

En disant cela, il parlait de l'Esprit Saint, l'Esprit que devaient recevoir ceux qui croiraient en Jésus. En effet, l'Esprit Saint n'avait pas encore été donné, parce que Jésus n'avait pas encore été glorifié par le Père.

PRIÈRE SUR LES OFFRANDES

Sur nos offrandes, Seigneur, répands la bénédiction de l'Esprit : que ton Église en reçoive cette charité qui fera d'elle, au milieu du monde, le signe visible du salut. Par Jésus.

Préface de la Pentecôte, p. 380.

Dans les prières eucharistiques, il y a des textes propres à la fête de la Pentecôte.

Prière après la communion

Que cette communion, Seigneur, nous donne la ferveur de l'Esprit dont tu as comblé tes Apôtres, dès les premiers jours de l'Église. Par Jésus.

Messe du jour de la Pentecôte

Prière d'ouverture

Aujourd'hui, Seigneur, par le mystère de la Pentecôte, tu sanctifies ton Église chez tous les peuples et dans toutes les nations : répands les dons du Saint-Esprit sur l'immensité du monde, et continue dans les cœurs des croyants l'œuvre d'amour que tu as entreprise au début de la prédication évangélique. Par Jésus Christ.

1re lecture — *Tous remplis de l'Esprit Saint*

Lecture du livre des Actes des Apôtres — Ac 2, 1-11

Quand arriva la Pentecôte (le cinquantième jour après Pâques), ils se trouvaient réunis tous ensemble. Soudain il vint du ciel un bruit pareil à celui d'un violent coup de vent : toute la maison où ils se tenaient en fut remplie. Ils virent apparaître comme une sorte de feu qui se partageait en langues et qui se posa sur chacun d'eux. Alors ils furent tous remplis de l'Esprit Saint : ils se mirent à parler en d'autres langues, et chacun s'exprimait selon le don de l'Esprit.

Or, il y avait, séjournant à Jérusalem, des Juifs fervents, issus de toutes les nations qui sont sous le ciel. Lorsque les gens entendirent le bruit, ils se rassemblèrent en foule. Ils étaient dans la stupéfaction parce que chacun d'eux les entendait parler sa propre langue. Déconcertés, émerveillés, ils disaient : « Ces hommes qui parlent ne sont-ils pas tous des Galiléens ? Comment se fait-il que chacun de nous les entende dans sa langue maternelle ? Parthes, Mèdes et Élamites, habitants de la Mésopotamie, de la Judée et de la Cappadoce, des bords de la mer Noire, de la province d'Asie, de la Phrygie, de la Pamphylie, de l'Égypte et de la Libye proche de Cyrène, Romains résidant ici, Juifs de naissance et convertis, Crétois et Arabes, tous, nous les entendons proclamer dans nos langues les merveilles de Dieu. »

PSAUME 103

- **Ô Seigneur, envoie ton Esprit**
  qui renouvelle la face de la terre !
- **Proclamons à haute voix les merveilles de Dieu !**

Bénis le Seigneur, ô mon âme ;
Seigneur mon Dieu, tu es si grand !
Quelle profusion dans tes œuvres, Seigneur !
La terre s'emplit de tes biens.

Tu reprends leur souffle, ils expirent
et retournent à leur poussière.
Tu envoies ton souffle : ils sont créés ;
tu renouvelles la face de la terre.

Gloire au Seigneur à tout jamais !
Que Dieu se réjouisse en ses œuvres !
Que mon poème lui soit agréable ;
moi, je me réjouis dans le Seigneur.

2e LECTURE — *L'unique Esprit*

Lecture de la première lettre de saint Paul Apôtre aux Corinthiens — 1 Co 12, 3b-7.12-13

Frères, sans le Saint-Esprit, personne n'est capable de dire : « Jésus est le Seigneur. » Les dons de la grâce sont variés, mais c'est toujours le même Esprit. Les fonctions dans l'Église sont variées, mais c'est toujours le même Seigneur. Les activités sont variées, mais c'est toujours le même Dieu qui agit en tous. Chacun reçoit le don de manifester l'Esprit en vue du bien de tous.

Prenons une comparaison : notre corps forme un tout, il a pourtant plusieurs membres ; et tous les membres, malgré leur nombre, ne forment qu'un seul corps. Il en est ainsi pour le Christ. Tous, Juifs ou païens, esclaves ou hommes libres, nous avons été baptisés dans l'unique Esprit pour former un seul corps. Tous nous avons été désaltérés par l'unique Esprit.

Chant au Saint-Esprit

Viens, Esprit Saint,
en nos cœurs
et envoie du haut du ciel
un rayon de ta lumière.

Viens en nous, père des pauvres,
viens, dispensateur des dons,
viens, lumière de nos cœurs.

Consolateur souverain,
hôte très doux de nos âmes,
adoucissante fraîcheur.

Lave ce qui est souillé, ;
baigne ce qui est aride, ;
guéris ce qui est blessé.

Assouplis ce qui est raide,
réchauffe ce qui est froid,
rends droit ce qui est faussé.

Dans le labeur, le repos
dans la fièvre, la fraîcheur
dans les pleurs, le réconfort.

Ô lumière bienheureuse,
viens remplir jusqu'à l'intime
guéris ce qui est blessé.

Sans ta puissance divine,
il n'est rien en aucun homme,
rien qui ne soit perverti.

À tous ceux qui ont la foi
et qui en toi se confient
donne tes sept dons sacrés.

Donne mérite et vertu,
donne le salut final,
donne la joie éternelle. **Amen**.

Alléluia. Alléluia. Viens, Esprit Saint ! Pénètre le cœur de tes fidèles ! Qu'ils soient brûlés au feu de ton amour ! **Alléluia.**

Évangile — *Jésus donne l'Esprit*

Évangile de Jésus Christ selon saint Jean — Jn 20, 19-23

C'était après la mort de Jésus, le soir du premier jour de la semaine. Les disciples avaient verrouillé les portes du lieu où ils étaient, car ils avaient peur des Juifs. Jésus vint, et il était là au milieu d'eux. Il leur dit : « La paix soit avec vous ! » Après cette parole, il leur montra ses mains et son côté. Les disciples furent remplis de joie en voyant le Seigneur. Jésus leur dit de nouveau : « La paix soit avec vous ! De même que le Père m'a envoyé, moi aussi, je vous envoie. » Ayant ainsi parlé, il répandit sur eux son souffle et il leur dit : « Recevez l'Esprit Saint. Tout homme à qui vous remettrez ses péchés, ils lui seront remis ; tout homme à qui vous maintiendrez ses péchés, ils lui seront maintenus. »

Prière sur les offrandes

Dieu notre Père, réponds à notre attente, souviens-toi de la promesse de ton Fils : que l'Esprit Saint nous fasse pénétrer plus avant dans l'intelligence du mystère eucharistique et nous ouvre à la vérité tout entière. Par Jésus.

Préface

Vraiment, il est juste et bon de te rendre gloire, de t'offrir notre action de grâce, toujours et en tout lieu, à toi, Père très saint, Dieu éternel et tout-puissant.

Pour accomplir jusqu'au bout le mystère de la Pâque, tu as répandu aujourd'hui l'Esprit Saint sur ceux dont tu as fait tes fils en les unissant à ton Fils unique. C'est ton Esprit qui a donné à tous les peuples, au commencement de l'Église, la connaissance du vrai Dieu, afin qu'ils confessent, chacun dans sa langue, une seule et même foi.

C'est pourquoi le peuple des baptisés, rayonnant de la joie pascale, exulte par toute la terre, tandis que les anges dans le ciel chantent sans fin l'hymne de ta gloire : **Saint !...**

Dans les prières eucharistiques, il y a des textes propres à la fête de Pentecôte.

Prière après la communion

Dieu qui accordes les biens du ciel à ton Église, protège la grâce que tu viens de lui donner : que le souffle de la Pentecôte agisse avec toujours plus de force ; que ce repas sanctifié par l'Esprit fasse progresser le monde vers le salut. Par Jésus.

Bénédiction solennelle

Aujourd'hui, Dieu le Père de toute lumière a envoyé l'Esprit Saint au cœur des disciples du Christ, il les a illuminés. Que ce même Esprit vous pénètre et sanctifie en vous ses dons. **Amen.**

Que le feu d'en haut venu sur les disciples consume tout mal au fond de vos cœurs et vous fasse porter au monde sa lumière. **Amen.**

C'est l'Esprit qui a rassemblé des hommes de toutes langues dans la profession de la même foi : qu'il vous garde fidèles à cette foi, et dans l'espérance du jour de Dieu. **Amen.**

Et que Dieu tout-puissant vous bénisse...

Renvoi

Allez, dans la paix du Christ, alléluia, alléluia !
Nous rendons grâce à Dieu, alléluia, alléluia !

Le Christ vit en moi

« La foi au Christ ressuscité est une foi qui nous fait recevoir non seulement la vérité de ce qu'il a fait, mais la réalité de la personne qu'il est. La foi au Christ ne se contente pas de nous renseigner sur Lui, elle nous Le donne et nous donne à Lui dans une union à la fois personnelle et spirituelle. Elle nous rend disciples du Christ, amis du Christ, membres du Christ. Une foi vivante au Christ est inséparable de l'amour du Christ. La foi, l'amour et l'espérance chrétienne sont si proches qu'ils ne forment qu'une réalité concrète et cette réalité, c'est la vie du Christ en nous. »

Thomas Merton, *Le temps des fêtes, méditation sur l'année liturgique*, Ad Solem, 1956-2012, p. 133.

Calendrier liturgique

Di 8	**DIMANCHE DE PENTECÔTE.** *Liturgie des Heures : Psautier semaine II.*
Lu 9	10e semaine du temps ordinaire. *S. Éphrem, diacre, docteur de l'Église, † 373 à Édesse (Urfa, Turquie).*
Me 11	S. Barnabé, Apôtre. Lectures propres : Ac 11,21b-26 ; 13, 1-3 ; Mt 10,7-13.
Ve 13	S. Antoine de Padoue, prêtre, franciscain portugais, docteur de l'Église, † 1231 à Padoue.

Bonne fête ! 8 : Médard, Armand. 9 : Éphrem, Diane, Anne-Marie, Félicien. 10 : Landry. 11 : Barnabé, Yolande. 12 : Guy. 13 : Antoine, Rambert. 14 : Élisée, Valère, Rufin.

Pour prolonger la prière : Dieu d'amour et de paix, envoie sur nous le Souffle de ton Fils, et renouvelle ton Église : qu'elle ne cesse de proclamer au milieu des nations les merveilles que tu fais pour les hommes par Jésus Christ. En lui, dans la puissance de l'Esprit, gloire à toi pour les siècles.

La Sainte Trinité 15 juin 2014

AU NOM DU PÈRE ET DU FILS ET DU SAINT ESPRIT

« **La grâce de Jésus notre Seigneur,** l'amour de Dieu le Père, et la communion de l'Esprit Saint, soient toujours avec vous. »

Salutation d'ouverture de la messe, cette formule vient des Écritures *(deuxième lecture).* La liturgie ne se lance pas d'abord dans une explication sur la Trinité mais elle nous immerge en elle. Le signe de croix « Au nom du Père, et... » que nous faisons parfois machinalement, est lui aussi le signe de la sainte Trinité. « Un seul Dieu », Père, Fils et Esprit, disons-nous dans le *Credo.* Il faut comprendre qu'il ne s'agit pas de trois individus, voire de trois dieux différents. La sainte Trinité est l'expression de l'unité de Dieu en trois identités distinctes : celle du Père, celle du Fils et celle de l'Esprit. Qu'y aurait-il alors d'étrange à croire en un Dieu qui n'est pas solitude mais communion ?

Dès avant la Création, l'Esprit et le Verbe sont auprès de Dieu. La prière d'ouverture *(oraison du jour)* mentionne que le Père a envoyé dans le monde sa Parole de vérité et son Esprit de sainteté pour révéler le mystère de Dieu aux hommes. Cela n'est pas une abstraction. La Trinité est en mouvement incessant vers les hommes. En elle, nous faisons l'expérience de Dieu : nul n'a jamais vu le Père mais son Fils, sa Parole, nous l'a fait connaître et l'Esprit nous le rend intelligible pour aujourd'hui.

L'Église enseigne la Trinité par la prière : toute prière est trinitaire, adressée au Père par le Fils et dans l'Esprit, ou au Fils, avec le Père et l'Esprit... Les points d'insistance varient mais la prière est toujours une participation à la communion trinitaire.

La vie trinitaire est donnée en partage à l'humanité comme modèle de la perfection de l'amour. La contemplation de l'amour trinitaire transforme nos manières d'aimer. Elle est invitation à sortir de soi pour aimer plus gratuitement, à éradiquer ce qui conduirait au repli et à la suffisance. La sainte Trinité nous façonne afin que nous ayons besoin les uns des autres.

Suggestions pour la célébration

• CHANTER • Pour la procession d'ouverture : *Père adorable* CNA 516, *Hymne à la Trinité* C 206, *En marchant vers Toi, Seigneur* CNA 550, *Gloire et louange à toi, Seigneur* L 37-33.

Le *Gloire à Dieu* est une hymne trinitaire. On la chantera telle que la liturgie nous la propose.

Après l'homélie *Très haut Seigneur, Trinité bienheureuse* SYL Z700, *Dieu inconnu* CNA 516, *Dieu notre Père* L 31-44.

Après la communion : *Cantique des créatures* CNA p. 185, *Chantons à Dieu* CNA 535, *Peuples, criez de joie* CNA 579, *Cantique des trois enfants* CNA p. 184.

• PRIER • POUR LA PRÉPARATION PÉNITENTIELLE

Seigneur Jésus, Parole envoyée par le Père,
prends pitié de nous.

Ô Christ, Vie offerte par amour des hommes,
prends pitié de nous.

Seigneur, Présence aux hommes dans l'Esprit,
prends pitié de nous.

POUR LA PRIÈRE UNIVERSELLE

Adressons notre prière au Père par son Fils et dans l'Esprit :
– pour les peuples et les pays qui sont meurtris par les divisions et les guerres, et qui aspirent à l'unité et à la paix ;
– pour les chrétiens de toutes confessions qui professent la foi en Dieu, Père, Fils et Esprit ;
– pour les catéchistes et les théologiens qui expliquent avec des mots d'aujourd'hui le mystère de la sainte Trinité ;
– pour les familles, afin qu'elles choisissent comme modèle d'amour l'amour qui unit le Père et le Fils dans l'Esprit.

• CÉLÉBRER • La liturgie étant une prière trinitaire, on sera attentif à mettre en valeur les doxologies et particulièrement celle de la prière eucharistique, si possible en la chantant et en prévoyant l'*amen* chanté par l'assemblée.

On choisira la première forme de salutation prévue dans le Missel qui reprend la deuxième lecture du jour (2 Co 13, 13).

L'homélie peut prendre appui sur les doxologies, la salutation d'ouverture, ou encore le « Gloire à Dieu », pour faire saisir à l'assemblée le mystère de la Trinité et l'expérience qu'elle en fait dans la liturgie.

Prière d'ouverture

Dieu notre Père, tu as envoyé dans le monde ta Parole de vérité et ton Esprit de sainteté pour révéler aux hommes ton admirable mystère ; donne-nous de professer la vraie foi en reconnaissant la gloire de l'éternelle Trinité, en adorant son Unité toute-puissante. Par Jésus Christ.

1re lecture — *Le nom de Dieu*

Lecture du livre de l'Exode — Ex 34, 4b-6.8-9

Moïse se leva de bon matin, et il gravit la montagne du Sinaï comme le Seigneur le lui avait ordonné. Le Seigneur descendit dans la nuée et vint se placer auprès de Moïse. Il proclama lui-même son nom ; il passa devant Moïse et proclama : « Yahvé, le Seigneur, Dieu tendre et miséricordieux, lent à la colère, plein d'amour et de fidélité. » Aussitôt Moïse se prosterna jusqu'à terre, et il dit : « S'il est vrai, Seigneur, que j'ai trouvé grâce devant toi, daigne marcher au milieu de nous. Oui, c'est un peuple à la tête dure ; mais tu pardonneras nos fautes et nos péchés, et tu feras de nous un peuple qui t'appartienne. »

Cantique Daniel 3 : **À toi, louange et gloire éternellement !**

Béni sois-tu, Seigneur, Dieu de nos pères :
À toi, louange et gloire éternellement !

Béni soit le nom très saint de ta gloire :
À toi, louange et gloire éternellement !

Béni sois-tu dans ton saint temple de gloire :
À toi, louange et gloire éternellement !

Béni sois-tu sur le trône de ton règne :
À toi, louange et gloire éternellement !

Béni sois-tu, toi qui sondes les abîmes :
À toi, louange et gloire éternellement !

Toi qui sièges au-dessus des Kéroubim :
À toi, louange et gloire éternellement !

Béni sois-tu, au firmament dans le ciel :
À toi, louange et gloire éternellement !

2e LECTURE — *La salutation trinitaire*

Lecture de la seconde lettre de saint Paul Apôtre aux Corinthiens — 2 Co 13, 11-13

Frères, soyez dans la joie, cherchez la perfection, encouragez-vous, soyez d'accord entre vous, vivez en paix, et le Dieu d'amour et de paix sera avec vous. Exprimez votre amitié en échangeant le baiser de paix. Tous les fidèles vous disent leur amitié.

Que la grâce du Seigneur Jésus Christ, l'amour de Dieu et la communion de l'Esprit Saint soient avec vous tous.

Alléluia. Alléluia. Gloire au Père, et au Fils, et au Saint-Esprit : Au Dieu qui est, qui était et qui vient ! **Alléluia.**

ÉVANGILE — *Croire dans le nom du Fils de Dieu*

Évangile de Jésus Christ selon saint Jean — Jn 3, 16-18

Dieu a tant aimé le monde qu'il a donné son Fils unique : ainsi tout homme qui croit en lui ne périra pas, mais il obtiendra la vie éternelle. Car Dieu a envoyé son Fils dans le monde, non pas pour juger le monde, mais pour que, par lui, le monde soit sauvé. Celui qui croit en lui échappe au jugement, celui qui ne veut pas croire est déjà jugé, parce qu'il n'a pas cru au nom du Fils unique de Dieu.

Prière sur les offrandes

Sanctifie, Seigneur notre Dieu, le sacrifice sur lequel nous invoquons ton nom très saint ; et, par cette eucharistie, fais de nous-mêmes une éternelle offrande à ta gloire. Par Jésus.

Préface

Vraiment, il est juste et bon de te rendre gloire, de t'offrir notre action de grâce, toujours et en tout lieu, à toi, Père très saint, Dieu éternel et tout-puissant.

Avec ton Fils unique et le Saint-Esprit, tu es un seul Dieu, tu es un seul Seigneur, dans la trinité des personnes et l'unité de leur nature.

Ce que nous croyons de ta gloire, parce que tu l'as révélé, nous le croyons pareillement, et de ton Fils, et du Saint-Esprit ; et quand nous proclamons notre foi au Dieu éternel et véritable, nous adorons en même temps chacune des personnes, leur unique nature, leur égale majesté.

C'est ainsi que les anges et les archanges, et les plus hautes puissances des cieux, ne cessent de chanter d'une même voix : **Saint !...**

Prière après la communion

Puissions-nous trouver, Seigneur, le salut de l'âme et du corps dans le sacrement que nous avons reçu, tandis que nous affirmons notre foi en la Trinité, éternelle et sainte, comme en son indivisible Unité. Par Jésus.

La perfection de l'amour

« Pourquoi trois Personnes et non pas deux ? [...] Dans l'amour humain, cette réciprocité n'est perçue que par le truchement des signes ; en elle-même, elle échappe à ceux qui s'aiment. "Je t'aime et je vois que tu m'aimes par les mots que tu dis, par les gestes que tu fais, par ton comportement envers moi. Mais je ne vois pas ton amour en lui-même."

Saint Augustin a écrit là-dessus une de ces phrases dont il avait le génie : "Elle le voit ; Il la voit ; personne ne voit l'amour." Dans la Trinité, le Saint-Esprit est l'Amour même : Amour du Père pour le Fils, Amour du Fils pour le Père. »

F. Varillon, *L'humilité de Dieu,* Le Centurion, 1974, p. 108.

Calendrier liturgique

Di 15 **LA SAINTE TRINITÉ.**
Liturgie des Heures : Psautier semaine III.

Je 19 11e semaine du temps ordinaire.
S. Romuald, abbé, fondateur des Camaldules, † 1027 à Camaldoli (Italie).

Sa 21 S. Louis de Gonzague, étudiant jésuite, † 1591 à Rome.

Bonne fête ! 15 : Germaine. 16 : Jean-François, Régis, Aurélien, Ferréol. 17 : Hervé, Rainier. 18 : Léonce. 19 : Romuald, Gervais. 20 : Sylvère. 21 : Gonzague, Rodolphe, Rudy, Loïs.

Pour prolonger la prière : Tu es saint, Dieu notre Père, toi qui nous renouvelles dans la sainteté de l'Esprit, à l'image de ton Fils, notre Sauveur. Que notre vie fraternelle témoigne de notre communion avec toi et avec ton Fils, dans l'Esprit, dès maintenant et pour les siècles des siècles.

Le Saint-Sacrement du Corps et du Sang du Christ

22 juin 2014

LE SACREMENT DU SALUT

« **Vous ferez cela en mémoire de moi** », entendons-nous dans la prière eucharistique, à la fin du récit de l'Institution. Ces paroles de Jésus sont le fondement de la célébration de l'Eucharistie par l'Église. Ainsi l'Eucharistie ne peut pas être un simple souvenir des gestes et des paroles de Jésus, un signe qui nous réconforterait comme un vieux film ou un bon livre. Elle est mémorial de sa mort et de sa résurrection qui sont rendus présents aujourd'hui, et à chaque messe, comme l'a rappelé le concile Vatican II [1].

Déjà dans le Deutéronome *(première lecture)*, le peuple d'Israël a compris qu'il ne peut pas vivre uniquement d'une nourriture matérielle et que sa vie authentique est nourrie par la Parole qui vient de Dieu. Cette Parole lui est vitale. La manne reçue par ses Pères au désert a été le signe de cette autre nourriture. Israël veut suivre un Dieu qui lui parle et qui subvient à ses désirs profonds, un Dieu qui l'humanise et fait de lui un peuple uni et vivant en paix.

Dans le Christ, la nourriture donnée par Dieu n'est plus seulement la Torah, ni la participation aux sacrifices faits au Temple. Pour ceux qui mettent leur foi en Christ, lui-même est la nourriture de Dieu, le pain qui descend du ciel *(évangile)*. Les disciples en font l'expérience après la Résurrection. Dans l'Esprit, ils vivent en communion avec le Ressuscité. Mais le salut voulu par Dieu ne s'arrête pas à un territoire, ni à un groupe d'hommes, ni à une époque. Il est pour toutes les générations. Sacrement du salut, l'Eucharistie nous rend participants, par les signes du pain et du vin, à la vie même du Christ, vie offerte pour notre salut.

Communiant à un unique pain, « la multitude que nous sommes est un seul corps » *(deuxième lecture)*, qu'il reste à devenir jour après jour. L'eucharistie est un sacrement pour que notre vie soit tout entière eucharistique et fasse progresser la réconciliation et la paix.

[1] Vatican II, Constitution sur la liturgie, *Sacrosanctum concilium* n° 47.

Suggestions pour la célébration

• **CHANTER** • Pour la procession d'ouverture : ***Nous formons un même corps*** **C 105,** ***Dieu nous accueille*** **CNA 545** (couplets 5,6,7,8), ***Qui donc a mis la table*** **C121.**

Pour la procession pénitentielle : ***Seigneur Jésus, par ton mystère pascal*** **CNA 176.**

Après l'homélie : ***En mémoire de toi*** **CNA 325,** ***Qui mange ma chair*** **CNA 343.**

Pour la préparation des dons : ***Approchons-nous de la table*** **D 19-30,** ***Préparons la table*** **CNA 232.**

Pendant la communion : ***Venez prendre le corps*** **D 50-06-2,** ***De la table du Seigneur*** **CNA 324,** ***La Sagesse a dressé une table*** **CNA 332 ;** ***Donne-nous aujourd'hui*** **SYL K054,** ***C'est toi, Seigneur, le pain rompu*** **CNA 322,** ***Pain véritable*** **CNA 340,** ***Voici le Corps et le sang du Seigneur*** **D 44-80.**

Pour l'action de grâce : ***Tenons en éveil*** **CNA 591,** ***Que mon cœur ne se taise pas*** **D 34-77-1,** ***En mémoire du Seigneur*** **CNA 327.**

• **PRIER** • POUR LA PRÉPARATION PÉNITENTIELLE

Seigneur Jésus, pain descendu du ciel,
prends pitié de nous.

Ô Christ, mort et ressuscité pour le salut du monde,
prends pitié de nous.

Seigneur, présent par l'Esprit Saint dans l'Eucharistie,
prends pitié de nous.

POUR LA PRIÈRE UNIVERSELLE

Prions le Père qui nous a donné son Fils en nourriture afin que le monde soit réconcilié :
- pour les Églises chrétiennes avec lesquelles nous ne pouvons pas encore partager le repas du Seigneur ;
- pour les hommes et les femmes qui encouragent la réconciliation entre les nations et participent au progrès de la dignité humaine ;
- pour les enfants et les adultes de nos communautés qui vont communier pour la première fois ou qui s'y préparent ;

– pour les laïcs et ministres ordonnés qui sont au service de la célébration de l'eucharistie, source et sommet de la vie chrétienne (*Sacrosanctum concilium*, n° 10).

• **CÉLÉBRER** • La solennité du Saint-Sacrement est l'occasion pour proposer aux fidèles de communier sous les deux espèces. Il faut prévoir à l'avance son déroulement, les objets liturgiques et suffisamment de ministres de la communion. Avant la procession de communion, il est bon aussi de donner quelques explications quant à la manière de communier.

On sera attentif à ce que la communion des fidèles se fasse avec des hosties consacrées à cette messe et non pas provenant de la réserve eucharistique. Cela n'est pas réservé à ce jour mais est prévu ainsi par le Missel à chaque eucharistie.

Le chant de communion doit normalement commencer dès la communion des ministres.

On pourra aussi soigner l'envoi liturgique des personnes qui apporteront la communion aux malades (bénédiction, prière etc.)

Prière d'ouverture

Seigneur Jésus Christ, dans cet admirable sacrement, tu nous as laissé le mémorial de ta passion ; donne-nous de vénérer d'un si grand amour le mystère de ton corps et de ton sang, que nous puissions recueillir sans cesse le fruit de ta rédemption. Toi qui règnes.

1re lecture — *N'oublie pas le Seigneur ton Dieu*

Lecture du livre du Deutéronome — Dt 8, 2-3.14b-16a

Moïse disait au peuple d'Israël : « Souviens-toi de la longue marche que tu as faite pendant quarante années dans le désert ; le Seigneur ton Dieu te l'a imposée pour te faire connaître la pauvreté ; il voulait t'éprouver et savoir ce que tu as dans le cœur : est-ce que tu allais garder ses commandements, oui ou non ? Il t'a fait connaître la pauvreté, il t'a fait sentir la faim, et il t'a donné à manger la manne (cette nourriture que ni toi ni tes pères n'aviez connue), pour te faire découvrir que l'homme ne vit pas seulement de pain, mais de tout ce qui vient de la bouche du Seigneur. N'oublie pas le Seigneur ton Dieu qui t'a fait sortir du pays d'Égypte, de la maison d'esclavage. C'est lui qui t'a fait traverser ce désert, vaste et terrifiant, pays des serpents brûlants et des scorpions, pays de la sécheresse et de la soif. C'est lui qui, pour toi, a fait jaillir l'eau de la roche la plus dure. C'est lui qui dans le désert t'a donné la manne, cette nourriture inconnue de tes pères. »

PSAUME 147

• **Peuple de Dieu, célèbre ton Seigneur !**

• **Le pain que tu nous donnes**
rend toute gloire à Dieu.

Glorifie le Seigneur, Jérusalem !
célèbre ton Dieu, ô Sion !
Il a consolidé les barres de tes portes,
dans tes murs il a béni tes enfants.

Il fait régner la paix à tes frontières,
et d'un pain de froment te rassasie.
Il envoie sa parole sur la terre :
rapide, son verbe la parcourt.

Il révèle sa parole à Jacob,
ses volontés et ses lois à Israël.
Pas un peuple qu'il ait ainsi traité ;
nul autre n'a connu ses volontés.

2e LECTURE *Nous sommes un seul corps*

Lecture de la première lettre de saint Paul Apôtre aux Corinthiens — 1 Co 10, 16-17

Frères, la coupe d'action de grâce que nous bénissons n'est-elle pas communion au sang du Christ ? Le pain que nous rompons n'est-il pas communion au corps du Christ ? Puisqu'il y a un seul pain, la multitude que nous sommes est un seul corps, car nous avons tous part à un seul pain.

Cantique

Le voici, le pain des anges,
il est le pain de l'homme en route,
le vrai pain des enfants de Dieu,
qu'on ne peut jeter aux chiens.

D'avance il fut annoncé
par Isaac en sacrifice,
par l'agneau pascal immolé,
par la manne de nos pères.

Ô bon Pasteur, notre vrai pain,
ô Jésus, aie pitié de nous,
nourris-nous et protège-nous,
fais-nous voir les biens éternels
dans la terre des vivants.

Toi qui sais tout et qui peux tout,
toi qui sur terre nous nourris,
conduis-nous au banquet du ciel
et donne-nous ton héritage,
en compagnie de tes saints. Amen.

Alléluia. Alléluia. Tu es le pain vivant venu du ciel, Seigneur Jésus. Qui mange de ce pain vivra pour toujours. **Alléluia.**

Évangile — *Le pain descendu du ciel*

Évangile de Jésus Christ selon saint Jean — Jn 6, 51-58

Après avoir nourri la foule avec cinq pains et deux poissons, Jésus disait : « Moi, je suis le pain vivant, qui est descendu du ciel : si quelqu'un mange de ce pain, il vivra éternellement. Le pain que je donnerai, c'est ma chair, donnée pour que le monde ait la vie. » Les Juifs discutaient entre eux : « Comment cet homme-là peut-il nous donner sa chair à manger ? » Jésus leur dit alors : « Amen, amen, je vous le dis : si vous ne mangez pas la chair du Fils de l'homme, et si vous ne buvez pas son sang, vous n'aurez pas la vie en vous. Celui qui mange ma chair et boit mon sang a la vie éternelle ; et moi, je le ressusciterai au dernier jour. En effet, ma chair est la vraie nourriture, et mon sang est la vraie boisson. Celui qui mange ma chair et boit mon sang demeure en moi, et moi je demeure en lui. De même que le Père, qui est vivant, m'a envoyé, et que moi je vis par le Père, de même aussi celui qui me mangera vivra par moi. Tel est le pain qui descend du ciel : il n'est pas comme celui que vos pères ont mangé. Eux, ils sont morts ; celui qui mange ce pain vivra éternellement. »

Prière sur les offrandes

Accorde, Seigneur, à ton Église les biens de l'unité et de la paix, dont nos offrandes sont le signe dans le mystère eucharistique. Par Jésus.

Préface

Vraiment, il est juste et bon de te rendre gloire, de t'offrir notre action de grâce, toujours et en tout lieu, à toi, Père très saint, Dieu éternel et tout-puissant, par le Christ, notre Seigneur.

Dans le dernier repas qu'il prit avec ses Apôtres, afin que toutes les générations fassent mémoire du salut par la croix, il s'est offert à toi, comme l'Agneau sans péché, et tu as accueilli son sacrifice de louange.

Quand tes fidèles communient à ce sacrement, tu les sanctifies pour que tous les hommes, habitant le même univers, soient éclairés par la même foi et réunis par la même charité. Nous venons à la table d'un si grand mystère nous imprégner de ta grâce et connaître déjà la vie du Royaume.

Voilà pourquoi le ciel et la terre t'adorent ; ils chantent le cantique de l'Alliance nouvelle, et nous-mêmes, unissant notre voix à celle des anges, nous t'acclamons : **Saint !...**

On peut prendre la préface du Jeudi saint, p. 260.

Prière après la communion

Fais que nous possédions, Seigneur Jésus, la jouissance éternelle de ta divinité, car nous en avons ici-bas l'avant-goût lorsque nous recevons ton corps et ton sang. Toi qui règnes.

Comment se présenter à la communion et recevoir le corps du Christ

Quand donc tu t'approches, ne t'avance pas en tendant la paume des mains ni les doigts écartés. Mais puisque sur ta main droite va se poser le Roi, fais-lui un trône de ta gauche ; dans le creux de ta main reçois le corps du Christ et réponds « Amen ».

Comment recevoir le sang du Christ

Ensuite quand tu as communié au corps du Christ, avance-toi aussi vers la coupe de son sang. Ne tends pas les mains, incline-toi, dis par manière d'adoration respectueuse : « Amen », et sois sanctifié par la réception du sang du Christ.

Cyrille de Jérusalem, *Catéchèse baptismale* XXIII, n° 21-22,
« Les Pères dans la foi », Migne, 1993.

Calendrier liturgique

Di 22 **LE SAINT-SACREMENT DU CORPS ET DU SANG DU CHRIST.**
Liturgie des Heures : Psautier semaine IV.
[S. Paulin (Bordelais), évêque de Nole (Italie), † 431.
S. Jean Fisher, évêque de Rochester, et S. Thomas More, chancelier d'Angleterre, martyrs à Londres, † 1535]

Lu 23 12e semaine du temps ordinaire.

Ma 24 **NATIVITÉ DE S. JEAN BAPTISTE.** Lectures propres : Is 49,1-6 ; Ac 13, 22-26 ; Lc 1, 57-66.80.

Ve 27 **SACRÉ-CŒUR DE JÉSUS,** p. 398.

[S. Cyrille, évêque d'Alexandrie, docteur de l'Église, † 444.]

Sa 28 S. Irénée, évêque de Lyon et martyr, † vers 202.

Bonne fête ! 22 : Paulin, Alban. 23 : Audrey. 24 : Jean-Baptiste, Johnny, Yann, Yannick. 25 : Léonore, Prosper, Nora, Salomon. 26 : Anthelme. 27 : Cyrille, Fernand. 28 : Irénée.

Pour mémoire : pour la communauté musulmane, début du Ramadan : 27 juin 2014.

Pour prolonger la prière : Dieu notre Père, nous voici rassemblés autour de ton Fils pour écouter sa parole donnée et recevoir son corps livré. Que son Évangile soit la force qui nous fait vivre selon toi, et son corps, la nourriture qui nous fait vivre de toi.

PORTER LA COMMUNION AUX ABSENTS

Porter la communion aux absents, généralement des malades ou des personnes âgées, est d'une grande portée dans l'esprit même de la célébration eucharistique. Bien sûr, il s'agit d'abord d'un acte de charité vis-à-vis des fidèles qui n'ont plus la possibilité de se rendre à l'église. Ces personnes souffrent souvent dans leur corps, et leur situation les expose de surcroît à l'isolement. Il est donc important que la marginalisation ecclésiale ne s'ajoute pas à la marginalisation sociale, alors qu'elles ont tant besoin de recevoir la grâce et le réconfort de la communion au Christ ressuscité. Mais on aurait tort de penser que ces personnes ne font que recevoir. Au sein de l'Église, elles ont un rôle à jouer, quelque chose à donner. Quoi donc ? Le témoignage de leur foi et de leur attachement au Christ, la sérénité dans les épreuves, la fidélité à la prière... Aucun fidèle n'est « inutile » ni même passif dans le mystère de la communion des saints. La bienheureuse Mère Teresa de Calcutta avait organisé une fraternité de « souffrants » s'engageant à soutenir son œuvre par la prière. Il est donc juste que l'assemblée chrétienne, qui partage à des fidèles éloignés le pain rompu pendant la célébration, établisse aussi avec eux une communion de prière. Pourquoi ne pas leur transmettre les intentions lues à la messe ou leur demander, au contraire, d'en rédiger ?

S'ouvrir à des personnes physiquement absentes rappelle à l'assemblée qu'elle représente davantage qu'elle-même. « Heureux les invités au repas du Seigneur ! » Il ne faut surtout pas restreindre cette belle acclamation aux seuls présents, par la formule malheureuse : « Heureux sommes-nous, invités au repas du Seigneur ». Chaque eucharistie est célébrée pour le monde entier, et même au-delà ! La prière eucharistique ne mentionne-t-elle pas la présence mystérieuse des défunts, des saints et des anges ? Pour mettre en valeur ce geste de porter la communion aux absents, on pourra demander aux fidèles ayant accepté cette mission de venir devant l'autel après la communion, afin de recevoir la bénédiction prévue pour ce service fraternel.

C. J.

Sacré-Cœur de Jésus 27 juin 2014

« D'un coup de lance,
un des soldats ouvrit le côté de Jésus
et aussitôt il en sortit du sang et de l'eau » (Jn 19, 3)

PRIÈRE D'OUVERTURE Seigneur notre Père, en vénérant le Cœur de ton Fils bien-aimé, nous disons les merveilles de ton amour pour nous ; fais que nous recevions de cette source divine une grâce plus abondante. Par Jésus-Christ.

LECTURES
Première lecture : Dt 7,6-11 *Le peuple que Dieu aime.*
Psaume 102 : *Aimons-nous les uns les autres, comme Dieu nous aime.*
Deuxième lecture : 1 Jn 4,7-16 *Dieu nous a aimés le premier.*
Évangile : Mt 11,25-30 *Venez à moi, vous tous qui peinez*

PRÉFACE Vraiment, il est juste et bon de te rendre gloire, de t'offrir notre action de grâce, toujours et en tout lieu, à toi, Père très saint, Dieu éternel et tout-puissant, par le Christ, notre Seigneur.

Dans son immense amour, quand il fut élevé sur la croix, il s'est offert lui-même pour nous ; et de son côté transpercé, laissant jaillir le sang et l'eau, il fit naître les sacrements de l'Église, pour que tous les hommes, attirés vers son cœur, viennent puiser la joie aux sources vives du salut.

C'est pourquoi, avec les anges et tous les saints nous chantons l'hymne de ta gloire et sans fin nous proclamons : Saint !...

Un nouveau départ dans notre vie spirituelle

« En nous enfonçant dans le silence de cette action qui va conduire au Cœur même de Jésus-Christ, demandons cette grâce que tout commence aujourd'hui, que notre vie s'éternise comme un présent donné et qu'il n'y ait plus de retour sur nous, sur notre passé, plus de regrets des choses qui ne sont plus, mais cette décision ferme et inébranlable de faire de notre vie un chef-d'œuvre de lumière et d'amour comme Thérèse et François, en étant simplement là, au milieu des hommes, au milieu de notre famille, de notre bureau, de notre atelier, de notre nation, d'être simplement là comme une présence qui atteste la Sienne et qui porte la Lumière et le Sourire de son Amour. »

Maurice Zundel, *Être une présence d'amour.*

Saints Pierre et Paul, Apôtres 29 juin 2014

LES DEUX PILIERS DE LA FOI

Pierre et Paul sont deux hommes qui ont rencontré le Christ. Leur foi profonde les conduira jusqu'à verser leur sang pour l'amour du Christ. À la parole de Pierre : « Seigneur, tu sais bien que je t'aime » fait écho celle de Paul : « Pour moi vivre, c'est le Christ ». Deux piliers de l'Église que la tradition a toujours fêtés ensemble.

Saint Pierre est le premier à reconnaître en Jésus le Messie, le Fils de Dieu. Le matin de Pâques, il sera aussi le premier à entrer dans le tombeau vide. La confession de foi chrétienne est née avec celle de l'apôtre Pierre. C'est sur cette pierre fondatrice qu'est construite l'Église. Ainsi quand Jésus confie à Pierre de présider à la destinée de son Église, ce n'est pas sur l'homme d'abord qu'il s'appuie mais sur la foi.

Les Juifs auxquels Pierre s'adresse s'attendaient à ce que la venue du Messie soit précédée par le retour du prophète Élie [1], que Jean Baptiste rappelait par son vêtement et son action prophétique. Le peuple d'Israël aurait pu reconnaître la continuité de son histoire dans la confession de foi de Pierre. Mais l'universalité du salut annoncé par Jésus et son autorité fondée sur sa filiation divine ont conduit à son rejet et à sa condamnation. L'Église fondée par Jésus sera donc celle du petit reste, et pourtant, elle détient les clés du Royaume et le pouvoir de pardonner au nom de Dieu *(évangile de la messe du jour)*. L'Église n'est pas toute-puissante mais, dans l'Esprit Saint, elle rend présent le Christ ; elle parle et agit en son nom.

L'Apôtre Paul est le missionnaire par excellence. Il soutient, enseigne, et oriente les Églises naissantes. La foi de l'Église est aussi appuyée sur celle de Paul car, par ses écrits, il nous fait entrer dans le Mystère de Dieu dont il se sait l'intendant. La lecture de ses épîtres dans la liturgie permet de se rendre compte que la foi n'est jamais acquise et qu'elle demande à être approfondie sans cesse.

[1] Selon une prophétie de Malachie (3, 23-24).

Suggestions pour la célébration

• CHANTER • Pour la procession d'ouverture : *Église du Seigneur* CNA 662 ; *Dieu, nous te louons* CNA 646 ; *Puissance et gloire* CNA 651 ; *Peuple choisi* CNA 543.

Après l'homélie : *Heureux, ceux que Dieu a choisis* CNA 648 ou CNA 553.

On pourra chanter le symbole des Apôtres ; le répertoire de Lourdes propose une formule facile à mettre en œuvre. On peut aussi retenir la mélodie *« mozarabe »* CNA 223 ou *Symbole des Apôtres* CNA 226.

Pour la procession de communion : *Nous formons un même corps* CNA 570.

Après la communion : *Dieu nous a tous appelés* CNA 571 ; *Allez dire à tous les hommes* CNA 532 ; *Allez par toute la terre* CNA 533.

• PRIER • POUR LA PRÉPARATION PÉNITENTIELLE

Seigneur Jésus, toi qui as appelé les Apôtres,
prends pitié de nous.

Ô Christ, toi le Messie crucifié,
prends pitié de nous.

Seigneur, toi la pierre angulaire de l'Église,
prends pitié de nous.

POUR LA PRIÈRE UNIVERSELLE

Confions au Seigneur :
– les Églises chrétiennes, nées de la prédication des apôtres Pierre et Paul et qui, pour certaines, connaissent encore la persécution ;
– les témoins de l'Évangile qui ne craignent pas d'annoncer le Christ en toutes circonstances ;
– les biblistes qui par leur enseignement expliquent les écrits de la Bible ;
– les paroisses qui portent le nom de saints Pierre et Paul et témoignent de la solidité et de l'universalité de la foi ;
– les séminaristes qui seront ordonnés aujourd'hui.

• CÉLÉBRER • On pourra mettre en valeur dans l'église, une représentation iconographique des deux Apôtres.

La solennité de saints Pierre et Paul comporte une bénédiction solennelle.

Messe de la veille au soir

1re LECTURE — *Pierre guérit au nom de Jésus*

Lecture des Actes des Apôtres — Ac 3, 1-10

PSAUME 18, 2-3, 4-5ab

2e LECTURE — *Paul, le Juif devenu apôtre du Christ*

Lecture de la lettre de saint Paul Apôtre aux Galates — Ga 1, 11-20

Alléluia. Alléluia. « Seigneur, tu sais tout, tu sais bien que je t'aime. » **Alléluia.**

ÉVANGILE — *Pierre, pasteur du troupeau du Christ*

Évangile de Jésus Christ selon saint Jean — Jn 21, 15-19

Après le repas au bord du lac, Jésus ressuscité dit à Simon-Pierre : « Simon, fils de Jean, m'aimes-tu plus que ceux-ci ? » Il lui répond : « Oui, Seigneur, je t'aime, tu le sais. » Jésus lui dit : « Sois le berger de mes agneaux. » Il lui dit une deuxième fois : « Simon, fils de Jean, m'aimes-tu ? » Il lui répond : « Oui, Seigneur, je t'aime, tu le sais. » Jésus lui dit : « Sois le pasteur de mes brebis. » Il lui dit, pour la troisième fois : « Simon, fils de Jean, est-ce que tu m'aimes ? » Pierre fut peiné parce que, pour la troisième fois, il lui demandait : « Est-ce que tu m'aimes ? » et il répondit : « Seigneur, tu sais tout : tu sais bien que je t'aime. » Jésus lui dit : « Sois le berger de mes brebis. Amen, amen, je te le dis : quand tu étais jeune, tu mettais ta ceinture toi-même pour aller où tu voulais ; quand tu seras vieux, tu étendras les mains, et c'est un autre qui te mettra ta ceinture, pour t'emmener là où tu ne voudrais pas aller. » Jésus disait cela pour signifier par quel genre de mort Pierre rendrait gloire à Dieu. Puis il lui dit encore : « Suis-moi. »

Messe du jour

PRIÈRE D'OUVERTURE

Seigneur, tu nous as donné ce jour de sainte joie pour fêter les bienheureux Apôtres Pierre et Paul ; accorde à ton Église une fidélité parfaite à leur enseignement, puisqu'elle reçut par eux la première annonce de la foi. Par Jésus Christ.

1re LECTURE — *La libération de Pierre*

Lecture du livre des Actes des Apôtres — Ac 12, 1-11

A cette époque, le roi Hérode Agrippa se mit à maltraiter certains membres de l'Église. Il supprima Jacques, frère de Jean, en le faisant décapiter. Voyant que cette mesure était bien vue des Juifs, il décida une nouvelle arrestation, celle de Pierre. On était dans la semaine de la Pâque. Il le fit saisir, emprisonner, et placer sous la garde de quatre escouades de quatre soldats ; il avait l'intention de le faire comparaître en présence du peuple après la fête. Tandis que Pierre était ainsi détenu, l'Église priait pour lui devant Dieu avec insistance. Hérode allait le faire comparaître ; la nuit précédente, Pierre dormait entre deux soldats, il était attaché avec deux chaînes et, devant sa porte, des sentinelles montaient la garde. Tout à coup surgit l'Ange du Seigneur, et une lumière brilla dans la cellule. L'Ange secoua Pierre, le réveilla et lui dit : « Lève-toi vite. » Les chaînes tombèrent de ses mains. Alors l'Ange lui dit : « Mets ta ceinture et tes sandales. » Pierre obéit, et l'Ange ajouta : « Mets ton manteau et suis-moi. » Il sortit derrière lui, mais, ce qui lui arrivait grâce à l'Ange, il ne se rendait pas compte que c'était vrai, il s'imaginait que c'était une vision. Passant devant un premier poste de garde puis devant un second, ils arrivèrent à la porte en fer donnant sur la ville. Elle s'ouvrit toute seule devant eux. Une fois dehors, ils marchèrent dans une rue, puis, brusquement, l'Ange le quitta. Alors Pierre revint à lui, et il dit : « Maintenant je me rends compte que c'est vrai : le Seigneur a envoyé son Ange, et il m'a arraché aux mains d'Hérode et au sort que me souhaitait le peuple juif. »

PSAUME 33

• **De toutes leurs épreuves,**
Dieu délivre ses amis.

• **L'ange de Dieu, le Seigneur, m'a délivré !**

Je bénirai le Seigneur en tout temps,
sa louange sans cesse à mes lèvres.
Je me glorifierai dans le Seigneur :
que les pauvres m'entendent et soient en fête !

Magnifiez avec moi le Seigneur,
exaltons tous ensemble son nom.
Je cherche le Seigneur, il me répond :
de toutes mes frayeurs, il me délivre.

Qui regarde vers lui resplendira,
sans ombre ni trouble au visage.
Un pauvre crie ; le Seigneur entend :
il le sauve de toutes ses angoisses.

L'ange du Seigneur campe à l'entour,
pour libérer ceux qui le craignent.
Goûtez et voyez : le Seigneur est bon !
Heureux qui trouve en lui son refuge !

2e LECTURE *Dieu n'abandonne pas Paul*

Lecture de la seconde lettre de saint Paul Apôtre à Timothée

2 Tm 4, 6-8.17-18

Me voici déjà offert en sacrifice, le moment de mon départ est venu. Je me suis bien battu, j'ai tenu jusqu'au bout de la course, je suis resté fidèle. Je n'ai plus qu'à recevoir la récompense du vainqueur : dans sa justice, le Seigneur, le juge impartial, me la remettra en ce jour-là, comme à tous ceux qui auront désiré avec amour sa manifestation dans la gloire. Tout le monde m'a abandonné ; le Seigneur, lui, m'a assisté. Il m'a rempli de force pour que je puisse jusqu'au bout annoncer l'Évangile et le faire entendre à toutes les nations païennes. J'ai échappé à la gueule du lion ; le Seigneur me fera encore échapper à tout ce qu'on fait pour me nuire. Il me sauvera et me fera entrer au ciel, dans son Royaume. A lui la gloire pour les siècles des siècles. Amen.

Alléluia. Alléluia. Sur la foi de Pierre, le Seigneur a bâti son Église, et les puissances du mal n'auront sur elle aucun pouvoir. **Alléluia.**

ÉVANGILE *La foi de Pierre*

Évangile de Jésus Christ selon saint Matthieu Mt 16, 13-19

Jésus était venu dans la région de Césarée-de-Philippe, et il demandait à ses disciples : « Le Fils de l'homme, qui est-il, d'après ce que disent les hommes ? » Ils répondirent : « Pour les uns, il est Jean Baptiste ; pour d'autres, Élie ; pour d'autres encore, Jérémie ou l'un des prophètes. » Jésus leur dit : « Et vous, que dites-vous ? Pour vous, qui suis-je ? » Prenant la parole, Simon-Pierre déclara : « Tu es le Messie, le Fils du Dieu vivant ! » Prenant la parole à son tour, Jésus lui déclara : « Heureux es-tu, Simon fils de Yonas : ce n'est pas la chair et le sang qui t'ont révélé cela, mais mon Père qui est aux cieux. Et moi, je te le déclare : Tu es Pierre, et sur cette pierre je bâtirai mon Église ; et la puissance de la Mort ne l'emportera pas sur elle. Je te donnerai les clefs du Royaume des cieux : tout ce que tu auras lié sur la terre sera lié dans les cieux, et tout ce que tu auras délié sur la terre sera délié dans les cieux. »

Prière sur les offrandes

Que la prière de tes Apôtres, Seigneur, accompagne l'offrande que nous te présentons ; qu'elle nous inspire et nous soutienne pour célébrer cette eucharistie. Par Jésus.

Préface

Vraiment, il est juste et bon de te rendre gloire, de t'offrir notre action de grâce, toujours et en tout lieu, à toi, Père très saint, Dieu éternel et tout-puissant.

Car tu nous donnes de fêter en ce jour les deux Apôtres Pierre et Paul : celui qui fut le premier à confesser la foi, et celui qui l'a mise en lumière ; Pierre qui constitua l'Église en s'adressant d'abord aux fils d'Israël, et Paul qui fit connaître aux nations l'évangile du salut ; l'un et l'autre ont travaillé, chacun selon sa grâce, à rassembler l'unique famille du Christ ; maintenant qu'ils sont réunis dans une même gloire, ils reçoivent une même vénération. C'est pourquoi, avec les anges et tous les saints, nous chantons et proclamons : **Saint !...**

Prière après la communion

Après nous avoir fortifiés par cette Eucharistie, Seigneur, fais-nous vivre dans ton Église comme les premiers chrétiens : assidus à la fraction du pain, attentifs à l'enseignement des Apôtres, nous serons un seul cœur, une seule âme, solidement enracinés dans ton amour. Par Jésus.

Ils ont vu ce qu'ils ont prêché

« Le martyre des saints Apôtres Pierre et Paul a fait pour nous de ce jour un jour sacré. Nous ne parlons pas de quelques martyrs obscurs : ce qu'ils proclament a retenti par toute la terre, et leur parole jusqu'au bout du monde. Ces martyrs ont vu ce qu'ils ont prêché, après avoir vécu selon la justice, en proclamant la vérité, en mourant pour la vérité. [...]

En un même jour, on célèbre la passion des deux Apôtres ! Mais ces deux ne faisaient qu'un : bien qu'ils aient souffert à des jours différents, ils ne faisaient qu'un. Pierre a précédé, Paul a suivi. Nous célébrons le jour de fête de ces Apôtres, consacrés pour nous par leur sang. Aimons leur foi, leur vie, leurs labeurs, leurs souffrances, ce qu'ils confessaient, ce qu'ils prêchaient. »

S. Augustin, *Homélie pour la fête des Apôtres Pierre et Paul, Sermon 295,* dans *Livre des jours,* p. 1469.

Calendrier liturgique

Di 29	**S. PIERRE et S. PAUL, Apôtres.** *Liturgie des Heures : Psautier semaine I.*
Lu 30	13e semaine du temps ordinaire. *Les premiers martyrs de l'Église de Rome, † 64.*
Je 3	S. THOMAS, Apôtre. Lectures propres : Ep 2, 19-22 ; Jn 20, 24-49.
Ve 4	*Ste Élisabeth, reine du Portugal, † 1336.*
Sa 5	*S. Antoine-Marie Zaccaria, fondateur des Barnabites, † 1539 à Crémone (Italie).*

Bonne fête ! 29 : Pierre, Paul, Pablo, Peter. 30 : Martial. 1er : Thierry, Dietrich, Servan, Esther. 2 : Martinien. 3 : Thomas. 4 : Florian, Berthe, Élian, Éliane, Élisabeth. 5 : Antoine-Marie.

Pour prolonger la prière : Dieu notre Père, le témoignage des apôtres Pierre et Paul ouvre ton Église à tous les peuples, et la fermeté de leur foi nous unit en un seul corps. Souviens-toi de leur prière et de leur souci pour toutes les Églises, et conduis-nous jusqu'à la plénitude du Corps du Christ : en lui tu seras glorifié pour les siècles des siècles.

14e dimanche

6 juillet 2014

VIVRE SOUS L'EMPRISE DE L'ESPRIT

Le cierge pascal est éteint mais nous vivons toujours du dynamisme des fêtes de Pâques et Pentecôte car, écrit saint Paul, « Vous n'êtes pas sous l'emprise de la chair, mais sous l'emprise de l'Esprit » *(deuxième lecture)*.

Vivre selon la chair, c'est se laisser asservir par ce qui dégrade l'homme. Cela concerne autant notre corps biologique que nos limites relationnelles, ou encore ce que le Pape Jean-Paul II a appelé « les structures de péché ». Mais parce que nous sommes habités par l'Esprit du Ressuscité, nous pouvons vaincre ces fragilités qui nous rendent insatisfaits et captifs.

Nous confondons parfois la vie spirituelle avec l'émotionnel ou l'intellectualisme, alors que le Christ, en rendant l'Esprit sur la croix, nous en indique la voie : aimer comme des fils un Dieu qui est Père. La vie selon l'Esprit n'est pas une simple promesse mais une réalité. Elle est déjà en genèse en chacun. La vie spirituelle n'est pas réservée aux moines ou aux prêtres mais elle est le cadeau divin de Dieu pour chacun. Les enfants aussi, pour peu qu'on les invite à partager leur expérience de Dieu ou leurs questions, laissent affleurer dans leurs propos une authentique vie intérieure habitée par l'Esprit. Les fruits de l'Esprit sont amour, paix, et joie. Alors si nous rencontrons des personnes qui témoignent de cet amour paternel ou de cette joie filiale, soyons-en sûrs, le règne de l'Esprit est arrivé ! Logique de mort contre logique de vie : la dynamique de l'Esprit est en marche.

La vie spirituelle est enseignée par les humbles. Le Christ les désigne car ils sont les préférés du Père. Demandons à l'Esprit Saint de convertir nos désirs de puissance et de domination afin que nous reconnaissions Jésus comme Messie dans un roi humble monté sur un jeune âne *(première lecture)* et que nous écoutions les tout-petits nous parler de Dieu *(évangile)*.

Suggestions pour la célébration

• **CHANTER** • Pour la procession d'ouverture : ***Pour avancer ensemble*** CNA 524, ***Dieu nous éveille à la foi*** CNA 546, ***Dieu nous accueille*** CNA 545.

Après l'homélie : ***Ouvriers de la paix*** CNA 522, ***Béni sois-tu, ô Père*** CNA A 23-47.

Pour accompagner la procession de communion : ***Partageons le pain du Seigneur*** CNA 324, ***Venez prendre le corps*** D 50-06-2.

Après la communion : ***En accueillant l'amour*** CNA 325, ***Qui donc est Dieu*** CNA 582 ou CNA 583, ***Seigneur du ciel et de la terre*** XY 48-47, ***Béni sois-tu, Dieu notre Père*** L 27-22.

• **PRIER** • **POUR LA PRÉPARATION PÉNITENTIELLE**

Seigneur Jésus, toi le roi d'humilité,
prends pitié de nous.
Ô Christ, tu choisis les petits pour révéler le Père,
prends pitié de nous.
Seigneur, tu donnes la vie à nos corps mortels.
prends pitié de nous.

POUR LA PRIÈRE UNIVERSELLE

Confions au Seigneur :
– les jeunes qui s'ouvrent aux autres en participant à des camps d'aumônerie ou de mouvements ;
– ceux qui cet été apporteront leur aide aux personnes isolées, handicapées ou âgées ;
– les responsables économiques et politiques qui travaillent à améliorer les conditions de vie des plus faibles ;
– les baptisés qui veulent prendre du temps pour nourrir leur vie spirituelle.

• **CÉLÉBRER** • Les mois d'été sont l'occasion de vivre davantage la liturgie comme un véritable temps spirituel. Par exemple, on n'hésitera pas à laisser le silence s'installer entre les lectures ou après l'homélie.

La taille des assemblées varie beaucoup pendant l'été. Cela demande de porter attention à l'aménagement des lieux et peut-être de prévoir une façon différente de répartir les tâches.

L'été est aussi l'occasion de faire le point sur les objets et les livres liturgiques : rangement, réparation, remplacement... Ils favorisent la dignité de la célébration, ne les négligeons pas.

Prière d'ouverture

Dieu qui as relevé le monde par les abaissements de ton Fils, donne à tes fidèles une joie sainte : tu les as tirés de l'esclavage du péché ; fais-leur connaître le bonheur impérissable. Par Jésus Christ.

1re lecture — *Le roi humble*

Lecture du livre de Zacharie — Za 9, 9-10

Exulte de toutes tes forces, fille de Sion ! Pousse des cris de joie, fille de Jérusalem ! Voici ton roi qui vient vers toi : il est juste et victorieux, humble et monté sur un âne, un âne tout jeune. Ce roi fera disparaître d'Éphraïm les chars de guerre, et de Jérusalem les chevaux de combat ; il brisera l'arc de guerre, et il proclamera la paix aux nations. Sa domination s'étendra d'une mer à l'autre, et de l'Euphrate à l'autre bout du pays.

Psaume 144

• **Béni sois-tu à jamais,**
Seigneur, Dieu de l'univers !

• **Tu es grand, Seigneur, éternellement !**

Je t'exalterai, mon Dieu, mon Roi ;
je bénirai ton nom toujours et à jamais !
Chaque jour je te bénirai,
je louerai ton nom toujours et à jamais.

Le Seigneur est tendresse et pitié,
lent à la colère et plein d'amour.
La bonté du Seigneur est pour tous,
sa tendresse, pour toutes ses œuvres.

Que tes œuvres, Seigneur, te rendent grâce
et que tes fidèles te bénissent !
Ils diront la gloire de ton règne,
ils parleront de tes exploits.

Le Seigneur est vrai en tout ce qu'il dit,
fidèle en tout ce qu'il fait.
Le Seigneur soutient tous ceux qui tombent,
il redresse tous les accablés.

2e LECTURE — *L'Esprit habite en vous*

Lecture de la lettre de saint Paul Apôtre aux Romains — Rm 8, 9.11-13

Frères, vous n'êtes pas sous l'emprise de la chair, mais sous l'emprise de l'Esprit, puisque l'Esprit de Dieu habite en vous. Celui qui n'a pas l'Esprit du Christ ne lui appartient pas. Mais si l'Esprit de celui qui a ressuscité Jésus d'entre les morts habite en vous, celui qui a ressuscité Jésus d'entre les morts donnera aussi la vie à vos corps mortels par son Esprit qui habite en vous. Ainsi donc, frères, nous avons une dette, mais ce n'est pas envers la chair : nous n'avons pas à vivre sous l'emprise de la chair. Car si vous vivez sous l'emprise de la chair, vous devez mourir ; mais si, par l'Esprit, vous tuez les désordres de l'homme pécheur, vous vivrez.

Alléluia. Alléluia. Tu es béni, Dieu notre Père, Seigneur de l'univers, toi qui révèles aux petits les mystères du Royaume ! **Alléluia.**

ÉVANGILE — *Le Christ révélé aux tout-petits*

Évangile de Jésus Christ selon saint Matthieu — Mt 11, 25-30

En ce temps-là, Jésus prit la parole : « Père, Seigneur du ciel et de la terre, je proclame ta louange : ce que tu as caché aux sages et aux savants, tu l'as révélé aux tout-petits. Oui, Père, tu l'as voulu ainsi dans ta bonté. Tout m'a été confié par mon Père ; personne ne connaît le Fils, sinon le Père, et personne ne connaît le Père, sinon le Fils, et celui à qui le Fils veut le révéler. Venez à moi, vous tous qui peinez sous le poids du fardeau, et moi, je vous procurerai le repos. Prenez sur vous mon joug, devenez mes disciples, car je suis doux et humble de cœur, et vous trouverez le repos. Oui, mon joug est facile à porter, et mon fardeau, léger. »

Prière sur les offrandes

Puissions-nous être purifiés, Seigneur, par l'offrande qui t'est consacrée : qu'elle nous conduise, jour après jour, au Royaume où nous vivrons avec toi. Par Jésus.

Prière après la communion

Comblés d'un si grand bien, nous te supplions, Seigneur : fais que nous en retirions des fruits pour notre salut, et que jamais nous ne cessions de chanter ta louange. Par Jésus.

L'humilité de l'amour

« Qu'un plus petit rende hommage à un plus grand, cela ne témoigne pas d'une exceptionnelle noblesse d'âme. Mais quand le plus grand se courbe "respectueusement" devant le plus petit, cela signifie l'amour en la plénitude de sa liberté et de sa puissance. François d'Assise n'est pas humble quand il s'agenouille devant le Pape, mais quand il s'abaisse devant un pauvre dont il reconnaît qu'en tant que pauvre, il est vêtu de majesté. »

François Varillon, *L'humilité de Dieu,* Le Centurion, 1974, p. 63.

Calendrier liturgique

Di 6 **Quatorzième dimanche A.**
Liturgie des Heures : Psautier semaine II.
[Ste Maria Goretti, vierge et martyre, † 1902 à Nettuno (Italie).]

Me 9	*S. Augustin Zhao Rong, prêtre † 1815, et ses compagnons, martyrs en Chine † 1648-1930.*
Je 10	*En Afrique du Nord, Ste Marcienne, vierge et martyre, à Cherchel † vers 303.*
Ve 11	S. BENOÎT, abbé, patron de l'Europe, † 547 au Mont-Cassin (Italie). En Europe, fête. Lectures propres : Pr 2, 1-9 ; Mt 19, 27-29.

Bonne fête ! 6 : Mariette. 7 : Ralf, Raoul. 8 : Thibault, Edgar. 9 : Amandine, Irma, Marianne, Hermine. 10 : Ulrich. 11 : Benoît, Olga. 12 : Olivier.

Pour mémoire : il y a cinquante ans, le 24 octobre 1964, le pape Paul VI proclamait S. Benoît « patron de l'Europe ». S. Benoît (v. 480/90-547) est considéré comme le « père » du monachisme en Occident en raison de sa *Règle* qui a eu un impact majeur sur le monachisme occidental et même sur la civilisation européenne médiévale. S. Benoît est fêté le 11 juillet.

Pour prolonger la prière : Seigneur du ciel et de la terre, toi qui fais des merveilles, tu révèles ton Nom aux tout-petits, pour qu'ils te connaissent et chantent ta gloire. Rends-nous doux et humbles : que nous puissions, nous aussi, proclamer ta louange, par Jésus, ton Fils, pour les siècles des siècles.

PRIER ET VIVRE LE NOTRE PÈRE

Cette prière, Jésus lui-même l'a enseignée à ses disciples. Jésus leur apprend à prier et le Notre Père nous apprend à vivre. Nous disons « *Notre* Père » et ce « notre » fait déjà de nous des frères. Nous pouvons alors présenter des demandes, que le Notre Père nous aide, d'une certaine manière, à ordonner. La première, essentielle, et dont l'homme vit d'abord, c'est que le nom de Dieu soit sanctifié, c'est-à-dire que nous ne confondions pas Dieu et les idoles que nous nous fabriquons ; Dieu est aux cieux, autrement dit, Dieu seul est Dieu. Avant même de formuler des besoins, cette prière exprime d'abord le désir que nous avons de Dieu lui-même.

Nous présentons ensuite des demandes qui nous concernent. En disant « donne-*nous* », nous n'oublions pas nos frères, car nous avons en mémoire la réponse de Jésus aux disciples : « Donnez-leur *vous-mêmes* à manger » (Mc 6, 37). Si nous ajoutons « le pain de *ce jour* », nous nous souvenons aussi de la manne que les fils d'Israël ont reçue au désert, autant qu'ils pouvaient en manger, mais sans la garder. Autrement dit, si nous devons satisfaire ces besoins, pour vivre, il ne nous sert à rien d'entasser quantité de biens en réserve comme le rappelle ailleurs l'Évangile (Lc 12, 20).

Nous demandons aussi le pardon, qui donne la paix, celui que nous recevons comme celui dont nous sommes capables, en nous rappelant que nous serons jugés de la mesure dont nous jugeons (Mt 7, 2 ; Lc 6, 37).

Enfin, le tout premier mot de cette prière n'est pas une demande, mais une adresse : *Abba,* « Père ! », et même « Papa ! ». En enseignant cette prière, Jésus invite à entrer dans l'intimité filiale qui l'unit à son Père, à devenir des fils.

C'est pourquoi le Notre Père a une place privilégiée dans la liturgie. Avant de communier, l'assemblée des frères, « unis dans le même Esprit », s'adresse au Père avec les mots reçus du Fils.

Puissions-nous le dire avec confiance et le vivre avec joie !

N. H.

Source : D. Bourguet, *Rencontres avec Jésus,* Réveil Publications, 2003.

15e dimanche 13 juillet 2014

LA PARABOLE DU SEMEUR

Dans le paysage bucolique des semailles et des moissons, la Parole sort de la bouche de Dieu pour remplir sa mission *(première lecture).* Un semeur est sorti pour semer, et Jésus lui-même sort de la maison pour parler à la foule *(évangile).* Si l'on osait dire, tout le monde est de sortie : Parole, semeur, et Jésus. De la même manière, Dieu « est sorti », il n'est pas resté caché mais, dans le Christ, il s'est fait connaître. Le semeur sème partout sur le champ du monde. Il n'est plus de terre réservée à Dieu. C'est bien là le paradoxe pour les Juifs de l'époque car, en Jésus, Dieu s'est rendu proche de tous sans distinction de race, ou de condition sociale.

Nous n'avons pas beaucoup d'effort à faire pour comprendre cette parabole car Jésus en donne l'explication *(évangile, lecture longue).* Mais avant de l'expliquer, il donne aussi la raison pour laquelle il parle en parabole. Cette manière de présenter le Royaume de Dieu par une histoire qui cache et révèle en même temps le vrai sujet, n'est pas accessible à tous. La parabole est révélée à ceux qui reconnaissent en Jésus le Messie venu annoncer et accomplir le règne de Dieu. Dans la liturgie également, nous entendons le Christ raconter la parabole, puis nous l'expliquer. À nous aussi s'adresse cette affirmation : « Heureux vos yeux parce qu'ils voient et vos oreilles parce qu'elles entendent » *(évangile).* La question de l'accueil du Royaume est posée à ceux qui suivent Jésus, comme à nous aujourd'hui.

Le Royaume de Dieu n'est pas encore pleinement manifesté mais il est déjà à l'œuvre dans la transformation du monde. Il est comme une Parole qui fait le bien et libère, une promesse d'une nouvelle vie déjà possible. Pour accueillir son Royaume, le Christ nous appelle à la fidélité à sa Parole dans les petites choses comme dans les grandes.

Première parabole dans l'évangile de Matthieu (chap. XIII), celle du semeur est la clé pour comprendre les paraboles suivantes sur le Royaume de Dieu *(prochains dimanches).*

Suggestions pour la célébration

• **CHANTER** • Pendant trois dimanches (15e, 16e, 17e), nous entendrons le discours en paraboles. Il est alors possible de retenir un même répertoire pour ces trois dimanches.

Pour la procession d'ouverture : ***Évangile de Dieu*** **X 48-67 ;** ***Pour avancer ensemble*** **CNA 524 ;** ***Peuple où s'avance le Seigneur*** **CNA 578.**

Si l'on fait une procession du Livre de la Parole : ***Ta Parole, Seigneur, est lumière*** **U 48-75.**

Après l'homélie : ***Le semeur est sorti pour semer*** **X 55-09** ou ***Vous tous qui peinez*** **CNA 700.**

Pour la procession de communion : ***Le pain que tu nous donnes*** **D 83 ;** ***La Sagesse a dressé une table*** **CNA 332.**

Après la communion : ***En mémoire du Seigneur*** **CNA 327 ;** ***Celui qui a mangé de ce pain*** **CNA 321 ;** ***Goûtez la Parole*** **X 56-74 ;** ***Dans notre champ, le Seigneur a semé*** **Y 26-40.**

• **PRIER** •

POUR LA PRÉPARATION PÉNITENTIELLE

Seigneur Jésus, Parole éternelle du Père,
prends pitié de nous.

Ô Christ, Parole venue en notre chair,
prends pitié de nous.

Seigneur, Parole glorifiée par le Père,
prends pitié de nous.

POUR LA PRIÈRE UNIVERSELLE

Regarde, Seigneur, ceux que nous te confions :
– l'Église qui dans sa manière de vivre et d'annoncer l'Évangile doit rendre visible le Royaume de Dieu ;
– les personnes qui font progresser la justice et la paix entre les peuples ;
– les membres de nos communautés qui cherchent à mieux écouter, comprendre et vivre ta Parole.

• **CÉLÉBRER** • Les textes des Écritures de ce dimanche mettent en valeur la parole de Dieu. Cela pourrait se manifester, si on ne le fait pas habituellement, par l'entrée en procession du livre des évangiles, déposé sur l'autel.

Prière d'ouverture

Dieu qui montres aux égarés la lumière de ta vérité pour qu'ils puissent reprendre le bon chemin, donne à tous ceux qui se déclarent chrétiens de rejeter ce qui est indigne de ce nom, et de rechercher ce qui lui fait honneur. Par Jésus Christ.

1re lecture — *La Parole sortie de Dieu*

Lecture du livre d'Isaïe — Is 55, 10-11

Ainsi parle le Seigneur : La pluie et la neige qui descendent des cieux n'y retournent pas sans avoir abreuvé la terre, sans l'avoir fécondée et l'avoir fait germer, pour donner la semence au semeur et le pain à celui qui mange ; ainsi ma parole, qui sort de ma bouche, ne me reviendra pas sans résultat, sans avoir fait ce que je veux, sans avoir accompli sa mission.

Psaume 64

• **Tu visites la terre, Seigneur,**
tu bénis ses semences.

• **Que ta Parole, Seigneur, fasse germer notre terre.**

Tu visites la terre et tu l'abreuves,
tu la combles de richesses ;
les ruisseaux de Dieu regorgent d'eau,
tu prépares les moissons.

Ainsi, tu prépares la terre,
tu arroses les sillons ;
tu aplanis le sol, tu le détrempes sous les pluies,
tu bénis les semailles.

Tu couronnes une année de bienfaits ;
sur ton passage, ruisselle l'abondance.
Au désert, les pâturages ruissellent,
les collines débordent d'allégresse.

Sur ton passage ruisselle l'abondance :
les herbages se parent de troupeaux
et les plaines se couvrent de blé.
Tout exulte et chante !

2e LECTURE — *La révélation des fils de Dieu*

Lecture de la lettre de saint Paul Apôtre aux Romains — Rm 8, 18-23

Frères, j'estime qu'il n'y a pas de commune mesure entre les souffrances du temps présent et la gloire que Dieu va bientôt révéler en nous. En effet, la création aspire de toutes ses forces à voir cette révélation des fils de Dieu. Car la création a été livrée au pouvoir du néant, non parce qu'elle l'a voulu, mais à cause de celui qui l'a livrée à ce pouvoir. Pourtant, elle a gardé l'espérance d'être, elle aussi, libérée de l'esclavage, de la dégradation inévitable, pour connaître la liberté, la gloire des enfants de Dieu. Nous le savons bien, la création tout entière crie sa souffrance, elle passe par les douleurs d'un enfantement qui dure encore. Et elle n'est pas seule. Nous aussi, nous crions en nous-mêmes notre souffrance ; nous avons commencé par recevoir le Saint-Esprit, mais nous attendons notre adoption et la délivrance de notre corps.

Alléluia. Alléluia. Le Semeur est sorti pour semer la Bonne Nouvelle. Heureux qui la reçoit et la fait fructifier ! **Alléluia.**

ÉVANGILE — *Le semeur est sorti pour semer*

Évangile de Jésus Christ selon saint Matthieu — Mt 13, 1-23

La lecture du texte entre crochets est facultative.

Ce jour-là, Jésus était sorti de la maison, et il était assis au bord du lac. Une foule immense se rassembla auprès de lui, si bien qu'il monta dans une barque où il s'assit ; toute la foule se tenait sur le rivage. Il leur dit beaucoup de choses en paraboles : « Voici que le semeur est sorti pour semer. Comme il semait, des grains sont tombés au bord du chemin, et les oiseaux sont venus tout manger. D'autres sont tombés sur le sol pierreux, où ils n'avaient pas beaucoup de terre ; ils ont levé aussitôt, parce que la terre était peu profonde. Le soleil étant levé, ils ont brûlé, et, faute de racines, ils ont séché. D'autres grains sont tombés dans les ronces ; les ronces ont poussé et les ont étouffés. D'autres sont tombés sur la bonne terre et ils ont donné du fruit à raison de cent, ou soixante, ou trente pour un. Celui qui a des oreilles, qu'il entende ! »

[Les disciples s'approchèrent de Jésus et lui dirent : « Pourquoi leur parles-tu en paraboles ? » Il leur répondit : « À vous, il est donné de connaître les mystères du Royaume des cieux, mais à eux ce n'est pas donné. Celui qui a recevra encore, et il sera dans l'abondance ; mais celui qui n'a rien se fera enlever même ce qu'il a. Si je leur parle en paraboles, c'est parce qu'ils regardent sans regarder, qu'ils écoutent sans écouter et sans comprendre. Ainsi s'accomplit pour eux la prophétie d'Isaïe : "Vous aurez beau écouter, vous ne comprendrez pas. Vous aurez beau regarder, vous ne verrez pas. Le cœur de ce peuple s'est alourdi : ils sont devenus durs d'oreille, ils se sont bouché les yeux, pour que leurs yeux ne voient pas, que leurs oreilles n'entendent pas, que leur cœur ne comprenne pas, et qu'ils ne se convertissent pas. Sinon, je les aurais guéris !" Mais vous, heureux vos yeux parce qu'ils voient et vos oreilles parce qu'elles entendent ! Amen, je vous le dis : beaucoup de prophètes et de justes ont désiré voir ce que vous voyez, et ne l'ont pas vu, entendre ce que vous entendez, et ne l'ont pas entendu.

Vous donc, écoutez ce que veut dire la parabole du semeur. Quand l'homme entend la parole du Royaume sans la comprendre, le Mauvais survient et s'empare de ce qui est semé dans son cœur : cet homme, c'est le terrain ensemencé au bord du chemin.

Celui qui a reçu la semence sur un sol pierreux, c'est l'homme qui entend la Parole et la reçoit aussitôt avec joie ; mais il n'a pas de racines en lui, il est l'homme d'un moment : quand vient la détresse ou la persécution à cause de la Parole, il tombe aussitôt.

Celui qui a reçu la semence dans les ronces, c'est l'homme qui entend la Parole ; mais les soucis du monde et les séductions de la richesse étouffent la Parole, et il ne donne pas de fruit.

Celui qui a reçu la semence dans la bonne terre, c'est l'homme qui entend la Parole et la comprend ; il porte du fruit à raison de cent, ou soixante, ou trente pour un. »]

Prière sur les offrandes

Regarde, Seigneur, les dons de ton Église en prière : accorde à tes fidèles qui vont les recevoir la grâce d'une sainteté plus grande. Par Jésus.

Prière après la communion

Nourris de ton eucharistie, nous te supplions, Seigneur : chaque fois que nous célébrons ce mystère, fais grandir en nous ton œuvre de salut. Par Jésus.

Sors de toi-même

« Je vois Jésus semer depuis des siècles, à travers les siècles. Je le vois avançant, aujourd'hui encore, jetant le grain qui tombe tantôt parmi les épines, tantôt le long de la route, tantôt dans un endroit pierreux, tantôt dans la bonne terre. Jésus sème à tout vent. Il sème parmi les ruines. Il sème parmi les massacres. Il ne cessera de semer jusqu'à la fin du monde.

Je puis amasser – ou je puis semer. Amasser en avare. Ou semer avec Jésus.

– Seigneur, tout ce que j'amasse sans toi est inutile. Tout ce que je sème sans toi se disperse, demeure infructueux.

– Tu veux vraiment te joindre à moi, semer avec moi ? Commence par sortir de ta maison, par t'exposer aux intempéries et à l'insécurité du dehors. Mais sortir de ta maison n'est pas assez. Sors de toi-même. »

Un moine de l'Église d'Orient (P. Lev-Gillet), *Jésus – Simples regards sur le Sauveur,* Éd. de Chevetogne, 1959-1996, p. 78.

Calendrier liturgique

Di 13	**15e dimanche A.** *Liturgie des Heures : Psautier semaine III.* *[S. Henri, empereur d'Allemagne, † 1024 à Bamberg.* Au Luxembourg, S. Henri et Ste Cunégonde, son épouse, † 1033 ou 1039.]
Lu 14	*S. Camille de Lellis, fondateur des Camilliens, religieux hospitaliers, † 1614 à Rome.*
Ma 15	S. Bonaventure, franciscain, cardinal-évêque d'Albano et docteur de l'Église, † 1274 à Lyon pendant le concile.
Me 16	*Notre-Dame du Mont Carmel.*
Je 17	En Afrique du Nord, S. Spérat et ses compagnons, martyrs à Carthage, † 180.

Bonne fête ! 13 : Henri, Harry, Joël, Eugène. 14 : Camille. 15 : Bonaventure, Donald, Vladimir. 16 : Carmen, Elvire. 17 : Charlotte, Carole. 18 : Arnould, Frédéric, Frida. 19 : Arsène.

Pour mémoire : il y a quatre cents ans, le 14 juillet 1614, Camille de Lellis mourait à Rome. Alors qu'il travaillait comme infirmier dans un hôpital de Rome, il fut touché par les souffrances qu'il avait sous les yeux et, voyant le peu de charité de certains employés de cet hôpital, décida de se consacrer au soin des malades et fonda à cette fin l'*Ordre des clercs réguliers ministres des infirmes,* connu sous le nom de Camilliens. Ses réformes dans l'assistance hospitalière font qu'on le considère comme l'initiateur de la bienfaisance publique moderne. Il est, avec saint Jean de Dieu, le patron des infirmiers et infirmières catholiques. Les Camilliens sont présents sur les cinq continents et témoignent de l'amour du Christ Jésus envers les malades et les marginalisés, qu'ils s'empressent de servir avec un amour de mère, selon l'exemple de leur fondateur. S. Camille de Lellis est fêté le 14 juillet.

Pour prolonger la prière : Seigneur notre Dieu, ta Bonne Nouvelle a retenti dans la venue de ton Fils, et elle résonne sans cesse dans ton Église. Viens renouveler la foi de tes enfants : que ta Parole en nous prenne racine et porte du fruit. À toi la louange pour les siècles des siècles.

16e dimanche

20 juillet 2014

TROIS PARABOLES SUR LE ROYAUME DE DIEU

À la suite de l'évangile du semeur entendu dimanche dernier, Jésus propose trois autres paraboles pour expliquer ce qu'est le Royaume de Dieu. Dans les deux premières, il est encore question d'un semeur et de son champ, et dans la troisième, d'une femme qui fait une pâte levée : images de vie quotidienne pour les auditeurs de l'époque de Jésus et, pour nous, images de vie dans la nature, saine et sans engrais. Pour autant, le paysage est loin d'être idyllique. Dans la première parabole, un ennemi sème de l'ivraie. Cela ne semble pas effrayer le propriétaire du champ, les moissonneurs connaissent leur travail, engrangent le blé et brûlent l'ivraie. Moins dramatique est la deuxième parabole : l'arbre-Royaume sera plus grand que toutes les autres plantes. Enfin la troisième parabole ne dit presque rien d'une pâte qui lève totalement. Dans ces deux dernières, nous comprenons que le Royaume commence humblement. Il est enfoui dans la terre ou dans la pâte, comme endormi, et cependant sa vitalité est exceptionnelle.

Mais la réalisation définitive du Royaume comporte aussi un jugement, c'est-à-dire la destruction de ce qui entrave la réalisation de l'amour parfait de Dieu. Ce jugement présenté dans le langage apocalyptique est un jugement selon l'amour. Il nous fait advenir à notre être profond de fils et de filles de Dieu, habités par l'Esprit *(deuxième lecture).* Ainsi, parce Dieu est toute bonté *(première lecture)* et que son Esprit « vient au secours de notre faiblesse », nous sommes pénétrés « d'une belle espérance ».

Le parler en paraboles de Jésus est le signe de l'accomplissement des prophéties de l'Ancien Testament. Jésus révèle le dessein de Dieu de se faire proche des hommes. Mais pour comprendre cela en profondeur, il faut écouter l'explication de la parabole, comme les disciples. Cette explication, la liturgie la fait entendre non seulement dans la proclamation des Écritures mais dans l'Eucharistie, sacrement du Royaume éternel.

Suggestions pour la célébration

• **CHANTER** • Aux chants préparés pour le 15e dimanche, on peut ajouter :

Pour la procession d'ouverture : ***Ouvriers de la paix*** **CNA 522,** ***Peuple choisi*** **CNA 543** (couplets 2, 4, 5, 10 et 13).

Après l'homélie : ***Malgré l'ivraie*** **XP 48-43,** ***Ta puissance est cachée*** **MNA 45.20, p. 305.**

Après la communion : ***Tenons en éveil*** **CNA 591,** ***Que vienne ton règne*** **EDIT 16-03.**

• **PRIER** • **POUR LA PRÉPARATION PÉNITENTIELLE**

Seigneur Jésus, venu habiter dans le monde,
prends pitié de nous.

Ô Christ, enfoui en terre comme la semence,
prends pitié de nous.

Seigneur, unique Maître de la moisson,
prends pitié de nous.

POUR LA PRIÈRE UNIVERSELLE

Prions le Père et confions-lui :
- les petits et les humbles qui sont les signes du Royaume à venir ;
- les créateurs, les peintres, les musiciens... qui mettent leur art au service de l'annonce de l'Évangile ;
- les populations touchées par des catastrophes naturelles et qui ont besoin d'une solidarité dans la durée ;
- nos communautés qui cherchent comment annoncer un Dieu proche.

• **CÉLÉBRER** • L'annonce de la parole de Dieu et l'annonce du Royaume sont liées. Les lecteurs seront attentifs à lire posément. On privilégiera la lecture longue de l'évangile pour mettre plus clairement en évidence l'articulation des paraboles entre elles, et l'explication de Jésus.

Prière d'ouverture

Sois favorable à tes fidèles, Seigneur, et multiplie les dons de ta grâce : entretiens en eux la foi, l'espérance et la charité, pour qu'ils soient attentifs à garder tes commandements. Par Jésus Christ.

1re lecture — *La puissance de Dieu est bonté*

Lecture du livre de la Sagesse — Sg 12, 13.16-19

Il n'y a pas de Dieu en dehors de toi, Seigneur, toi qui prends soin de toute chose, et montres ainsi que tes jugements ne sont pas injustes. Ta force est à l'origine de ta justice, et ta domination sur toute chose te rend patient envers toute chose. Il montre sa force, l'homme dont la puissance est discutée, et ceux qui la bravent sciemment, il les réprime. Tandis que toi, Seigneur, qui disposes de la force, tu juges avec indulgence, tu nous gouvernes avec beaucoup de ménagement, car tu n'as qu'à vouloir pour exercer ta puissance. Par ton exemple tu as enseigné à ton peuple que le juste doit être humain, et tu as pénétré tes fils d'une belle espérance : à ceux qui ont péché tu accordes la conversion.

Psaume 85

- **Toi qui es bon et qui pardonnes,**
  écoute-moi, mon Dieu.
- **Dieu patient, fais lever dans mon cœur**
  une belle espérance.

Toi qui es bon et qui pardonnes,
plein d'amour pour tous ceux qui t'appellent,
écoute ma prière, Seigneur,
entends ma voix qui te supplie.

Toutes les nations que tu as faites
viendront se prosterner devant toi,
car tu es grand et tu fais des merveilles,
toi, Dieu, le seul.

Toi, Seigneur, Dieu de tendresse et de pitié,
lent à la colère, plein d'amour et de vérité,
regarde vers moi,
prends pitié de moi.

2e LECTURE — *L'Esprit de Dieu en nous*

Lecture de la lettre de saint Paul Apôtre aux Romains — Rm 8, 26-27

Frères, l'Esprit Saint vient au secours de notre faiblesse, car nous ne savons pas prier comme il faut. L'Esprit lui-même intervient pour nous par des cris inexprimables. Et Dieu, qui voit le fond des cœurs, connaît les intentions de l'Esprit : il sait qu'en intervenant pour les fidèles, l'Esprit veut ce que Dieu veut.

Alléluia. Alléluia. Tu es béni, Dieu notre Père, Seigneur de l'univers, toi qui révèles aux petits les mystères du Royaume ! **Alléluia.**

ÉVANGILE — *Qu'est-ce que le Royaume de Dieu ?*

Évangile de Jésus Christ selon saint Matthieu — Mt 13, 24-43

La lecture du texte entre crochets est facultative.

Jésus proposa cette parabole à la foule : « Le Royaume des cieux est comparable à un homme qui a semé du bon grain dans son champ. Or, pendant que les gens dormaient, son ennemi survint ; il sema de l'ivraie au milieu du blé et s'en alla. Quand la tige poussa et produisit l'épi, alors l'ivraie apparut aussi. Les serviteurs du maître vinrent lui dire : "Seigneur, n'est-ce pas du bon grain que tu as semé dans ton champ ? D'où vient donc qu'il y a de l'ivraie ?" Il leur dit : "C'est un ennemi qui a fait cela." Les serviteurs lui disent : "Alors, veux-tu que nous allions l'enlever ?" Il répond : "Non, de peur qu'en enlevant l'ivraie, vous n'arrachiez le blé en même temps. Laissez-les pousser ensemble jusqu'à la moisson ; et, au temps de la moisson, je dirai aux moissonneurs : Enlevez d'abord l'ivraie, liez-la en bottes pour la brûler ; quant au blé, rentrez-le dans mon grenier." »

[Il leur proposa une autre parabole : « Le Royaume des cieux est comparable à une graine de moutarde qu'un homme a semée dans son champ. C'est la plus petite de toutes les semences, mais, quand elle a poussé, elle dépasse les autres plantes potagères et devient un arbre, si bien que les oiseaux du ciel font leurs nids dans ses branches. »

Il leur dit une autre parabole : « Le Royaume des cieux est comparable à du levain qu'une femme enfouit dans trois grandes mesures de farine, jusqu'à ce que toute la pâte ait levé. »

Tout cela, Jésus le dit à la foule en paraboles et il ne leur disait rien sans employer de paraboles, accomplissant ainsi la parole du prophète : « C'est en paraboles que je parlerai, je proclamerai des choses cachées depuis les origines. »

Alors, laissant la foule, il vint à la maison. Ses disciples s'approchèrent et lui dirent : « Explique-nous clairement la parabole de l'ivraie dans le champ. » Il leur répondit : « Celui qui sème le bon grain, c'est le Fils de l'homme ; le champ, c'est le monde ; le bon grain, ce sont les fils du Royaume ; l'ivraie, ce sont les fils du Mauvais. L'ennemi qui l'a semée, c'est le démon ; la moisson, c'est la fin du monde ; les moissonneurs, ce sont les anges. De même que l'on enlève l'ivraie pour la jeter au feu, ainsi en sera-t-il à la fin du monde. Le Fils de l'homme enverra ses anges et ils enlèveront de son Royaume tous ceux qui font tomber les autres et ceux qui commettent le mal, et ils les jetteront dans la fournaise : là il y aura des pleurs et des grincements de dents. Alors les justes resplendiront comme le soleil dans le Royaume de leur Père. Celui qui a des oreilles, qu'il entende ! »]

Prière sur les offrandes

Dans l'unique et parfait sacrifice de la croix, tu as porté à leur achèvement, Seigneur, les sacrifices de l'ancienne loi ; reçois cette offrande des mains de tes fidèles et daigne la sanctifier comme tu as béni les présents d'Abel : que les dons offerts par chacun pour te glorifier servent au salut de tous. Par Jésus.

Prière après la communion

Dieu très bon, reste auprès de ton peuple, car sans toi notre vie tombe en ruine ; fais passer à une vie nouvelle ceux que tu as initiés aux sacrements de ton Royaume. Par Jésus.

Même dans l'Église, bon grain et ivraie...

« Ô mauvais chrétiens ! ô vous qui fatiguez par votre mauvaise conduite l'Église que vous remplissez ! corrigez-vous avant l'époque de la moisson, ne dites pas : "J'ai péché, et que m'est-il advenu de fâcheux ?" Dieu n'a rien perdu de sa puissance ; mais il exige que tu fasses pénitence. C'est ce que je dis aux pécheurs, qui pourtant sont chrétiens ; c'est ce que je dis à l'ivraie. Car ils sont dans le champ du Père de famille, et il peut se faire qu'ivraie aujourd'hui, demain ils soient bon grain. Pour ce même motif, je m'adresse aussi au froment.

Ô chrétiens qui vivez saintement ! vous êtes en petit nombre et vous soupirez, vous gémissez au sein de la multitude. L'hiver passera, viendra l'été et voici bientôt la moisson. Les Anges viendront avec le pouvoir de faire la séparation et dans l'impuissance de se tromper. Pour nous, nous ressemblons aujourd'hui à ces serviteurs qui disaient : "Voulez-vous que nous allions l'arracher ?" Nous voudrions en effet, s'il était possible, qu'il ne restât aucun méchant parmi les bons. Mais il nous a dit : "Laissez croître l'un et l'autre jusqu'à la moisson". Pourquoi ? Parce que vous pourriez vous tromper. Aussi écoutez "dans la crainte qu'en voulant arracher l'ivraie, vous n'arrachiez aussi le froment". Que faites-vous avec cette noble ardeur ? N'allez-vous point ravager ma moisson ? [...]

Que les bons supportent donc les méchants, mais que les méchants se convertissent et imitent les bons. Devenons tous, s'il est possible, les serviteurs de Dieu, et tous, par sa miséricorde, échappons à la malice de ce siècle. »

S. Augustin, *Sermon LXXIII sur la parabole du bon grain et de l'ivraie.*

Calendrier liturgique

Di 20 **16e dimanche A.**
Liturgie des Heures : Psautier semaine IV.
[S. Apollinaire, évêque de Ravenne et martyr, † IIe siècle.]

Lu 21	*S. Laurent de Brindisi, prêtre, capucin, docteur de l'Église, † 1619 à Lisbonne.*
Ma 22	Ste Marie-Madeleine, disciple du Seigneur. Lecture propre : Jn 20, 1.11-18.
Me 23	Ste BRIGITTE DE SUÈDE, patronne de l'Europe, mère de famille, puis religieuse, † 1373 à Rome. En Europe, lectures propres : Tb 8, 5-10 ou Ga 2, 19-20 ; Mt 3, 31-35.
Je 24	*S. Charbel Makhlouf, prêtre, moine au Liban, † 24 décembre 1898.*
Ve 25	S. JACQUES, Apôtre. Lectures propres : 2 Co 4, 7-15 ; Mt 20, 20-28.
Sa 26	Ste Anne et S. Joachim, parents de la Vierge Marie. Au Canada, fête.

Bonne fête ! 20 : Apollinaire, Élie, Marina, Marguerite, Maggy. 21 : Victor. 22 : Marie-Madeleine, Marlène, Maddy. 23 : Brigitte. 24 : Christine, Ségolène. 25 : Jacques, Valentine. 26 : Anne, Annick, Annie, Anaïs, Nancy, Joachim.

Pour mémoire : pour la communauté musulmane, fin du Ramadan : 22 juillet 2014.

Il y a cent ans, du 22 au 26 juillet 1914, se tenait le congrès eucharistique international de Lourdes. C'est au cours de ce congrès qu'est née la Croisade eucharistique, dont le but était de remettre l'Eucharistie au centre de la vie chrétienne. Cette « Croisade » se situe dans le prolongement du décret du pape Pie X (8 août 1910) qui permettait et encourageait la communion des enfants.

Pour prolonger la prière : Dieu fidèle, maître de la moisson, tu es un juge plein de patience. Comment désespérer de nous-mêmes et des autres, alors que tu fais lever parmi nous ta Parole ? Remplis-nous d'espérance dans l'attente du jugement, car ton Fils révélera ta miséricorde pour les siècles des siècles.

17e dimanche 27 juillet 2014

CHOISIR LE MEILLEUR

Nous entendons ce dimanche dans *l'évangile* les deux paraboles les plus brèves de l'enseignement de Jésus – mais non les moins frappantes ! Il suffit de deux mots, un trésor puis une perle, pour évoquer ce qui est si précieux qu'un choix radical s'impose. L'homme de la parabole qui « vend tout ce qu'il possède » pour acquérir le champ au trésor ou la perle ne se dépouille pas, ne se sacrifie pas. Bien au contraire, il est désormais comblé car il a enfin trouvé ce qu'il cherchait depuis si longtemps, le bien incomparable.

Salomon a lui aussi choisi le meilleur *(première lecture),* alors que d'autres biens auraient pu solliciter son désir. Il a choisi ce qui va l'aider à être le serviteur de l'Alliance entre Dieu et son peuple. C'est comme s'il disait au Seigneur : « Rends-moi capable de bien remplir la mission que tu m'as confiée ! » Savoir gouverner n'est pas d'abord de l'ordre de la technique ou de l'expertise, mais d'un positionnement juste : c'est pourquoi il y faut un « cœur attentif », c'est-à-dire un cœur qui écoute Dieu et se met à l'école de sa Parole, instrument de discernement entre le bien et le mal. Salomon est un modèle pour tous ceux qui exercent des responsabilités vis-à-vis d'autrui, par exemple les parents et les éducateurs.

Oui, Dieu veut pour nous le meilleur, il a pour chacun de nous la plus haute des ambitions : nous configurer à l'image de son Fils bien-aimé *(deuxième lecture).* Cela suppose une purification, une mise en ordre. De même que les pêcheurs de la parabole choisissent le poisson bon à manger et rejettent les déchets, l'Esprit nous invite à trier le bon du mauvais dans nos cœurs. En participant à l'Eucharistie, nous venons nous mettre à l'écoute de la parole de Dieu et recevoir le Pain vivant, pour devenir semblables au Christ, « Frère aîné d'une multitude de frères ».

Suggestions pour la célébration

• CHANTER • Aux chants proposés au quinzième dimanche, on peut ajouter : pour la procession d'ouverture : ***Dieu nous a tous appelés*** CNA 571 ou ***Jour du Seigneur*** A 32-11 ; après l'homélie : ***Goûtez la Parole*** X 56-94 ou ***Tout au long du chemin*** I 303 ; après la communion : ***Prenons la main*** CNA 580 ou ***Tenons en éveil*** CNA 591.

• PRIER • **POUR LA PRÉPARATION PÉNITENTIELLE**

Seigneur Jésus, tu nous ouvres les trésors du Royaume,
Kyrie eleison.

Ô Christ, tu es le modèle auquel le Père nous appelle à ressembler,
Christe eleison.

Seigneur, par ton Esprit tu façonnes en nous un cœur capable de t'écouter,
Kyrie eleison.

POUR LA PRIÈRE UNIVERSELLE

Nous pouvons prier :
– pour les gouvernants, les responsables des affaires publiques : qu'ils exercent leur mission dans un esprit de service et d'humilité ;
– pour ceux qui se préparent à un choix de vie décisif : les fiancés, les séminaristes, les futurs religieux et religieuses ;
– pour les parents et les éducateurs qui désirent transmettre le trésor de la foi aux enfants et aux jeunes d'aujourd'hui.

• CÉLÉBRER • L'évangile de ce dimanche nous invite à honorer le « trésor » de notre foi. On pourra mettre particulièrement en valeur les rites les plus importants de la célébration : la proclamation de la Parole (par exemple en encensant l'évangéliaire), la prière eucharistique et le récit de l'institution (consécration).

PRIÈRE D'OUVERTURE

Tu protèges, Seigneur, ceux qui comptent sur toi ; sans toi rien n'est fort et rien n'est saint ; multiplie pour nous tes gestes de miséricorde afin que, sous ta conduite, en faisant un bon usage des biens qui passent, nous puissions déjà nous attacher à ceux qui demeurent. Par Jésus Christ.

1re LECTURE — *Salomon demande le véritable trésor*

Lecture du premier livre des Rois — 1 R 3, 5.7-12

A **Gabaon pendant la nuit,** le Seigneur apparut en songe à Salomon. Il lui dit : « Demande-moi ce que tu veux et je te le donnerai. » Salomon répondit : « Seigneur, mon Dieu, c'est toi qui m'as fait roi à la place de David mon père ; or, je suis un tout jeune homme, incapable de se diriger, et me voilà au centre du peuple que tu as élu ; c'est un peuple nombreux, si nombreux qu'on ne peut ni l'évaluer ni le compter. Donne à ton serviteur un cœur attentif pour qu'il sache gouverner ton peuple et discerner le bien et le mal ; comment sans cela gouverner ton peuple qui est si important ? »

Cette demande de Salomon plut au Seigneur, qui lui dit : « Puisque c'est cela que tu as demandé, et non pas de longs jours, ni la richesse, ni la mort de tes ennemis, mais puisque tu as demandé le discernement, l'art d'être attentif et de gouverner, je fais ce que tu as demandé : je te donne un cœur intelligent et sage tel que personne n'en a eu avant toi et que personne n'en aura après toi. »

PSAUME 118

- **De quel amour j'aime ta loi, Seigneur !**
- **Ouvre mes yeux à tes merveilles,**
  aux splendeurs de ta loi.

Mon partage, Seigneur, je l'ai dit,
c'est d'observer tes paroles.
Mon bonheur, c'est la loi de ta bouche,
plus qu'un monceau d'or ou d'argent.

Que j'aie pour consolation ton amour
selon tes promesses à ton serviteur !

Que vienne à moi ta tendresse, et je vivrai :
ta loi fait mon plaisir.

Aussi j'aime tes volontés,
plus que l'or le plus précieux.
Je me règle sur chacun de tes préceptes,
je hais tout chemin de mensonge.

Quelle merveille, tes exigences,
aussi mon âme les garde !
Déchiffrer ta parole illumine,
et les simples comprennent.

2e LECTURE — *Devenir l'image de Jésus*

Lecture de la lettre de saint Paul Apôtre aux Romains — Rm 8, 28-30

Frères, nous le savons, quand les hommes aiment Dieu, lui-même fait tout contribuer à leur bien puisqu'ils sont appelés selon le dessein de son amour. Ceux qu'il connaissait par avance, il les a aussi destinés à être l'image de son Fils, pour faire de ce Fils l'aîné d'une multitude de frères. Ceux qu'il destinait à cette ressemblance, il les a aussi appelés ; ceux qu'il a appelés, il en a fait des justes ; et ceux qu'il a justifiés, il leur a donné sa gloire.

Alléluia. Alléluia. Tu es béni, Dieu notre Père, Seigneur de l'univers, toi qui révèles aux petits les mystères du Royaume ! **Alléluia.**

ÉVANGILE — *Le trésor et la perle*

Évangile de Jésus Christ selon saint Matthieu — Mt 13, 44-52

La lecture du texte entre crochets est facultative.

Jésus disait à la foule ces paraboles : « Le Royaume des cieux est comparable à un trésor caché dans un champ ; l'homme qui l'a découvert le cache de nouveau. Dans sa joie, il va vendre tout ce qu'il possède et il achète ce champ.

Ou encore : le Royaume des cieux est comparable à un négociant qui recherche des perles fines. Ayant trouvé une perle de grande valeur, il va vendre tout ce qu'il possède, et il achète la perle.

[Le Royaume des cieux est encore comparable à un filet qu'on jette dans la mer et qui ramène toutes sortes de poissons. Quand il est plein, on le tire sur le rivage, on s'assied, on ramasse dans des paniers ce qui est bon et on rejette ce qui ne vaut rien. Ainsi en sera-t-il à la fin du monde ; les anges viendront séparer les méchants des justes et les jetteront dans la fournaise : là il y aura des pleurs et des grincements de dents.

Avez-vous compris tout cela ? – Oui », lui répondent-ils. Jésus ajouta : « C'est ainsi que tout scribe devenu disciple du Royaume des cieux est comparable à un maître de maison qui tire de son trésor du neuf et de l'ancien. »]

Prière sur les offrandes

Accepte, Seigneur, ces offrandes prélevées pour toi sur tes propres largesses ; que ces mystères très saints, où ta grâce opère avec puissance, sanctifient notre vie de tous les jours et nous conduisent aux joies éternelles. Par Jésus.

Choisir l'unique nécessaire

« L'homme est créé pour louer, respecter et servir Dieu, notre Seigneur, et par là sauver son âme. Les autres choses sur la face de la terre sont créées pour l'homme, pour l'aider à poursuivre la fin pour laquelle il est créé. Il s'ensuit que l'homme doit en user dans la mesure où elles lui sont une aide pour sa fin, et s'en dégager dans la mesure où elles lui sont un obstacle. Pour cela, il faut nous rendre indifférents à toutes les choses créées, en tout ce qui est permis à notre liberté et ne lui est pas défendu. De telle manière que nous ne voulions pas, quant à nous, santé plus que maladie, richesse plus que pauvreté, honneur plus que déshonneur, vie longue plus que vie courte, et ainsi de tout le reste ; mais que nous désirions et choisissions uniquement ce qui nous conduit davantage à la fin pour laquelle nous sommes créés. »

Saint Ignace de Loyola, *Exercices spirituels* (1548), « Principe et fondement », n° 23.

Calendrier liturgique

Di 27 **17e dimanche A.**
Liturgie des Heures : Psautier semaine I.

Ma 29 Ste Marthe, disciple du Seigneur. Lecture propre : Lc 10, 38-42 ou Jn 11, 19-27.

Me 30 *S. Pierre Chrysologue, évêque de Ravenne, docteur de l'Église, † vers 451.*

Je 31 S. Ignace de Loyola, prêtre, fondateur des Jésuites, † 1556 à Rome.

Ve 1er S. Alphonse Marie de Liguori, évêque, fondateur des Rédemptoristes, docteur de l'Église, † 1787 à Nocera dei Pagani (Italie).

Sa 2 *S. Eusèbe, évêque de Verceil (Italie) † 371.*
S. Pierre-Julien Eymard, prêtre, fondateur de congrégations religieuses vouées au Saint-Sacrement, † 1868 à La Mure (Isère).

Bonne fête ! 27 : Nathalie. 28 : Samson. 29 : Marthe, Lazare, Loup. 30 : Juliette. 31 : Ignace, Germain. 1er : Alphonse, Éléazar. 2 : Eusèbe, Julien, Eymard.

Pour mémoire : il y a cent ans, le 1er août 1914, l'Empire allemand déclarait la guerre à la Russie et, deux jours plus tard, à la France. Les troupes allemandes envahissaient la Belgique et le Luxembourg le 4 août. C'était le début de la première guerre mondiale (1914-1918) ; cette guerre a atteint une échelle et une intensité inconnues jusqu'alors et provoqué plus de morts que toute autre guerre antérieure (on estime à 9 millions le nombre des personnes qui sont mortes durant ce conflit).

Pour prolonger la prière : Sans ton Fils, comment pourrions-nous connaître la plénitude de joie que tu nous promets, Dieu notre Père ? Donne-nous l'audace de tout perdre pour acquérir le vrai trésor, et nous découvrirons la liberté de tes enfants, Dieu fidèle pour les siècles des siècles.

18e dimanche 3 août 2014

RASSASIÉS PAR LA PAROLE ET PAR LE PAIN

Jésus prend soin de la foule dans tous ses besoins *(évangile)* : besoin de compassion, besoin de guérison, besoin de nourriture. Il ne la repousse pas, il refuse même de la renvoyer. Faudra-t-il donc se disperser, le ventre vide, alors que les plus proches auront le privilège de rester pour l'écouter ? « Donnez-leur vous-mêmes à manger ! » sonne comme un défi lancé aux disciples, qui espéraient résoudre le problème sans avoir à s'en mêler ! Il faut alors rassembler les rares provisions disponibles et présenter à Jésus cette disproportion saisissante entre cinq pains et deux poissons, et une foule affamée. C'est justement à partir de ce trop peu qu'il agit. Les yeux levés au ciel, le Fils reçoit de son Père ce geste de puissance et de partage ; la bénédiction devient surabondance tangible. C'est une nourriture déjà eucharistique qui rassasie la foule présente et se fait promesse pour les futurs destinataires des douze paniers. De même, notre assemblée dominicale, loin d'être un petit groupe fermé, représente davantage qu'elle-même et témoigne d'un don qui la dépasse de toute part.

Comme Isaïe le proclamait déjà *(première lecture)*, Dieu donne avec générosité, sans calcul et sans mesure, en rupture complète avec la logique païenne du marchandage où l'être humain doit « acheter » la faveur divine par des sacrifices ou des actes méritoires. Il donne par amour et par compassion, en considérant les besoins et non les moyens : « Vous qui avez soif, venez, voici de l'eau ! Même si vous n'avez pas d'argent, venez acheter et consommer ». S'agit-il d'un monde idéal, bien éloigné du nôtre ? Non, car Paul peut énumérer des difficultés très concrètes, qu'il a expérimentées, tout en s'écriant avec émerveillement : « Rien ne pourra nous séparer de l'amour de Dieu qui est en Jésus Christ notre Seigneur » *(deuxième lecture)*. Nous partageons son action de grâce.

Suggestions pour la célébration

• **CHANTER** • La lecture de l'évangile de Matthieu donne aux cinq dimanches qui viennent, du 18e au 22e, une réelle cohérence, que le choix d'un répertoire commun aidera à mettre en valeur.

Pour la procession d'ouverture : ***Dieu nous accueille*** **CNA 545**, ***Peuple de Dieu, marche joyeux*** **CNA 574** (couplets 7, 8, 9, 12 et 13), ***Jour du Seigneur*** **M 26-04**, ***Dieu nous éveille à la foi*** **CNA 546**.

Pour l'ordinaire de la messe, on pourra aussi retenir un formulaire qui accompagnera les cinq dimanches.

Après l'homélie : ***Dans le désert que tu rejoins*** **X 48-33**, ***Rude est le chemin*** **CNA 525**.

Pour la procession de communion : ***Tu es le Dieu fidèle*** **CNA 346**, ***Corps livré, sang versé*** **D 54-18**, ***Les pauvres mangeront*** **SYL F 501**, ***En marchant vers toi, Seigneur*** **CNA 326**.

Après la communion : ***En mémoire du Seigneur*** **CNA 327**, ***Celui qui a mangé de ce pain*** **CNA 321**, ***Pour que nos cœurs*** **CNA 344**, ***Chantons à Dieu*** **CNA 538**, ***Chantons sans fin le nom du Seigneur*** **EDIT 15-85**.

• **PRIER** •

POUR LA PRÉPARATION PÉNITENTIELLE

Seigneur Jésus, tu es le pain véritable descendu du ciel,
Kyrie eleison.

Ô Christ, tu nous accompagnes sur tous nos chemins,
Christe eleison.

Seigneur, tu es l'ambassadeur de la miséricorde surabondante du Père,
Kyrie eleison.

POUR LA PRIÈRE UNIVERSELLE

– Père, tu nous appelles à bâtir un monde plus juste et plus fraternel, où chaque être humain peut recevoir de quoi vivre dignement. Répands ta bénédiction sur les personnes qui luttent contre la faim et la misère.
– Père, tu nous appelles à nous en remettre à toi et tu multiplies le peu que nous te présentons. Fortifie les personnes qui se sentent impuissantes, découragées ou désespérées face aux difficultés de leur vie.

– Père, tu nous appelles à la gratuité de l'amour et de l'humilité. Libère les personnes qui se laissent piéger par notre société de consommation et qui « dépensent leur argent pour ce qui ne nourrit pas ».

• **CÉLÉBRER** • La mention, dans l'évangile, des cinq pains et des deux poissons que la foule présente à Jésus invite à organiser une procession des offrandes, à laquelle les enfants seront heureux d'être associés. On pourra aussi disposer de beaux épis de blés bien mûrs (c'est la saison !) au pied de l'autel.

PRIÈRE D'OUVERTURE

Assiste tes enfants, Seigneur, et montre à ceux qui t'implorent ton inépuisable bonté ; c'est leur fierté de t'avoir pour Créateur et Providence : restaure pour eux ta création, et l'ayant renouvelée, protège-la. Par Jésus Christ.

1re LECTURE — *Dieu nourrit son peuple*

Lecture du livre d'Isaïe — Is 55, 1-3

Vous tous qui avez soif, venez, voici de l'eau ! Même si vous n'avez pas d'argent, venez acheter et consommer, venez acheter du vin et du lait sans argent et sans rien payer.

Pourquoi dépenser votre argent pour ce qui ne nourrit pas, vous fatiguer pour ce qui ne rassasie pas ? Écoutez-moi donc : mangez de bonnes choses, régalez-vous de viandes savoureuses ! Prêtez l'oreille ! Venez à moi ! Écoutez, et vous vivrez. Je ferai avec vous une alliance éternelle, qui confirmera ma bienveillance envers David.

PSAUME 144

• **Tu ouvres la main : nous voici rassasiés.**

• **Seigneur, ouvre tes mains pour nous rassasier.**

Le Seigneur est tendresse et pitié,
lent à la colère et plein d'amour ;
la bonté du Seigneur est pour tous,
sa tendresse, pour toutes ses œuvres.

Les yeux sur toi, tous, ils espèrent :
tu leur donnes la nourriture au temps voulu ;
tu ouvres ta main :
tu rassasies avec bonté tout ce qui vit.

Le Seigneur est juste en toutes ses voies,
fidèle en tout ce qu'il fait.
Il est proche de ceux qui l'invoquent,
de tous ceux qui l'invoquent en vérité.

2e LECTURE — *Rien ne pourra nous séparer de l'amour du Christ*

Lecture de la lettre de saint Paul Apôtre aux Romains — Rm 8, 35.37-39

Frères, qui pourra nous séparer de l'amour du Christ ? la détresse ? l'angoisse ? la persécution ? la faim ? le dénuement ? le danger ? le supplice ? Non, car en tout cela nous sommes les grands vainqueurs grâce à celui qui nous a aimés. J'en ai la certitude : ni la mort ni la vie, ni les esprits ni les puissances, ni le présent ni l'avenir, ni les astres, ni les cieux, ni les abîmes, ni aucune autre créature, rien ne pourra nous séparer de l'amour de Dieu qui est en Jésus Christ notre Seigneur.

Alléluia. Alléluia. Le Seigneur a nourri son peuple au désert, il l'a rassasié du pain du ciel. **Alléluia.**

ÉVANGILE — *Jésus nourrit la foule*

Évangile de Jésus Christ selon saint Matthieu — Mt 14, 13-21

Jésus partit en barque pour un endroit désert, à l'écart. Les foules l'apprirent et, quittant leurs villes, elles suivirent à pied. En débarquant, il vit une grande foule de gens ; il fut saisi de pitié envers eux et guérit les infirmes. Le soir venu, les disciples s'approchèrent et lui dirent : « L'endroit est désert et il se fait tard. Renvoie donc la foule : qu'ils aillent dans les villages s'acheter à manger ! » Mais Jésus leur dit : « Ils n'ont pas besoin de s'en aller. Donnez-leur vous-mêmes à manger. » Alors ils lui disent : « Nous n'avons là que cinq pains et deux poissons. » Jésus dit : « Apportez-les-moi ici. » Puis, ordonnant à la foule de s'asseoir sur l'herbe, il prit les cinq pains et les deux poissons, et, levant les yeux au ciel, il prononça la bénédiction ; il rompit les pains, il les donna aux disciples, et les disciples les donnèrent à la foule. Tous mangèrent à leur faim et, des morceaux qui restaient, on ramassa douze paniers pleins. Ceux qui avaient mangé étaient environ cinq mille, sans compter les femmes et les enfants.

Prière sur les offrandes

Dans ta bonté, Seigneur, sanctifie ces dons ; accepte le sacrifice spirituel de cette eucharistie, et fais de nous-mêmes une éternelle offrande à ta gloire. Par Jésus.

Prière après la communion

Seigneur, entoure d'une constante protection ceux que tu as renouvelés par le pain du ciel ; puisque tu ne cesses de les réconforter, rends-les dignes de l'éternel salut. Par Jésus.

Acte de confiance en Dieu

« Mon Dieu, convaincu que vous veillez sur ceux qui espèrent en vous et que ne peut jamais manquer de rien celui qui attend de vous toutes choses, j'ai résolu de vivre à l'avenir sans aucun souci et de me décharger sur vous de tout genre d'inquiétude. Les hommes peuvent me ravir et mes biens et mon honneur, les infirmités peuvent m'ôter les forces et les moyens de vous servir, je puis même perdre votre grâce par le péché : jamais je ne perdrai mon espérance. Que d'autres attendent leur bonheur de leurs richesses ou de leurs talents ; qu'ils s'appuient ou sur l'innocence de leur vie, ou sur la rigueur de leur pénitence, ou sur le nombre de leurs aumônes, ou sur la ferveur de leurs prières ; pour moi, Seigneur, toute ma confiance, c'est ma confiance même. »

Saint Claude La Colombière, jésuite (1641-1682), *Sermon 68 sur la confiance.*

Calendrier liturgique

Di 3	**18e dimanche A.** *Liturgie des Heures : Psautier semaine II.*
Lu 4	S. Jean-Marie Vianney, prêtre, curé d'Ars (Ain), † 1859.
Ma 5	*Dédicace de la basilique romaine de Sainte-Marie Majeure, vers 435.*
Me 6	TRANSFIGURATION DU SEIGNEUR. Lectures propres : Dn 7, 9-10.13-14 ; 2 P 1, 16-19 ; Mt 17, 1-9.
Je 7	*S. Sixte II, pape, et ses compagnons, martyrs à Rome, † 258.* *S. Gaétan, prêtre, fondateur des Théatins, † 1547 à Naples.* *En Belgique, Ste Julienne du Mont Cornillon, vierge, † 1258.*
Ve 8	S. Dominique, prêtre, fondateur des Frères Prêcheurs, † 1221 à Bologne.
Sa 9	STE THÉRÈSE-BÉNÉDICTE DE LA CROIX (Édith Stein), carmélite, martyre, patronne de l'Europe, † 1942 à Auschwitz. En Europe, fête. Lectures propres : Os 2, 16-22 ; Mt 25, 1-13.

Bonne fête ! 3 : Lydie. 4 : Jean-Marie, Vianney. 5 : Abel, Oswald. 6 : Octavien. 7 : Gaétan, Julienne. 8 : Dominique, Cyriaque. 9 : Amour.

Pour mémoire : il y a huit cents ans, en 1214, S. Dominique recevait la charge de curé de la paroisse de Fanjeaux, à 25 km de Carcassonne et à 1 km seulement du village de Prouille, où il avait établi dès 1206 un premier monastère de femmes. On peut encore voir aujourd'hui dans le village de Fanjeaux la maison (une dépendance de l'ancien château disparu) où Dominique s'employait à regrouper des prédicateurs pour évangéliser le pays de Toulouse, largement gagné à l'hérésie cathare. S. Dominique est fêté le 8 août.

Il y a cinquante ans, le 6 août 1964, le pape Paul VI, un an après le début de son pontificat, publiait l'encyclique *Ecclesiam suam* sur la nature et la mission de l'Église. On y a vu le « discours-programme » du pontificat de Paul VI pour la réforme de l'Église et le dialogue avec le monde.

« Tous savent que l'Église est plongée dans l'humanité, en fait partie, en tire ses membres, en reçoit de précieux trésors de culture, en subit les vicissitudes historiques, en favorise le bonheur. On sait également qu'à l'époque actuelle, l'humanité est en voie de grandes transformations, de bouleversements et de développements qui changent profondément non seulement ses manières extérieures de vivre, mais aussi ses manières de penser. Sa pensée, sa culture, son esprit sont intimement modifiés soit par le progrès scientifique, technique et social, soit par les courants de pensée philosophique et politique qui l'envahissent et la traversent. Tout cela, comme les vagues d'une mer, enveloppe et secoue l'Église elle-même : les esprits des hommes qui se confient à elle sont fortement influencés par le climat du monde temporel ; si bien qu'un danger comme de vertige, d'étourdissement, d'égarement, peut secouer sa solidité elle-même et induire beaucoup de gens à accueillir les manières de penser les plus étranges, comme si l'Église devait se désavouer elle-même et adopter des manières de vivre toutes nouvelles et jamais conçues jusqu'ici. [...] Or, il Nous semble que pour immuniser contre ce danger menaçant et multiple provenant de sources diverses, c'est pour l'Église un remède sain et tout indiqué que d'approfondir la conscience de ce qu'elle est vraiment, selon l'esprit du Christ, conservée dans la Sainte Écriture et dans la Tradition et interprété, développé par l'authentique tradition de l'Église ; cette transmission est, comme Nous le savons, illuminée et guidée par l'Esprit-Saint, encore toujours prêt, si nous l'implorons et l'écoutons, à répondre sans faute à la promesse du Christ : "L'Esprit-Saint que le Père enverra en mon nom vous enseignera toute chose et vous rappellera tout ce que je vous aurai dit" (Jn 14, 26). »

Paul VI, *Ecclesiam suam,* 28.

Pour prolonger la prière : Dieu de tendresse, d'âge en âge tu veilles sur nous ; aujourd'hui encore ton Fils nous partage le pain en abondance. Éveille notre attente, avive notre faim, prépare-nous à le recevoir dans la reconnaissance de tout notre être. À toi notre action de grâce, car tu combles nos désirs, Dieu vivant pour les siècles des siècles.

19e dimanche 10 août 2014

LA PUISSANCE DU SALUT

Dieu se révèle-t-il dans le prodige, le déploiement d'une puissance supérieure ? Non, selon la *première lecture :* Élie reconnaît la présence du Seigneur dans la discrétion de la brise légère et non pas dans l'ouragan ou le tremblement de terre. Quant à Paul, il constate avec tristesse qu'une partie de son peuple refuse de croire au Christ *(deuxième lecture).* Au regard de l'histoire du salut, c'est une situation incompréhensible, et pourtant Dieu n'intervient pas pour forcer d'en haut cette résistance inattendue.

Dans un tout autre registre, *l'évangile* montre Jésus capable de marcher sur les flots déchaînés, tandis que le pauvre Pierre, resté tributaire de l'habituelle pesanteur du corps, est sur le point de couler. La réaction des personnes présentes dans la barque semble s'imposer : « Vraiment, tu es le Fils de Dieu ! » Il serait pourtant étonnant que Jésus, venu partager la condition humaine ordinaire, fasse pour lui-même étalage de sa puissance. L'important n'est pas qu'il marche sur les eaux, mais qu'il rejoigne ses disciples en détresse sans qu'aucun obstacle puisse l'arrêter. Retiré à l'écart pour prier son Père, il n'abandonne pas les siens mais leur apporte le réconfort décisif de sa présence. Dans la culture juive, la mer est un milieu hostile, symbole de danger et de mort. Jésus révèle donc sa divinité en dominant les forces mauvaises qui asservissent l'homme. Cette scène est une anticipation de sa Résurrection. Quant à Pierre, il était bel et bien invité à partager ce signe de victoire sur la mort, mais à condition de garder les yeux fixés sur son Seigneur. Heureusement que la miséricorde divine est venue secourir « l'homme de peu de foi » ! Pour lui comme pour nous aujourd'hui, le seul moyen de tenir bon dans les épreuves est de regarder le Christ et d'écouter sa parole : « Confiance ! c'est moi ; n'ayez pas peur ! »

Suggestions pour la célébration

• **CHANTER** • Aux chants proposés pour les cinq dimanches, du 18e au 22e, on pourra préférer : pour la procession d'ouverture, ***En toi, Seigneur, mon espérance*** **CNA 417** ou **418**, ***Le Seigneur passe*** **DLH 110**, ***Peuple de Dieu, marche joyeux*** **CNA 574** (couplets 2, 3, 5 et 11).

Après l'homélie : ***Dieu présent dans la brise légère*** **X 48-37.**

Après la communion : ***Prenons la main*** **CNA 580**, ***Tu as triomphé de la mort*** **CNA 574.**

• **PRIER** • **POUR LA PRÉPARATION PÉNITENTIELLE**

Seigneur Jésus, vainqueur de la mort et du péché,
Kyrie eleison.

Ô Christ, toujours présent auprès de ton peuple,
Christe eleison.

Seigneur, ta Croix est notre unique espérance,
Kyrie eleison.

POUR LA PRIÈRE UNIVERSELLE

Nous pouvons prier :
- pour les « chercheurs de Dieu » qui désirent reconnaître les signes de sa présence dans le monde et dans leur vie ;
- pour les Juifs, dont Paul nous rappelle qu'ils ont pour eux les promesses de Dieu ;
- pour les personnes qui se sentent submergées par les difficultés matérielles ou morales ;
- pour les chrétiens qui passent par une « nuit de la foi » et ont besoin d'être fortifiés par l'Esprit Saint.

• **CÉLÉBRER** • Au cœur de l'été, la communauté n'a sans doute pas son visage habituel : désertée par les paroissiens en vacances, ou au contraire renforcée par les touristes de passage. Le célébrant sera attentif à la composition de l'assemblée, afin que chacun se sente accueilli au nom du Christ.

Prière d'ouverture

Dieu éternel et tout-puissant, toi que nous pouvons déjà appeler notre Père, fais grandir en nos cœurs l'esprit filial, afin que nous soyons capables d'entrer un jour dans l'héritage qui nous est promis. Par Jésus Christ.

1re lecture *Le Seigneur se manifeste à Élie*

Lecture du premier livre des Rois 1 R 19, 9a.11-13a

Lorsque le prophète Élie fut arrivé à l'Horeb, la montagne de Dieu, il entra dans une caverne et y passa la nuit. La parole du Seigneur lui fut adressée : « Sors dans la montagne et tiens-toi devant le Seigneur, car il va passer. » À l'approche du Seigneur, il y eut un ouragan, si fort et si violent qu'il fendait les montagnes et brisait les rochers, mais le Seigneur n'était pas dans l'ouragan ; et après l'ouragan, il y eut un tremblement de terre, mais le Seigneur n'était pas dans le tremblement de terre ; et après le tremblement de terre, un feu, mais le Seigneur n'était pas dans ce feu, et après ce feu, le murmure d'une brise légère. Aussitôt qu'il l'entendit, Élie se couvrit le visage avec son manteau, il sortit et se tint à l'entrée de la caverne.

Psaume 84

• **Fais-nous voir, Seigneur, ton amour,**
et donne-nous ton salut.

• **Le Seigneur notre Dieu est le Dieu de la paix.**

J'écoute : Que dira le Seigneur Dieu ?
Ce qu'il dit, c'est la paix pour son peuple.
Son salut est proche de ceux qui le craignent
et la gloire habitera notre terre.

Amour et vérité se rencontrent,
justice et paix s'embrassent ;
la vérité germera de la terre
et du ciel se penchera la justice.

Le Seigneur donnera ses bienfaits,
et notre terre donnera son fruit.
La justice marchera devant lui,
et ses pas traceront le chemin.

2e LECTURE *L'attachement de Paul au peuple d'Israël*

Lecture de la lettre de saint Paul Apôtre aux Romains Rm 9, 1-5

Frères, j'affirme ceci dans le Christ, car c'est la vérité, je ne mens pas, et ma conscience m'en rend témoignage dans l'Esprit Saint : j'ai dans le cœur une grande tristesse, une douleur incessante. Pour les Juifs, mes frères de race, je souhaiterais même être maudit, séparé du Christ : ils sont en effet les fils d'Israël, ayant pour eux l'adoption, la gloire, les alliances, la Loi, le culte, les promesses de Dieu ; ils ont les patriarches, et c'est de leur race que le Christ est né, lui qui est au-dessus de tout, Dieu béni éternellement. Amen.

Alléluia. Alléluia. Dieu seul est mon rocher, mon salut : d'en haut, il tend la main pour me saisir, il me retire du gouffre des eaux. **Alléluia.**

ÉVANGILE *Jésus marche sur la mer*

Évangile de Jésus Christ selon saint Matthieu Mt 14, 22-33

Aussitôt après avoir nourri la foule dans le désert, Jésus obligea ses disciples à monter dans la barque et à le précéder sur l'autre rive, pendant qu'il renverrait les foules.

Quand il les eut renvoyées, il se rendit dans la montagne, à l'écart, pour prier. Le soir venu, il était là, seul. La barque était déjà à une bonne distance de la terre, elle était battue par les vagues, car le vent était contraire.

Vers la fin de la nuit, Jésus vint vers eux en marchant sur la mer. En le voyant marcher sur la mer, les disciples furent bouleversés. Ils disaient : « C'est un fantôme », et la peur leur fit pousser des cris. Mais aussitôt Jésus leur parla : « Confiance ! c'est moi ; n'ayez pas peur ! » Pierre prit alors la parole : « Seigneur, si c'est bien toi, ordonne-moi de venir vers toi sur l'eau. » Jésus lui dit : « Viens ! » Pierre descendit de la barque et marcha sur les eaux pour aller vers Jésus. Mais, voyant qu'il y avait du vent, il eut peur ; et, comme il commençait à enfoncer, il cria : « Seigneur, sauve-moi ! » Aussitôt Jésus étendit la main, le saisit et lui dit : « Homme de peu de foi, pourquoi as-tu douté ? » Et quand ils furent montés dans la barque, le vent tomba. Alors ceux qui étaient dans la barque se prosternèrent devant lui, et ils lui dirent : « Vraiment, tu es le Fils de Dieu ! »

Prière sur les offrandes

Seigneur, tu as donné ces présents à ton Église pour qu'elle puisse te les offrir ; daigne les accueillir favorablement : qu'ils deviennent, par ta puissance, le sacrement de notre salut. Par Jésus.

Prière après la communion

Que cette communion à ton sacrement, Seigneur, soit notre délivrance et nous enracine dans ta vérité. Par Jésus.

Quand la difficulté fait grandir en liberté

« Vous devez apprendre le détachement. Quand tout va bien, il n'y a évidemment pas de problème. Mais quand on sent la souffrance, la difficulté, c'est alors qu'il faut distinguer une occasion de devenir un peu plus libre, de gagner de l'espace intérieur. Et c'est une bénédiction quand vous y arrivez. Vous sentez alors que vous êtes dans une position où vous n'avez rien à perdre. C'est formidable de savoir se centrer ainsi sur l'essentiel de qui nous sommes. Vous découvrez alors la voie de la sérénité. Qui peut vous ravir votre joie si elle ne dépend pas du succès ou de ce que les gens pensent de vous ? Mais ce type de liberté s'acquiert en traversant les difficultés. »

Père Adolfo Nicolas, supérieur général des jésuites, *Études,* avril 2008.

Calendrier liturgique

Di 10	**19e dimanche A.** *Liturgie des Heures : Psautier semaine III.* [S. LAURENT, diacre, martyr à Rome, † 258.]
Lu 11	Ste Claire, vierge, fondatrice des Pauvres Dames ou Clarisses, † 1253 à Assise. *Au Luxembourg, Bx Schecelin, ermite, † 1138 ou 1139.*
Ma 12	*Ste Jeanne-Françoise de Chantal, mère de famille puis religieuse, fondatrice de la Visitation à Annecy, † 1641 à Moulins.*
Me 13	*S. Pontien, pape, et S. Hippolyte, prêtre romain, martyrs en Sardaigne, † v. 235.*
Je 14	S. Maximilien Kolbe, prêtre franciscain, martyr, † 1941 à Auschwitz.
Ve 15	**ASSOMPTION DE LA VIERGE MARIE,** patronne principale de la France, p. 448.
Sa 16	*S. Étienne, roi de Hongrie, † 1038.*

Bonne fête ! 10 : Laurent, Laure, Laurence, Dieudonné. 11 : Claire, Géry, Gilberte, Suzanne. 12 : Jeanne, Chantal, Clarisse. 13 : Hippolyte. 14 : Maximilien, Arnold. 15 : Marie, Maria, Marlène, Maryse, Muriel, Mireille, Myriam, Assomption. 16 : Alfred, Roch, Armel.

Pour mémoire : il y a cinquante ans, en août 1964, Jean Vanier fondait à Trosly-Breuil (Oise) la première Communauté de l'Arche. La mission de L'Arche est de faire connaître le don des personnes ayant un handicap mental à travers une vie partagée, au sein de communautés, et de leur permettre de prendre leur juste place dans la société. L'Arche regroupe près de 140 communautés, réparties dans 38 pays.

Pour prolonger la prière : Dieu notre Père, la discrétion de ta Parole et la douceur de ton Esprit nous emportent vers ton Royaume. Viens au secours de notre peu de foi, pour que nous répondions à l'appel de ton Fils ; sur sa parole, nous nous risquerons alors à marcher derrière lui. Gloire à toi pour les siècles des siècles.

LE PÈRE JOSEPH WRESINSKI ET JEAN VANIER : DEUX REGARDS SUR LE DÉNUEMENT

Jean Vanier en donnant naissance aux communautés de l'Arche et le Père Joseph en fondant ATD-Quart monde nous amènent à porter un regard nouveau sur les personnes victimes d'un handicap ou de la misère : grâce à elles, Dieu continue de proposer son alliance.

Le Père Joseph, lui-même né dans la misère, était fort de son cheminement avec ceux qu'il appelait son peuple. Jean Vanier a vécu une grande partie de sa vie avec des personnes handicapées. Or, chacun d'eux découvre que ces personnes peuvent nous éduquer à une autre dimension de l'amour.

Jean Vanier ne cesse d'évoquer dans ses témoignages combien la relation avec une personne handicapée est exigeante, souvent décourageante mais qu'elle se révèle peu à peu féconde tant elle nous fait grandir dans notre capacité d'écoute et d'amour, tant elle humanise nos pensées en les situant par rapport au plus faible, tant elle fait découvrir en chacun la soif d'être aimé. Devant la personne handicapée, nous sommes conviés à renoncer à un idéal de maîtrise et d'efficacité pour nous redécouvrir dans notre pauvreté et nous abandonner à ce qui, seul, peut fonder notre action réfléchie pour autrui : savoir qu'il est aimé de Dieu et nous découvrir capables d'un plus grand amour.

Le Père Joseph, quant à lui, a souvent souligné combien les personnes dans la misère pouvaient nous apprendre ce qu'étaient le partage et le pardon. Là encore, toute idéalisation est à proscrire : les conditions matérielles et mentales auxquelles condamne l'exclusion rendent fréquentes violence et infidélité. Mais le Père Joseph ne veut pas oublier l'héroïsme des réconciliations, la force d'espérance des familles qui luttent quotidiennement pour leur survie, la soif de dignité qui les habite. Connaître le quart-monde, c'est découvrir que l'épreuve de la misère détruit mais que ceux qui la vivent peuvent devenir les maîtres en humanité d'une société qui accepterait de les aider. Plus encore, d'apprendre d'eux combien toute vie humaine doit être entourée de respect. Chaque homme porte en lui la chance de l'humanité, disait le Père Joseph.

P. P.

Assomption de la bienheureuse Vierge Marie

15 août 2014

DANS LA GLOIRE DE SON FILS

« Lex orandi, lex credendi » : l'Église croit comme elle prie. Le vieil adage se vérifie mieux que jamais avec la fête de l'Assomption, célébrée le 15 août à Rome depuis au moins le VIIIe siècle, et mise en forme dogmatique par Pie XII en 1950. L'Église célèbre Marie, une femme de notre terre qui par son « oui » a donné naissance au Fils de Dieu. Elle lui a donné corps, elle l'a porté aux hommes ; elle l'a accompagné jusqu'à la croix et a reçu de lui d'être mère de l'Église dont elle est devenue la figure et le modèle. En Marie, sous l'action de l'Esprit, l'humanité accède à la divinité du Fils de même que, par Marie, sous l'action de l'Esprit, le Fils accède à l'humanité de sa mère. C'est cet « admirable échange » (saint Léon) de l'amour qui se donne et se reçoit, spirituellement et physiquement, entre Dieu et l'humanité, que nous célébrons aujourd'hui.

Avec Élisabeth, grosse de toute l'espérance messianique *(évangile),* l'Église accueille la visite de Jésus caché dans le sein de sa mère, et se réjouit avec elle : « Heureuse celle qui a cru ». La foi dans la promesse faite à Abraham introduit Marie dans la gloire du Christ.

C'est ce que signifie la vision grandiose extraite de l'Apocalypse *(première lecture).* Héritée de la tradition littéraire (Ct 6, 10) et prophétique (Is 60, 19-20), l'image de la femme belle comme la lune et resplendissante comme le soleil renvoie à Jérusalem renouvelée au terme d'un enfantement douloureux (Mi 4, 10) qui lui procure une joie immense, comme le vit l'Église dans les persécutions. Nouvelle Ève victorieuse du serpent, Marie donne au monde celui qui mènera l'humanité avec lui « auprès de Dieu et de son trône ». Car, comme le dit Paul *(deuxième lecture),* le Christ « est ressuscité d'entre les morts pour être, parmi les morts, le premier ressuscité. » Le mystère de l'Assomption s'inscrit dans le mystère de Pâques.

Suggestions pour la célébration

• **CHANTER** • Les chants à la Vierge Marie ne manquent pas. N'oublions pas cependant que c'est Dieu que nous célébrons, et que le mystère de Marie, comme le mystère de l'Église, ne se comprend qu'à l'intérieur du mystère du Christ.

Béni sois-tu, Seigneur **CNA 617**, chant très connu, ouvrira bien la célébration en nous faisant louer Dieu « en l'honneur de la Vierge Marie ». On peut aussi s'adresser à la Vierge avec les ***Litanies de la Vierge*** **CNA 298** ou **MNA 53-23, V 136** ***Vierge sainte,*** **V 18-46** ***Marie dans la gloire du ciel,*** **V 223** ***Vierge de lumière*** **CNA 631**. Si l'on veut faire porter l'attention sur Marie comme figure de l'Église, **K 128** ***Église du Seigneur*** **CNA 662** conviendra bien.

À la fin de l'évangile ou après l'homélie, on peut chanter le Magnificat, sans antienne en faisant alterner les versets entre la chorale et l'assemblée, ou avec antienne comme **V 159** ***Magnifique est le Seigneur.*** Plusieurs versions existent : cf. **CNA p. 188** ou **190**. Rappelons que le Cantique de Marie n'est pas un chant à Marie, mais un chant de Marie auquel nous nous joignons individuellement ou en Église. On peut chanter aussi ***Toi qui ravis le cœur de Dieu*** **CNA 372.**

Pendant la communion : **D 19-90** ***Approchons-nous de la table*** ou **D 31-15** ***Le Verbe s'est fait chair.***

Après la communion, on prendra le Magnificat si on ne l'a pas encore chanté, ou **V 193** ***Mon âme chante le Seigneur*** **CNA 626, SYL S071** ***Nous te saluons, Notre-Dame, Pleine de grâce, réjouis-toi*** **MNA 53, 17,** ***Toi qui ravis le cœur de Dieu*** **CNA 372, V 153** ***Toi, notre Dame,*** **V 68** ***Pleine de grâce, nous te louons,*** **V 44-58** ***Couronnée d'étoiles,*** **V 244** ***Source pure.***

La célébration peut se conclure avec **V 114** ***Que bondisse mon cœur plein de joie,*** **V 289-1** ***Comme une aurore qui surgit dans la ténèbre*** **MNA 53.15** ou par un chant traditionnel ou local à la Vierge Marie.

• **PRIER** • **POUR LA PRÉPARATION PÉNITENTIELLE**

Seigneur Jésus, né de Marie que tu nous donnes pour mère,
béni sois-tu, prends pitié de nous.

Ô Christ, premier-né d'une humanité nouvelle,
béni sois-tu, prends pitié de nous.
Seigneur, élevé auprès de Dieu où tu nous appelles à te suivre,
béni sois-tu, prends pitié de nous.

POUR LA PRIÈRE UNIVERSELLE

Nous pouvons prier le Père :
– pour l'Église dont Marie est la figure rayonnante : qu'elle s'abandonne confiante en son modèle pour être toujours davantage un signe de l'amour de Dieu ;
– pour nos frères orthodoxes si attachés à la Mère de Dieu dont ils célèbrent aujourd'hui la Dormition : qu'ils restent fermes dans leur foi en l'Incarnation de Jésus ;
– pour ceux qui souffrent dans leurs enfants : qu'ils se reconnaissent dans Marie au pied de la croix ;
– pour ceux qui mettent leur confiance en Marie : que l'Esprit leur donne paix et réconfort ;
– pour notre communauté rassemblée autour du banquet de l'Eucharistie comme à Cana : qu'elle sache entendre Marie qui lui dit de faire tout ce que Jésus dira.

• **CÉLÉBRER** • On pourra choisir la prière eucharistique n° 4 qui prend le temps de dérouler l'histoire de notre salut.

Ce jour est particulier : beaucoup de fidèles vont à la messe le 15 août qui n'y vont guère pendant l'année. D'autres sont en vacances, de passage. On soignera donc particulièrement l'accueil, comme Élisabeth accueillant Marie. Beauté et propreté de l'église, soin apporté à la nappe de l'autel et à la place des objets, marqueront ce souci d'une hospitalité évangélique. On pourra mettre en évidence une belle statue de la Vierge à l'Enfant (pas une Vierge de Lourdes, trop seule) ou une icône de la Théotokos, la mère de Dieu, fleurie joliment mais avec sobriété. Marie n'est pas une déesse, elle renvoie toujours à son Fils. C'est pourquoi la statue peut être dans le chœur, mais en contrebas. Un vitrail ou une peinture de la Visitation disponible dans l'église peut servir de point de départ ou d'illustration à la prédication.

N'oublions pas qu'il s'agit d'une fête très populaire, et que la célébration sera plus parlante pour ceux qui ne viennent pas souvent à la messe si elle remet en usage certains éléments disponibles dans la mémoire priante de l'Église, par exemple une procession autour de l'église : c'est la plus ancienne dévotion connue pour le 15 août.

Messe de la veille au soir

Prière d'ouverture

Seigneur, tu t'es penché sur ton humble servante, la bienheureuse Vierge Marie : tu lui as donné la grâce et l'honneur de devenir la mère de ton Fils unique et tu l'as couronnée, en ce jour, d'une gloire sans pareille ; à sa prière, accorde-nous, puisque nous sommes rachetés et sauvés, d'être élevés avec elle dans ta gloire. Par Jésus Christ.

1re lecture — *Marie, arche d'Alliance*

Lecture du premier livre des Chroniques — 1 Ch 15, 3-4.15-16 ; 16, 1-2

Après son sacre, David rassembla tout Israël à Jérusalem pour faire monter l'arche du Seigneur jusqu'à l'emplacement préparé pour elle. Il réunit les descendants d'Aaron, c'est-à-dire les prêtres, et les descendants de Lévi. Puis les lévites transportèrent l'arche de Dieu, au moyen de barres placées sur leurs épaules, comme l'avait ordonné Moïse, selon la parole du Seigneur. David dit aux chefs des lévites de mettre en place leurs frères, les chantres, avec leurs instruments – cithares, lyres, cymbales retentissantes –, pour que leur musique s'élève joyeusement. Ils amenèrent donc l'arche de Dieu et l'installèrent au milieu de la tente que David avait dressée pour elle. Puis on offrit devant Dieu des holocaustes et des sacrifices de communion. Quand David eut achevé d'offrir les holocaustes et les sacrifices de communion, il bénit le peuple au nom du Seigneur.

PSAUME 131

• **Tu accueilles, Seigneur, dans la lumière**
celle qui t'a donné le jour.

• **Rendons grâce à Dieu**
qui déjà nous donne la victoire.

Entrons dans la demeure de Dieu,
prosternons-nous aux pieds de son trône.
Monte, Seigneur, vers le lieu de ton repos,
toi, et l'arche de ta force !

Que tes prêtres soient vêtus de justice,
que tes fidèles crient de joie !
Pour l'amour de David, ton serviteur,
ne repousse pas la face de ton messie.

Car le Seigneur a fait choix de Sion ;
elle est le séjour qu'il désire :
« Voilà mon repos à tout jamais,
c'est le séjour que j'avais désiré. »

2e LECTURE *Jésus, victorieux de la mort*

Lecture de la première lettre de saint Paul Apôtre aux Corinthiens — 1 Co 15, 54-57

Frères, au dernier jour, ce qui est périssable en nous deviendra impérissable ; ce qui est mortel revêtira l'immortalité ; alors se réalisera la parole de l'Écriture : « La mort a été engloutie dans la victoire. Ô Mort, où est ta victoire ? Ô Mort, où est ton dard venimeux ? » Le dard de la mort, c'est le péché ; ce qui renforce le péché, c'est la Loi. Rendons grâce à Dieu qui nous donne la victoire par Jésus Christ, notre Seigneur.

Alléluia. Alléluia. Heureuse la Vierge Marie, la Mère de Dieu : elle accueillit la parole, elle la méditait dans son cœur. **Alléluia.**

Évangile — *Heureuse celle qui a entendu la parole de Dieu !*

Évangile de Jésus Christ selon saint Luc — Lc 11, 27-28

Comme Jésus était en train de parler, une femme éleva la voix au milieu de la foule pour lui dire : « Heureuse la mère qui t'a porté dans ses entrailles, et qui t'a nourri de son lait ! » Alors Jésus lui déclara : « Heureux plutôt ceux qui entendent la parole de Dieu, et qui la gardent ! »

Prière sur les offrandes

Nous t'en prions, Seigneur, reçois le sacrifice de louange et de paix que nous t'offrons aujourd'hui pour fêter l'Assomption de la sainte Mère de Dieu ; qu'il nous obtienne ton pardon et nous garde toujours dans l'action de grâce. Par Jésus.

Prière après la communion

Après avoir participé à la table du ciel, nous implorons ta bonté, Seigneur : puisque nous célébrons l'Assomption de la Mère de Dieu, délivre-nous de toute menace du mal. Par Jésus.

Messe du jour

Prière d'ouverture

Dieu éternel et tout-puissant, toi qui as fait monter jusqu'à la gloire du ciel, avec son âme et son corps, Marie, la Vierge immaculée, mère de ton Fils : fais que nous demeurions attentifs aux choses d'en haut pour obtenir de partager sa gloire. Par Jésus Christ.

1re lecture — *Le signe de la Femme dans le ciel*

Lecture de l'Apocalypse de saint Jean — Ap 11, 19a ; 12, 1-6a.10ab

Le Temple qui est dans le ciel s'ouvrit, et l'arche de l'Alliance du Seigneur apparut dans son Temple.

Un signe grandiose apparut dans le ciel : une Femme, ayant le soleil pour manteau, la lune sous les pieds, et sur la tête une couronne de douze étoiles. Elle était enceinte et elle criait, torturée par les douleurs de l'enfantement. Un autre signe apparut dans le ciel : un énorme dragon, rouge-feu, avec sept têtes et dix cornes, et sur chaque tête un diadème. Sa queue balayait le tiers des étoiles du ciel, et les précipita sur la terre. Le Dragon se tenait devant la femme qui allait enfanter, afin de dévorer l'enfant dès sa naissance. Or, la Femme mit au monde un fils, un enfant mâle, celui qui sera le berger de toutes les nations, les menant avec un sceptre de fer. L'enfant fut enlevé auprès de Dieu et de son trône, et la Femme s'enfuit au désert, où Dieu lui a préparé une place.

Alors j'entendis dans le ciel une voix puissante qui proclamait : « Voici maintenant le salut, la puissance et la royauté de notre Dieu, et le pouvoir de son Christ ! »

PSAUME 44

• Heureuse es-tu, Vierge Marie,
dans la gloire de ton Fils.

• Tous les âges désormais te disent bienheureuse.

Écoute, ma fille, regarde et tends l'oreille ;
oublie ton peuple et la maison de ton père :
le roi sera séduit par ta beauté.

Il est ton Seigneur : prosterne-toi devant lui.
Alors, les plus riches du peuple,
chargés de présents, quêteront ton sourire.

Fille de roi, elle est là, dans sa gloire,
vêtue d'étoffes d'or ;
on la conduit, toute parée, vers le roi.

Des jeunes filles, ses compagnes, lui font cortège ;
on les conduit parmi les chants de fête :
elles entrent au palais du roi.

2e LECTURE *Le Christ, premier-né d'entre les morts*

Lecture de la première lettre de saint Paul Apôtre aux Corinthiens 1 Co 15, 20-27a

Frères, le Christ est ressuscité d'entre les morts, pour être parmi les morts le premier ressuscité. Car, la mort étant venue par un homme, c'est par un homme aussi que vient la résurrection. En effet, c'est en Adam que meurent tous les hommes ; c'est dans le Christ que tous revivront, mais chacun à son rang : en premier, le Christ ; et ensuite, ceux qui seront au Christ lorsqu'il reviendra. Alors, tout sera achevé, quand le Christ remettra son pouvoir royal à Dieu le Père, après avoir détruit toutes les puissances du mal. C'est lui en effet qui doit régner jusqu'au jour où il aura mis sous ses pieds tous ses ennemis. Et le dernier ennemi qu'il détruira, c'est la mort, car il a tout mis sous ses pieds.

Alléluia. Alléluia. Aujourd'hui s'est ouverte la porte du paradis : Marie est entrée dans la gloire de Dieu ; exultez dans le ciel, tous les anges ! **Alléluia.**

ÉVANGILE *Magnifique est le Seigneur !*

Évangile de Jésus Christ selon saint Luc Lc 1, 39-56

En ces jours-là, Marie se mit en route rapidement vers une ville de la montagne de Judée. Elle entra dans la maison de Zacharie et salua Élisabeth. Or, quand Élisabeth entendit la salutation de Marie, l'enfant tressaillit en elle. Alors, Élisabeth fut remplie de l'Esprit Saint, et s'écria d'une voix forte : « Tu es bénie entre toutes les femmes, et le fruit de tes entrailles est béni. Comment ai-je ce bonheur que la mère de mon Seigneur vienne jusqu'à moi ? Car, lorsque j'ai entendu tes paroles de salutation, l'enfant a tressailli d'allégresse au-dedans de moi. Heureuse celle qui a cru à l'accomplissement des paroles qui lui furent dites de la part du Seigneur. » Marie dit alors : « Mon âme exalte le Seigneur, mon esprit exulte en Dieu mon Sauveur. Il s'est penché sur son humble servante ; désormais tous les âges me diront bienheureuse. Le Puissant fit pour moi des merveilles ; Saint est son nom ! Son amour s'étend d'âge en âge sur ceux qui le craignent. Déployant la force de son bras, il disperse les superbes. Il renverse les puissants de leurs trônes, il élève les humbles. Il comble de biens les affamés, renvoie les riches les mains vides. Il relève Israël son serviteur, il se souvient de son amour, de la promesse faite à nos pères, en faveur d'Abraham et de sa race à jamais. » Marie demeura avec Élisabeth environ trois mois, puis elle s'en retourna chez elle.

Prière sur les offrandes

Que s'élève jusqu'à toi, Seigneur, notre fervent sacrifice, et tandis qu'intercède pour nous la très sainte Vierge Marie, emportée au ciel, que nos cœurs, brûlants de charité, aspirent toujours à monter vers toi. Par Jésus.

Préface

Vraiment, il est juste et bon de te rendre gloire, de t'offrir notre action de grâce, toujours et en tout lieu, à toi, Père très saint, Dieu éternel et tout-puissant, par le Christ, notre Seigneur.

Aujourd'hui la Vierge Marie, la Mère de Dieu, est élevée dans la gloire du ciel : parfaite image de l'Église à venir, aurore de l'Église triomphante, elle guide et soutient l'espérance de ton peuple encore en chemin. Tu as préservé de la dégradation du tombeau le corps qui avait porté ton propre Fils et mis au monde l'auteur de la vie.

C'est pourquoi, avec tous les anges du ciel, pleins de joie, nous chantons (disons) : **Saint !...**

Dans les prières eucharistiques, il y a des textes propres à la fête de l'Assomption.

Prière après la communion

Après nous avoir donné, Seigneur, le sacrement qui nous sauve, accorde-nous, par l'intercession de Marie, la Vierge bienheureuse élevée au ciel, de parvenir à la gloire de la résurrection. Par Jésus.

Prière

« Vierge Marie, Terre sainte, Terre baignée des eaux du ciel, Dieu t'avait réservée dès le commencement afin que son Amour lui-même ouvre le secret de la vie.

Terre bénie entre toutes les terres, Terre d'ombre éclairée par la seule grâce, chez toi le souffle de Dieu et celui de sa création se sont unis.

Vierge Marie, Terre Mère de la Terre Promise, Terre passée à l'état de lumière, viens refléter dans nos eaux basses notre avenir. »

Patrice de La Tour du Pin, « Office de la Vierge », *Une Somme de Poésie.*

Pour mémoire : il y a dix ans, le 28 août 2004 à Moscou, le cardinal Kasper remettait au patriarche Alexis II l'icône de Notre-Dame de Kazan qui avait disparu de Russie en 1917 et s'était retrouvée à Fatima où le pape Jean-Paul II l'avait récupérée en 1991.

Pour prolonger la prière : Béni sois-tu, notre Dieu, en l'honneur de la Vierge Marie ! Par elle, ton Fils est venu au monde ; par lui, elle entre dans le monde nouveau de ta gloire. Viens dès aujourd'hui semer ta vie en nos corps, pour qu'un jour nous entrions, nous aussi, dans ton Royaume. Par Jésus, ton Fils et le fils de Marie, notre frère et notre Dieu pour les siècles des siècles.

20e dimanche 17 août 2014

DIEU AU-DELÀ DES FRONTIÈRES

L'épisode rapporté dans *l'évangile* met souvent mal à l'aise. Alors qu'une maman vient le supplier pour sa fille, Jésus fait preuve d'indifférence, voire de froideur, sous le prétexte qu'elle est étrangère et païenne. « Je n'ai été envoyé qu'aux brebis perdues d'Israël. » Y a-t-il des bornes à l'action de Dieu, des limites à sa grâce ? Prend-il soin de certains privilégiés en négligeant les autres ? Non, son projet d'amour concerne l'humanité tout entière, comme le montre le récit de la création du monde qui ouvre l'Écriture. Mais pour rejoindre la condition des hommes, le salut se coule dans l'histoire, se déploie progressivement dans le temps et dans l'espace.

Dieu se révèle d'abord à un peuple particulier, les Juifs. Paul, dans la *deuxième lecture,* se montre très sensible à ce premier appel, alors qu'il est l'apôtre des païens. Mais dès l'Ancien Testament, le prophète Isaïe avait reçu l'étonnante promesse que le temple de Jérusalem deviendrait « Maison de prière pour tous les peuples » *(première lecture).* Or au temps de Jésus, les païens ne sont tolérés que dans le parvis extérieur du Temple. La Cananéenne n'ignore rien de cette différence qui induit une si grande distance. Elle la souligne même en invoquant le « fils de David », référence à l'histoire du peuple élu auquel elle n'appartient pas. Elle ne remet pas en cause la logique de l'Alliance entre Dieu et Israël, elle ne prétend pas au pain des enfants. Mais, guidée par sa foi et par son amour de mère, elle a l'intuition qu'une seule « miette » de la puissance de Jésus suffira à sauver sa fille, suscitant chez celui-ci cette réaction d'émerveillement : « Femme, ta foi est grande, que tout se fasse pour toi comme tu le veux ! » Nous qui avons la chance d'être les enfants de Dieu réunis par le Christ, approchons-nous avec grand désir et foi pour recevoir le pain eucharistique.

Suggestions pour la célébration

• CHANTER • Pour faire écho aux textes du jour, on pourra retenir : pour la procession d'ouverture, ***Pour avancer ensemble*** **CNA 524**, ***Laisserons-nous à notre table*** **CNA 697** ; après l'homélie : ***L'amour a fait les premiers pas*** **G 204** ; après la communion : ***Qui vient à moi*** **D 514**, ***En accueillant l'amour*** **CNA 325**, ***Allez dire à tous les hommes*** **CNA 532**.

• PRIER • **POUR LA PRÉPARATION PÉNITENTIELLE**

Seigneur Jésus, prends pitié de nos étroitesses,
Kyrie eléison.

Ô Christ, prends pitié de notre tiédeur,
Christe eléison.

Seigneur, prends pitié de la faiblesse de notre foi,
Kyrie eléison.

POUR LA PRIÈRE UNIVERSELLE

– Prions pour les peuples d'Israël et Palestine, terre où Dieu s'est révélé, afin que puissent s'établir entre eux les conditions d'une paix juste et durable.
– Prions pour les personnes qui travaillent à surmonter les divisions de notre monde par le dialogue et la rencontre.
– Prions pour les parents confrontés à la maladie ou au handicap de leur enfant.

• CÉLÉBRER • Comme nous le rappelle l'évangile, c'est « le pain des enfants » que nous recevons à la table eucharistique. Le célébrant pourra faire le lien avec la prière des enfants de Dieu qu'est le Notre Père, et proposer un geste pour manifester à ce moment l'unité de l'assemblée, par exemple en se donnant la main.

PRIÈRE D'OUVERTURE

Pour ceux qui t'aiment, Seigneur, tu as préparé des biens que l'œil ne peut voir : répands en nos cœurs la ferveur de ta charité, afin que t'aimant en toute chose et par-dessus tout, nous obtenions de toi l'héritage promis qui surpasse tout désir. Par Jésus Christ.

1re LECTURE *Dieu accueille les étrangers qui viennent le prier*

Lecture du livre d'Isaïe Is 56, 1.6-7

Parole du Seigneur. Observez le droit, pratiquez la justice. Car mon salut approche, il vient, et ma justice va se révéler. Les étrangers qui se sont attachés au service du Seigneur pour l'amour de son nom et sont devenus ses serviteurs, tous ceux qui observent le sabbat sans le profaner et s'attachent fermement à mon alliance, je les conduirai à ma montagne sainte. Je les rendrai heureux dans ma maison de prière, je ferai bon accueil, sur mon autel, à leurs holocaustes et à leurs sacrifices, car ma maison s'appellera : « Maison de prière pour tous les peuples. »

PSAUME 66

• **Dieu, que les peuples t'acclament !**
Qu'ils t'acclament, tous ensemble !

• **Alléluia.**

Que ton visage s'illumine pour nous ;
et ton chemin sera connu sur la terre,
ton salut, parmi toutes les nations.

Que les nations chantent leur joie,
car tu gouvernes le monde avec justice ;
sur la terre, tu conduis les nations.

Dieu, notre Dieu, nous bénit.
Que Dieu nous bénisse,
et que la terre tout entière l'adore !

2e LECTURE *Le rôle des Juifs dans la Nouvelle Alliance*

Lecture de la lettre de saint Paul Apôtre aux Romains — Rm 11, 13-15.29-32

Frères, je vous le dis à vous, qui étiez païens : dans la mesure même où je suis apôtre des païens, ce serait la gloire de mon ministère de rendre un jour jaloux mes frères de race, et d'en sauver quelques-uns. Si en effet le monde a été réconcilié avec Dieu quand ils ont été mis à l'écart, qu'arrivera-t-il quand ils seront réintégrés ? Ce sera la vie pour ceux qui étaient morts !

Les dons de Dieu et son appel sont irrévocables. Jadis, en effet, vous avez désobéi à Dieu, et maintenant, à cause de la désobéissance des fils d'Israël, vous avez obtenu miséricorde ; de même eux aussi, maintenant ils ont désobéi à cause de la miséricorde que vous avez obtenue, mais c'est pour que maintenant eux aussi, ils obtiennent miséricorde. Dieu, en effet, a enfermé tous les hommes dans la désobéissance pour faire miséricorde à tous les hommes.

Alléluia. Alléluia. Le Seigneur redresse les accablés, le Seigneur protège l'étranger. Heureux qui met en lui son espoir ! **Alléluia.**

ÉVANGILE *Jésus exauce la prière d'une étrangère*

Évangile de Jésus Christ selon saint Matthieu — Mt 15, 21-28

Jésus s'était retiré vers la région de Tyr et de Sidon. Voici qu'une Cananéenne, venue de ces territoires, criait : « Aie pitié de moi, Seigneur, fils de David ! Ma fille est tourmentée par un démon. » Mais il ne lui répondit rien. Les disciples s'approchèrent pour lui demander : « Donne-lui satisfaction, car elle nous poursuit de ses cris ! » Jésus répondit : « Je n'ai été envoyé qu'aux brebis perdues d'Israël. »

Mais elle vint se prosterner devant lui : « Seigneur, viens à mon secours ! » Il répondit : « Il n'est pas bien de prendre le pain des enfants pour le donner aux petits chiens. – C'est vrai, Seigneur, reprit-elle ; mais justement, les petits chiens mangent les miettes qui tombent de la table de leurs maîtres. » Jésus répondit : « Femme, ta foi est grande, que tout se fasse pour toi comme tu le veux ! » Et, à l'heure même, sa fille fut guérie.

Prière sur les offrandes

Accepte, Seigneur notre Dieu, ce que nous présentons pour cette eucharistie où s'accomplit un admirable échange : en offrant ce que tu nous as donné, puissions-nous te recevoir toi-même. Par Jésus.

Prière après la communion

Par cette eucharistie, Seigneur, tu nous as unis davantage au Christ, et nous te supplions encore : accorde-nous de lui ressembler sur la terre et de partager sa gloire dans le ciel. Lui qui règne.

Recevoir tout humain comme un frère

« C'est l'évangélisation, non par la parole, mais par la présence du Très Saint-Sacrement, l'offrande du divin Sacrifice, la prière, la pénitence, la pratique des vertus évangéliques, la charité – une charité fraternelle et universelle partageant jusqu'à la dernière bouchée de pain avec tout pauvre, tout hôte, tout inconnu se présentant, et recevant tout humain comme un frère bien-aimé... »

Bienheureux Charles de Foucauld, Lettre à Henry de Castries du 23 juin 1901.

Calendrier liturgique

Di 17	**20e dimanche A.** *Liturgie des Heures : Psautier semaine IV.*
Ma 19	*S. Jean Eudes, prêtre, fondateur des Eudistes, † 1680 à Caen.*
Me 20	S. Bernard, cistercien, abbé de Clairvaux, docteur de l'Église, † 1153.
Je 21	S. Pie X, pape, † 1914 à Rome.
Ve 22	La Vierge Marie, Reine.

Sa 23 *Ste Rose de Lima, vierge, tertiaire dominicaine, † 1617, à Lima. En Afrique du Nord, Ste Émilie de Vialar, vierge, † 1856 à Marseille.*

Bonne fête ! 17 : Hyacinthe. 18 : Hélène, Mylène, Laetitia, Nelly. 19 : Eudes, Guerric. 20 : Bernard, Philibert, Samuel, Samy. 21 : Grâce, Graziella, Privat. 22 : Fabrice, Siegfried, Symphorien, Reine. 23 : Rose, Rosita.

Pour mémoire : il y a deux cents ans, le 17 août 1814, le pape Pie VII restaurait la Compagnie de Jésus que Louis XV avait expulsée de France cinquante ans plus tôt et dont Clément XIV avait ordonné la dissolution en 1773. Après avoir signé le bref pontifical qui supprimait la Compagnie, le pape aurait déclaré : « Je me suis tranché la main droite ». Les jésuites étaient alors 23 000 environ. Lors de la restauration de la Compagnie en 1814, ils n'étaient plus que 2 000.

Il y a cent ans, le 20 août 1914, le pape Pie X mourait à l'âge de 79 ans. Il laisse le souvenir d'un pape à la fois conservateur (il a condamné le modernisme et créé, pour y faire face, la Commission biblique pontificale) et réformateur : il a ordonné la refonte du bréviaire et une nouvelle codification du droit canon (qui devait aboutir sous son successeur en 1917). Il s'opposa énergiquement à la loi française de séparation de l'Église et de l'État. On lui doit notamment un *Catéchisme de la Doctrine chrétienne* (qui est appelé aujourd'hui *Catéchisme de saint Pie X),* qui a fait l'objet d'un éloge public de Benoît XVI lors de l'Audience générale du 18 août 2010.

Le pape Pie X a été canonisé en 1954 et est fêté le 21 août.

Pour prolonger la prière : Dieu de justice et de partage, tu ne fais pas de différence entre les personnes : chacun est pour toi unique, chacun a droit à sa part de pain et d'amour. Par ta Parole, rends-nous capables de voir la misère de nos frères, d'écouter leur cri, de nous émerveiller de leur foi. Ainsi nous vivrons à l'image de Jésus qui a réalisé ta volonté et qui est vivant avec toi pour les siècles des siècles.

21e dimanche

24 août 2014

LE FONDEMENT DE NOTRE FOI

« **Sur la foi de Pierre,** le Seigneur a bâti son Église ». Le verset de l'alléluia qui accompagne *l'évangile* de ce dimanche en résume bien la portée fondatrice. Plus de vingt siècles après cette scène, la profession de foi chrétienne n'a pas changé et consiste toujours à reconnaître Jésus comme « le Messie, le Fils du Dieu vivant ». C'est la foi de Pierre, qui vient de plus loin, et surtout de plus haut, que Pierre. Jésus en dévoile l'origine profonde : « Ce n'est pas la chair et le sang qui t'ont révélé cela, mais mon Père qui est aux cieux ». Il s'agit d'une étape décisive de la révélation, c'est-à-dire du déploiement du salut. Pauvres humains que nous sommes, que pourrions-nous savoir de Dieu, dont « les décisions sont insondables, [les] chemins impénétrables » *(deuxième lecture),* s'il ne venait lui-même à notre rencontre ?

Or dans la personne du Christ, la nature divine vient rencontrer, rejoindre, assumer puis transfigurer la nature humaine. Il est donc bien le sommet de la révélation, la plénitude de l'Alliance. « Fils du Dieu vivant », il nous vivifie par sa victoire sur « la puissance de la Mort ». De même que Dieu rend « stable comme un piquet qu'on enfonce dans un sol ferme » celui à qui il confie la maison d'Israël *(première lecture),* de même Pierre est appelé à devenir le roc sur lequel sera bâtie l'Église du Christ. Selon la symbolique biblique, le changement de nom (de Simon à Pierre) donne une nouvelle identité et manifeste l'autorité de celui qui nomme. Cependant, Pierre n'est pas devenu un surhomme. La faiblesse de « la chair et du sang » n'a pas disparu, comme le montrera son comportement lors de la Passion. La seule force de l'Église, c'est de s'appuyer sur les promesses du Christ ressuscité : « La puissance de la Mort ne l'emportera pas sur elle ». Nous en témoignons en venant recevoir la parole et le pain du « Fils du Dieu vivant ».

Suggestions pour la célébration

• **CHANTER** • Les chants suivants seront en harmonie avec les textes de dimanche.

Pour la procession d'ouverture : ***Peuple de baptisés*** CNA 573 (les nouveaux couplets reprennent l'évangile), ***Peuple choisi*** CNA 543 (strophes 1, 2 et 3).

Après l'homélie : ***Les mots que tu nous dis*** **E 164,** ***Qui donc es-tu, Jésus de Nazareth*** **X 48-46,** ***Un homme au cœur de feu*** **T 170.**

Après la communion : ***Gloire et louange à toi*** **CNA 555,** ***Gloire à toi, Jésus Christ*** **CNA 554,** ***Tu es la vraie lumière*** **CNA 595.**

• **PRIER** •

POUR LA PRÉPARATION PÉNITENTIELLE

Seigneur Jésus, Fils du Dieu vivant,
béni sois-tu, prends pitié de nous.

Ô Christ, tu nous révèles la profondeur de la sagesse et de la science de Dieu,
béni sois-tu, prends pitié de nous.

Seigneur ressuscité, tu nous associes à ta victoire sur la Mort,
béni sois-tu, prends pitié de nous.

POUR LA PRIÈRE UNIVERSELLE

– Prions pour les pasteurs de notre Église. Que l'Esprit les garde fidèles à la mission qu'ils ont reçue du Christ.
– Prions pour les catéchumènes et les baptisés qui se préparent au sacrement de confirmation. Que l'Esprit les fasse grandir dans la foi de l'Église.
– Prions pour les personnes confrontées à la puissance de la mort dans la maladie grave ou la dépression. Que l'Esprit les associe à la victoire du Christ ressuscité.

• **CÉLÉBRER** • La profession de foi de Pierre est l'occasion de mettre en valeur la profession de foi de l'assemblée. On pourra choisir de réciter le Symbole des Apôtres, en mentionnant explicitement cette désignation, et en faisant le lien avec l'évangile.

Prière d'ouverture

Dieu qui peux mettre au cœur de tes fidèles un unique désir, donne à ton peuple d'aimer ce que tu commandes et d'attendre ce que tu promets ; pour qu'au milieu des changements de ce monde, nos cœurs s'établissent fermement là où se trouvent les vraies joies. Par Jésus Christ.

1re lecture — *Dieu donne les clés de la maison de David*

Lecture du livre d'Isaïe — Is 22, 19-23

Parole du Seigneur adressée à Shebna le gouverneur. Je vais te chasser de ton poste, t'expulser de ta place. Et, ce jour-là, j'appellerai mon serviteur, Éliakim, fils de Hilkias. Je le revêtirai de ta tunique, je le ceindrai de ton écharpe, je lui remettrai tes pouvoirs : il sera un père pour les habitants de Jérusalem et pour la maison de Juda. Je mettrai sur son épaule la clef de la maison de David : s'il ouvre, personne ne fermera, s'il ferme, personne n'ouvrira. Je le rendrai stable comme un piquet qu'on enfonce dans un sol ferme ; il sera comme un trône de gloire pour la maison de son père.

Psaume 137

• **Toi, le Dieu fidèle, poursuis ton œuvre d'amour.**

• **Par ton Église, Seigneur, achève ton ouvrage.**

De tout mon cœur, Seigneur, je te rends grâce :
tu as entendu les paroles de ma bouche.
Je te chante en présence des anges,
vers ton temple sacré, je me prosterne.

Je rends grâce à ton nom
pour ton amour et ta vérité,
car tu élèves, au-dessus de tout,
ton nom et ta parole.
Le jour où tu répondis à mon appel,
tu fis grandir en mon âme la force.

Si haut que soit le Seigneur, il voit le plus humble.
Le Seigneur fait tout pour moi.
Seigneur, éternel est ton amour :
n'arrête pas l'œuvre de tes mains.

2e LECTURE *Profondeur insondable du mystère du salut*

Lecture de la lettre de saint Paul Apôtre aux Romains Rm 11, 33-36

Quelle profondeur dans la richesse, la sagesse et la science de Dieu ! Ses décisions sont insondables, ses chemins sont impénétrables ! Qui a connu la pensée du Seigneur ? Qui a été son conseiller ? Qui lui a donné en premier et mériterait de recevoir en retour ? Car tout est de lui, et par lui, et pour lui. À lui la gloire pour l'éternité ! Amen.

Alléluia. Alléluia. Sur la foi de Pierre le Seigneur a bâti son Église, et les puissances du mal n'auront sur elle aucun pouvoir. **Alléluia.**

ÉVANGILE *Profession de foi de Pierre*

Évangile de Jésus Christ selon saint Matthieu Mt 16, 13-20

Jésus était venu dans la région de Césarée-de-Philippe, et il demandait à ses disciples : « Le Fils de l'homme, qui est-il, d'après ce que disent les hommes ? » Ils répondirent : « Pour les uns, il est Jean Baptiste ; pour d'autres, Élie ; pour d'autres encore, Jérémie ou l'un des prophètes. » Jésus leur dit : « Et vous, que dites-vous ? Pour vous, qui suis-je ? » Prenant la parole, Simon-Pierre déclara : « Tu es le Messie, le Fils du Dieu vivant ! » Prenant la parole à son tour, Jésus lui déclara : « Heureux es-tu, Simon fils de Yonas : ce n'est pas la chair et le sang qui t'ont révélé cela, mais mon Père qui est aux cieux. Et moi, je te le déclare : Tu es Pierre, et sur cette pierre je bâtirai mon Église ; et la puissance de la Mort ne l'emportera pas sur elle. Je te donnerai les clefs du Royaume des cieux : tout ce que tu auras lié sur la terre sera lié dans les cieux, et tout ce que tu auras délié sur la terre sera délié dans les cieux. » Alors, il ordonna aux disciples de ne dire à personne qu'il était le Messie.

Prière sur les offrandes

Par l'unique sacrifice de la Croix, tu t'es donné, Père très bon, un peuple de fils ; accorde-nous, dans ton Église, la grâce de l'unité et de la paix. Par Jésus.

Prière après la communion

Que ta miséricorde, Seigneur, agisse en nous, et nous guérisse entièrement ; transforme-nous, par ta grâce, et rends-nous si généreux que nous puissions te plaire en toute chose. Par Jésus.

L'Église poursuit l'œuvre des Apôtres

« Tout comme il a été envoyé par le Père, le Fils lui-même a envoyé ses Apôtres (cf. Jn 20, 21) en disant : "Allez donc, enseignez toutes les nations, les baptisant au nom du Père et du Fils et du Saint-Esprit, leur apprenant à observer tout ce que je vous ai prescrit. Et moi, je suis avec vous tous les jours jusqu'à la consommation des temps" (Mt 28, 18-20). Ce solennel commandement du Christ d'annoncer la vérité du salut, l'Église l'a reçu des Apôtres pour en poursuivre l'accomplissement jusqu'aux extrémités de la terre (cf. Ac 1, 8). C'est pourquoi elle fait siennes les paroles de l'Apôtre : "Malheur à moi si je ne prêchais pas l'Évangile" (1 Co 9, 16) : elle continue donc inlassablement à envoyer les hérauts de l'Évangile jusqu'à ce que les jeunes Églises soient pleinement établies et en état de poursuivre elles aussi l'œuvre de l'évangélisation. L'Esprit Saint la pousse à coopérer à la réalisation totale du dessein de Dieu qui a fait du Christ le principe du salut pour le monde tout entier. En prêchant l'Évangile, l'Église dispose ceux qui l'entendent à croire et à confesser la foi, elle les prépare au baptême, les arrache à l'esclavage de l'erreur et les incorpore au Christ pour croître en lui par la charité jusqu'à ce que soit atteinte la plénitude. »

Concile Vatican II, *Lumen gentium* n° 17.

Calendrier liturgique

Di 24	**21e dimanche A.** *Liturgie des Heures : Psautier semaine I.* [S. Barthélemy, Apôtre.]
Lu 25	*S. Louis, roi de France, † 1270 à Tunis.* *S. Joseph de Calasanz (Espagne), prêtre, fondateur d'ordre, † 1648 à Rome.*
Ma 26	*En France, S. Césaire, évêque d'Arles, † 542.*
Me 27	Ste Monique, mère de S. Augustin, † vers 387 à Ostie (près de Rome). En Afrique du Nord, fête.
Je 28	S. Augustin, évêque d'Hippone (Algérie), docteur de l'Église, † 430.
Ve 29	Martyre de S. Jean Baptiste. Lecture propre : Mc 6,17-29. Au Luxembourg, dédicace de la cathédrale.
Sa 30	*En Afrique du Nord, S. Alype et S. Possidius, évêques en Numibie, † vers 430 et après 437.*

Bonne fête ! 24 : Barthélemy, Nathanaël. 25 : Louis, Clovis, Ludwig. 26 : Césaire, César, Natacha, Tasha. 27 : Monique. 28 : Augustin, Auguste, Hermès, Linda. 29 : Sabine, Sabrina. 30 : Fiacre, Sacha.

Pour mémoire : il y a mille six cents ans, en 414, S. Augustin composait un ouvrage intitulé *De l'excellence du veuvage (De bono viduitatis).* Il s'agit en fait d'une lettre adressée à une jeune veuve qui avait demandé à l'évêque d'Hippone de lui mettre en lumière les mérites du veuvage consacré au Seigneur. S. Augustin part de l'enseignement de S. Paul (1 Co 7) pour rappeler que le mariage est un bien (il a écrit quelques années plus tôt un traité intitulé *Le bien du mariage),* mais loue les veuves qui renoncent à se remarier pour « penser aux choses du Seigneur et chercher à plaire à Dieu ». S. Augustin est fêté le 28 août.

Pour prolonger la prière : Dieu de vie, c'est pour tous les hommes, au long des temps, que ton Fils a rassemblé ses Apôtres et les a établis fondement de l'Église. Que notre foi, appuyée sur la leur, fasse de nous des pierres vivantes, édifiées par l'Esprit en un temple saint. Ainsi tu seras glorifié maintenant et pour les siècles des siècles.

22e dimanche — 31 août 2014

DISCIPLES DU MESSIE CRUCIFIÉ

« **Ne prenez pas pour modèle le monde présent,** mais transformez-vous en renouvelant votre façon de penser » : ce conseil de Paul dans la *deuxième lecture* aurait pu éviter à Pierre une cuisante mésaventure. Il vient à peine de confesser Jésus comme Christ et Fils de Dieu qu'il est identifié à « Satan » ! Que s'est-il donc passé ? Pierre a tout simplement en tête l'image traditionnelle du Messie, incompatible avec ce que Jésus annonce pour lui-même : souffrances et mort. « Dieu t'en garde, Seigneur ! » s'écrie l'Apôtre avec l'impulsivité qu'on lui connaît, et il ne s'agit pas d'une façon de parler. Puisque Jésus est le Messie, l'envoyé de Dieu, il va de soi que Dieu viendra à son secours, le protégera de ses ennemis. Le Messie doit évidemment réussir sa mission et libérer le peuple saint ; s'il meurt lamentablement, alors il n'est pas ce qu'il prétendait être, c'est un imposteur. La réaction de Pierre est compréhensible, mais selon une logique purement humaine, qui « prend pour modèle le monde présent ».

Jésus, lui, sait par quelle voie paradoxale il se révélera comme Messie et Seigneur. Comme Jérémie, il suscite la raillerie et même l'hostilité, car la Parole dérange les habitudes et met à nu les consciences *(première lecture).* Pierre représente la tentation de la toute-puissance et de la maîtrise de sa vie, c'est pourquoi il est appelé Satan et obstacle. Au contraire, la condition du disciple est de partager le chemin d'humilité du maître, de le suivre en prenant sa croix. Un tel programme relèverait du masochisme s'il n'y avait la promesse de la Résurrection, selon une logique paradoxale et divine : « Celui qui veut sauver sa vie la perdra, mais qui perd sa vie à cause de moi la gardera ». Cette transformation est une véritable conversion que l'Esprit est en train d'opérer en nous.

Suggestions pour la célébration

• **CHANTER** • Pour faire écho aux textes du jour, on peut chanter, en plus du répertoire commun proposé au 18e dimanche : pour la procession d'ouverture : ***Peuple choisi*** CNA 543 (couplets 2, 4, 5 et 6), ***Dieu qui nous appelles à vivre*** CNA 547.

Après l'homélie : ***Un homme au cœur de feu*** T 170, ***Les mots que tu nous dis*** E 164.

Pour la procession de communion : ***Partageons le pain du Seigneur*** CNA 342, ***Voici le pain que donne Dieu*** D 50-07-2.

Pour l'action de grâce : ***Pas de plus grand amour*** CNA 452 ou 447, ***Peuple de Dieu, n'aie pas de honte*** CNA 575, ***Messie venu de Dieu*** X 48-44.

• **PRIER** •

Pour la préparation pénitentielle

Seigneur Jésus, obéissant jusqu'à la croix,
Kyrie eleison.

Ô Christ, tu nous appelles à marcher à ta suite,
Christe eleison.

Seigneur, que ta Parole soit en nous comme un feu dévorant,
Kyrie eleison.

Pour la prière universelle

Nous pouvons prier :
– pour les personnes qui portent la croix de la maladie, du handicap ou du grand âge ;
– pour les prophètes de notre temps, souvent confrontés à l'incompréhension, la raillerie ou l'hostilité ;
– pour les chrétiens qui offrent à Dieu leur personne et leur vie, dans le secret de leur existence quotidienne.

• **CÉLÉBRER** • Pour faire écho à l'annonce de la Passion, on pourra honorer par le rite de l'encensement la croix, mise en valeur par une décoration florale adaptée. Au moment du rite pénitentiel, le célébrant invitera l'assemblée à contempler le crucifié comme source de miséricorde.

Prière d'ouverture

Dieu puissant, de qui vient tout don parfait, enracine en nos cœurs l'amour de ton nom ; resserre nos liens avec toi, pour développer ce qui est bon en nous ; veille sur nous avec sollicitude, pour protéger ce que tu as fait grandir. Par Jésus Christ.

1re lecture — *Souffrance du prophète*

Lecture du livre de Jérémie — Jr 20, 7-9

Seigneur, tu as voulu me séduire, et je me suis laissé séduire ; tu m'as fait subir ta puissance, et tu l'as emporté. À longueur de journée je suis en butte à la raillerie, tout le monde se moque de moi. Chaque fois que j'ai à dire la Parole, je dois crier, je dois proclamer : « Violence et pillage ! » À longueur de journée la parole du Seigneur attire sur moi l'injure et la moquerie. Je me disais : « Je ne penserai plus à lui, je ne parlerai plus en son nom. » Mais il y avait en moi comme un feu dévorant, au plus profond de mon être. Je m'épuisais à le maîtriser, sans y réussir.

Psaume 62

- **Mon âme a soif de toi,**
  Seigneur, mon Dieu.
- **Tout mon être désire, mon Dieu, vivre de ta vie.**

Dieu, tu es mon Dieu, je te cherche dès l'aube :
mon âme a soif de toi ;
après toi languit ma chair,
terre aride, altérée, sans eau.

Je t'ai contemplé au sanctuaire,
j'ai vu ta force et ta gloire.
Ton amour vaut mieux que la vie :
tu seras la louange de mes lèvres !

Toute ma vie je vais te bénir,
lever les mains en invoquant ton nom.

Comme par un festin je serai rassasié ;
la joie sur les lèvres, je dirai ta louange.

Oui, tu es venu à mon secours :
je crie de joie à l'ombre de tes ailes.
Mon âme s'attache à toi,
ta main droite me soutient.

2e LECTURE — *Le culte spirituel*

Lecture de la lettre de saint Paul Apôtre aux Romains — Rm 12, 1-2

Je vous exhorte, mes frères, par la tendresse de Dieu, à lui offrir votre personne et votre vie en sacrifice saint, capable de plaire à Dieu : c'est là pour vous l'adoration véritable. Ne prenez pas pour modèle le monde présent, mais transformez-vous en renouvelant votre façon de penser pour savoir reconnaître quelle est la volonté de Dieu : ce qui est bon, ce qui est capable de lui plaire, ce qui est parfait.

Alléluia. Alléluia. Que le Père de notre Seigneur Jésus Christ illumine nos cœurs : qu'il nous fasse voir quelle espérance nous ouvre son appel. **Alléluia.**

ÉVANGILE — *Annonce de la Passion*

Évangile de Jésus Christ selon saint Matthieu — Mt 16, 21-27

Pierre avait dit à Jésus : « Tu es le Messie, le Fils du Dieu vivant. » À partir de ce moment, Jésus le Christ commença à montrer à ses disciples qu'il lui fallait partir pour Jérusalem, souffrir beaucoup de la part des anciens, des chefs des prêtres et des scribes, être tué, et le troisième jour ressusciter. Pierre, le prenant à part, se mit à lui faire de vifs reproches : « Dieu t'en garde, Seigneur ! cela ne t'arrivera pas. » Mais lui, se retournant, dit à Pierre : « Passe derrière moi, Satan, tu es un obstacle sur ma route, tes pensées ne sont pas celles de Dieu, mais celles des hommes. »

Alors Jésus dit à ses disciples : « Si quelqu'un veut marcher derrière moi, qu'il renonce à lui-même, qu'il prenne sa croix et qu'il me suive. Car celui qui veut sauver sa vie le perdra, mais qui perd sa vie à cause de moi la gardera. Quel avantage en effet un homme aura-t-il à gagner le monde entier, s'il le paye de sa vie ? Et quelle somme pourra-t-il verser en échange de sa vie ? Car le Fils de l'homme va venir avec ses anges dans la gloire de son Père ; alors il rendra à chacun selon sa conduite. »

Prière sur les offrandes

Que l'offrande eucharistique, Seigneur, nous apporte toujours la grâce du salut ; que ta puissance accomplisse elle-même ce que nous célébrons dans cette liturgie. Par Jésus.

Prière après la communion

Rassasiés par le pain de la vie, nous te prions, Seigneur : que cette nourriture fortifie l'amour en nos cœurs, et nous incite à te servir dans nos frères. Par Jésus.

L'avenir n'appartient qu'à Dieu

« Le courage du quotidien est celui qui nous prend le plus fortement au dépourvu. Pour qu'en toute chose, Dieu soit glorifié, il faut durer dans la patience, participer par la patience aux souffrances du Christ, sans enjamber sur l'avenir, qui n'appartient qu'à Dieu. Il n'y a d'espérance que là où on accepte de ne pas voir l'avenir. Pensons au don de la manne dans le désert. Il était quotidien, mais on ne pouvait en garder pour le lendemain. Vouloir imaginer l'avenir, c'est faire de l'espérance-fiction. Dès que nous pensons l'avenir, nous le pensons comme le passé. Nous n'avons pas l'imagination de Dieu. Demain sera autre chose, et nous ne pouvons pas l'imaginer. »

Frère Christian de Chergé, prieur de Tibhirine (Algérie), texte écrit en mars 1996 quelques jours avant sa mort.

Calendrier liturgique

Di 31	**22e dimanche A.** *Liturgie des Heures : Psautier semaine II.* *[En Belgique, la Vierge Marie, Médiatrice.]*
Me 3	S. Grégoire le Grand, pape, docteur de l'Église, † 604 (12 mars) à Rome.

Bonne fête ! 31 : Aristide. 1er : Gilles, Josué. 2 : Ingrid. 3 : Grégoire, Grégory, Graziella. 4 : Rosalie, Irma, Marien, Moïse. 5 : Raïssa. 6 : Bertrand, Évelyne, Éva.

Pour mémoire : il y a cent ans, le 5 septembre 1914, l'écrivain Charles Péguy (1873-1914) mourait au combat, à la veille de la bataille de la Marne. Son œuvre littéraire mêle les textes en prose, toujours engagés, et des pièces lyriques chargées d'une spiritualité personnelle et profonde, dont témoignent entre autres *Le Mystère de la charité de Jeanne d'Arc* (1910), *Le Mystère des saints Innocents* (1912), où il montre un Dieu de tendresse et de miséricorde, et *Le Porche du mystère de la deuxième vertu* (1911), hymne à l'espérance – personnifiée en une petite fille –, dans lequel le poète célèbre la vitalité des enfants, manifestation charnelle d'une vertu spirituelle. Dans *La Présentation de la Beauce*, ses poèmes se font prière à Marie, qu'il vénère depuis qu'il a entrepris un pèlerinage à Chartres pour la guérison d'un de ses fils. Ce premier pèlerinage, effectué en juin 1912, sera suivi d'un second en juillet 1913, et de beaucoup d'autres après la mort de l'écrivain, quand les étudiants catholiques décideront de mettre leurs pas dans ses pas de Paris à Chartres. *Ève* (1913) est un immense poème de plus de 7 000 alexandrins, qui rend hommage à l'aïeule du genre humain. Dans cette somme, Péguy se donne pour ambition de ressaisir l'histoire de l'Incarnation, en montrant comment les voies du Christ furent préparées par les civilisations antérieures, et il souligne la nécessité d'une « racination » du spirituel dans le charnel.

Pour prolonger la prière : Tu nous combles de ta vie, Dieu juste et bon. Garde-nous de faire obstacle à ta volonté ; affermis notre courage : en suivant ton Fils sur le chemin de la croix, nous pourrons partager sa gloire dans les siècles des siècles.

23e dimanche 7 septembre 2014

RESPONSABLES LES UNS DES AUTRES

« **Suis-je le gardien de mon frère ?** » À cette fameuse réplique de Caïn (Gn 4, 9), les lectures de ce dimanche répondent clairement oui. Dans la *première lecture,* Ézékiel est institué « guetteur pour la maison d'Israël ». La mission du guetteur consiste à veiller pour donner l'alerte en cas de danger. De même, le prophète est chargé d'avertir le pécheur pour qu'il puisse se convertir et vivre, chacun restant cependant responsable de sa conduite propre.

Dans *l'évangile,* il est question de la correction fraternelle. C'est une notion souvent délicate à mettre en œuvre, d'autant qu'elle cadre mal avec la culture contemporaine, très sensible à l'autonomie de la personne. Or il ne s'agit pas de se surveiller les uns les autres, encore moins d'être indiscret ou moralisateur. Il s'agit d'être vigilant afin que nul ne se perde. « Si ton frère a commis un péché, [...] montre-lui sa faute. S'il t'écoute, tu auras gagné ton frère. » Le concile Vatican II a remis en valeur l'image de l'Église peuple de Dieu, ce qui souligne la dimension collective de l'aventure de la foi. Pas question de « faire son salut » chacun dans son coin ! Les disciples du Christ, renouvelés par l'amour de Dieu, sont liés entre eux par « la dette de l'amour mutuel » selon la belle image proposée par Paul *(deuxième lecture).* Leur unité porte témoignage pour le monde. « Quand deux ou trois sont réunis en mon nom, je suis là, au milieu d'eux. » Mais Jésus, non sans un certain réalisme, ne craint pas d'évoquer des situations qui vont jusqu'au conflit, car c'est le risque à courir pour vivre des relations vraies.

En participant à l'eucharistie, nous nous reconnaissons peuple de pécheurs pardonnés. Nous accueillons la parole qui nous invite à la conversion et nous partageons comme des frères le pain reçu du Père de tous.

Suggestions pour la célébration

• **CHANTER** • Plusieurs chants conviendront bien pour les trois dimanches qui viennent et aideront à entendre l'enseignement de Jésus sur l'Église ainsi que la parabole des ouvriers de la dernière heure. Pourront accompagner la procession d'ouverture : ***Dieu nous a tous appelés*** **CNA 571,** ***Peuple du Dieu vivant*** **K 42-70,** ***Église de ce temps*** **CNA 661,** ***Peuple de croyants rassemblés*** **A 27-23.**

Après l'homélie : ***À l'image de ton amour*** **CNA 529,** ***Dieu plus grand que notre cœur*** **R 48-12,** ***Prenons la main*** **CNA 580.**

Pendant la procession de communion : ***Voici le corps et le sang du Seigneur*** **D 44-80,** ***Voici le pain partagé*** **CNA 348,** ***Corps livré, sang versé*** **D 54-18.**

Pour l'action de grâce : ***Celui qui aime est né de Dieu*** **LNA 537,** ***Ubi caritas*** **CNA 448,** ***Seigneur, fais de moi un instrument*** **D 41-46,** ***De tout ton cœur tu aimeras*** **EDIT 43-79.**

• **PRIER** •

Pour la préparation pénitentielle

Seigneur Jésus, tu nous appelles à nous détourner de notre conduite mauvaise,
prends pitié de nous.

Ô Christ, tu nous appelles à nous soucier les uns des autres,
prends pitié de nous.

Seigneur, tu nous appelles à accomplir parfaitement ta loi par l'amour,
prends pitié de nous.

Pour la prière universelle

– Prions pour les enfants ou les jeunes qui reprennent le chemin de l'école ou des études, et pour leurs enseignants.
– Prions pour notre communauté qui démarre une nouvelle année pastorale après la coupure de l'été.
– Prions pour les personnes en situation de responsabilité ou d'autorité, dans l'Église et dans la société.
– Prions pour les couples et les familles déchirés par des conflits et qui ont besoin de paix et de réconciliation.

• **CÉLÉBRER** • Dans la droite ligne de l'évangile, il serait opportun de mettre en valeur le geste de paix. Le célébrant l'introduira par une brève monition qui en rappelle le sens : nous devenons les ambassadeurs de la paix venant du Christ. Puis il invitera les fidèles à prendre le temps nécessaire pour échanger un geste vraiment fraternel.

PRIÈRE D'OUVERTURE

Dieu qui as envoyé ton Fils pour nous sauver et pour faire de nous tes enfants d'adoption, regarde avec bonté ceux que tu aimes comme un père ; puisque nous croyons au Christ, accorde-nous la vraie liberté et la vie éternelle. Par Jésus Christ.

1re LECTURE — *Responsabilité du prophète*

Lecture du livre d'Ézékiel — Éz 33, 7-9

La parole du Seigneur me fut adressée. « Fils d'homme, je fais de toi un guetteur pour la maison d'Israël. Lorsque tu entendras une parole de ma bouche, tu les avertiras de ma part. Si je dis au méchant : “Tu vas mourir”, et que tu ne l'avertisses pas, si tu ne lui dis pas d'abandonner sa conduite mauvaise, lui, le méchant, mourra de son péché, mais à toi, je demanderai compte de son sang. Au contraire, si tu avertis le méchant d'abandonner sa conduite, et qu'il ne s'en détourne pas, lui mourra de son péché, mais toi, tu auras sauvé ta vie. »

PSAUME 94

• **Aujourd'hui, ne fermons pas notre cœur,**
mais écoutons la voix du Seigneur !

• **Avant de parler à nos frères,**
nous écoutons la Parole de Dieu.

Venez, crions de joie pour le Seigneur,
acclamons notre Rocher, notre salut !

Allons jusqu'à lui en rendant grâce,
par nos hymnes de fête acclamons-le !

Entrez, inclinez-vous, prosternez-vous,
adorons le Seigneur qui nous a faits.
Oui, il est notre Dieu ;
nous sommes le peuple qu'il conduit.

Aujourd'hui écouterez-vous sa parole ?
« Ne fermez pas votre cœur comme au désert
où vos pères m'ont tenté et provoqué,
et pourtant ils avaient vu mon exploit. »

2e LECTURE *L'accomplissement de la Loi, c'est l'amour*

Lecture de la lettre de saint Paul Apôtre aux Romains Rm 13, 8-10

Frères, ne gardez aucune dette envers personne, sauf la dette de l'amour mutuel, car celui qui aime les autres a parfaitement accompli la Loi. Ce que dit la Loi : « Tu ne commettras pas d'adultère, tu ne commettras pas de meurtre, tu ne commettras pas de vol, tu ne convoiteras rien », ces commandements et tous les autres se résument dans cette parole : « Tu aimeras ton prochain comme toi-même. » L'amour ne fait rien de mal au prochain. Donc, l'accomplissement parfait de la Loi, c'est l'amour.

Alléluia. Alléluia. Dans le Christ, Dieu s'est réconcilié avec le monde. Il a déposé sur nos lèvres la parole de réconciliation. **Alléluia.**

ÉVANGILE *La correction fraternelle*

Évangile de Jésus Christ selon saint Matthieu Mt 18, 15-20

Jésus disait à ses disciples : « Si ton frère a commis un péché, va lui parler seul à seul et montre-lui sa faute. S'il t'écoute, tu auras gagné ton frère. S'il ne t'écoute pas, prends encore avec toi une ou deux personnes, afin que toute l'affaire soit réglée sur la parole de deux ou trois témoins. S'il refuse de les écouter, dis-le à la communauté de l'Église ; s'il refuse encore d'écouter l'Église, considère-le comme un païen et un publicain. Amen, je vous le dis : tout ce que vous aurez lié sur la terre sera lié dans le ciel, et tout ce que vous aurez délié sur la terre sera délié dans le ciel. Encore une fois, je vous le dis : si deux d'entre vous sur la terre se mettent d'accord pour demander quelque chose, ils l'obtiendront de mon Père qui est aux cieux. Quand deux ou trois sont réunis en mon nom, je suis là, au milieu d'eux. »

Prière sur les offrandes

Dieu qui donnes la grâce de te servir avec droiture et de chercher la paix, fais que cette offrande puisse te glorifier, et que notre participation à l'eucharistie renforce les liens de notre unité. Par Jésus.

Prière après la communion

Par ta parole et ton pain, Seigneur, tu nourris et fortifies tes fidèles : accorde-nous de si bien profiter de ces dons que nous soyons associés pour toujours à la vie de ton Fils. Lui qui règne.

Calendrier liturgique

Di 7	**23e dimanche A.** *Liturgie des Heures : Psautier semaine III.*
Lu 8	Nativité de la Vierge Marie. Lectures propres : Mi 5, 1-4 ou Rm 8, 28-30 ; Mt 1, 1-16.18-23.
Ma 9	*S. Pierre Claver, prêtre, jésuite espagnol, apôtre des esclaves noirs, † 1654 à Carthagène en Colombie.*
Me 10	*En Afrique du Nord, S. Némésianus et ses compagnons, martyrs, † vers 255.*
Ve 12	*Le Saint Nom de Marie.* *En Afrique du Nord, S. Marcellin, martyr à Carthage, † 413.*
Sa 13	S. Jean Chrysostome, évêque de Constantinople, docteur de l'Église, † 407.

Bonne fête ! 7 : Régine, Reine, Réjane. 8 : Adrien. 9 : Alain, Omer. 10 : Aubert, Inès. 11 : Adelphe, Jean-Gabriel. 12 : Guy. 13 : Aimé, Amé.

Pour mémoire : il y a mille sept cents ans, en août 314, un concile était convoqué à Arles pour régler la crise donatiste (Donat de Carthage et ses partisans refusaient que les chrétiens qui avaient faibli durant la persécution de Dioclétien, en 303-305, puissent jamais obtenir le pardon de leur faiblesse et être réadmis à la communion eucharistique). Le concile condamna l'intransigeance de Donat et prit également position sur plusieurs points qui étaient alors en discussion : le service militaire (qui est reconnu comme un devoir du chrétien), le rôle des diacres (qui ne doivent pas empiéter sur les prérogatives de prêtres) et le prêt à intérêts (que ne peuvent pratiquer les clercs). Ces décisions sont consignées dans les « canons » du concile, qui nous sont parvenus.

Pour prolonger la prière : Dieu d'amour, Père de miséricorde, sans te lasser tu nous offres ton pardon. Accorde-nous la force de nous pardonner les uns aux autres. Nous t'en prions d'une même voix et d'un même cœur par Jésus qui vit au milieu de nous, et nous rassemble dans la communion de l'Esprit Saint, pour les siècles des siècles.

La Croix glorieuse

14 septembre 2014

ILS LÈVERONT LES YEUX

Les textes de cette fête peuvent surprendre lorsqu'on les rapproche. Comment oser comparer Jésus en croix au serpent de bronze, notre Sauveur au serpent, symbole du mal dans toute l'Écriture ? Un simple mot répond : élever. Dans l'épisode du livre des Nombres *(première lecture),* Moïse demande à ceux qui ont été mordus par un serpent venimeux d'élever les yeux vers le serpent de bronze fixé au bois d'une hampe. Ce n'est pas le serpent qui sauve, mais le fait de lever les yeux vers le ciel sur lequel se détachait l'image du mal vaincu. Par-delà le serpent, ils regardaient en réalité l'auteur du salut : le Seigneur. Reprenant l'image, Jean nous montre le Christ élevé sur le bois de la croix *(évangile).* Voulant le mettre à mort, les hommes le clouent sur la croix. En réalité, si le Christ est descendu du ciel, c'est pour y remonter. Envoyé par le Père pour nous sauver, c'est par le Père qu'il est élevé. Soyons clairs : la mort de Jésus en croix n'est pas destinée à apaiser la colère de Dieu. Elle est la manifestation de l'amour de Dieu pour les hommes. Dès lors, comment ne pas lever les yeux vers la croix du Christ, signe de notre salut !

L'hymne de saint Paul aux Philippiens *(deuxième lecture)* nous plonge au cœur du mystère divin pour nous donner le Christ comme modèle. De condition divine, il se dépouille de ce qui l'égale à Dieu ; il meurt de la mort d'un esclave et seule lui reste sa nature de Fils. À cet amour filial, Dieu répond en élevant son Fils. À celui qui n'a plus rien, il donne « le Nom qui est au-dessus de tout Nom », manifestant ainsi la seigneurie du Christ sur tous les êtres humains de tous les temps.

Belle invitation à lever nos regards pour contempler le Christ en croix : Il est notre salut.

Suggestions pour la célébration

• CHANTER • Pour la procession d'ouverture : ***Fais paraître ton jour*** CNA 552, ***Victoire, tu régneras*** CNA 468, ***Nous chantons la croix du Seigneur*** CNA 342.

Après l'homélie : ***Quand Jésus mourait au calvaire*** CNA 627 ou ***C'était nos péchés qu'il portait*** CNA 463.

Après la communion : ***Ô Croix dressée sur le monde*** CNA 465, ***Par la croix qui fit mourir*** CNA 467, ***Crucem tuam*** (répertoire de Taizé).

• PRIER • **POUR LA PRÉPARATION PÉNITENTIELLE**

Seigneur Jésus, par ton mystère pascal tu nous as donné le salut,
sois béni et prends pitié de nous.

Ô Christ, tu renouvelles en nous les merveilles de ta passion,
sois béni et prends pitié de nous.

Seigneur Jésus, par la communion à ton corps et à ton sang tu nous donnes ta vie,
sois béni et prends pitié de nous.

POUR LA PRIÈRE UNIVERSELLE

Nous pouvons prier :
– pour l'Église qui porte au monde le signe de la Croix : qu'elle sache suivre le Christ crucifié pour entrer avec lui dans la gloire ;
– pour les gouvernants : qu'ils travaillent à donner à leurs peuples la liberté, la justice et la paix ;
– pour les malades accablés par la souffrance : que leur union au Christ en Croix les garde dans la foi ;
– pour les chrétiens qui ont peur de la Croix : qu'ils sachent, en la regardant, y découvrir la source de leur engagement ;
– pour notre communauté : que la Croix du Christ soit sa fierté et son espérance.

• CÉLÉBRER • La Croix sera au centre de la célébration. Fleurie, elle pourra ouvrir la procession d'entrée. À l'arrivée au chœur, elle sera disposée dans l'espace liturgique en un lieu visible et à proximité de l'autel. Elle sera encensée, avec l'autel, au début de la célébration et lors de l'apport des dons.

On pourra, à la fin de l'homélie, prendre un temps de silence et inviter l'assemblée à regarder la Croix. Elle prendra la tête de la procession de sortie et il serait bon que l'assemblée la suive jusqu'à l'extérieur de l'église en chantant, par exemple « Victoire, tu régneras. »

PRIÈRE D'OUVERTURE

Tu as voulu, Seigneur, que tous les hommes soient sauvés par la croix de ton Fils ; permets qu'ayant connu dès ici-bas ce mystère, nous goûtions au ciel les bienfaits de la rédemption. Par Jésus Christ.

1re LECTURE — *Le serpent de bronze signe de salut*

Lecture du livre des Nombres — Nb 21, 4-9

Au cours de sa marche à travers le désert, le peuple d'Israël, à bout de courage, récrimina contre Dieu et contre Moïse : « Pourquoi nous avoir fait monter d'Égypte ? Était-ce pour nous faire mourir dans le désert, où il n'y a ni pain ni eau ? Nous sommes dégoûtés de cette nourriture misérable ! » Alors le Seigneur envoya contre le peuple des serpents à la morsure brûlante, et beaucoup en moururent dans le peuple d'Israël. Le peuple vint vers Moïse et lui dit : « Nous avons péché, en récriminant contre le Seigneur et contre toi. Intercède auprès du Seigneur pour qu'il éloigne de nous les serpents. » Moïse intercéda pour le peuple, et le Seigneur dit à Moïse : « Fais-toi un serpent, et dresse-le au sommet d'un mât : tous ceux qui auront été mordus, qu'ils le regardent, et ils vivront ! » Moïse fit un serpent de bronze et le dressa au sommet d'un mât. Quand un homme était mordu par un serpent, et qu'il regardait vers le serpent de bronze, il conservait la vie !

PSAUME 77

• **Par ta croix, Seigneur,**
tu nous rends la vie.

• **Toute langue proclame :**
Jésus Christ est Seigneur !

Nous avons entendu et nous savons
ce que nos pères nous ont raconté :
et nous redirons à l'âge qui vient
les titres de gloire du Seigneur.

Quand Dieu les frappait, ils le cherchaient,
ils revenaient et se tournaient vers lui :
ils se souvenaient que Dieu est leur rocher,
et le Dieu Très-Haut, leur rédempteur.

Mais de leur bouche ils le trompaient,
de leur langue ils lui mentaient.
Leur cœur n'était pas constant envers lui ;
ils n'étaient pas fidèles à son alliance.

Et lui, miséricordieux,
au lieu de détruire, il pardonnait.
Il se rappelait : ils ne sont que chair,
un souffle qui s'en va sans retour.

2e LECTURE — *Jésus Christ est Seigneur*

Lecture de la lettre de saint Paul aux Philippiens — Ph 2, 6-11

Le Christ Jésus, lui qui était dans la condition de Dieu, n'a pas jugé bon de revendiquer son droit d'être traité à l'égal de Dieu ; mais au contraire, il se dépouilla lui-même en prenant la condition de serviteur. Devenu semblable aux hommes et reconnu comme un homme à son comportement, il s'est abaissé lui-même en devenant obéissant jusqu'à mourir et à mourir sur une croix. C'est pourquoi Dieu l'a élevé au-dessus de tout ; il lui a conféré le Nom qui surpasse tous les noms, afin qu'au Nom de Jésus, aux cieux, sur terre et dans l'abîme, tout être vivant tombe à genoux et que toute langue proclame : « Jésus Christ est le Seigneur », pour la gloire de Dieu le Père.

Alléluia. Alléluia. Nous t'adorons, ô Christ, et nous te bénissons : par ta Croix, tu as racheté le monde. **Alléluia.**

ÉVANGILE *Pour que par lui le monde soit sauvé*

Évangile de Jésus Christ selon saint Jean Jn 3, 13-17

N**ul n'est monté au ciel** sinon celui qui est descendu du ciel, le Fils de l'homme. De même que le serpent de bronze fut élevé par Moïse dans le désert, ainsi faut-il que le Fils de l'homme soit élevé, afin que tout homme qui croit obtienne par lui la vie éternelle. Car Dieu a tant aimé le monde qu'il a donné son Fils unique : ainsi tout homme qui croit en lui ne périra pas, mais il obtiendra la vie éternelle. Car Dieu a envoyé son Fils dans le monde non pas pour juger le monde, mais pour que, par lui, le monde soit sauvé.

PRIÈRE SUR LES OFFRANDES

Que cette offrande, nous t'en supplions, Seigneur, nous purifie de toutes nos fautes, puisque sur l'autel de la croix le Christ a enlevé le péché du monde entier. Lui qui règne.

PRÉFACE

Vraiment, il est juste et bon de te rendre gloire, de t'offrir notre action de grâce toujours et en tout lieu, à toi, Père très saint, Dieu éternel et tout-puissant.

Car tu as attaché au bois de la croix le salut du genre humain, pour que la vie surgisse à nouveau d'un arbre qui donnait la mort et que l'ennemi, victorieux par le bois, fût lui-même vaincu sur le bois, par le Christ, notre Seigneur.

Par lui, avec les anges et tous les saints, nous chantons l'hymne de ta gloire et sans fin nous proclamons : **Saint !...**

On peut également employer la préface de la Passion I.

Prière après la communion

Fortifiés par la nourriture que tu nous as donnée, nous te supplions, Seigneur Jésus Christ : conduis à la gloire de la résurrection ceux que tu as fait revivre par le bois de ta croix. Toi qui règnes.

Le don du Fils

« Pour les très fatigués, si Jésus n'était pas venu pour rester de la façon la plus tangible, où serait le salut ? Mais ils savent aussi ce qui est si difficile à comprendre pour les nantis, à savoir que si Jésus avait gardé uniquement le rang qui l'égalait à Dieu, il n'eût jamais pu être une présence libératrice. »

Joseph Wresinski, *Les Pauvres, rencontre du vrai Dieu,* Éd. du Cerf, 2005, p. 126.

Calendrier liturgique

Di 14	**LA CROIX GLORIEUSE.** Lectures propres : Nb 21, 4-9 ou Ph 2, 6-11 ; Jn 3, 13-17. *Liturgie des Heures : Psautier semaine IV.*
Lu 15	Notre-Dame des Douleurs. Lectures propres : Jn 19, 25-27 ou Lc 2, 33-35.
Ma 16	S. Corneille, pape, martyr, † 253 à Civitavecchia, et S. Cyprien, évêque de Carthage, martyr, † 258. En Afrique du Nord, S. Cyprien, patron principal d'Afrique du Nord, solennité.
Me 17	*S. Robert Bellarmin, jésuite, cardinal, docteur de l'Église, † 1621 à Rome.* *En Belgique, S. Lambert, évêque de Maastricht, martyr à Liège, † 705.*
Je 18	*Au Luxembourg, S. Lambert (voir au 17 septembre).*
Ve 19	*S. Janvier, évêque de Bénévent (Italie), martyr, † 304.*
Sa 20	S. André Kim Tae-Gon, prêtre, S. Paul Chong Ha-sang, et leurs compagnons, martyrs en Corée, de 1839 à 1864.

Bonne fête ! 14 : Materne. 15 : Dolorès, Roland, Lola, Lolita. 16 : Corneille, Cyprien, Édith, Ludmilla. 17 : Lambert, Robert, Renaud, Romuald, Réginald. 18 : Nadège, Sonia, Océan. 19 : Janvier, Émilie, Amélie. 20 : Davy.

Pour prolonger la prière : Tu nous appelles, Seigneur notre Dieu, à suivre ton Fils sur le chemin de la Croix. Que son abaissement volontaire devienne notre force, sa Passion, notre espérance, sa mort, notre vie. Et nous aurons, pour tous nos frères, l'amour même dont le Christ nous a aimés, lui, le Crucifié que tu as exalté pour les siècles des siècles.

25e dimanche 21 septembre 2014

SES CHEMINS NE SONT PAS NOS CHEMINS

Qui pourra dire que Dieu n'est pas surprenant ? Loin de nos conventions, de nos jugements, il donne à tous le salut, dans une libéralité sans mesure. Les auditeurs de Jésus *(évangile)* n'attendaient pas une parabole aussi renversante. Ils se croient justes et se scandalisent de l'attitude de Jésus envers les pécheurs qu'ils méprisent. Ils se croient meilleurs et donc privilégiés dans l'amour de Dieu. L'amour de Dieu ne se confisque pas et Jésus rappelle la sollicitude du Père pour tous, sollicitude dont il convient de s'émerveiller. Le salut n'est pas réservé à une élite, à ceux qui estimeraient le mériter ; tous y ont accès sans que rien ne soit enlevé au plus fidèle. Dieu n'est ni fantaisiste, ni arbitraire ; il est tout amour pour tous. Dieu surprend toujours et ses pensées ne sont pas nos pensées.

Isaïe proclamait déjà que Dieu refuse d'enfermer l'homme dans son péché *(première lecture)*. Il appelle sans cesse le pécheur à se convertir et son pardon est sans mesure. À l'infidélité du peuple, il répond par la fidélité sans faille de son amour. En Jésus, nous avons découvert la merveille du don que Dieu fait à chaque homme *(deuxième lecture)*. Comment répondre à cet amour gratuit, sinon en abandonnant nos pensées, nos manières de juger, nos prétentions, pour nous rendre disponibles aux pensées de Dieu et suivre le Christ. Lui qui, prenant la place du dernier a accédé au statut de premier. Il ne s'agit donc pas d'une simple question d'horaire ou de salaire. Il s'agit, pour chacun de nous, de nous laisser modeler par Dieu à l'image du Christ, et de rejoindre le dernier, en nous dépouillant de toute prétention, pour trouver le Christ. Les chemins de Dieu ne sont vraiment pas nos chemins.

Suggestions pour la célébration

• **CHANTER** • Pour faire écho aux textes de ce jour, on peut retenir : pour la procession d'ouverture : ***Ouvriers de la paix*** CNA 522, ***Dieu nous éveille à la foi*** CNA 546, ***Écoute la voix du Seigneur*** CNA 761.

Après l'homélie : ***Les mots que tu nous dis*** E 164, ***Tu nous parles aujourd'hui par ton Fils*** X 54-03, ***Qui donc est Dieu ?*** CNA 582 ou CNA 583.

Pendant la procession de communion : ***le psaume*** 33 ; ***Voici le pain partagé*** CNA 348, ***Les pauvres mangeront à la table du Seigneur*** SYL F 501.

Pour l'action de grâce : ***Tenons en éveil*** CNA 591, ***Dieu très haut qui fais merveille*** CNA 548, ***Seigneur et maître de la vigne*** XT 48-49.

• **PRIER** • **POUR LA PRÉPARATION PÉNITENTIELLE**

Seigneur Jésus, tu nous appelles à travailler à la vigne du Père,
prends pitié de nous.

Ô Christ, tu viens convertir nos jugements et nos vies,
prends pitié de nous.

Seigneur Jésus, tu nous apprends la miséricorde du Père,
prends pitié de nous.

POUR LA PRIÈRE UNIVERSELLE

Nous pouvons prier :
- pour l'Église : qu'elle témoigne de l'amour de Dieu pour tous les hommes ;
- pour les chrétiens : qu'ils demeurent fidèles à la foi de leur baptême et à la mission qui leur est confiée ;
- pour les convertis, les nouveaux baptisés, ceux qui recommencent à croire : qu'ils se sentent aussi appelés à la mission ;
- pour ceux qui souffrent de ne pas avoir d'emploi ;
- ceux qui se mobilisent pour faire reculer le chômage : que leur service soit signe de solidarité.

• **CÉLÉBRER** • Si ce dimanche est un dimanche de rentrée pastorale, l'accueil aux portes de l'église sera particulièrement convivial et soigné.

La procession d'entrée se fera derrière la Croix du Christ – Il nous invite à prendre son chemin – et le Livre de la Parole – Il nous invite à entendre les pensées de Dieu.

Si des membres de la communauté reçoivent une mission, il serait bon de le signifier, à la fin de la célébration, par une bénédiction spéciale (*Livre des bénédictions*, p. 93 et suivantes).

PRIÈRE D'OUVERTURE

Seigneur, tu as voulu que toute la loi consiste à t'aimer et à aimer son prochain : donne-nous de garder tes commandements, et de parvenir ainsi à la vie éternelle. Par Jésus Christ.

1re LECTURE *« Mes pensées ne sont pas vos pensées »*

Lecture du livre d'Isaïe Is 55, 6-9

Cherchez le Seigneur tant qu'il se laisse trouver. Invoquez-le tant qu'il est proche. Que le méchant abandonne son chemin, et l'homme pervers, ses pensées ! Qu'il revienne vers le Seigneur, qui aura pitié de lui, vers notre Dieu, qui est riche en pardon. Car mes pensées ne sont pas vos pensées, et mes chemins ne sont pas vos chemins, déclare le Seigneur. Autant le ciel est élevé au-dessus de la terre, autant mes chemins sont élevés au-dessus des vôtres, et mes pensées, au-dessus de vos pensées.

PSAUME 144

• **Proche est le Seigneur de ceux qui l'invoquent.**

• **Ton amour, Seigneur, dépasse nos justices.**

Chaque jour je te bénirai,
je louerai ton nom toujours et à jamais.
Il est grand, le Seigneur, hautement loué ;
à sa grandeur, il n'est pas de limite.

Le Seigneur est tendresse et pitié,
lent à la colère et plein d'amour ;
la bonté du Seigneur est pour tous,
sa tendresse, pour toutes ses œuvres.

Le Seigneur est juste en toutes ses voies,
fidèle en tout ce qu'il fait.
Il est proche de ceux qui l'invoquent,
de tous ceux qui l'invoquent en vérité.

2e LECTURE — *« Pour moi, vivre c'est le Christ »*

Lecture de la lettre de saint Paul Apôtre aux Philippiens — Ph 1, 20c-24.27a

Frères, soit que je vive, soit que je meure, la grandeur du Christ sera manifestée dans mon corps. En effet, pour moi vivre, c'est le Christ, et mourir est un avantage. Mais si, en vivant en ce monde, j'arrive à faire un travail utile, je ne sais plus comment choisir. Je me sens pris entre les deux : je voudrais bien partir pour être avec le Christ, car c'est bien cela le meilleur ; mais, à cause de vous, demeurer en ce monde est encore plus nécessaire. Quant à vous, menez une vie digne de l'Évangile du Christ.

Alléluia. Alléluia. La bonté du Seigneur est pour tous, sa tendresse, pour toutes ses œuvres : tous acclameront sa justice. **Alléluia.**

ÉVANGILE — *La générosité de Dieu, dépasse notre justice*

Évangile de Jésus Christ selon saint Matthieu — Mt 20, 1-16

Jésus disait cette parabole : « Le Royaume des cieux est comparable au maître d'un domaine qui sortit au petit jour afin d'embaucher des ouvriers pour sa vigne. Il se mit d'accord avec eux sur un salaire d'une pièce d'argent pour la journée, et il les envoya à sa vigne. Sorti vers neuf heures, il en vit d'autres qui étaient là, sur la place, sans travail. Il leur dit : “Allez, vous aussi, à ma vigne, et je vous donnerai ce qui est juste.” Ils y allèrent. Il sortit de nouveau vers midi, puis vers trois heures, et fit de même. Vers cinq heures, il sortit encore, en trouva d’autres qui étaient là, et leur dit : “Pourquoi êtes-vous restés là, toute la journée, sans rien faire ?” Ils lui répondirent : “Parce que personne ne nous a embauchés.” Il leur dit : “Allez, vous aussi, à ma vigne.”

Le soir venu, le maître de la vigne dit à son intendant : “Appelle les ouvriers et distribue le salaire, en commençant par les derniers pour finir par les premiers.” Ceux qui n’avaient commencé qu’à cinq heures s’avancèrent et reçurent chacun une pièce d’argent. Quand vint le tour des premiers, ils pensaient recevoir davantage, mais ils reçurent, eux aussi, chacun une pièce d’argent. En la recevant, ils récriminaient contre le maître du domaine : “Ces derniers venus n’ont fait qu’une heure, et tu les traites comme nous, qui avons enduré le poids du jour et de la chaleur !” Mais le maître répondit à l’un d’entre eux : “Mon ami, je ne te fais aucun tort. N’as-tu pas été d’accord avec moi pour une pièce d’argent ? Prends ce qui te revient et va-t’en. Je veux donner à ce dernier autant qu’à toi : n’ai-je pas le droit de faire ce que je veux de mon bien ? Vas-tu regarder avec un œil mauvais parce que moi, je suis bon ?” Ainsi les derniers seront premiers et les premiers seront derniers. »

Prière sur les offrandes

Reçois favorablement, Seigneur, les offrandes de ton peuple, pour qu’il obtienne dans le mystère eucharistique les biens auxquels il croit de tout son cœur. Par Jésus.

Prière après la communion

Seigneur, que ton aide accompagne toujours ceux que tu as nourris de tes sacrements, afin qu’ils puissent, dans ces mystères et par toute leur vie, recueillir les fruits de la rédemption. Par Jésus.

Repartir

« L'espérance chrétienne ne suppose pas que l'homme ne s'écroule jamais, qu'il ne refuse pas de marcher, ni même qu'il ne blasphème pas sous la morsure de l'aiguillon, mais qu'il refuse de rester à terre. Comme le Christ, il se relève à chaque fois pour repartir vaille que vaille, mais pour repartir quand même. »

Joseph Wresinski, *Les Pauvres, rencontre du vrai Dieu*, Éd. du Cerf, 2005, p. 32.

Calendrier liturgique

Di 21	**25e dimanche A.** *Liturgie des Heures : Psautier semaine I.* [S. MATTHIEU, Apôtre et évangéliste.]
Lu 22	En Suisse, S. Maurice et ses compagnons, martyrs, † vers 286 à Agaune (Saint-Maurice en Valais).
Ma 23	*S. Pio de Pietrelcina (Padre Pio), prêtre capucin, † 1968 à San Giovanni Rotondo (Italie).*
Je 25	En Suisse, S. Nicolas de Fluë, ermite, patron principal de la Confédération helvétique, † 1487 à Ranft, solennité.
Ve 26	*S. Côme et S. Damien, martyrs, IIIe ou IVe siècle.* Au Canada, S. Jean de Brébeuf, S. Isaac Jogues, prêtres, et leurs compagnons jésuites, martyrs, patrons secondaires du Canada, † de 1642 à 1649. Ils sont au 19 octobre dans le calendrier général.
Sa 27	S. Vincent de Paul, prêtre, fondateur des Prêtres de la Mission (Lazaristes), † 1660 à Paris.

Bonne fête ! 21 : Matthieu, Déborah. 22 : Maurice, Morvan. 23 : Constant. 24 : Thècle. 25 : Herman, Firmin. 26 : Côme, Damien. 27 : Vincent.

Pour mémoire : le 26 septembre, Roch-ha-Chanah, nouvel an juif.

Pour prolonger la prière : Dieu juste et bon, tu appelles tous les hommes à te servir. Garde-nous dans l'humilité : nous saurons alors nous émerveiller du sens que tu donnes à notre vie et des fruits que ta grâce porte en nos frères. Exauce-nous par Jésus, ton Fils, dans l'Esprit d'amour.

DIACRE, LITURGIE ET SERVICE DES PAUVRES

La place du diacre dans la liturgie pose encore de nombreuses interrogations. Est-il un élément de solennité ou son rôle dépasse-t-il largement les rites qu'il effectue ? Pour saisir la portée du ministère diaconal dans la liturgie, il faut revenir au Jeudi saint. Au cours du dernier repas avec ses disciples, Jésus va poser deux gestes : rompre le pain et partager le vin en signe de sa vie donnée, laver les pieds de ses disciples en signe d'un Dieu serviteur de l'homme. La scène du lavement des pieds ne peut que nous renvoyer à la parabole du bon samaritain. Voici Dieu à genoux devant les pauvretés de nos vies, non seulement pour les regarder, mais pour les prendre en charge. Et au soir de la Cène, Jésus demande de faire les deux gestes « en mémoire » de lui. La célébration liturgique, particulièrement celle de l'Eucharistie, ne saurait être fidèle au commandement du Seigneur sans rappeler que le service du frère est indissociable du partage eucharistique. La présence du diacre dans la liturgie trouve là sa source et sa signification, comme un rappel permanent à voir dans le pauvre le visage du Christ, donc à lui donner la considération due à un frère.

Cependant son rôle n'est pas seulement du domaine de la symbolique. Attentif à la vie du monde, à ses souffrances et à ses pauvretés, il aide les équipes liturgiques à porter dans la prière celles et ceux qui souffrent. Dans son homélie, il n'oubliera pas de rappeler la nécessité de servir les pauvres comme constitutive de la foi. Accueillant à toutes les situations, il saura accompagner avec justesse et bonté ceux qui viennent frapper à la porte de l'Église. Il saura ne pas confisquer le service ou le souci des pauvres, mais être par sa prière, son attention, l'aiguillon qui donne à une communauté de ne jamais s'enfermer dans un cœur à cœur chaleureux avec le Christ, mais de le vénérer dans le visage de tout pauvre, quelle que soit sa pauvreté.

S. K.

26e dimanche 28 septembre 2014

RIEN N'EST JAMAIS JOUÉ

Comme elle est encore « étrange », l'attitude du Seigneur ! Nous avons tendance à penser que nous sommes définitivement liés par notre passé. Avec Dieu, rien n'est joué et nos actions passées ne nous enferment pas définitivement. Nous sommes toujours libres de changer en bien ou en mal. Ézékiel proclame que Dieu ne veut pas la mort du méchant mais sa conversion, alors que le péché paraît déterminer l'avenir sans rémission possible. Ainsi, il rappelle la liberté de l'homme et ce rappel sonne comme une invitation à l'espérance, *(première lecture).*

L'évangile nous présente deux fils dont l'attitude change. Entre leur réponse initiale et leur comportement final, ils ont modifié leur choix. En effet, l'annonce de l'Évangile et son accueil obligent au choix. Jésus veut le faire comprendre à ses auditeurs qui se retranchent derrière un statut social immuable. Ils considèrent que les uns sont, de droit, les héritiers naturels du Royaume, puisqu'ils appliquent scrupuleusement la Loi ; les autres sont exclus et considérés comme irrécupérables. Pourtant rien n'est jamais joué. Ni le statut social ni le statut religieux ne comptent pour être sauvé, mais l'accueil ou le refus de la Bonne Nouvelle. C'est le sens même de l'appel de Paul qui exhorte les Philippiens à mener une vie digne de l'Évangile en contemplant le Christ pour apprendre de lui à vivre en serviteur de tous *(deuxième lecture).*

Aujourd'hui comme hier, l'Évangile oblige le chrétien à faire un choix, à le ratifier, à le refaire sans cesse. Et ce choix demande une réponse en actes et pas seulement en paroles : avec Dieu, rien n'est jamais joué.

Puisque rien n'est jamais joué, rendons grâce. L'Eucharistie nous donne de répondre à l'Évangile et de nous engager à la suite du Christ. Pour nous non plus, rien n'est joué.

Suggestions pour la célébration

• CHANTER • Pour la procession d'ouverture : ***Peuple choisi*** CNA 543 (couplets 1, 3, 5, 7, 9 et 13), ***Tu es notre Dieu*** A 187, ***Dieu est à l'œuvre en cet âge*** CNA 541, ***Dieu nous a tous appelés*** CNA 571 (couplets 1, 2, et 4).

Après l'homélie : ***Les mots que tu nous dis*** E 164, ***Changez vos cœurs*** CNA 415, ***Choisirons-nous*** A 25-67-1.

Pour la procession de communion : ***De la table du Seigneur*** CNA 324, ***La coupe que nous bénissons*** CNA 331.

Après la communion : ***Pour que nos cœurs*** CNA 344, ***En accueillant l'amour*** CNA 325, ***Que vienne ton règne*** EDIT 16-03, ***Chantons à Dieu*** CNA 538.

• PRIER • **POUR LA PRÉPARATION PÉNITENTIELLE**

Seigneur Jésus, tu es le Fils bien-aimé envoyé par le Père pour travailler à sa vigne,
et nous t'avons rejeté,
prends pitié de nous.

Ô Christ, tu es venu dans le monde pour faire la volonté du Père,
et nous ne t'avons pas cru,
prends pitié de nous.

Seigneur Jésus, tu nous donnes ton Esprit pour éclairer nos choix,
et nous ne t'avons pas écouté,
prends pitié de nous.

POUR LA PRIÈRE UNIVERSELLE

Nous pouvons prier :
– pour l'Église : que sa vie soit accordée à son message ;
– pour les responsables des États : qu'ils portent le souci de servir les autres ;
– pour ceux que leur passé exclut : qu'ils ne désespèrent jamais de l'amour de Dieu ;
– pour ceux qui se donnent au service des autres : qu'ils restent fidèles à leur engagement ;

– pour notre communauté : qu'elle sache répondre par des actes à l'appel de Dieu.

• CÉLÉBRER • La croix sera en tête de la procession d'entrée. Placée dans un endroit visible du chœur et fleurie, l'assemblée l'aura sous les yeux. On pourra d'ailleurs faire suivre la deuxième lecture d'un temps de silence plus long qui permette de contempler la croix. À la fin de la proclamation, le lecteur se tourne vers la croix et ne regagne sa place que lorsqu'on entonne l'Alléluia.

PRIÈRE D'OUVERTURE

Dieu qui donnes la preuve suprême de ta puissance, lorsque tu patientes et prends pitié, sans te lasser, accorde-nous ta grâce : en nous hâtant vers les biens que tu promets, nous parviendrons au bonheur du ciel. Par Jésus Christ.

1re LECTURE *Dieu nous appelle chaque jour à nous convertir*

Lecture du livre d'Ézékiel Éz 18, 25-28

Parole du Seigneur tout-puissant. Je ne désire pas la mort du méchant, et pourtant vous dites : « La conduite du Seigneur est étrange. » Écoutez donc, fils d'Israël : est-ce ma conduite qui est étrange ? N'est-ce pas plutôt la vôtre ? Si le juste se détourne de sa justice, se pervertit, et meurt dans cet état, c'est à cause de sa perversité qu'il mourra. Mais si le méchant se détourne de sa méchanceté pour pratiquer le droit et la justice, il sauvera sa vie. Parce qu'il a ouvert les yeux, parce qu'il s'est détourné de ses fautes, il ne mourra pas, il vivra.

PSAUME 24

• **Souviens-toi, Seigneur, de ton amour,**
et viens nous sauver.

• **En nous tournant vers toi, notre Dieu,**
nous trouvons la vie.

Seigneur, enseigne-moi tes voies,
fais-moi connaître ta route.
Dirige-moi par ta vérité, enseigne-moi,
car tu es le Dieu qui me sauve.

Rappelle-toi, Seigneur, ta tendresse,
ton amour qui est de toujours.
Oublie les révoltes, les péchés de ma jeunesse,
dans ton amour, ne m'oublie pas.

Il est droit, il est bon, le Seigneur,
lui qui montre aux pécheurs le chemin.
Sa justice dirige les humbles,
il enseigne aux humbles son chemin.

2e LECTURE — *L'unité dans l'amour à la suite du Christ*

Lecture de la lettre de saint Paul Apôtre aux Philippiens — Ph 2, 1-11

La lecture du texte entre crochets est facultative.

Frères, s'il est vrai que dans le Christ on se réconforte les uns les autres, si l'on s'encourage dans l'amour, si l'on est en communion dans l'Esprit, si l'on a de la tendresse et de la pitié, alors, pour que ma joie soit complète, ayez les mêmes dispositions, le même amour, les mêmes sentiments ; recherchez l'unité. Ne soyez jamais intrigants ni vantards, mais ayez assez d'humilité pour estimer les autres supérieurs à vous-mêmes. Que chacun de vous ne soit pas préoccupé de lui-même, mais aussi des autres. Ayez entre vous les dispositions que l'on doit avoir dans le Christ Jésus : [lui qui était dans la condition de Dieu, il n'a pas jugé bon de revendiquer son droit d'être traité à l'égal de Dieu ; mais au contraire, il se dépouilla lui-même en prenant la condition de serviteur. Devenu semblable aux hommes et reconnu comme un homme à son comportement, il s'est abaissé lui-même en devenant obéissant jusqu'à mourir, et à mourir sur une croix. C'est pourquoi Dieu l'a élevé au-dessus de tout ; il lui a conféré le Nom qui surpasse tous les noms, afin qu'au Nom de Jésus, aux cieux, sur terre et dans l'abîme, tout être vivant tombe à genoux, et que toute langue proclame : « Jésus Christ est le Seigneur », pour la gloire de Dieu le Père.]

Alléluia. Alléluia. Aujourd'hui, ne fermez pas votre cœur, mais écoutez la voix du Seigneur. **Alléluia.**

ÉVANGILE — *Se convertir non en paroles, mais en actes*

Évangile de Jésus Christ selon saint Matthieu — Mt 21, 28-32

Jésus disait aux chefs des prêtres et aux anciens : « Que pensez-vous de ceci ? Un homme avait deux fils. Il vint trouver le premier et lui dit : "Mon enfant, va travailler aujourd'hui à ma vigne." Il répondit : "Je ne veux pas." Mais ensuite, s'étant repenti, il y alla. Abordant le second, le père lui dit la même chose. Celui-ci répondit : "Oui, Seigneur !" et il n'y alla pas. Lequel des deux a fait la volonté du père ? » Ils lui répondent : « Le premier. » Jésus leur dit : « Amen, je vous le déclare : les publicains et les prostituées vous précèdent dans le Royaume de Dieu. Car Jean Baptiste est venu à vous, vivant selon la justice, et vous n'avez pas cru à sa parole, tandis que les publicains et les prostituées y ont cru. Mais vous, même après avoir vu cela, vous ne vous êtes pas repentis pour croire à sa parole. »

PRIÈRE SUR LES OFFRANDES

Dieu de miséricorde, accepte notre offrande : qu'elle ouvre largement pour nous la source de toute bénédiction. Par Jésus.

PRIÈRE APRÈS LA COMMUNION

Que cette eucharistie, Seigneur, renouvelle nos esprits et nos corps, et nous donne part à l'héritage glorieux de celui qui nous unit à son sacrifice lorsque nous proclamons sa mort. Lui qui règne.

La conversion à l'homme

« Il est vrai qu'il n'est pas plus facile de satisfaire Jésus ressuscité que le Dieu des tables de la Loi. Il continue de demander la conversion, et quelle conversion ! La conversion à l'homme, que la confiance de Dieu a grandi à un point inimaginable et qui peut nous faire peur. »

Joseph Wresinski, *Les Pauvres, rencontre du vrai Dieu,* Éd. du Cerf, 2005, p. 153.

Calendrier liturgique

Di 28	**26e dimanche A.** *Liturgie des Heures : Psautier semaine II.* *[S. Venceslas, duc de Bohême, martyr, † 929 ou 935.* *S. Laurent Ruiz et ses compagnons, martyrs à Nagasaki (Japon) de 1633 à 1637.]*
Lu 29	SAINTS MICHEL, GABRIEL ET RAPHAËL, archanges. Lectures propres : Dn 7, 9-10.13-14 ou Ap 12, 7-12 ; Jn 1, 47-51.
Ma 30	S. Jérôme, prêtre, docteur de l'Église, † 420 à Bethléem.
Me 1er	Ste Thérèse de l'Enfant Jésus et de la Sainte Face, vierge, carmélite, docteur de l'Église, patronne des missions, patronne secondaire de la France, † 1897 à Lisieux.
Je 2	Saints Anges gardiens.
Sa 4	S. François, fondateur des Frères mineurs, † 1226 à Assise.

Bonne fête ! 28 : Venceslas. 29 : Michel, Michaël, Gabriel, Gaby, Raphaël. 30 : Jérôme, Géronimo. 1er : Thérèse, Arielle. 2 : Léger. 3 : Blanche, Candide. 4 : François, Francis, Frank, Aure, Orianne.

Pour mémoire : le 4 octobre, dans la communauté juive, Yom Kippour, le jour du grand Pardon.

Pour prolonger la prière : Dieu notre Père, tu mets ta joie en ceux qui écoutent ta Parole dans la foi et l'obéissance. Fais-nous revenir à toi pour accomplir ta volonté telle que Jésus nous l'a révélée. Lui qui t'a servi parfaitement et qui te glorifie pour les siècles des siècles.

27e dimanche

5 octobre 2014

QUELLE FÉCONDITÉ ?

Les leçons de l'histoire ne sont pas souvent entendues. Le peuple d'Israël est aussi oublieux que les autres. Le prophète Isaïe interpelle alors ses auditeurs : ils retombent dans les errements d'autrefois qui ont mené Israël à la ruine et à l'exil. De façon imagée, il pose au peuple la question de sa fidélité à Dieu : quels fruits produisez-vous en réponse aux nombreuses prévenances du Seigneur ? *(première lecture).*

Reprenant à son compte le texte d'Isaïe, Jésus rappelle à ses auditeurs la vocation de l'homme : porter du fruit. Et il met en garde : il n'y aura de fruit que si l'homme laisse la parole de Dieu le féconder *(évangile) ;* le Royaume de Dieu ne saurait advenir sans que Jésus qui l'annonce soit accueilli. Pourtant Jésus essuie échec et refus. Sa mise en garde à ses auditeurs vaut pour nous aujourd'hui : quel accueil réservons-nous au Christ, Parole vivante ? Quel produit de sa vigne pourrons-nous offrir au Seigneur ? Quel traitement réservons-nous à ses envoyés ? Ces questions rejoignent les recommandations que saint Paul adressait au Philippiens *(deuxième lecture).* La meilleure manière de porter du fruit n'est-elle pas de mettre en pratique ce que nous avons, nous aussi, appris et reçu ? Vivre dans l'action de grâce et dans la paix... Rechercher tout ce qui est juste... Ancrer l'Évangile au cœur de notre idéal humain... Ainsi nous produirons le fruit que Dieu attend de nous. Mais sans l'amour prévenant de Dieu pour nous, une fécondité est-elle possible ? Aussi le psalmiste supplie-t-il Dieu de ne pas abandonner sa vigne, son peuple, aujourd'hui l'Église.

Que notre prière et notre action de grâce montent vers Dieu pour la fécondité de l'Église, sa vigne.

Suggestions pour la célébration

• **CHANTER** • Pour la procession d'ouverture : ***Peuple de baptisés*** dont les couplets, dans **CNA 573**, sont inspirés des textes de ce jour ; ***Pour accomplir les œuvres du Père*** **K 234-2**, ***Église aux cent mille visages*** **A 55-92**, ***Peuple de Dieu, marche joyeux*** **CNA 574** (couplets 1, 3, 9, et 13).

Après l'homélie : ***Seigneur et maître de la vigne*** **XT 48-41**, ***Pour que l'homme soit un fils*** **CNA 426**.

Pour la présentation des dons : ***Quand tu viendras dans ta vigne*** **B 28-79-1**.

Pendant la procession de communion : ***Pain véritable*** **CNA 340** (couplets 5, 6, et 7), ***Corps livré, sang versé*** **D 54-18**, ***La coupe que nous bénissons*** **CNA 331**.

Pour l'action de grâce : ***Pour que nos cœurs*** **CNA 344**, ***En mémoire du Seigneur*** **CNA 327**, ***Nous te rendons grâce*** **X 60**.

• **PRIER** • **POUR LA PRÉPARATION PÉNITENTIELLE**

Seigneur Jésus, en toi le Père nous donne sa paix,
prends pitié de nous.

Ô Christ, pierre d'angle rejetée par les bâtisseurs,
prends pitié de nous.

Seigneur Jésus, près du Père tu nous prépares l'héritage promis,
prends pitié de nous.

POUR LA PRIÈRE UNIVERSELLE

Nous pouvons prier :
– pour nos frères juifs, héritiers de la Promesse : qu'ils restent fidèles à l'Alliance ;
– pour l'Église chargée d'annoncer l'Évangile : qu'elle soit fidèle à la parole du Christ ;
– pour les prophètes de notre temps : que leur parole qui dérange trouve un écho dans notre monde ;
– pour les martyrs de la foi : que leur témoignage soit accueilli comme source de vie ;

– pour notre communauté : qu'elle porte des fruits d'amour et de paix.

• **CÉLÉBRER** • Ce dimanche, on portera une attention particulière à la procession des dons. Le pain sera apporté dans une patène unique et le vin dans une carafe qui laisse voir le produit de la vigne. Dans la mesure du possible, la communion sous les deux espèces sera proposée.

Habituellement, les prières de présentation des dons se disent à voix basse. On pourrait peut-être les dire à voix haute, ce dimanche.

PRIÈRE D'OUVERTURE

Dans ton amour inépuisable, Dieu éternel et tout-puissant, tu combles ceux qui t'implorent, bien au-delà de leurs mérites et de leurs désirs ; répands sur nous ta miséricorde en délivrant notre conscience de ce qui l'inquiète et en donnant plus que nous n'osons demander. Par Jésus Christ.

1re LECTURE *Le Seigneur est déçu par sa vigne bien-aimée*

Lecture du livre d'Isaïe Is 5, 1-7

Je chanterai pour mon ami le chant du bien-aimé à sa vigne. Mon ami avait une vigne sur un coteau plantureux. Il en retourna la terre et en retira les pierres, pour y mettre un plant de qualité. Au milieu, il bâtit une tour de garde et creusa aussi un pressoir. Il en attendait de beaux raisins, mais elle en donna de mauvais.

Et maintenant, habitants de Jérusalem, hommes de Juda, soyez donc juges entre moi et ma vigne ! Pouvais-je faire pour ma vigne plus que je n'ai fait ? J'attendais de beaux raisins, pourquoi en a-t-elle donné de mauvais ? Eh bien, je vais vous apprendre ce que je vais faire de ma vigne : enlever sa clôture pour qu'elle soit dévorée par les animaux ; ouvrir une brèche dans son mur pour qu'elle soit piétinée. J'en ferai une pente désolée ; elle ne sera ni taillée ni sarclée, il y poussera des épines et des ronces ; j'interdirai aux nuages d'y faire tomber la pluie.

La vigne du Seigneur de l'univers, c'est la maison d'Israël. Le plant qu'il chérissait, ce sont les hommes de Juda. Il en attendait le droit, et voici l'iniquité ; il en attendait la justice, et voici les cris de détresse.

PSAUME 79

• **Regarde ta vigne, Seigneur ;**
viens sauver ton peuple.

• **Que ton visage s'éclaire et nous serons sauvés.**

La vigne que tu as prise à l'Égypte,
tu la replantes en chassant des nations.
Tu déblaies le sol devant elle,
tu l'enracines pour qu'elle emplisse le pays.

Pourquoi as-tu percé sa clôture ?
Tous les passants y grappillent en chemin ;
le sanglier des forêts la ravage
et les bêtes des champs la broutent.

Dieu de l'univers, reviens !
Du haut des cieux, regarde et vois :
visite cette vigne, protège-la,
celle qu'a plantée ta main puissante.

Jamais plus nous n'irons loin de toi :
fais-nous vivre et invoquer ton nom !
Dieu de l'univers, fais-nous revenir ;
que ton visage s'éclaire, et nous serons sauvés !

2e LECTURE — *Dieu donne sa paix à ceux qui sont fidèles*

Lecture de la lettre de saint Paul Apôtre
aux Philippiens — Ph 4, 6-9

Frères, ne soyez inquiets de rien, mais, en toute circonstance, dans l'action de grâce priez et suppliez pour faire connaître à

Dieu vos demandes. Et la paix de Dieu, qui dépasse tout ce qu'on peut imaginer, gardera votre cœur et votre intelligence dans le Christ Jésus.

Enfin, mes frères, tout ce qui est vrai et noble, tout ce qui est juste et pur, tout ce qui est digne d'être aimé et honoré, tout ce qui s'appelle vertu et qui mérite des éloges, tout cela, prenez-le à votre compte. Ce que vous avez appris et reçu, ce que vous avez vu et entendu de moi, mettez-le en pratique. Et le Dieu de la paix sera avec vous.

Alléluia. Alléluia. Aujourd'hui, Dieu nous parle en son Fils, lui qu'il a établi héritier de toute chose : c'est là l'œuvre du Seigneur. **Alléluia.**

ÉVANGILE — *Parabole des vignerons meurtriers*

Évangile de Jésus Christ selon saint Matthieu — Mt 21, 33-43

Jésus disait aux chefs des prêtres et aux pharisiens : « Écoutez cette parabole : Un homme était propriétaire d'un domaine ; il planta une vigne, l'entoura d'une clôture, y creusa un pressoir et y bâtit une tour de garde. Puis il la donna en fermage à des vignerons, et partit en voyage. Quand arriva le moment de la vendange, il envoya ses serviteurs auprès des vignerons pour se faire remettre le produit de la vigne. Mais les vignerons se saisirent des serviteurs, frappèrent l'un, tuèrent l'autre, lapidèrent le troisième. De nouveau, le propriétaire envoya d'autres serviteurs plus nombreux que les premiers ; mais ils furent traités de la même façon. Finalement, il leur envoya son fils, en se disant : "Ils respecteront mon fils." Mais, voyant le fils, les vignerons se dirent entre eux : "Voici l'héritier : allons-y ! tuons-le, nous aurons l'héritage !" Ils se saisirent de lui, le jetèrent hors de la vigne et le tuèrent.

Eh bien, quand le maître de la vigne viendra, que fera-t-il à ces vignerons ? » On lui répond : « Ces misérables, il les fera périr misérablement. Il donnera la vigne en fermage à d'autres vignerons, qui lui remettront le produit en temps voulu. » Jésus leur dit : « N'avez-vous jamais lu dans les Écritures : "La pierre qu'ont rejetée les bâtisseurs est devenue la pierre angulaire. C'est là l'œuvre du Seigneur, une merveille sous nos yeux !" Aussi, je vous le dis : le Royaume de Dieu vous sera enlevé pour être donné à un peuple qui lui fera produire son fruit. »

Prière sur les offrandes

Accepte, Seigneur, le sacrifice que tu nous as donné : dans les mystères que nous célébrons pour te rendre grâce, sanctifie les hommes que tu as sauvés par ton Fils. Lui qui règne.

Prière après la communion

Accorde-nous, Seigneur notre Dieu, de trouver dans cette communion notre force et notre joie ; afin que nous puissions devenir ce que nous avons reçu. Par Jésus.

Le grain qui meurt

« La mort de Jésus est salut du monde parce que lui-même, obéissant à la volonté de son Père, donne à sa mort une signification de salut. Le grain qui meurt porte déjà en lui la signification de beaucoup de fruits parce qu'il est tombé dans la terre, là il peut mourir pour donner ensuite des fruits. De même, Jésus n'a jamais demandé aux hommes de donner simplement leur vie, mais de prendre leur croix et de le suivre au nom du Royaume, au nom de l'Évangile, au nom de Dieu. Ainsi, en même temps que le renoncement, le dépouillement des biens terrestres et le don de la vie, Dieu est là. Nous sommes, déjà, aux côtés de Jésus qui ne cesse sur son chemin de créer la fête, le pardon, la guérison, comme parmi les foules de Galilée et de Judée. »

Joseph Wresinski, *Les Pauvres, rencontre du vrai Dieu,* Éd. du Cerf, 2005, p. 114.

Calendrier liturgique

Di 5 **Vingt-septième dimanche A.**
Liturgie des Heures : Psautier semaine III.

Lu 6 *S. Bruno, prêtre, fondateur de la Grande Chartreuse, † 1101 en Calabre.*

Ma 7	Notre-Dame du Rosaire.
Je 9	*S. Denis, évêque de Paris, et ses compagnons, martyrs, IIIe siècle.*
	S. Jean Léonardi, prêtre, fondateur des Clercs de la Mère de Dieu, † 1609 à Rome.

Bonne fête ! 5 : Fleur, Flore, Capucine, Hortense, Violaine, Placide. 6 : Bruno, Foy. 7 : Rosario, Gustave, Serge. 8 : Pélagie. 9 : Denis, Sara, Sybille. 10 : Ghislain, Ghislaine, Virgile. 11 : Firmin, Soledad.

Pour prolonger la prière : Dieu bon et ami des hommes, tu nous confies ton Royaume et sans cesse tu nous rends ta confiance. Mets en nous la force d'aimer et garde-nous fidèles à ton Alliance : ainsi nous produirons le fruit que tu attends. Par Jésus le Vivant aux siècles des siècles.

28e dimanche — 12 octobre 2014

QUAND DIEU INVITE

Quelle mouche les a donc piqués ? Une noce est *a priori* une occasion de fête, de joie à laquelle on refuse rarement de participer. Pourtant, les invités n'entendent pas l'invitation. Ils sont trop occupés et la routine de leurs occupations les rend sourds. Chacun s'en va, l'un à son champ, l'autre à son commerce. D'autres, à la manière des vignerons homicides, tuent les serviteurs qui viennent les convier. Et la colère du roi frappe. Dieu qui invite serait-il un maître impitoyable ? *(évangile).* La suite de la parabole nous donne pourtant un autre visage de Dieu. Ne serait-il pas plutôt un Dieu qui donne largement ? Puisque les invités refusent de répondre à l'invitation, la salle des noces voit affluer d'autres convives : tous ceux que les serviteurs rencontrent, les mauvais comme les bons. Dieu apparaît alors comme celui qui donne. Présenterait-il pour autant un double visage ? En réalité les deux attitudes transmettent un même message : pour recevoir le don de Dieu, il faut se déplacer, l'accueillir, mais aussi changer de vêtement, c'est-à-dire se rendre dignes, être justifiés. Pour cela, il suffit de croire à la promesse de joie, d'estimer que l'invitation de Dieu est plus importante que toutes les occupations. Donc de changer de projet, de se convertir au don de la vie de Dieu. Quand Dieu offre avec surabondance *(première lecture),* c'est pour donner sa vie. Quand Dieu nous comble des richesses de sa grâce, c'est pour que toute notre vie lui rende grâce *(deuxième lecture).* Quand Dieu prépare la table pour nous, c'est pour que notre vie soit à Lui *(psaume).*

Dans l'Eucharistie, Dieu nous fait don de sa vie. Nous avons revêtu nos cœurs du vêtement de noces car le don de Dieu est exigence de conversion. Rendons-lui grâce. Seule, sa grâce peut nous convertir.

Suggestions pour la célébration

• CHANTER • Pour la procession d'ouverture : ***Dieu nous accueille*** **CNA 545,** ***Peuple rassemblé, ton Église en fête*** **A 58-10,** ***Dieu nous éveille à la foi*** **CNA 546.**

Le ***psaume*** **22** sera chanté. De nombreuses versions existent dont CNA p. 38 ; ***Il est l'Agneau et le Pasteur*** **CNA 556.**

Après l'homélie : ***Aux noces de ton Fils*** **XA 48-29** ou ***Disciples de Jésus*** **D 291.**

Pour la procession de communion : ***La Sagesse a dressé une table*** **CNA 332,** ***Voici le corps et le sang du Seigneur*** **D 44-80,** ***Tu nous guideras*** **CNA 596.**

Pour l'action de grâce : ***Mendiant du jour*** **CNA 334,** ***Les pauvres mangeront*** **CNA 333,** ***En accueillant l'amour*** **CNA 325.**

• PRIER • POUR LA PRÉPARATION PÉNITENTIELLE

Seigneur Jésus, tu nous invites au festin du Royaume,
prends pitié de nous.

Ô Christ, tu apprêtes pour nous la table du Royaume,
prends pitié de nous.

Seigneur Jésus, tu nous donnes l'Eucharistie comme prémices du Royaume,
prends pitié de nous.

POUR LA PRIÈRE UNIVERSELLE

Nous pouvons prier :
– pour l'Église : qu'elle reste fidèle à sa mission d'accueil et d'écoute de tous ;
– pour les exclus d'aujourd'hui : qu'ils trouvent sur leur chemin des frères qui sachent les inviter ;
– pour les chercheurs de Dieu : qu'ils rencontrent des chrétiens capables de répondre à leur attente ;
– pour notre communauté : qu'elle soit attentive à rassembler plutôt que tentée d'exclure.

• **CÉLÉBRER** • Les textes de ce dimanche invitent à encenser l'autel qui aura été mis en valeur par une belle nappe, les lumières, les fleurs disposées au pied.

Ce sera l'occasion de bien mettre en œuvre ou de redécouvrir le rite d'envoi de celles et ceux qui vont porter la communion aux malades et à ceux que le travail empêche de participer à l'eucharistie. (Voir Missel d'autel, p. 446).

PRIÈRE D'OUVERTURE

Nous t'en prions, Seigneur, que ta grâce nous devance et qu'elle nous accompagne toujours, pour nous rendre attentifs à faire le bien sans relâche. Par Jésus Christ.

1re LECTURE — *Le festin messianique*

Lecture du livre d'Isaïe — Is 25, 6-9

Ce jour-là, le Seigneur, Dieu de l'univers, préparera pour tous les peuples, sur sa montagne, un festin de viandes grasses et de vins capiteux, un festin de viandes succulentes et de vins décantés. Il enlèvera le voile de deuil qui enveloppait tous les peuples et le linceul qui couvrait toutes les nations. Il détruira la mort pour toujours. Le Seigneur essuiera les larmes sur tous les visages, et par toute la terre il effacera l'humiliation de son peuple ; c'est lui qui l'a promis.

Et ce jour-là, on dira : « Voici notre Dieu, en lui nous espérions, et il nous a sauvés ; c'est lui le Seigneur, en lui nous espérions ; exultons, réjouissons-nous : il nous a sauvés ! »

PSAUME 22

• **Près de toi, Seigneur, sans fin nous vivrons.**

• **Nous espérons, Seigneur,**
demeurer chez toi à jamais.

Le Seigneur est mon berger :
je ne manque de rien.
Sur des prés d'herbe fraîche,
il me fait reposer.

Il me mène vers les eaux tranquilles
et me fait revivre ;
il me conduit par le juste chemin
pour l'honneur de son nom.

Si je traverse les ravins de la mort,
je ne crains aucun mal,
car tu es avec moi,
ton bâton me guide et me rassure.

Tu prépares la table pour moi
devant mes ennemis ;
tu répands le parfum sur ma tête,
ma coupe est débordante.

Grâce et bonheur m'accompagnent
tous les jours de ma vie ;
j'habiterai la maison du Seigneur
pour la durée de mes jours.

2e LECTURE — *La vraie richesse dans le Christ*

Lecture de la lettre de saint Paul Apôtre aux Philippiens — Ph 4, 12-14.19-20

Frères, je sais vivre de peu, je sais aussi avoir tout ce qu'il me faut. Être rassasié et avoir faim, avoir tout ce qu'il me faut et manquer de tout, j'ai appris cela de toutes les façons. Je peux tout supporter avec celui qui me donne la force. Cependant, vous avez bien fait de m'aider tous ensemble quand j'étais dans la gêne. Et mon Dieu subviendra magnifiquement à tous vos besoins selon sa richesse dans le Christ Jésus. Gloire à Dieu notre Père pour les siècles des siècles. Amen.

Alléluia. Alléluia. Voici la Pâque du Seigneur au milieu de son peuple. Heureux les invités au festin du Royaume ! **Alléluia.**

ÉVANGILE *Parabole des invités au festin*

Évangile de Jésus Christ selon saint Matthieu Mt 22, 1-14

La lecture du texte entre crochets est facultative.

Jésus disait en paraboles : « Le Royaume des cieux est comparable à un roi qui célébrait les noces de son fils. Il envoya ses serviteurs pour appeler à la noce les invités, mais ceux-ci ne voulaient pas venir. Il envoya encore d'autres serviteurs dire aux invités : "Voilà : mon repas est prêt, mes bœufs et mes bêtes grasses sont égorgés ; tout est prêt : venez au repas de noce." Mais ils n'en tinrent aucun compte et s'en allèrent, l'un à son champ, l'autre à son commerce ; les autres empoignèrent les serviteurs, les maltraitèrent et les tuèrent. Le roi se mit en colère, il envoya ses troupes, fit périr les meurtriers et brûla leur ville. Alors il dit à ses serviteurs : "Le repas de noce est prêt, mais les invités n'en étaient pas dignes. Allez donc aux croisées des chemins : tous ceux que vous rencontrerez, invitez-les au repas de noce." Les serviteurs allèrent sur les chemins, rassemblèrent tous ceux qu'ils rencontrèrent, les mauvais comme les bons, et la salle de noce fut remplie de convives.

[Le roi entra pour voir les convives. Il vit un homme qui ne portait pas le vêtement de noce, et lui dit : "Mon ami, comment es-tu entré ici, sans avoir le vêtement de noce ?" L'autre garda le silence. Alors le roi dit aux serviteurs : "Jetez-le, pieds et poings liés, dehors dans les ténèbres ; là, il y aura des pleurs et des grincements de dents." Certes, la multitude des hommes est appelée, mais les élus sont peu nombreux. »]

PRIÈRE SUR LES OFFRANDES

Avec ces offrandes, Seigneur, reçois les prières de tes fidèles ; que cette liturgie célébrée avec amour nous fasse passer à la gloire du ciel. Par Jésus.

Prière après la communion

Dieu souverain, nous te le demandons humblement : rends-nous participants de la nature divine, puisque tu nous as fait communier au corps et au sang du Christ. Lui qui règne.

Les nantis au festin des pauvres

« "La noce est prête, mais les invités n'en étaient pas dignes", dit Matthieu (Mt 22, 8). Et nous voilà au milieu d'un festin d'où seront absents les nantis et qui va devenir celui des pauvres, des affamés, des infirmes réunis autour de la table resplendissante, s'empressant de tendre la main vers les plats de fête. Ce sera cela, le Royaume, dit Jésus. Image bouleversante et, plus qu'une image, une réalité. Puisque toute sa vie, Jésus, le pauvre d'Isaïe, opta pour les pauvres et en fit ses compagnons de vie. En lui, le Royaume était déjà arrivé. Mais alors, les nantis auraient-ils perdu leur place pour toujours ? Bien sûr que non ! Dire cela, ce serait encore faire tort à Jésus et déformer la parole de Dieu. Tout l'Évangile dit le contraire et, aujourd'hui, il nous rappelle avec force que Dieu a envoyé son Fils par amour, non pas pour juger mais pour sauver. Pour sauver aussi et en même temps les nantis. »

Joseph Wresinski, *Les Pauvres, rencontre du vrai Dieu,* Éd. du Cerf, 2005, p. 100.

Calendrier liturgique

Di 12	**28e dimanche A.** *Liturgie des Heures : Psautier semaine IV.*
Ma 14	*S. Calliste Ier, pape, martyr, † 222 à Rome.*
Me 15	Ste Thérèse d'Avila, vierge, réformatrice du Carmel, docteur de l'Église, † 1582.
Je 16	*Ste Edwige, mère de famille puis religieuse, † 1243 en Silésie.* *Ste Marguerite-Marie Alacoque, vierge, visitandine, † 1690 à Paray-le-Monial.* Au Canada, Ste Marie-Marguerite d'Youville, mère de famille, puis religieuse, † 23 décembre 1771 à Montréal.
Ve 17	S. Ignace, évêque d'Antioche, martyr, † vers 107 à Rome.
Sa 18	S. LUC, évangéliste. Lectures propres : 2 Tm 4, 9-17 ; Lc 10, 1-9.

Bonne fête ! 12 : Séraphin. 13 : Gérard. 14 : Calliste, Gwendoline. 15 : Thérèse, Térésa, Aurèle, Aurélie. 16 : Edwige, Marguerite-Marie, Bertrand. 17 : Ignace, Baudouin. 18 : Luc, Aimable, Guénolé (3 mars), Gwenn (Guewen).

Pour mémoire : il y a mille quatre cents ans, le 18 octobre 614 le roi des Francs Clotaire II promulguait un édit (connu aussi sous le nom d'*Édit de Paris*) qui, entre autres choses, interdisait de marier les femmes contre leur consentement.

Il y a cinquante ans, le 13 octobre 1964, Madeleine Delbrêl mourait à Ivry-sur-Seine à l'âge de 59 ans. Née dans une famille indifférente à la religion, elle se convertit à l'âge de 20 ans. Dès ce moment, sa vie fut caractérisée par le don de soi. Assistante sociale très active, elle voulut être une « mystique de la rue » et rester la « voisine des communistes » pour éclairer leur vie, consciente que la pauvreté la plus criante et la détresse la plus amère, même s'il faut les soulager, ne sont rien à côté de la misère de l'homme qui a perdu Dieu.

« Il nous faut le silence pour faire la volonté de Dieu, le silence prolongé par cette autre disposition de nous-mêmes que nous amputons tellement ou que nous méprisons par ignorance : le recueillement. »

Madeleine Delbrêl, *Indivisible Amour,* Paris, Centurion, 1991, p. 97-98.

« L'Église est le signe le plus prodigieux du mystère de Dieu. Car, en elle, sont les fameuses dimensions de la charité selon saint Paul et qu'il nous souhaite d'atteindre avec tous les saints. Elle seule est le signe du prodigieux craquement que doit subir tout notre être pour être apte à Dieu et aux tâches de Dieu. »

Madeleine Delbrêl, *Nous autres, gens des rues,* Paris, Seuil, 1966, p. 147.

Pour prolonger la prière : Béni sois-tu, Dieu notre Père, tu nous invites à célébrer les noces de ton Fils ! Rends-nous dignes d'entrer dans la fête et capables de répondre par l'action de grâce à la joie que tu nous offres en Jésus Christ, ton Fils, dès maintenant et pour les siècles des siècles.

29e dimanche 19 octobre 2014

POLITIQUE ET RELIGION

Nouvelle polémique entre les pharisiens et Jésus *(évangile)*. Elle ne porte pas tant sur la question de payer ou non l'impôt mais sur la responsabilité de l'homme. Refusant de se laisser entraîner sur la pente d'un messianisme mêlant la politique et le religieux, Jésus déplace le débat et désacralise la question. Il distingue ce qui concerne César et la politique de ce qui concerne Dieu et le salut. En se prononçant pour l'acquittement de l'impôt, Jésus accepte et légitime l'ordre politique. En demandant de rendre à Dieu ce qui est à Dieu, il place, au-dessus de l'ordre politique, l'ordre du Royaume de Dieu, le seul qui appelle l'homme à vivre dans une liberté totale. Les domaines de la politique et de la religion sont-ils pour autant si distincts ? L'exemple de Cyrus s'inscrit en faux contre une telle interprétation *(première lecture)*. Cyrus ne connaît pas le Dieu d'Israël, pourtant Dieu va prendre appui sur lui pour libérer son peuple. Il met la victoire de Cyrus au service de son dessein libérateur et, d'un mal objectif, la guerre, Dieu fait naître un bien : le retour des exilés. Laissant Cyrus à sa responsabilité tout en respectant sa liberté, Dieu rappelle que c'est Lui le Seigneur, le maître de l'histoire. Les réalités politiques ont leur autonomie, et on ne peut les imposer au nom de Dieu. Au croyant de vérifier, avant de les soutenir, si elles servent le projet de Dieu pour le monde et alors d'en rendre grâce. La foi, l'espérance et la charité sont vives pour la communauté des croyants, parce qu'elles sont, comme la libération du peuple, des dons gratuits de Dieu *(deuxième lecture)*.

Dans l'Eucharistie, nous rendons à Dieu sa grâce, la grâce qu'il nous fait de vivre et de nous engager dans le monde pour que nous puissions, guidés par le Christ, bâtir la venue de son Royaume.

Suggestions pour la célébration

• **CHANTER** • Pour accompagner la procession d'ouverture : ***Au cœur de ce monde*** **A 238,** ***Peuple de Dieu, marche joyeux*** CNA 574 (couplets 1, 2, 8, 13 et 16), ***Tu es notre Dieu*** **A 187.**

Après l'homélie : ***Les mots que tu nous dis*** **E 164,** ***Maître toujours vrai*** **XP 48-42.**

Pour la procession de communion : ***En marchant vers toi, Seigneur*** **CNA 326,** ***Pain de Dieu, pain rompu*** **CNA 338.**

Pour l'action de grâce : ***Tenons en éveil*** **CNA 591,** ***Gloire et louange à toi*** **C 34-70.**

Le chant d'envoi sera choisi en lien avec la semaine missionnaire qui s'ouvre : ***Église du monde*** **K 562,** ***Peuple de frères*** **T 122,** ***Allez dire à tous les hommes*** **CNA 532,** ***Messagers de l'Évangile*** **XT 48-94.**

• **PRIER** • **POUR LA PRÉPARATION PÉNITENTIELLE**

Seigneur Jésus, tu es venu nous ouvrir les portes du salut,
prends pitié de nous.

Ô Christ, tu es venu nous faire connaître jusqu'où va l'amour du Père,
prends pitié de nous.

Seigneur Jésus, tu es venu nous apprendre que le Père est notre seul Dieu,
prends pitié de nous.

POUR LA PRIÈRE UNIVERSELLE

Nous pouvons prier :
– pour l'Église : qu'elle annonce l'Évangile, même lorsque sa parole dérange ;
– pour les gouvernants : qu'ils utilisent leur pouvoir pour le service de tous ;
– pour les chrétiens engagés en politique : qu'ils portent le souci de la justice et témoignent de l'amour de Dieu ;
– pour les chrétiens persécutés à cause de leur foi : qu'ils puisent en Dieu leur espérance ;

– pour notre communauté : qu'elle soit missionnaire et trouve sa joie dans l'annonce du Royaume.

• **CÉLÉBRER** • La prière eucharistique « pour circonstances particulières » conviendra bien, avec la préface III et son intercession III.

PRIÈRE D'OUVERTURE

Dieu éternel et tout-puissant, fais-nous toujours vouloir ce que tu veux et servir ta gloire d'un cœur sans partage. Par Jésus Christ.

1re LECTURE — *Les empires sont dans la main de Dieu*

Lecture du livre d'Isaïe — Is 45, 1.4-6a

Parole du Seigneur au roi Cyrus, qu'il a consacré, qu'il a pris par la main, pour lui soumettre les nations et désarmer les rois, pour lui ouvrir les portes à deux battants, car aucune porte ne restera fermée. « À cause de mon serviteur Jacob et d'Israël mon élu, je t'ai appelé par ton nom, je t'ai décerné un titre, alors que tu ne me connaissais pas.

Je suis le Seigneur, il n'y en a pas d'autre : en dehors de moi, il n'y a pas de Dieu. Je t'ai rendu puissant, alors que tu ne me connaissais pas, pour que l'on sache, de l'Orient à l'Occident, qu'il n'y a rien en dehors de moi. »

PSAUME 95

• **Au Seigneur notre Dieu,**
tout honneur et toute gloire.

• **Amen ! Pas d'autre Dieu que toi !**

Chantez au Seigneur un chant nouveau,
racontez à tous les peuples sa gloire,
à toutes les nations, ses merveilles !

Il est grand, le Seigneur, hautement loué,
redoutable au-dessus de tous les dieux ;
lui, le Seigneur, a fait les cieux.

Rendez au Seigneur, familles des peuples,
rendez au Seigneur la gloire et la puissance,
rendez au Seigneur la gloire de son nom.

Adorez le Seigneur, éblouissant de sainteté.
Allez dire aux nations : « Le Seigneur est roi ! »
Il gouverne les peuples avec droiture.

2e LECTURE *La foi, l'espérance et la charité de la communauté*

Commencement de la première lettre de saint Paul Apôtre aux Thessaloniciens — 1 Th 1, 1-5

Nous, Paul, Silvain et Timothée, nous nous adressons à vous, l'Église de Thessalonique qui est en Dieu le Père et en Jésus Christ le Seigneur : que la grâce et la paix soient avec vous. À tout instant, nous rendons grâce à Dieu à cause de vous tous, en faisant mention de vous dans nos prières. Sans cesse nous nous souvenons que votre foi est active, que votre charité se donne de la peine, que votre espérance tient bon en notre Seigneur Jésus Christ, en présence de Dieu notre Père. Nous le savons, frères bien-aimés de Dieu, vous avez été choisis par lui. En effet, notre annonce de l'Évangile chez vous n'a pas été simple parole, mais puissance, action de l'Esprit Saint, certitude absolue.

Alléluia. Alléluia. Rendez au Seigneur, vous, les dieux, rendez au Seigneur gloire et puissance, rendez au Seigneur la gloire de son nom. **Alléluia.**

ÉVANGILE *À César ce qui est à César et à Dieu ce qui est à Dieu*

Évangile de Jésus Christ selon saint Matthieu — Mt 22, 15-21

Les pharisiens se concertèrent pour voir comment prendre en faute Jésus en le faisant parler. Ils lui envoient leurs disciples, accompagnés des partisans d'Hérode : « Maître, lui disent-ils, nous le savons : tu es toujours vrai et tu enseignes le vrai chemin de Dieu ; tu ne te laisses influencer par personne, car tu ne fais pas de différence entre les gens. Donne-nous ton avis : Est-il permis, oui ou non, de payer l'impôt à l'empereur ? » Mais Jésus, connaissant leur perversité, riposta : « Hypocrites ! pourquoi voulez-vous me mettre à l'épreuve ? Montrez-moi la monnaie de l'impôt. » Ils lui présentèrent une pièce d'argent. Il leur dit : « Cette effigie et cette légende, de qui sont-elles ? – De l'empereur César », répondirent-ils. Alors il leur dit : « Rendez donc à César ce qui est à César, et à Dieu ce qui est à Dieu. »

Prière sur les offrandes

Accorde-nous, Seigneur, de te servir à cet autel en toute liberté d'esprit ; ainsi ta grâce pourra nous purifier dans le mystère que nous célébrons. Par Jésus.

Prière après la communion

Seigneur, fais-nous trouver des forces neuves dans cette communion aux réalités du ciel : assure-nous tes bienfaits ici-bas et instruis-nous des richesses de ton Royaume. Par Jésus.

Fils de Dieu, homme de misère

« La foi en Jésus est celle qui nous empêche de vivre dans la quiétude. Comme elle a toujours empêché l'Église d'être dans la tranquillité. L'Église, de siècle en siècle, n'a jamais cessé de reprendre et de multiplier des œuvres de miséricorde destinées à proclamer la réalité de Jésus Fils de Dieu au jour le jour, au cœur de la misère. Jésus, vraiment Fils de Dieu et vraiment fait homme. Non pas un Jésus leader politique, ni un Jésus mythique ou symbolique, mais le Fils de Dieu, homme de misère. Le monde, les hommes, les non-croyants, tous savent que c'est cela la vocation de l'Église : proclamer ce Jésus-là. »

Joseph Wresinski, *Les Pauvres, rencontre du vrai Dieu,* Éd. du Cerf, 2005, p. 82.

Calendrier liturgique

Di 19	**29e dimanche A.** *Liturgie des Heures : Psautier semaine I.* [S. Jean de Brébeuf, S. Isaac Jogues, prêtres et leurs compagnons jésuites, martyrs † de 1642 à 1649 au Canada et aux États-Unis (Au Canada : le 26 septembre). S. Paul de la Croix, prêtre, fondateur des Passionistes, † 1775 à Rome.]
Je 23	S. Jean de Capistran, prêtre, franciscain, † 1456 à Vilock (Croatie)
Ve 24	S. Antoine-Marie Claret, évêque de Santiago de Cuba, fondateur des Fils du Cœur Immaculé de Marie, † 1870 à Fontfroide (Aude)
Sa 25	(ou dernier dimanche d'octobre, Belgique et France) DÉDICACE DES ÉGLISES dont on ignore la date de consécration.

Bonne fête ! 19 : René. 20 : Line, Adeline, Aline. 21 : Ursule, Céline. 22 : Élodie, Salomé. 23 : Séverin. 24 : Florentin, Magloire. 25 : Enguerran ou Enguerrand, Doria.

Pour mémoire : aujourd'hui, avant-dernier dimanche d'octobre, journée de la mission universelle.

Un livret d'animation est disponible auprès des Œuvres Pontificales missionnaires (www.mission.catholique.fr). Ce sera l'occasion de mettre en évidence, par le choix des différents acteurs de la liturgie, la diversité géographique et culturelle de nos communautés.

Le 24 octobre, le Nouvel An musulman.

Le week-end prochain, passage à l'heure d'hiver.

Pour prolonger la prière : Béni sois-tu, Dieu créateur du ciel et de la terre : par la résurrection de ton Fils, l'univers entier est promis à une vie nouvelle dans l'Esprit. Accorde-nous de recevoir ce monde où nous vivons comme un don de ta grâce, et de l'aimer à cause de l'avenir que tu lui prépares pour les siècles des siècles.

PRIÈRE EUCHARISTIQUE POUR DES CIRCONSTANCES PARTICULIÈRES *JÉSUS, MODÈLE DE CHARITÉ*

Les préfaces des prières eucharistiques expriment la louange de l'Église pour les merveilles de Dieu accomplies au long de l'histoire du Salut et portées à leur achèvement dans le Christ Jésus. Aussi commencent-elles par : « Vraiment, il est juste et bon de te rendre grâce, Père très saint... » Il est évident que l'ensemble des merveilles du salut de Dieu ne peut être contenu dans une seule préface, ni même dans une infinité... Mais l'Église, au fil de l'année liturgique, au fil des temps spécifiques (Avent, Noël, Carême, Temps pascal) et du Temps ordinaire, aux fêtes, ou à l'occasion de sacrements (mariages, ordinations...) offre un grand nombre de préfaces qui enrichissent les prières eucharistiques et les colorent de tel ou tel aspect de l'histoire du salut en lien avec le temps ou le mystère célébré. Les quatre prières eucharistiques du Missel romain expriment, elles aussi, de manières variées, la louange et l'intercession de l'Église. Dans ce *Missel des Dimanches 2014,* nous portons particulièrement notre attention sur la liturgie comme louange de Dieu et service de l'homme [1]. Toute prière chrétienne, et particulièrement la Prière eucharistique, nous tourne à la fois vers la louange de Dieu et le service de nos frères. Dans la *Prière eucharistique pour des circonstances particulières,* la préface IV loue le Père de nous avoir donné Jésus comme modèle de charité : « Il a manifesté son amour pour les petits et les pauvres, les malades et les pécheurs », annonçant ainsi que Dieu est « vraiment un Père qui prend soin de ses enfants ». Dans l'intercession IV qui correspond à cette préface, nous demandons au Père qu'il ouvre nos yeux à toute détresse et fasse de son Église « un lieu de vérité et de liberté, de justice et de paix ». Cette prière eucharistique peut donc convenir, lorsqu'en certaines circonstances, la communauté chrétienne rassemblée est plus spécialement sensibilisée au service des plus démunis (journée des malades, présence significative de mouvements caritatifs, événements locaux). C'est dans l'Eucharistie que l'Église puise la force de témoigner de la charité du Christ lui-même.

J.-L. H.

[1] Thème d'année de ce missel 2014.

30e dimanche — 26 octobre 2014

AIMER DE QUEL AMOUR ?

Nos chansons chantent beaucoup l'amour ; nous parlons beaucoup d'amour au point que la force du mot s'en trouve affaiblie. Quant aux caricatures de l'amour, l'actualité du monde ne cesse de les dérouler devant nos yeux. En réalité, nous ne savons pas bien quand nous aimons et quand nous n'aimons pas, où est l'amour dans notre vie. Le docteur de la loi qui pose à Jésus la question-piège du grand commandement ne le sait pas bien non plus *(évangile).* Enfermé dans le légalisme, dans des discussions d'école, il ne se rend pas compte que son attitude résulte de l'endurcissement de son cœur. Son hostilité pour Jésus l'entraîne dans un refus d'aimer et, par là même, dans un refus de Dieu. Jésus va alors le remettre devant les choix fondamentaux. Face à l'enfermement dans des principes et des rites qui conduisent à l'endurcissement du cœur, il propose la seule loi possible : l'amour de Dieu et des autres. Tout n'est pas dit pour autant ; une question demeure : comment aimer ? En accueillant avec une grande ouverture du cœur l'amour d'un Dieu qui nous aime le premier et en regardant la manière dont Jésus aime : tous les gestes, toutes les paroles de sa vie et sa mort sur la croix nous le montrent. La première lecture tirée de l'Exode ouvre des perspectives toujours très actuelles. Aimer, c'est se rendre solidaire des pauvres, des opprimés, des exploités et se donner sans réserve. Voilà probablement ce que la communauté de Thessalonique a mis en œuvre *(deuxième lecture).* Imitant le Seigneur et aimant comme Jésus lui-même, les chrétiens ont donné envie à d'autres de suivre le Christ et de vivre concrètement l'Évangile. Mais imiter le Christ, ce n'est pas se trouver meilleur que les autres. C'est prendre un chemin de conversion et de croissance pour apprendre de Dieu à aimer, simplement aimer, d'une absolue gratuité

L'Eucharistie nous conduit à cet amour gratuit de Dieu. Rendons-lui grâce.

Suggestions pour la célébration

• **CHANTER** • De nombreux chants sont inspirés de l'évangile de ce dimanche. On pourra ainsi retenir pour la procession d'ouverture : ***Peuple choisi*** **CNA 543** (couplets 5, 8, 9 et 11), ***Ouvriers de la paix*** **CNA 522.**

Après l'homélie : ***Ubi caritas*** **CNA 448,** ***À l'image de ton amour*** **CNA 529,** ***L'amour jamais ne passera*** **X 44-65.**

Pour la procession de communion : ***Dieu est amour*** **CNA 542,** ***Aimons-nous les uns les autres*** **CNA 528,** ***Où sont amour et charité*** (répertoire de Lourdes).

Pour l'action de grâce : ***Pour que nos cœurs*** **CNA 344,** ***En accueillant l'amour*** **CNA 325,** ***De tout ton cœur, tu aimeras*** **EDIT 43-79.**

Pour l'envoi : ***Messagers de l'Évangile*** **XT 48-94,** ***Allez par toute la terre*** **CNA 533,** ***Envoie des messagers*** **CNA 551.**

• **PRIER** •

Pour la préparation pénitentielle

Seigneur Jésus, tu t'es fait proche des pauvres et des petits,
prends pitié de nous.

Ô Christ, tu es venu réconcilier les pécheurs,
prends pitié de nous.

Seigneur Jésus, tu as donné ta vie pour tes frères,
prends pitié de nous.

Pour la prière universelle

Nous pouvons prier :
– pour l'Église : qu'elle annonce le commandement de l'amour et qu'elle en témoigne ;
– pour les exclus de nos sociétés : qu'ils trouvent auprès de nous aide et considération ;
– pour les victimes des violences et des guerres : qu'ils trouvent sur leur chemin des artisans de paix ;
– pour notre communauté : que l'amour de Dieu et des autres soit au cœur de ses engagements ;
– pour ceux qui annoncent l'Évangile : qu'ils se sentent soutenus par notre prière et notre solidarité.

Prière d'ouverture

Dieu éternel et tout-puissant, augmente en nous la foi, l'espérance et la charité ; et pour que nous puissions obtenir ce que tu promets, fais-nous aimer ce que tu commandes. Par Jésus Christ.

1re lecture — *Dieu exige qu'on aime les pauvres*

Lecture du livre de l'Exode — Ex 22, 20-26

Quand Moïse transmettait au peuple les lois du Seigneur, il disait : « Tu ne maltraiteras point l'immigré qui réside chez toi, tu ne l'opprimeras point, car vous étiez vous-mêmes des immigrés en Égypte. Vous n'accablerez pas la veuve et l'orphelin. Si tu les accables et qu'ils crient vers moi, j'écouterai leur cri. Ma colère s'enflammera et je vous ferai périr par l'épée : vos femmes deviendront veuves, et vos fils, orphelins.

Si tu prêtes de l'argent à quelqu'un de mon peuple, à un pauvre parmi tes frères, tu n'agiras pas envers lui comme un usurier : tu ne lui imposeras pas d'intérêts. Si tu prends en gage le manteau de ton prochain, tu le lui rendras avant le coucher du soleil. C'est tout ce qu'il a pour se couvrir ; c'est le manteau dont il s'enveloppe, la seule couverture qu'il ait pour dormir. S'il crie vers moi, je l'écouterai, car moi, je suis compatissant ! »

Psaume 17

- **Je t'aime, Seigneur, Dieu qui me rends fort !**
- **Dieu qui es l'amour, donne-moi d'aimer.**

Je t'aime, Seigneur, ma force :
Seigneur, mon roc, ma forteresse,
Dieu mon libérateur, le rocher qui m'abrite,
mon bouclier, mon fort, mon arme de victoire !

Louange à Dieu ! Quand je fais appel au Seigneur,
je suis sauvé de tous mes ennemis.
Lui qui m'a dégagé, mis au large,
il m'a libéré, car il m'aime.

Vive le Seigneur ! Béni soit mon Rocher !
Qu'il triomphe, le Dieu de ma victoire.
Il donne à son roi de grandes victoires,
il se montre fidèle à son messie pour toujours.

2e LECTURE *L'annonce de l'Évangile et la conversion*

Lecture de la première lettre de saint Paul Apôtre aux Thessaloniciens 1 Th 1, 5c-10

Frères, vous savez comment nous nous sommes comportés chez vous pour votre bien. Et vous, vous avez commencé à nous imiter, nous et le Seigneur, en accueillant la Parole au milieu de bien des épreuves avec la joie de l'Esprit Saint.

Ainsi vous êtes devenus un modèle pour tous les croyants de Macédoine et de toute la Grèce. Et ce n'est pas seulement en Macédoine et dans toute la Grèce qu'à partir de chez vous la parole du Seigneur a retenti, mais la nouvelle de votre foi en Dieu s'est si bien répandue partout que nous n'avons plus rien à en dire. En effet, quand les gens parlent de nous, ils racontent l'accueil que vous nous avez fait ; ils disent comment vous vous êtes convertis à Dieu en vous détournant des idoles, afin de servir le Dieu vivant et véritable, et afin d'attendre des cieux son Fils qu'il a ressuscité d'entre les morts, Jésus, qui nous délivre de la colère qui vient.

Alléluia. Alléluia. Dieu est amour. Celui qui aime est né de Dieu : il connaît Dieu. **Alléluia.**

ÉVANGILE *Amour de Dieu et amour du prochain*

Évangile de Jésus Christ selon saint Matthieu Mt 22, 34-40

Les pharisiens, apprenant que Jésus avait fermé la bouche aux sadducéens, se réunirent, et l'un d'eux, un docteur de la Loi, lui posa une question pour le mettre à l'épreuve : « Maître, dans la Loi, quel est le grand commandement ? » Jésus lui répondit : « Tu aimeras le Seigneur ton Dieu de tout ton cœur, de toute ton âme et de tout ton esprit. Voilà le grand, le premier commandement. Et voici le second, qui lui est semblable : tu aimeras ton prochain comme toi-même. Tout ce qu'il y a dans l'Écriture – dans la Loi et les Prophètes – dépend de ces deux commandements. »

Prière sur les offrandes

Regarde les présents déposés devant toi, Seigneur notre Dieu : permets que notre célébration contribue d'abord à ta gloire. Par Jésus.

Prière après la communion

Que tes sacrements, Seigneur, achèvent de produire en nous ce qu'ils signifient, afin que nous entrions un jour en pleine possession du mystère que nous célébrons dans ces rites. Par Jésus.

L'anti-charité

« Il est vrai, et nous ne le crierons jamais assez, que la misère, c'est l'anti-charité. Faire l'éloge de la solidarité, de l'amitié, du partage que pratiquent les pauvres, sans aller jusqu'au fond des choses, risque de nous induire en erreur. Et le risque d'erreur, ici, nous paraît particulièrement mal venu et même difficile à excuser. Car si l'existence de la misère est notre plus grave péché, celui qui résume tous les autres, c'est bien parce qu'en dépouillant l'homme de sa juste part, en le refoulant dans les chemins creux hors de nos villes, en l'enfonçant dans l'angoisse, la peur, l'inutilité et la honte, nous défigurons cet homme qui était fait à "l'image de Dieu", car nous étouffons en lui ses capacités et nous le privons des possibilités de vivre la charité. Il ne peut ni l'introduire dans son esprit et dans son cœur, ni l'appliquer dans son existence. Nous l'empêchons d'aimer.

Car la charité, n'est-ce pas à la fois un état d'âme et un programme de vie ? La charité, c'est d'abord aimer Dieu. »

Joseph Wresinski, *Les Pauvres, rencontre du vrai Dieu,* Éd. du Cerf, 2005, p. 50.

Calendrier liturgique

Di 26	**30e dimanche A.** *Liturgie des Heures : Psautier semaine II.*
Ma 28	S. SIMON et S. JUDE, apôtres. Lectures propres : Ep 2, 19-22 ; Lc 6, 12-19
Je 30	En Afrique du Nord, S. Marcel, † 295 à Tanger, et S. Maximilien, † 298 à Théveste, martyrs.
Sa 1er	**TOUS LES SAINTS,** p. 529.

Bonne fête ! 26 : Dimitri. 27 : Émeline. 28 : Thaddée, Teddy, Simon, Simone. 29 : Narcisse. 30 : Bienvenu. 31 : Quentin, Wolfgang. 1er : Mathurin

Pour mémoire : dernier dimanche d'octobre, pour les communautés protestantes, dimanche de la Réformation.

Pour prolonger la prière : Dieu fidèle, en Jésus, ton Fils bien-aimé, tu nous as élus et créés comme partenaires de ton Alliance. Par ton Esprit Saint, ranime en nous ton amour, et que notre vie se tourne vers toi en une réponse d'action de grâce, maintenant et pour les siècles des siècles.

Tous les saints

1er novembre 2014

LA TOUSSAINT, FÊTE DE L'ESPÉRANCE DU MONDE

Au seuil des mauvais jours de l'hiver, nous est offerte une vision du ciel propre à nous éclairer et à nous réchauffer le cœur. Une immense fête avec la foule des saints donnés en exemple par l'Église à laquelle s'ajoute la foule indénombrable des hommes et des femmes de bonne volonté, ceux qui ont soif de justice et de paix, ceux qui sont capables de faire miséricorde *(première lecture).* Car Dieu est Amour, et tout homme qui fonde sur l'amour son espérance sera sanctifié *(deuxième lecture).*

L'Apocalypse est un écrit clandestin et codé qui circule sous le manteau à la fin du Ier siècle, pendant l'occupation romaine. Il s'adresse à des croyants vivant sous la menace perpétuelle de la persécution. Il lève le voile (c'est le sens du mot grec *apocaluptein*) de l'apparente domination triomphante de Rome, et révèle dans le Christ, Agneau immolé, le vrai vainqueur, Dieu lui-même dans sa souveraineté absolue. Par le baptême, symbolisé par le vêtement blanc, les fidèles – 144 000, symbole de la totalité – sont associés à la résurrection du Christ.

C'est une foule aussi que Jésus regarde avec tendresse *(évangile)* pendant qu'il donne à ses disciples les clefs d'intelligence du Royaume. « Heureux... ! » : les Béatitudes retentissent comme un cri enraciné dans les annonces prophétiques, et développé en images et en doctrine pour des gens qui déjà sont en route. C'est d'ailleurs ainsi que Chouraqui traduit notre « heureux » : « En route ! » Chaque fois que dans notre pauvreté nous sommes prêts à recevoir la vie comme un don, chaque fois que nous sommes doux et humbles de cœur comme Jésus – car c'est Jésus seul qui répond complètement à ce programme des huit béatitudes – le monde est en marche vers le Royaume ouvert par le Père.

« Voyez... ! » dit saint Jean : il s'agit d'une révélation où le révélateur – l'Esprit – fait apparaître ce qui est invisible encore.

Suggestions pour la célébration

• CHANTER • Allégresse du ciel, chant de la terre ! À l'occasion de la Toussaint, de nombreux pratiquants occasionnels rejoignent les communautés habituelles. On veillera à choisir majoritairement des chants connus qui permettront la participation de tous.

Pour la procession d'ouverture, ***Dieu nous te louons*** **CNA 646,** ***Heureux le peuple de ceux qui cherchent Dieu*** **CNA 649,** ***Aujourd'hui est jour de fête*** **CNA 644,** ***Litanie des saints*** **CNA 478,** ***Que nos cœurs soient en fête*** **W 13-25,** ***Église du Seigneur*** **CNA 662,** ***Priez, priez le Seigneur*** **CNA 641.**

Le **psaume 23** est un petit bijou de condensé de théologie biblique. Une mise en œuvre est proposée par **MNA** avec la psalmodie qui lui correspond.

Après l'homélie, **CNA 785** permet de faire chanter ***les béatitudes*** à une assemblée non préparée, par une belle et large acclamation : « Bienheureux ! » Pour une assemblée plus habituée, ***Heureux les pauvres*** **CNA 650** se chante sur une mélodie traditionnelle. On peut choisir aussi ***Autour du trône de l'Agneau*** **CNA 645.**

Pour la fraction du pain : ***Agneau de Dieu, agneau vainqueur*** **CNA 310.**

Pendant la procession de communion : ***Nous formons un même corps*** **CNA 750.**

Après la communion : ***Tous les saints de nos familles*** **CNA 652,** ***Heureux ceux qui ont tout donné*** **W 32-24,** ***Heureux ceux que Dieu a choisis*** **CNA 648.**

Pour conclure : ***Vivons en enfants de lumière*** **CNA 430** (couplets 5 et 6).

• PRIER • POUR LA PRÉPARATION PÉNITENTIELLE

Si on a chanté la litanie des saints en entrée, on ne reprend pas la préparation pénitentielle qui est incluse dans la litanie. Sinon :

Seigneur Jésus, tu es doux et humble de cœur,
béni sois-tu, prends pitié de nous.

Ô Christ, tu as eu faim et soif de justice,
béni sois-tu, prends pitié de nous.

Seigneur, toi l'artisan de paix, tu as connu l'insulte et la persécution, **béni sois-tu, prends pitié de nous.**
Ou bien : De ton peuple rassemblé par ta Parole **CNA 171.**

Pour la prière universelle

Unis à tous les saints qui dans la béatitude acclament Dieu et intercèdent pour les hommes, prions pour l'Église et le monde de ce temps.
– Avec Pierre et Paul, avec les apôtres de tous les temps, avec tous les témoins du Christ ressuscité, prions le Seigneur d'envoyer des hommes et des femmes pour annoncer la nouvelle de son amour sauveur ;
– avec Augustin et Thomas d'Aquin, penseurs d'Occident, avec Athanase et Basile, lumières de l'Orient, avec tous ceux qui ont cherché à comprendre la profondeur de la révélation, prions le Seigneur de susciter des hommes et des femmes qui mettent toutes les ressources de leur intelligence au service de sa parole ;
– avec Thérèse de l'Enfant Jésus et François d'Assise, avec tous les consacrés, prions le Seigneur qu'il fasse se lever des hommes et des femmes de prière ;
– avec Vincent de Paul et Mère Teresa de Calcutta, avec tous ceux qui consacrent leur vie aux pauvres, aux malades et aux mourants, prions le Seigneur de renouveler l'amour des autres dans le cœur des hommes ;
– avec tous ceux qui ont vécu sous le regard de Dieu, avec tous ceux qui se sont laissés guider par l'Esprit et dont le nom s'est perdu, prions le Seigneur de faire grandir le peuple des croyants, porteur d'espérance pour le monde.

• CÉLÉBRER • Cette année, la Toussaint tombe un samedi, et le dimanche sera consacré aux défunts. Profitons-en pour déployer largement les deux fêtes en un seul mystère de la vie, avec ses deux faces inséparables de mort et de résurrection. Il est probable que beaucoup viendront fêter la Toussaint pour faire mémoire de leurs défunts. Préparons une liturgie soignée, avec une grande qualité à l'ouverture et à l'accueil. La proclamation du texte de l'Apocalypse pourra être introduite : cette vision imagine le spectacle qui se déroulera à la fin des temps devant le trône de Dieu. Les images sont là pour annoncer la victoire de la Vie sur la mort, la victoire de l'amour sur la haine.

Une procession d'entrée peut utiliser les anciennes bannières des saints locaux qui seront posées aux piliers pour entourer « l'assemblée des saints », c'est-à-dire la communauté chrétienne réunie pour la louange autour de son Seigneur.

Il y a une préface et des textes propres à la Toussaint dans les *prières eucharistiques* n° 1, 2 et 3. La préface sera chantée dans toute la mesure du possible. On veillera à ce que le *Sanctus* jaillisse de la préface. Il sera donc utile de faire le point avec l'organiste avant la célébration pour ne pas détonner. Il sera bon de chanter la doxologie développée. Le Missel propose une bénédiction solennelle propre à la fête.

Prière d'ouverture

Dieu éternel et tout-puissant, tu nous donnes de célébrer dans une même fête la sainteté de tous les élus ; puisqu'une telle multitude intercède pour nous, réponds à nos désirs, accorde-nous largement tes grâces. Par Jésus Christ.

1re lecture — *Une immense fête*

Lecture de l'Apocalypse de saint Jean — Ap 7, 2-4.9-14

Moi, Jean, j'ai vu un ange qui montait du côté où le soleil se lève, avec le sceau qui imprime la marque du Dieu vivant ; d'une voix forte, il cria aux quatre anges qui avaient reçu le pouvoir de dévaster la terre et la mer : « Ne dévastez pas la terre, ni la mer, ni les arbres, avant que nous ayons marqué du sceau le front des serviteurs de notre Dieu. » Et j'entendis le nombre de ceux qui étaient marqués du sceau : ils étaient cent quarante-quatre mille, douze mille de chacune des douze tribus d'Israël.

Après cela, j'ai vu une foule immense, que nul ne pouvait dénombrer, une foule de toutes nations, races, peuples et langues.

Ils se tenaient debout devant le Trône et devant l'Agneau, en vêtements blancs, avec des palmes à la main. Et ils proclamaient d'une voix forte : « Le salut est donné par notre Dieu, lui qui siège sur le Trône, et par l'Agneau ! » Tous les anges qui se tenaient en cercle autour du Trône, autour des Anciens et des quatre Vivants, se prosternèrent devant le Trône, la face contre terre, pour adorer Dieu. Et ils disaient : « Amen ! Louange, gloire, sagesse et action de grâce, honneur, puissance et force à notre Dieu, pour les siècles des siècles ! Amen ! » L'un des Anciens prit alors la parole et me dit : « Tous ces gens vêtus de blanc, qui sont-ils, et d'où viennent-ils ? » Je lui répondis : « C'est toi qui le sais, mon Seigneur. » Il reprit : « Ils viennent de la grande épreuve ; ils ont lavé leurs vêtements, ils les ont purifiés dans le sang de l'Agneau. »

PSAUME 23

Voici le peuple immense de ceux qui t'ont cherché.

Au Seigneur, le monde et sa richesse,
la terre et tous ses habitants :
c'est lui qui l'a fondée sur les mers
et la garde inébranlable sur les flots.

Qui peut gravir la montagne du Seigneur
et se tenir dans le lieu saint ?
L'homme au cœur pur, aux mains innocentes,
qui ne livre pas son âme aux idoles.

Il obtient du Seigneur la bénédiction
et de Dieu, son sauveur, la justice.
Voici le peuple de ceux qui le cherchent,
qui recherchent la face de Dieu.

2e LECTURE — *Nous serons semblables au Fils*

Lecture de la première lettre de saint Jean — 1 Jn 3, 1-3

Mes bien-aimés, voyez comme il est grand, l'amour dont le Père nous a comblés : il a voulu que nous soyons appelés enfants de Dieu, – et nous le sommes. Voilà pourquoi le monde ne peut pas nous connaître : puisqu'il n'a pas découvert Dieu. Bien-aimés, dès maintenant, nous sommes enfants de Dieu, mais ce que nous serons ne paraît pas encore clairement. Nous le savons : lorsque le Fils de Dieu paraîtra, nous serons semblables à lui parce que nous le verrons tel qu'il est. Et tout homme qui fonde sur lui une telle espérance se rend pur comme lui-même est pur.

Alléluia. Alléluia. Venez au Seigneur, vous tous qui peinez sous le poids du fardeau, il vous donnera le repos. **Alléluia.**

ÉVANGILE *Les clefs du Royaume des cieux*

Évangile de Jésus Christ selon saint Matthieu Mt 5, 1-12

Quand Jésus vit toute la foule qui le suivait, il gravit la montagne. Il s'assit, et ses disciples s'approchèrent. Alors, ouvrant la bouche, il se mit à les instruire. Il disait :

« Heureux les pauvres de cœur : le Royaume des cieux est à eux ! Heureux les doux : ils obtiendront la terre promise ! Heureux ceux qui pleurent : ils seront consolés ! Heureux ceux qui ont faim et soif de la justice : ils seront rassasiés ! Heureux les miséricordieux : ils obtiendront miséricorde ! Heureux les cœurs purs : ils verront Dieu ! Heureux les artisans de paix : ils seront appelés fils de Dieu ! Heureux ceux qui sont persécutés pour la justice : le Royaume des cieux est à eux ! Heureux serez-vous si l'on vous insulte, si l'on vous persécute et si l'on dit faussement toute sorte de mal contre vous, à cause de moi. Réjouissez-vous, soyez dans l'allégresse, car votre récompense sera grande dans les cieux ! »

PRIÈRE SUR LES OFFRANDES

Daigne accepter, Seigneur, l'offrande que nous te présentons en l'honneur de tous les Saints ; nous croyons qu'ils vivent désormais près de toi : accorde-nous de sentir aussi qu'ils interviennent pour notre salut. Par Jésus.

Préface

Vraiment, il est juste et bon de te rendre gloire, de t'offrir notre action de grâce, toujours et en tout lieu, à toi, Père très saint, Dieu éternel et tout-puissant.

Car nous fêtons aujourd'hui la cité du ciel, notre mère la Jérusalem d'en haut : c'est là que nos frères les saints, déjà rassemblés, chantent sans fin ta louange. Et nous qui marchons vers elle par le chemin de la foi, nous hâtons le pas, joyeux de savoir dans la lumière ces enfants de notre Église que tu donnes en exemple.

C'est pourquoi, avec cette foule immense que nul ne peut dénombrer, avec tous les anges du ciel, nous voulons te bénir en chantant (disant) : **Saint !...**

Dans les prières eucharistiques, il y a des textes propres à la fête de Toussaint.

Prière après la communion

Dieu qui seul es saint, toi que nous admirons et adorons en célébrant la fête de tous les Saints, nous implorons ta grâce : quand tu nous auras sanctifiés dans la plénitude de ton amour, fais-nous passer de cette table, où tu nous as reçus en pèlerins, au banquet préparé dans ta maison. Par Jésus.

Pour mémoire : il y a six cents ans, le 1er novembre 1414, s'ouvrait le concile de Constance, 16e Œcuménique, qui mit fin au Grand Schisme d'Occident : en proclamant la supériorité du concile sur toute l'Église, y compris le pape, les Pères conciliaires se donnèrent la possibilité de déposer un des trois papes concurrents et de forcer les deux autres à abdiquer, pour permettre l'élection d'un nouveau pape, Martin V (élu en novembre 1417).

Pour prolonger la prière : Heureux pour toi, Seigneur Dieu, heureux par toi, les pauvres de cœur, les artisans de paix, tous les saints qui peuplent ton royaume. Que leur fidélité éclaire notre chemin, et que l'Évangile de ton Fils porte du fruit de sainteté en notre temps. Exauce-nous par Jésus et dans l'Esprit, Dieu béni pour les siècles des siècles.

Commémoration de tous les fidèles défunts

2 novembre 2014

JE VERRAI LES BONTÉS DU SEIGNEUR SUR LA TERRE DES VIVANTS

Cette année, nous fêtons les défunts de nos familles humaines dans la lumière pascale d'un dimanche, « jour du Seigneur ». Quel paradoxe ! Pourtant la logique spirituelle qui lie cette commémoration à la célébration de la Toussaint apparaît clairement : dans l'espérance de la résurrection, les liens entre les vivants et les morts restent vivaces, l'amour ne connaissant pas de limites dans le temps ni dans l'espace. La confiance oriente notre prière, puisque nous croyons dans le Christ qui a dit : « Je suis la résurrection et la vie. Celui qui croit en moi, même s'il meurt, vivra » (Jn 11, 25).

Confrontés au deuil et à la séparation, nous sommes frappés par la modernité du livre de la Sagesse *(première lecture)* qui dit avec des mots très actuels ce que beaucoup pensent – et peut-être nous-mêmes à certains moments : « Notre existence est brève, nous sommes nés par hasard et après, nous serons comme si nous n'avions jamais existé ». Comment en effet ne pas être d'accord avec ce constat de bon sens ? C'est du fond de ce pessimisme radical qu'est née l'espérance juive et chrétienne d'une existence impérissable, à l'image de celle de Dieu qui aime l'homme, comme le chante le psaume 26, et qui n'a pas fait la mort (Sg 1, 13). Aussi nous ne nous bornons pas à nous rappeler avec nostalgie le temps passé, mais nous nous orientons, dans la fidélité à ce qui a été, vers un temps nouveau en train de naître *(deuxième lecture)*. Depuis la mort et la résurrection du Christ *(évangile),* la mort a changé de sens : d'impasse et de déchéance, elle est devenue un passage, une pâque, vers la béatitude de Dieu. Par nos prières, nous accompagnons nos frères et sœurs défunts dans ce passage.

La commémoration des fidèles défunts remonte à saint Odilon, abbé de Cluny, célèbre au Xe siècle pour sa douceur. Depuis son abbaye bourguignonne, la fête fut étendue à toute l'Église.

Suggestions pour la célébration

• CHANTER • À l'ouverture, on choisira un chant qui dise l'espérance chrétienne : ***En toi, Seigneur, mon espérance*** **CNA 418**, ***Celui qui aime*** **CNA 733**, ***Souviens-toi de Jésus Christ*** **CNA 588**, ***Depuis l'aube*** **CNA 489**, ***Tu nous guideras*** **MNA 35.87**, ***Le Seigneur a libéré son peuple*** **CNA 492**, ***Jour du Vivant*** **CNA 561**.

Après l'homélie, pour prolonger la méditation de la Parole, on peut chanter **S 21** ***La mort ne peut me garder*** **CNA 42**, ***Tu as triomphé de la mort*** **CNA 594**, ou ***Quel secret habitons-nous ?*** **MNA 66.41**, très belle hymne de Patrice de La Tour du Pin pour une Veillée pascale, avec une musique méditative du P. Gelineau.

Comme chant d'anamnèse : ***Ta mort, Seigneur*** **CNA 270**.

Après la communion : ***Celui qui a mangé de ce pain*** **CNA 321**, ***Pain véritable*** **CNA 340**, ***Le pain que tu nous donnes*** **D 83**, ***Dans la puissance de l'Esprit*** **CNA 488**, ***Chantez au Seigneur*** **CNA 483**, ***Tu es la vraie lumière*** **CNA 595**.

• PRIER •

Pour la préparation pénitentielle

Seigneur Jésus, par ta mort tu nous délivres de la mort,
béni sois-tu, prends pitié de nous.

Ô Christ, ressuscité pour nous introduire auprès du Père,
béni sois-tu, prends pitié de nous.

Seigneur, tu reviendras juger les vivants et les morts,
béni sois-tu, prends pitié de nous.

Pour la prière universelle

Nous pouvons prier :

– pour nos proches qui sont morts, tous ceux et celles que nous avons aimés et connus de près ou de loin, les morts de nos familles et de nos communautés ;

– pour les défunts morts dans l'anonymat, pour ceux pour qui personne ne prie ;

– pour les victimes des guerres et les morts de mort violente, pour leurs enfants et leurs parents ;

– pour les mourants et pour ceux qui les assistent, pour ceux qui meurent seuls ;
– pour ceux et celles qui n'ont aucune espérance devant la mort ;
– pour les chrétiens qui s'investissent dans les équipes de funérailles.

• **CÉLÉBRER** • Courant octobre, l'équipe des funérailles aura pu adresser une invitation amicale aux familles qui ont perdu un proche dans l'année écoulée afin de les convier à venir prier pour leurs défunts. Dans le chœur, la croix sera fleurie et entourée de lumières.

Il serait bon d'évoquer les noms des fidèles morts dans l'année, soit au début de la célébration, soit après le Credo. À chaque nom évoqué, un membre de la famille ou de la communauté vient allumer une veilleuse qu'on dépose au pied du cierge pascal. Ce geste simple manifestera notre affection ou notre amitié pour chaque défunt, il rappellera notre foi en la vie par-delà la mort, et redira que c'est le Christ ressuscité qui donne sens à toute vie. Après la messe, la veilleuse pourra être déposée sur la tombe du disparu.

Soigner et fleurir les tombes reste dans notre culture un rite important. Les fleurs symbolisent l'espérance et le lien fragile mais tenace qui continue d'exister par delà la mort. Pour la bénédiction des tombes, voir le *Livre des bénédictions* p. 364-367.

Le Missel prévoit trois séries d'oraisons et plusieurs préfaces, ainsi qu'une bénédiction solennelle. On trouvera de nombreuses autres prières possibles dans le rituel des funérailles.

On pourra prendre la *prière eucharistique* n° 4 : « Pour accomplir le dessein de ton amour, il s'est livré lui-même à la mort, et, par sa résurrection, il a détruit la mort et renouvelé la vie. »

PRIÈRE D'OUVERTURE

• Seigneur, tu es la vie de tes fidèles, tu es la gloire des justes, et ton propre Fils nous a rachetés par sa mort et sa résurrection ; regarde avec bonté tous nos frères défunts : puisqu'ils ont cru à la résurrection dans le Christ, accorde-leur de goûter le bonheur qui ne finit pas. Par Jésus Christ.

• *Ou une autre prière.*

Lectures

Les lectures peuvent être choisies librement dans le Lectionnaire des funérailles. Nous proposons :

1re LECTURE — *Ils sont dans la paix*

Lecture du livre de la Sagesse — Sg 2, 1-4a.22-23 ; 3, 1-9

La lecture du texte entre crochets est facultative.

[Les incroyants ne sont pas dans la vérité lorsqu'ils raisonnent ainsi en eux-mêmes : « Notre existence est brève et triste, rien ne peut guérir l'homme au terme de sa vie, on n'a jamais vu personne revenir du séjour des morts. Nous sommes nés par hasard, et après, nous serons comme si nous n'avions pas existé ; le souffle de nos narines s'évanouit comme la fumée, et la pensée est une étincelle qui jaillit au battement de notre cœur : si elle s'éteint, le corps s'en ira en cendres, et l'esprit se dissipera comme une brise légère. Avec le temps, notre nom tombera dans l'oubli, et personne ne se rappellera ce que nous aurons fait. » Ceux qui parlent ainsi ne connaissent pas les secrets de Dieu, ils n'espèrent pas que la sainteté puisse être récompensée, ils n'estiment pas qu'une âme irréprochable puisse être glorifiée. Dieu a créé l'homme pour une existence impérissable, il a fait de lui une image de ce qu'il est en lui-même.]

La vie des justes est dans la main de Dieu, aucun tourment n'a de prise sur eux. Celui qui ne réfléchit pas s'est imaginé qu'ils étaient morts ; leur départ de ce monde a passé pour un malheur ; quand ils nous ont quittés, on les croyait anéantis, alors qu'ils sont dans la paix. Aux yeux des hommes, ils subissaient un châtiment, mais par leur espérance ils avaient déjà l'immortalité. Ce qu'ils ont eu à souffrir était peu de chose auprès du bonheur dont ils seront comblés, car Dieu les a mis à l'épreuve et les a reconnus dignes de lui. Comme on passe l'or au feu du creuset, il a éprouvé leur valeur ; comme un sacrifice offert sans réserve, il les a accueillis. Au jour de sa visite, ils resplendiront, ils étincelleront comme un feu qui court à travers la paille. Ils seront les juges des nations et les maîtres des peuples, et le Seigneur régnera sur eux pour toujours.

[Ceux qui mettent leur confiance dans le Seigneur comprendront la vérité ; ceux qui sont fidèles resteront avec lui dans son amour, car il accorde à ses élus grâce et miséricorde.]

PSAUME 26

• **Seigneur, donne-leur le repos éternel,**
fais briller sur eux la lumière sans fin.

• **Nous vivons pour le Seigneur,**
nous mourrons pour le Seigneur.

Le Seigneur est ma lumière et mon salut ;
de qui aurais-je crainte ?
Le Seigneur est le rempart de ma vie ;
devant qui tremblerais-je ?

J'ai demandé une chose au Seigneur,
la seule que je cherche :
habiter la maison du Seigneur
tous les jours de ma vie.

Écoute, Seigneur, je t'appelle !
Pitié ! Réponds-moi !
C'est ta face, Seigneur, que je cherche :
ne me cache pas ta face.

Mais j'en suis sûr, je verrai les bontés du Seigneur
sur la terre des vivants.
« Espère le Seigneur, sois fort et prends courage ;
espère le Seigneur. »

2e LECTURE *Les douleurs d'un enfantement*

Lecture de la lettre de saint Paul Apôtre aux Romains Rm 8, 18-23

Frères, j'estime qu'il n'y a pas de commune mesure entre les souffrances du temps présent et la gloire que Dieu va bientôt révéler en nous. En effet, la création aspire de toutes ses forces à voir cette révélation des fils de Dieu. Car la création a été livrée au pouvoir du néant, non parce qu'elle l'a voulu, mais à cause de celui qui l'a livrée à ce pouvoir. Pourtant, elle a gardé l'espérance d'être, elle aussi, libérée de l'esclavage, de la dégradation inévitable, pour connaître la liberté, la gloire des enfants de Dieu. Nous le savons bien, la création tout entière crie sa souffrance, elle passe par les douleurs d'un enfantement qui dure encore. Et elle n'est pas la seule. Nous aussi nous crions en nous-mêmes notre souffrance ; nous avons commencé par recevoir le Saint-Esprit, mais nous attendons notre adoption et la délivrance de notre corps.

Alléluia. Alléluia. Notre demeure est fixée dans le ciel. Que vienne le Seigneur Jésus, le Sauveur que nous attendons ! **Alléluia.**

ÉVANGILE *« Jésus, poussant un grand cri, expira »*

Évangile de Jésus Christ selon saint Marc Mc 15, 33-39 ; 16, 1-6

La lecture du texte entre crochets est facultative.

Jésus avait été mis en croix. Quand arriva l'heure de midi, il y eut des ténèbres sur toute la terre jusque vers trois heures. Et à trois heures, Jésus cria d'une voix forte : « Éloï, Éloï, lama sabactani ? », ce qui veut dire : « Mon Dieu, mon Dieu, pourquoi m'as-tu abandonné [1] ? »

Quelques-uns de ceux qui étaient là disaient en l'entendant : « Voilà qu'il appelle le prophète Élie ! » L'un d'eux courut tremper

[1] Cf. Ps 21 (22), 2.

une éponge dans une boisson vinaigrée, il la mit au bout d'un roseau, et il lui donnait à boire, en disant : « Attendez ! Nous verrons bien si Élie vient le descendre de là ! » Mais Jésus, poussant un grand cri, expira.

Le rideau du Temple se déchira en deux, depuis le haut jusqu'en bas. Le centurion qui était là en face de Jésus, voyant comment il avait expiré, s'écria : « Vraiment, cet homme était le Fils de Dieu ! »

[Le sabbat terminé, Marie Madeleine, Marie, mère de Jacques, et Salomé achetèrent des parfums pour aller embaumer le corps de Jésus. De grand matin, le premier jour de la semaine, elles se rendent au sépulcre au lever du soleil. Elles se disaient entre elles : « Qui nous roulera la pierre pour dégager l'entrée du tombeau ? » Au premier regard, elles s'aperçoivent qu'on a roulé la pierre, qui était pourtant très grande. En entrant dans le tombeau, elles virent, assis à droite, un jeune homme vêtu de blanc. Elles furent saisies de peur. Mais il leur dit : « N'ayez pas peur ! Vous cherchez Jésus de Nazareth, le Crucifié ? Il est ressuscité : il n'est pas ici. Voici l'endroit où on l'avait déposé. »]

Prière sur les offrandes

Sois favorable à nos offrandes, Seigneur, que tous les fidèles défunts soient admis dans le Royaume avec ton Fils qui nous unit les uns aux autres par le mystère de son amour. Lui qui règne.

Préface

Vraiment, il est juste et bon de te rendre gloire, de t'offrir notre action de grâce, toujours et en tout lieu, à toi, Père très saint, Dieu éternel et tout-puissant.

Tu nous donnes de naître, tu diriges notre existence, et tu veux que, dès cette vie, nous qui sommes tirés de la terre, nous soyons libérés de la puissance du mal.

Oui, nous sommes sauvés par la mort de ton Fils ; et nous attendons qu'un signe de toi nous éveille à la vraie vie, dans la gloire de la résurrection.

C'est pourquoi, avec tous les anges et tous les saints, nous proclamons ta puissance en (disant) chantant : **Saint !...**

Prière après la communion

Ouvre, Seigneur, à nos frères défunts ta maison de lumière et de paix, car c'est pour eux que nous avons célébré le sacrement de la Pâque. Par Jésus.

Calendrier liturgique

Di 2	**Commémoration de tous les fidèles défunts** *Liturgie des Heures : Psautier semaine III.*
Lu 3	31e semaine du temps ordinaire. *S. Martin de Porrès, frère dominicain, 1639 à Lima.* *En Belgique et au Luxembourg, S. Hubert, évêque de Maastricht, puis de Liège, † 30 mai 727.*
Ma 4	S. Charles Borromée, cardinal, évêque de Milan, † 1584.
Ve 7	Au Luxembourg, S. Willibrord, évêque d'Utrecht, fondateur de l'abbaye d'Echternach, patron secondaire du Luxembourg, † 739.

Bonne fête ! 2 : Tobie. 3 : Hubert, Gwenaël. 4 : Amance, Émeric, Charles, Carl, Charlie, Jessé, Jessy. 5 : Sylvie, Zacharie. 6 : Bertille, Léonard, Winnoc. 7 : Carine, Ernest, Willibrord. 8 : Godefroy.

Pour mémoire : il y a cinquante ans, le 13 novembre 1964, le pape Paul VI offrait pour les pauvres la tiare précieuse qu'il avait reçue de son diocèse (Milan). Il posa ce geste devant tous les évêques réunis pour le concile Vatican II. Elle fut rachetée par l'Archidiocèse de New York.

Pour prolonger la prière : Écoute nos prières avec bonté, Seigneur : fais grandir notre foi en ton Fils qui est ressuscité des morts, pour que soit plus vive aussi notre espérance en la résurrection de tous nos frères défunts.

Dédicace de la Basilique du Latran 9 novembre 2014

BASILIQUE DU SAINT-SAUVEUR ET DE SAINT JEAN BAPTISTE

La basilique du Latran, à Rome, est appelée « la mère et la tête de toutes les églises ». Si sa fête a la préséance sur le dimanche, c'est parce que cette basilique, qui est la cathédrale du pape, est dédiée d'abord au Saint-Sauveur. Or, la liturgie accorde aux fêtes du Seigneur la préséance sur le dimanche. Celui-ci étant la manière hebdomadaire de fêter le Seigneur, il n'y a pas de réelle concurrence : de part et d'autre, on célèbre le Seigneur ressuscité !

Car c'est de cela que, fondamentalement, il s'agit. L'eucharistie est mémorial de la mort et de la résurrection du Christ. Pour la célébrer comme il convient en assemblée, l'Église a construit des églises, qui sont des édifices destinés à abriter une assemblée célébrante. À Rome, à partir de la paix accordée aux chrétiens en 313, les assemblées chrétiennes, plus importantes, se réunirent dans des basiliques, qui étaient d'abord un édifice civil servant de lieu de délibération et de tribunal pour un nombre important de personnes. Certains de ces édifices furent affectés au culte chrétien ou bien leur modèle architectural inspira la construction des églises.

Si la basilique du Latran porte aussi le nom de saint Jean – il s'agit de Jean le Baptiste –, c'est parce qu'un baptistère lui est attenant, « le » baptistère de Rome. Là, de nombreux habitants de la capitale du monde antique furent plongés dans l'eau vivifiante pour participer à la mort et à la résurrection du Christ et entrer ainsi dans la vie nouvelle.

Durant les premiers siècles, le complexe des bâtiments épiscopaux comportait, non seulement une église, mais un édifice distinct, le baptistère. Car il y a un lien profond entre le baptême et l'eucharistie.

Le baptistère où coule l'eau qui régénère *(première lecture),* l'église bâtiment où le corps sacramentel du Christ est donné aux baptisés pour les nourrir sur le chemin de la vie, l'un et l'autre édifice contribuent à l'édification de la maison que Dieu construit *(deuxième lecture),* c'est-à-dire le peuple de Dieu qu'est l'Église.

Suggestions pour la célébration

• CHANTER • Pour la procession d'ouverture : *Église du Seigneur* CNA 662, *Église de ce temps* CNA 661, *Peuple où s'avance le Seigneur* CNA 578, *Voici la demeure de Dieu parmi les hommes* K 39, *Peuple de prêtres* CNA 577.

Après la communion : *Peuple de Dieu, n'aie pas de honte* CNA 575, *Enfants du même Père* T 76-1, *Nous formons un même Corps* CNA 570.

• PRIER • POUR LA PRÉPARATION PÉNITENTIELLE

Seigneur Jésus, qui fais de nous la maison que Dieu construit,
fortifie-nous **et prends pitié de nous.**

Ô Christ, qui chasses les vendeurs du Temple,
purifie-nous **et prends pitié de nous.**

Seigneur, dont l'Esprit habite en nous,
ouvre-nous à son souffle **et prends pitié de nous.**

POUR LA PRIÈRE UNIVERSELLE

Nous pouvons prier :
– pour le diocèse de Rome, afin qu'uni au pape son évêque, il vive toujours plus de l'évangile ;
– pour les communautés rassemblées aujourd'hui dans les églises de pierre, afin qu'elles prennent mieux conscience qu'elles sont la maison que Dieu construit ;
– pour tous ceux et celles qui se dévouent à la sauvegarde, à l'entretien et à l'embellissement de nos édifices sacrés.

• CÉLÉBRER • On pourrait lire, auprès du baptistère, l'inscription du baptistère du Latran qu'on trouvera plus loin.

PRIÈRE D'OUVERTURE

Dieu qui choisis des pierres vivantes pour bâtir la demeure éternelle de ta gloire, fais abonder dans ton Église les fruits de l'Esprit que tu lui as donné : que le peuple qui t'appartient ne cesse pas de progresser pour l'édification de la Jérusalem céleste.

1re LECTURE — *L'eau qui jaillit du Temple assainit tout*

Lecture du livre d'Ézékiel — Ez 47, 1-2.8-9.12

Au cours d'une vision **reçue** du Seigneur, l'homme qui me guidait me fit revenir à l'entrée du Temple, et voici : sous le seuil du Temple, de l'eau jaillissait en direction de l'orient, puisque la façade du Temple était du côté de l'orient. L'eau descendait du côté droit de la façade du Temple, et passait au sud de l'autel. L'homme me fit sortir par la porte du nord et me fit faire le tour par l'extérieur, jusqu'à la porte qui regarde vers l'orient, et là encore l'eau coulait du côté droit. Il me dit : « Cette eau coule vers la région de l'orient, elle descend dans la vallée du Jourdain, et se déverse dans la mer Morte, dont elle assainit les eaux. En tout lieu où parviendra le torrent, tous les animaux pourront vivre et foisonner. Le poisson sera très abondant, car cette eau assainit tout ce qu'elle pénètre, et la vie apparaît en tout lieu où arrive le torrent. Au bord du torrent, sur les deux rives, toutes sortes d'arbres fruitiers pousseront ; leur feuillage ne se flétrira pas et leurs fruits ne manqueront pas. Chaque mois ils porteront des fruits nouveaux, car cette eau vient du sanctuaire. Les fruits seront une nourriture, et les feuilles un remède. »

PSAUME 45

- **Voici la demeure de Dieu parmi les hommes.**
- **Du temple de Dieu a jailli**
  le torrent de la vie éternelle.

Dieu est pour nous refuge et force,
secours dans la détresse, toujours offert.
Nous serons sans crainte si la terre est secouée,
si les montagnes s'effondrent au creux de la mer.

Le Fleuve, ses bras réjouissent la ville de Dieu,
la plus sainte des demeures du Très-Haut.
Dieu s'y tient : elle est inébranlable;
quand renaît le matin, Dieu la secourt.

Il est avec nous, le Seigneur de l'univers ;
citadelle pour nous, le Dieu de Jacob.
Venez et voyez les actes du Seigneur :
il détruit la guerre jusqu'au bout du monde.

2e LECTURE

« Vous êtes le temple de Dieu »

Lecture de la première lettre de saint Paul Apôtre aux Corinthiens — 1 Co 3, 9-11.16-17

Frères, vous êtes la maison que Dieu construit. Comme un bon architecte, avec la grâce que Dieu m'a donnée, j'ai posé les fondations. D'autres poursuivent la construction ; mais que chacun prenne garde à la façon dont il construit. Les fondations, personne ne peut en poser d'autres que celles qui existent déjà : ces fondations, c'est Jésus Christ.
N'oubliez pas que vous êtes le temple de Dieu et que l'Esprit de Dieu habite en vous. Si quelqu'un détruit le temple de Dieu, Dieu le détruira ; car le temple de Dieu est sacré, et ce temple, c'est vous.

Alléluia. Alléluia. « L'heure vient, et c'est maintenant, où les vrais adorateurs adoreront le Père en esprit et vérité. » **Alléluia.**

ÉVANGILE

« Le Temple dont il parlait, c'était son corps »

Évangile de Jésus Christ selon saint Jean — Jn 2, 13-22

Comme la Pâque des Juifs approchait, Jésus monta à Jérusalem. Il trouva installés dans le Temple les marchands de bœufs, de brebis et de colombes, et les changeurs. Il fit un fouet avec des cordes, et les chassa tous du Temple, ainsi que leurs brebis et leurs bœufs ; il jeta par terre la monnaie des changeurs, renversa leurs comptoirs, et dit aux marchands de colombes : « Enlevez cela d'ici. Ne faites pas de la maison de mon Père une maison de trafic. » Ses disciples se rappelèrent cette parole de l'Écriture : L'amour de ta maison fera mon tourment. Les Juifs l'interpellèrent : « Quel signe peux-tu nous donner pour justifier ce que tu fais là ? » Jésus leur répondit : « Détruisez ce Temple, et en trois jours je le relèverai. » Les Juifs lui répliquèrent : « Il a fallu quarante-six ans pour bâtir ce Temple, et toi, en trois jours tu le relèverais ! » Mais le Temple dont il parlait, c'était son corps. Aussi, quand il ressuscita d'entre les morts, ses disciples se rappelèrent qu'il avait dit cela : ils crurent aux prophéties de l'Écriture et à la parole que Jésus avait dite.

Prière sur les offrandes

Accueille, Seigneur, le sacrifice que nous t'offrons, et donne à ceux qui te supplient dans ton Église, d'être fortifiés par tes sacrements et de voir leurs prières exaucées. Par Jésus.

Préface

Vraiment, il est juste et bon de te rendre gloire, de t'offrir notre action de grâce, toujours et en tout lieu, à toi, Père très saint, Dieu éternel et tout-puissant. Dans ta bonté pour ton peuple, tu veux habiter cette maison de prière, afin que ta grâce toujours offerte fasse de nous un temple de l'Esprit, resplendissant de ta sainteté. De jour en jour tu sanctifies l'épouse du Christ, l'Église, dont nos églises d'ici-bas sont l'image, jusqu'au jour où elle entrera dans la gloire du ciel, heureuse de t'avoir donné tant de fils. C'est pourquoi, avec les anges et tous les saints, nous chantons et proclamons : **Saint !...**

Prière après la communion

Tu as voulu, Seigneur, que ton Église de la terre soit pour nous l'annonce de la Jérusalem céleste ; accorde-nous, par cette communion, d'être ici-bas le temple de ta grâce et d'entrer un jour dans la demeure de ta gloire. Par Jésus.

Ici coule la fontaine de vie

« Le peuple consacré pour le ciel
naît ici d'une semence de vie,
émerge de ces eaux
fécondées par l'Esprit.

Pour te rendre pur, plonge-toi, pécheur,
dans cette onde sacrée ;
l'homme ancien qu'elle reçoit,
elle en fait un homme nouveau.

Entre ceux qui renaissent,
il n'est plus de distance car ils sont un :
une seule source, un seul Esprit,
une seule foi.

Ceux qu'elle a conçus
par le Souffle de Dieu,
la mère Église en cette eau
virginalement les enfante.

Si tu veux être pur,
lave-toi dans ce bain,
que tu sois accablé par le péché d'Adam
ou par ta propre faute.

Ici coule la fontaine de vie
qui baigne l'univers,
elle prend sa source
dans la blessure du Christ.

Vous qui êtes renés à cette fontaine,
espérez le Royaume des cieux,
a vie bienheureuse n'accueille pas
ceux qui ne sont nés qu'une fois.

Que nul ne s'effraie ni du nombre
ni de la gravité de ses crimes,
s'il naît dans ce fleuve,
il sera sanctifié. »

Inscription du baptistère du Latran, à Rome, due à Sixte III, pape de 432 à 440,
dans : Clervaux et Saint-André, *Livre de la prière,* Brepols, 1987, p. 665.

Calendrier liturgique

Di 9	**Dédicace de la Basilique du Latran** *Liturgie des Heures : Psautier semaine IV.*
Lu 10	32e semaine du temps ordinaire. S. Léon le Grand, pape, docteur de l'Église, † 461, à Rome.
Ma 11	S. Martin, évêque de Tours, † 397.
Me 12	S. Josaphat, évêque de Polock (Lituanie), martyr, † 1623 à Vitebsk (Biélorussie).
Sa 15	*S. Albert le Grand, dominicain, évêque de Ratisbonne, docteur de l'Église, † 1280 à Cologne.*

Bonne fête ! 9 : Théodore, Théodora, Dora, Dorine. 10 : Léon, Lionel, Noé. 11 : Martin, Véran. 12 : Christian, Émilien. 13 : Brice, Diégo. 14 : Sidoine, Sidonie. 15 : Albert, Albéric, Léopold, Malo, Victoire.

Pour mémoire : le 11 novembre, anniversaire de l'armistice de 1918, et journée de prière pour les morts des guerres.

Pour prolonger la prière : Dieu fidèle, sur la foi de l'Apôtre Pierre, tu bâtis l'Église, et son témoignage reste le fondement de notre propre foi. Fais de nous les pierres vivantes dont tu bâtis ta demeure éternelle ; élargis notre accueil pour que les portes de ta maison s'ouvrent à tous les hommes.

33e dimanche

16 novembre 2014

SERVIR LE ROYAUME AVEC FIDÉLITÉ

L'attente de la venue du Seigneur rend fébriles les chrétiens de Thessalonique *(deuxième lecture)*. Paul les invite à ne pas avoir peur mais à vivre sous le regard de Dieu et à garder une vigilance. En effet, les fils de Lumière vivent, dans toutes leurs activités quotidiennes, la fidélité à leur baptême. Ils ne s'endorment pas et agissent en intendants sages et éveillés du Royaume que Dieu leur a confié.

Dans *l'évangile,* les serviteurs, livrés à leur seule liberté, attendent aussi le retour de leur maître. Le maître ne leur a donné aucune consigne. Alors, chacun à sa manière, va dévoiler sa conception de l'Alliance. Les deux premiers sont « bons et fidèles » parce qu'ils ont pour modèle le Dieu de l'Alliance, un Dieu bon et fidèle. Le troisième est présenté comme mauvais et paresseux parce qu'il a une fausse image du Seigneur, l'image d'un Dieu oppresseur, juge impitoyable. Jésus pose en réalité une question fondamentale : en quel Dieu croyons-nous et alors quelle est la fécondité de notre amour ? Si nous avons foi en un Dieu fidèle, nous serons créateurs et nos talents porteront du fruit ; ils produiront d'autres talents même si notre fécondité n'est pas toujours extraordinaire. Car chacun est appelé à produire selon ce qu'il a reçu.

Le portrait de la femme vaillante illustre bien l'agir responsable *(première lecture)*. Créative, elle sait mettre tous ses talents au service de sa famille et de la société, plus particulièrement au service des plus démunis. Grandeur d'une vie habitée par la Sagesse, et vouée au service des autres. Ici encore, Dieu est la source du service fidèle de cette femme, de son amour pour les autres, un amour fécond. Aujourd'hui comme hier, Dieu fait fructifier nos vies si nous faisons le choix de le laisser agir en nous. Entrons dans sa joie.

Suggestions pour la célébration

• **CHANTER** • Pour la procession d'ouverture : ***Fais paraître ton jour*** **CNA 552,** ***Pour avancer ensemble*** **CNA 524,** ***Dieu est à l'œuvre en cet âge*** **CNA 541,** ***Quand le Seigneur se montrera*** **CNA 581.**

Après l'homélie : ***Encore un peu de temps*** **CNA 367,** ***Veillons jusqu'au jour*** **M 516.**

Pour la procession de communion : ***C'est toi, Seigneur, le pain rompu*** **CNA 322** (couplets 1, 4, 7 et 11) ***La Sagesse a dressé une table*** **CNA 332.**

Pour l'action de grâce : ***N'ayons pas peur*** **T 72,** ***Dieu est à l'œuvre en cet âge*** **CNA 541,** ***Celui qui a mangé de ce pain*** **CNA 321.**

• **PRIER** •

POUR LA PRÉPARATION PÉNITENTIELLE

Seigneur Jésus, envoyé par le Père pour nous sauver,
tiens-nous en éveil et prends pitié de nous.
Ô Christ, tu viens toujours à notre rencontre,
tiens-nous en éveil et prends pitié de nous.
Seigneur Jésus, tu viendras à la fin des temps,
tiens-nous en éveil et prends pitié de nous.

POUR LA PRIÈRE UNIVERSELLE

Nous pouvons prier :
– pour l'Église : qu'elle ne garde pas enfoui le trésor de l'Évangile ;
– pour les dirigeants politiques : qu'ils mettent leurs talents au service du bien commun ;
– pour les bénévoles des associations humanitaires : qu'ils découvrent le Christ dans le visage de ceux qu'ils servent ;
– pour ceux qui ont peur de l'avenir : qu'ils puissent accueillir la paix que Dieu donne ;
– pour notre communauté : qu'elle soit, à travers chacun de ses membres, signe du Christ serviteur.

• **CÉLÉBRER** • La proclamation des textes de ce jour demande une sérieuse préparation pour mettre en évidence l'interrogation de la première lecture, les oppositions de la deuxième, la force d'interpellation de l'évangile.

Après l'homélie, un temps de silence permettra à la Parole de pénétrer les cœurs.

L'envoi insistera sur la nécessité, pour le chrétien, de vivre en serviteur fidèle et vigilant.

Prière d'ouverture

Accorde-nous, Seigneur, de trouver notre joie dans notre fidélité : car c'est un bonheur durable et profond de servir constamment le Créateur de tout bien. Par Jésus Christ.

1re lecture *La femme vaillante fait fructifier ses talents*

Lecture du livre des Proverbes Pr 31, 10-13.19-20.30-31

La femme vaillante, qui donc peut la trouver ? Elle est infiniment plus précieuse que les perles. Son mari peut avoir confiance en elle : au lieu de lui coûter, elle l'enrichira. Tous les jours de sa vie, elle lui épargne le malheur et lui donne le bonheur. Elle a fait provision de laine et de lin, et ses mains travaillent avec entrain. Sa main saisit la quenouille, ses doigts dirigent le fuseau. Ses doigts s'ouvrent en faveur du pauvre, elle tend la main au malheureux.

Décevante est la grâce, et vaine la beauté ; la femme qui craint le Seigneur est seule digne de louange. Reconnaissez les fruits de son travail : sur la place publique, on fera l'éloge de son activité.

Psaume 127

- **Heureux le serviteur fidèle :**
  Dieu lui confie sa maison !
- **Heureux es-tu, à toi le bonheur.**

Heureux qui craint le Seigneur
et marche selon ses voies !
Tu te nourriras du travail de tes mains :
Heureux es-tu ! À toi, le bonheur !

Ta femme sera dans ta maison
comme une vigne généreuse,
et tes fils, autour de la table,
comme des plants d'olivier.

Voilà comment sera béni
l'homme qui craint le Seigneur.
Que le Seigneur te bénisse tous les jours de ta vie,
et tu verras les fils de tes fils.

2e LECTURE *Soyons vigilants pour attendre la venue du Seigneur*

Lecture de la première lettre de saint Paul Apôtre aux Thessaloniciens — 1 Th 5, 1-6

Frères, au sujet de la venue du Seigneur, il n'est pas nécessaire qu'on vous parle de délais ou de dates. Vous savez très bien que le jour du Seigneur viendra comme un voleur dans la nuit. Quand les gens diront : « Quelle paix ! quelle tranquillité ! », c'est alors que, tout à coup, la catastrophe s'abattra sur eux, comme les douleurs sur la femme enceinte : ils ne pourront pas y échapper. Mais vous, frères, comme vous n'êtes pas dans les ténèbres, ce jour ne vous surprendra pas comme un voleur. En effet, vous êtes tous des fils de la lumière, des fils du jour ; nous n'appartenons pas à la nuit et aux ténèbres. Alors, ne restons pas endormis comme les autres, mais soyons vigilants et restons sobres.

Alléluia. Alléluia. Voici qu'il vient sans tarder, le Seigneur : il apporte avec lui le salaire, pour donner à chacun selon ce qu'il aura fait. **Alléluia.**

ÉVANGILE

La venue du Fils de l'homme.
Faire fructifier les dons du Seigneur

Évangile de Jésus Christ selon saint Matthieu — Mt 25, 14-30

Jésus parlait à ses disciples de sa venue ; il disait cette parabole : « Un homme, qui partait en voyage, appela ses serviteurs et leur confia ses biens. À l'un il donna une somme de cinq talents, à un autre deux talents, au troisième un seul, à chacun selon ses capacités. Puis il partit. Aussitôt, celui qui avait reçu cinq talents s'occupa de les faire valoir et en gagna cinq autres. De même, celui qui avait reçu deux talents en gagna deux autres. Mais celui qui n'en avait reçu qu'un creusa la terre et enfouit l'argent de son maître.

Longtemps après, leur maître revient et il leur demande des comptes. Celui qui avait reçu les cinq talents s'avança en apportant cinq autres talents et dit : "Seigneur, tu m'as confié cinq talents ; voilà, j'en ai gagné cinq autres. – Très bien, serviteur bon et fidèle, tu as été fidèle pour peu de choses, je t'en confierai beaucoup ; entre dans la joie de ton maître."

Celui qui avait reçu deux talents s'avança ensuite et dit : "Seigneur, tu m'as confié deux talents ; voilà, j'en ai gagné deux autres. – Très bien, serviteur bon et fidèle, tu as été fidèle pour peu de choses, je t'en confierai beaucoup ; entre dans la joie de ton maître."

Celui qui avait reçu un seul talent s'avança ensuite et dit : "Seigneur, je savais que tu es un homme dur ; tu moissonnes là où tu n'as pas semé, tu ramasses là où tu n'as pas répandu le grain. J'ai eu peur, et je suis allé enfouir ton talent dans la terre. Le voici. Tu as ce qui t'appartient." Son maître lui répliqua : "Serviteur mauvais et paresseux, tu savais que je moissonne là où je n'ai pas semé, que je ramasse le grain là où je ne l'ai pas répandu. Alors, il fallait placer mon argent à la banque ; et, à mon retour, je l'aurais retrouvé avec les intérêts. Enlevez-lui donc son talent et donnez-le à celui qui en a dix. Car celui qui a recevra encore, et il sera dans l'abondance. Mais celui qui n'a rien se fera enlever même ce qu'il a. Quant à ce serviteur bon à rien, jetez-le dehors dans les ténèbres ; là il y aura des pleurs et des grincements de dents !" »

Prière sur les offrandes

Permets, Seigneur notre Dieu, que l'offrande placée sous ton regard nous obtienne la grâce de vivre pour toi, et nous donne l'éternité bienheureuse. Par Jésus.

Prière après la communion

Nous venons de communier, Seigneur, au don sacré du corps et du sang de ton Fils, et nous te prions humblement : que cette eucharistie offerte en mémoire de lui, comme il nous a dit de le faire, augmente en nous la charité. Par Jésus.

Avoir la foi

« Avoir la foi, c'est avoir fait la rencontre personnelle de Dieu, la rencontre personnelle de Jésus-Christ dans sa vie, les avoir introduits dans son expérience quotidienne afin qu'ils y demeurent présents. C'est être entré dans l'histoire de Dieu et du Christ, savoir que Dieu aime et sauve par Jésus-Christ. C'est tenir pour importants l'amour et le salut venant de Dieu, donc admettre que Dieu a un projet sur les hommes, vouloir y participer et pouvoir établir un lien entre sa propre vie et l'histoire de Dieu et du Christ. »

Joseph Wresinski, *Les Pauvres, rencontre du vrai Dieu,* Éd. du Cerf, 2005, p. 24.

Calendrier liturgique

Di 16 **33e dimanche A.**
Liturgie des Heures : Psautier semaine I.
[Ste Marguerite, reine d'Ecosse, † 1093 à Edimbourg.
Ste Gertrude, vierge, moniale, † v. 1302 à Helfta (Allemagne).]

Lu 17 Ste Élisabeth de Hongrie, duchesse de Thuringe, † 1231 à Marburg (Allemagne)

Ma 18 *Dédicace des basiliques romaines de S. Pierre et S. Paul, Apôtres (1626 et 1854).*

Ve 21 Présentation de la Vierge Marie.
Sa 22 Ste Cécile, vierge martyre à Rome (premiers siècles).

Bonne fête ! 16 : Gertrude, Marguerite, Daisy. 17 : Élisabeth, Élise, Bettina, Babette, Hilda. 18 : Aude. 19 : Mechtilde, Tanguy. 20 : Edmond, Edma, Octave. 21 : Maur. 22 : Cécile, Sheila, Célia.

Pour mémoire : aujourd'hui, 3e dimanche de novembre, journée du Secours Catholique.

Il y a cinquante ans, le 21 novembre 1964, le pape Paul VI promulguait trois textes importants issus des travaux de la 3e session du concile Vatican II (14 septembre – 2 novembre 1964) : le décret sur les Églises catholiques orientales, le décret sur l'Œcuménisme *(Unitatis redintegratio)* et la Constitution dogmatique *Lumen Gentium*. Ce document majeur se propose de sortir d'une conception juridique et sociologique de l'Église pour la présenter dans son mystère : peuple de Dieu appelé à la sainteté où tous, évêques, prêtres, laïcs, religieux, ont leur place spécifique.

« Le bon vouloir de Dieu a été que les hommes ne reçoivent pas la sanctification et le salut séparément, hors de tout lien mutuel ; il a voulu en faire un peuple qui le connaîtrait selon la vérité et le servirait dans la sainteté. [...] Le Christ appelle la foule des hommes de parmi les Juifs et de parmi les Gentils, pour former un tout selon la chair mais dans l'Esprit et devenir le nouveau Peuple de Dieu. Ceux, en effet, qui croient au Christ, qui sont "re-nés" non d'un germe corruptible mais du germe incorruptible qui est la parole du Dieu vivant (cf. 1 P 1, 23), non de la chair, mais de l'eau et de l'Esprit Saint (cf. Jn 3, 5-6), ceux-là constituent finalement "une race élue, un sacerdoce royal, une nation sainte, un peuple que Dieu s'est acquis, ceux qui autrefois n'étaient pas un peuple étant maintenant le Peuple de Dieu" (1 P 2, 9-10) ».

Vatican II, Constitution dogmatique *Lumen gentium*, 9.

Pour prolonger la prière : À toi notre louange, Seigneur Dieu ! Sans cesse, tu nous renouvelles ta confiance, tu nous remets la terre, et notre vie, et nos frères les hommes. Jusque dans nos actes les plus humbles, garde-nous émerveillés de participer à ton œuvre d'amour. Par Jésus, le Christ, notre Seigneur : avec lui, nous te rendons grâce pour les siècles des siècles.

LA QUÊTE, LA « SECRÈTE » ET LA PRIÈRE SUR LES OFFRANDES

Saint Justin (fin IIe s.) présente l'assemblée dominicale comme le lieu du partage entre les chrétiens : la « fraction du pain » engage la « communion fraternelle » (Ac 2, 44-45). Dès l'Antiquité, au nom du sacerdoce reçu à leur baptême, les fidèles apportaient à l'église ce qu'ils avaient pris sur leur propre table pour l'eucharistie à laquelle ils allaient communier. D'autre part, les contributions en numéraire fournies depuis toujours par les chrétiens pour les besoins de l'Église et pour les pauvres étaient mises en relation avec la célébration de l'Eucharistie.

L'apport du pain et du vin relève donc à la fois de l'Eucharistie et de la charité. À Rome, sept diacres étaient chargés de s'occuper des pauvres et géraient les biens apportés par les fidèles : *oblata,* les offrandes. Une partie seulement de ce qui était recueilli était destinée à l'autel, car il y en avait toujours plus qu'il n'était nécessaire. Le reste devait aller sur les tables du clergé dont la communauté assurait la subsistance, et sur celles des indigents. Toutefois on distinguait ces offrandes de celles qui étaient destinées à l'Eucharistie. Des tables spéciales accueillaient les dons des fidèles, pendant que du pain et du vin prélevés sur ces dons et mis à part dans un meuble appelé *secretarium* étaient ensuite posés sur l'autel. La prière qui terminait la procession des offrandes, *oratio super oblata,* était dite à haute voix, comme les autres oraisons. Curieusement, à partir du VIIIe siècle, elle a pris le nom de « secrète » et s'est trouvée dite à voix basse. Certains, comme Bossuet, font remonter ce joli nom de « secrète » à *segregata,* choses mises à part, se référant à la pratique antique, et mettant en évidence le lien intrinsèque entre le pain et le vin offerts en sacrifice spirituel, et les offrandes matérielles des fidèles : le sacrifice du Christ est inséparable de son incarnation. À partir du IXe siècle, on prit l'habitude de prononcer le Canon à voix basse pour mettre en valeur le sens du mystère. La proximité du mot *secreta* avec le mot « secret » expliquerait que cette oraison ait été dite à voix basse jusqu'à ce que la réforme liturgique du missel de Paul VI, douze siècles plus tard, rectifie cette erreur et redonne à la prière son appellation d'origine.

La quête actuelle sert toujours à faire vivre l'Église et les pauvres. Elle est habituellement déposée au pied de l'autel.

I. R.-C.

Le Christ, roi de l'univers 23 novembre 2014

LE CHRIST, CLEF DE VOÛTE DE L'UNIVERS

Dans les textes de ce jour qui viennent clore l'année liturgique, deux images se superposent, antinomiques et complémentaires : celle du bon berger *(première lecture, psaume)*, lancée par le prophète Ézékiel pour redonner l'espérance au peuple dispersé par l'exil. Relayée par la pensée grecque, elle sera reprise dans l'Évangile : le Christ orphique sur les parois des catacombes prend soin des hommes qu'il connaît et qu'il aime comme ses brebis, et qu'il guide avec sollicitude au-delà des ravins de la mort.

L'autre image, fréquente dans les absides et sur le tympan des églises, montre un Christ en gloire dans une mandorle, jugeant l'univers à la fin du monde, avec tous les attributs de la royauté *(deuxième lecture, évangile)*. Cette image régalienne a bien besoin de celle du bon berger pour que nous comprenions le sens de la royauté de Jésus, symbolisée par la croix.

Paul est formel : « Le Christ est ressuscité d'entre les morts pour être parmi les morts le premier ressuscité ». La structure croisée des groupes de mots lie intimement les contraires : ressuscité, le Christ ne meurt plus, mais la mort n'est pas niée, elle est transcendée par l'amour. Cet amour qui seul permet de déceler le visage du Christ dans celui des pauvres que nous excluons de notre vie. Le tympan de Conques place la croix au sommet de la composition du Jugement dernier. On y lit : « Ce signe de la croix sera dans le ciel quand le Seigneur viendra juger le monde ». La résurrection elle-même ne se comprend que par la croix.

C'est justement pour avoir annoncé sa paradoxale royauté que Jésus sera mis à mort. Pauvre parmi les pauvres, dépouillé, meurtri, persécuté, il prendra librement le chemin de sa passion. Seuls les yeux de l'amour et de la foi pourront déceler en lui le Juge dans les mains de qui le Père a remis le monde et sa justice.

Suggestions pour la célébration

• CHANTER • Pour la procession d'ouverture, ***Christ, Roi du monde*** **CNA 539** permettra d'entrer dans le mystère de la royauté du Christ. On peut prendre aussi ***Fais paraître ton Jour*** CNA 552 (couplets 1, 3, 5, 7) ou ***Hymne au Christ*** M 42-66-4. ***Envoyés dans ce monde*** **CNA 443**, ***Pour avancer ensemble*** CNA 524 iront bien aussi.

Les litanies pénitentielles ***Jésus, berger de toute humanité*** G 301, ou ***Jésus, Verbe de Dieu*** CNA 696 mettront dans l'esprit des lectures.

L'acclamation de l'Évangile pourra revêtir un aspect vraiment festif avec ***Alléluia, louange et gloire à toi*** CNA 215-1, ***Alléluia irlandais*** **CNA 215-37** ou ***Alléluia de Liège*** **CNA 215-30.**

Pour une méditation après l'homélie, ***Qui donc est Dieu ?*** CNA 582 ou CNA 583, ***Un homme au cœur de feu*** T 170, ***Christ, roi du monde*** **CNA 539**, ***Voici l'homme*** H 18-36 ou ***Il est l'agneau et le pasteur*** **CNA 556** feront écho à la royauté paradoxale du Christ.

On soignera l'anamnèse, qui annonce la venue du Seigneur dans la gloire, avec par exemple ***Jésus, messie humilié*** **CNA 246.**

Pour la fraction du pain : ***Agneau de Dieu*** CNA 304, ***Agneau glorieux*** CNA 312 ou ***Agneau de Dieu, agneau vainqueur*** CNA 310.

Pendant la communion, on peut chanter ***En mémoire du Seigneur*** **CNA 327**, ***De la table du Seigneur*** CNA 324 ou ***Seigneur Jésus tu es vivant*** CNA 586, ***Tu nous guideras*** CNA 596, ***Pain véritable*** CNA 340.

Pour l'action de grâce : ***Il est l'agneau et le pasteur*** CNA 556, ***Nous chanterons pour toi, Seigneur*** CNA 569 (strophes 8, 9, 10 et 11), ***Dieu Très-Haut qui fais merveille*** CNA 548, ***Roi du ciel*** L 35, ou ***Chantons à Dieu*** CNA 338.

À l'envoi, on peut entonner le refrain : ***Allez dire à tous les hommes*** **CNA 532.**

• PRIER • **POUR LA PRÉPARATION PÉNITENTIELLE**

Seigneur Jésus, tu es le Bon pasteur attentif à tes brebis,
béni sois-tu, prends pitié de nous.

Ô Christ, tu instaures un règne d'amour et de paix,
béni sois-tu, prends pitié de nous.

Seigneur, élevé dans la gloire du Père, tu justifies le monde au prix de ta vie,
béni sois-tu, prends pitié de nous.

POUR LA PRIÈRE UNIVERSELLE

Nous confions à Dieu :
– son Église, afin que, comme le Christ, elle prenne toujours le parti des pauvres et des êtres sans défense ;
– ceux qui luttent au péril de leur vie en faveur de la justice et de la paix ;
– les hommes et les femmes abandonnés, sans amis, sans ressources, sans espoir ou condamnés ;
– les membres de nos communautés, pour qu'ils s'accueillent mutuellement sans discrimination et sans arrière-pensées.

• CÉLÉBRER • C'est la croix qu'il faut mettre en valeur ce dimanche, par la décoration, les fleurs et la lumière. Après la procession d'entrée, on la mettra au centre et à la tête de l'assemblée. Tous les ministres du culte se tourneront vers elle, y compris l'animateur de chants pendant le rite pénitentiel.

Pour clôturer l'année liturgique, le Missel propose une triple bénédiction solennelle.

PRIÈRE D'OUVERTURE

Dieu éternel, tu as voulu fonder toutes choses en ton Fils bien-aimé, le Roi de l'univers ; fais que toute la création, libérée de la servitude, reconnaisse ta puissance et te glorifie sans fin. Par Jésus Christ.

1re LECTURE — *Dieu, pasteur de son peuple*

Lecture du livre d'Ézékiel — Ez 34, 11-12.15-17

Parole du Seigneur Dieu. Maintenant, j'irai moi-même à la recherche de mes brebis, et je veillerai sur elles. Comme un berger veille sur les brebis de son troupeau quand elles sont dispersées, ainsi je veillerai sur mes brebis, et j'irai les délivrer dans tous les endroits où elles ont été dispersées un jour de brouillard et d'obscurité. C'est moi qui ferai paître mon troupeau, c'est moi qui le ferai reposer, déclare le Seigneur Dieu ! La brebis perdue, je la chercherai ; l'égarée, je la ramènerai. Celle qui est blessée, je la soignerai. Celle qui est faible, je lui rendrai des forces. Celle qui est grasse et vigoureuse, je la garderai, je la ferai paître avec justice. Et toi, mon troupeau, déclare le Seigneur Dieu, apprends que je vais juger entre brebis et brebis, entre les béliers et les boucs.

PSAUME 22

• **Le Seigneur est mon berger :**
rien ne saurait me manquer.

• **Roi de l'univers, Berger de l'humanité,**
toi seul es notre juge.

Le Seigneur est mon berger :
je ne manque de rien.
Sur des prés d'herbe fraîche,
il me fait reposer.

Il me mène vers les eaux tranquilles
et me fait revivre ;
il me conduit par le juste chemin
pour l'honneur de son nom.

Si je traverse les ravins de la mort,
je ne crains aucun mal,
car tu es avec moi,
ton bâton me guide et me rassure.

Tu prépares la table pour moi
devant mes ennemis ;
tu répands le parfum sur ma tête,
ma coupe est débordante.

Grâce et bonheur m'accompagnent
tous les jours de ma vie ;
j'habiterai la maison du Seigneur
pour la durée de mes jours.

2e LECTURE — *Le Christ, alpha et oméga*

Lecture de la première lettre de saint Paul Apôtre aux Corinthiens — 1 Co 15, 20-26.28

Le Christ est ressuscité d'entre les morts pour être parmi les morts le premier ressuscité. Car, la mort étant venue par un homme, c'est par un homme aussi que vient la résurrection. En effet, c'est en Adam que meurent tous les hommes ; c'est dans le Christ que tous revivront, mais chacun à son rang : en premier, le Christ ; et ensuite, ceux qui seront au Christ lorsqu'il reviendra. Alors, tout sera achevé, quand le Christ remettra son pouvoir royal à Dieu le Père, après avoir détruit toutes les puissances du mal. C'est lui en effet qui doit régner jusqu'au jour où il aura mis sous ses pieds tous ses ennemis. Et le dernier ennemi qu'il détruira, c'est la mort. Alors, quand tout sera sous le pouvoir du Fils, il se mettra lui-même sous le pouvoir du Père qui lui aura tout soumis, et ainsi, Dieu sera tout en tous.

Alléluia. Alléluia. Béni soit le règne de David notre Père, le Royaume des temps nouveaux ! Béni soit au nom du Seigneur celui qui vient ! **Alléluia.**

ÉVANGILE — *« C'est à moi que vous l'avez fait »*

Évangile de Jésus Christ selon saint Matthieu — Mt 25, 31-46

Jésus parlait à ses disciples de sa venue : « Quand le Fils de l'homme viendra dans sa gloire, et tous les anges avec lui, alors il siégera sur son trône de gloire. Toutes les nations seront rassemblées devant lui ; il séparera les hommes les uns des autres, comme le berger sépare les brebis des chèvres : il placera les brebis à sa droite, et les chèvres à sa gauche.

Alors le Roi dira à ceux qui seront à sa droite : “Venez, les bénis de mon Père, recevez en héritage le Royaume préparé pour vous depuis la création du monde. Car j'avais faim, et vous m'avez donné à manger ; j'avais soif, et vous m'avez donné à boire ; j'étais un étranger, et vous m'avez accueilli ; j'étais nu, et vous m'avez habillé ; j'étais malade, et vous m'avez visité ; j'étais en prison, et vous êtes venus jusqu'à moi !”

Alors les justes lui répondront : “Seigneur, quand est-ce que nous t'avons vu... ? tu avais donc faim, et nous t'avons nourri ? tu avais soif, et nous t'avons donné à boire ? tu étais un étranger, et nous t'avons accueilli ? tu étais nu, et nous t'avons habillé ? tu étais malade ou en prison... Quand sommes-nous venus jusqu'à toi ?”

Et le Roi leur répondra : “Amen, je vous le dis, chaque fois que vous l'avez fait à l'un de ces petits qui sont mes frères, c'est à moi que vous l'avez fait.”

Alors il dira à ceux qui seront à sa gauche : “Allez-vous-en loin de moi, maudits, dans le feu éternel préparé pour le démon et ses anges. Car j'avais faim, et vous ne m'avez pas donné à manger ; j'avais soif, et vous ne m'avez pas donné à boire ; j'étais un étranger, et vous ne m'avez pas accueilli ; j'étais nu et vous ne m'avez pas habillé ; j'étais malade et en prison, et vous ne m'avez pas visité.”

Alors ils répondront, eux aussi : “Seigneur, quand est-ce que nous t'avons vu avoir faim et soif, être nu, étranger, malade ou en prison, sans nous mettre à ton service ?”

Il leur répondra : “Amen, je vous le dis, chaque fois que vous ne l'avez pas fait à l'un de ces petits, à moi non plus vous ne l'avez pas fait.”

Et ils s'en iront, ceux-ci au châtiment éternel, et les justes, à la vie éternelle. »

Prière sur les offrandes

En offrant le sacrifice qui te réconcilie les hommes, Seigneur, nous te prions : que ton Fils lui-même accorde à tous les peuples les biens de l'unité et de la paix. Lui qui règne.

Préface

Vraiment, il est juste et bon de te rendre gloire, de t'offrir notre action de grâce, toujours et en tout lieu, à toi, Père très saint, Dieu éternel et tout-puissant.

Tu as consacré Prêtre éternel et Roi de l'univers ton Fils unique, Jésus Christ, notre Seigneur, afin qu'il s'offre lui-même sur l'autel de la Croix en victime pure et pacifique, pour accomplir les mystères de notre rédemption, et qu'après avoir soumis à son pouvoir toutes les créatures, il remette aux mains de ta souveraine puissance un règne sans limite et sans fin : règne de vie et de vérité, règne de grâce et de sainteté, règne de justice, d'amour et de paix.

C'est pourquoi, avec les anges et tous les saints, nous proclamons ta gloire, en chantant (disant) d'une seule voix : **Saint !...**

Prière après la communion

Après avoir partagé le pain de l'immortalité, nous te supplions Seigneur : nous mettons notre gloire à obéir au Christ Roi de l'univers, fais que nous puissions vivre avec lui, éternellement, dans la demeure du ciel. Lui qui règne.

Hymne après la communion

« Gloire à toi, notre Père, pour la gloire de ton Fils
Qui excelle en beauté sur tous les univers !
Si ta plus belle grâce est pour l'infortuné
Qui ne possède rien, lui, pour te bénir,
Que l'amour annonçant la fête auprès de toi
Nous envoie à son cœur sans fête. »

P. de La Tour du Pin, *Concert eucharistique*.

Que ton règne vienne

« Toi que nous confessons comme Seigneur, nous te prions ardemment : viens régner en nos cœurs et dans le cœur des humains ! Nous nous rappelons en même temps la parole de Jésus : "Ma royauté n'est pas de ce monde" ; donne-nous de ne pas confondre ton Règne avec un pouvoir terrestre ni avec une chrétienté triomphaliste. Et alors que nos Églises connaissent aujourd'hui une plus grande fragilité, alors qu'elles ont perdu une part de leur influence sur la vie des sociétés, fais que nous n'allions pas pour autant nous replier sur nous-mêmes pour nous donner ainsi l'illusion de demeurer puissants. Fais fructifier en nous et parmi nous la semence de ton Royaume, répands en notre monde ton Règne de justice et de paix. »

Groupe des Dombes, « *Vous donc, priez ainsi* », Bayard, 2012, p. 166.

Calendrier liturgique

Di 23 **LE CHRIST, ROI DE L'UNIVERS**
Liturgie des Heures : Psautier semaine II.
[S. Clément Ier, pape et martyr, † vers 97 à Rome.
S. Colomban, abbé de Luxeuil (Haute Saône), † 615 à Bobbio (Italie).]

Lu 24 34e semaine du temps ordinaire.
S. André Dung-Lac, prêtre, et ses compagnons, martyrs au Viet-nam, † 1845 à 1862.

Ma 25 *Ste Catherine d'Alexandrie, vierge et martyre.*

Me 26 *En Belgique, S. Jean Berchmans, jésuite, † 13 août 1621 à Rome.*

Bonne fête ! 23 : Clément, Rachilde, Clémentine, Colomban. 24 : Flora. 25 : Catherine, Katia, Ketty, Katel. 26 : Delphine, Conrad, Kurt. 27 : Astrid, Séverin, Séverine. 28 : Jacques. 29 : Saturnin.

Pour prolonger la prière : Seigneur Dieu, Ami des hommes, ta grâce nous fait reconnaître notre Roi en Jésus crucifié et couronné d'épines. Donne-nous de choisir, nous aussi, l'amour comme seule force et l'humble service pour unique grandeur. Et nous pourrons participer à la joie de ton Royaume pour les siècles des siècles.

PRIÈRES DU CHRÉTIEN

Au nom du Père, et du Fils, et du Saint-Esprit. Amen.

Notre Père qui es aux cieux,
que ton nom soit sanctifié,
que ton règne vienne,
que ta volonté soit faite
sur la terre comme au ciel.

Donne-nous aujourd'hui
notre pain de ce jour.
Pardonne-nous nos offenses,
comme nous pardonnons aussi
à ceux qui nous ont offensés.
Et ne nous soumets pas à la tentation [1],
mais délivre-nous du Mal.

Car c'est à toi qu'appartiennent le règne,
la puissance et la gloire pour les siècles des siècles !

Je vous salue, Marie, pleine de grâce,
le Seigneur est avec vous ;
vous êtes bénie entre toutes les femmes,
et Jésus, le fruit de vos entrailles, est béni.
Sainte Marie, Mère de Dieu,
priez pour nous, pauvres pécheurs,
maintenant et à l'heure de notre mort. Amen.

Gloire au Père, et au Fils, et au Saint-Esprit,
au Dieu qui est, qui était, et qui vient,
pour les siècles des siècles. Amen.

Credo – Je crois en Dieu, le Père tout-puissant (Symbole des Apôtres), p. 19.
– Je crois en un seul Dieu, le Père tout-puissant (Symbole de Nicée-Constantinople), p. 17.

[1] ou : « Et ne nous laisse pas entrer en tentation »

Table des lectures bibliques

** Possibilité d'une lecture abrégée.*